ANALES DE LA LITERATURA ESPAÑOLA CONTEMPORÁNEA / ANNALS OF CONTEMPORARY SPANISH LITERATURE

30th Anniversary
Volume 30, Issues 1-2 (2005)

General Editor: Luis T. González-del-Valle
(Colorado at Boulder)
Editor: Dru Dougherty (California, Berkeley)
Editor: Kathleen M. Glenn (Wake Forest)
Editor: Margarita Santos Zas (Santiago de Compostela)
Editor: María Francisca Vilches de Frutos
(Consejo Superior de Investigaciones Científicas)
Editor: Darío Villanueva (Santiago de Compostela)
Managing Editor:
Associate Editor: Pilar Nieva de la Paz (Consejo Superior de
Investigaciones Científicas)
Assistant to the Editor: Silvia Arroyo (Colorado at Boulder)
Assistant to the Editor: Teresa Vilariño Picos
(Santiago de Compostela)

CONTENTS/CONTENIDO

Carta de los editores. Darío Villanueva y Luis T. González del Valle 9

The Politics of Language: Performance and Disguise in Contemporary Catalan Narrative. Maryellen Bieder 11

El teatro de Azorín: "Comedia del arte". María del Carmen Bobes Naves 33

Benavente en clave homoerótica: *El rival de su mujer (1933)*. Dru Dougherty 55

Almodóvar and the Theatre. Gwynne Edwards 77

Between Europe and Africa: Modernity, Race, and Nationality in the Correspondence of Miguel de Unamuno and Joan Maragall. Brad Epps 97

Sueño de sombras: *La novela de Don Sandalio, jugador de Ajedrez* por Miguel de Unamuno. Carlos Feal 133

Miradas sobre el cuerpo (fragmento para una historia literaria de la modernidad en España). Luis Fernández Cifuentes 153

La edad de la literatura (1800-2000). Germán Gullón 179

Javier Marías's *Tu rostro mañana*: The Search for a Usable Future. David K. Herzberger 205

Buero Vallejo en la Guerra Civil. Luis Iglesias Feijoo 221

Issues and Arguments in Twentieth-Century Spanish Feminist Theory. Roberta Johnson 243

Otra vez en los años treinta: literatura y compromiso político. José Carlos Mainer 273

Facing Towards Alterity and Spain's "Other" New Novelists. Nina L. Molinaro 301

El siglo XX. Literatura, tecnología, apocalipsis. Gonzalo Navajas 325

Imágenes de mujer en la narrativa de Wenceslao Fernández Flórez. (Una contribución a la definición ideológica del escritor). Pilar Nieva de la Paz 345

Filiaciones valleinclanescas en *Divinas palabras*. José Manuel Pereiro-Otero 371

El teatro en el cine mudo. Análisis de dos ejemplos de la producción española. José Antonio Pérez Bowie 395

La mirada retrospectiva: nostalgia y utopía en el cine hispánico contemporáneo. *Las huellas borradas* (1999) de Enrique Gabriel. José M. del Pino 433

Eduardo Marquina y el *Modernismo Castizo* en el teatro. Jesús Rubio Jiménez 457

Depolarization and the New Spanish Fiction at the Millennium. Robert C. Spires 485

Max Aub y la mirada del "otro" africano. Michael Ugarte 513

Identidad y mito en el teatro de Federico García Lorca: *La zapatera prodigiosa*. María Francisca Vilches de Frutos 525

Women Playwrights in Early Twentieth-Century Spain (1989-1936): Gynocentric Perspectives on National Decline and Change. John C. Wilcox 551

PERSPECTIVAS CRÍTICAS:
HORIZONTES INFINITOS

Reflexiones sobre el arte y la novela. Ramón Hernández .. 569

Honorary Fellows of the Society of Spanish and Spanish-American Studies 587

*A Dámaso Alonso, H.L. Boudreau,
Andrew P. Debicki, Kathleen M.
Glenn, Sumner M. Greenfield y
Ricardo Gullón, hispanistas*

CARTA DE LOS EDITORES

Cuando conmemoramos los treinta años de publicación ininterrumpida de nuestra revista, cumple recordar las etapas o ciclos que ha recorrido desde sus comienzos en 1976. Entre ese año y 1978 aparecieron tres tomos de *Anales de la novela de posguerra*, pero muy pronto se amplió el campo literario acotado para dar lugar a *Anales de la narrativa española contemporánea*, que se editó en 1979 y 1980. Todos recordamos el auge que en aquel decenio y los anteriores tenían los estudios sobre la novela y el relato, todo ello favorecido por los desarrollos de la narratología. Desde el tomo sexto nuestra publicación adquirió su título actual, *Anales de la literatura española contemporánea*, con el propósito de atender también a los estudios de la poesía, el ensayo y el drama/teatro. Ello demandó, incluso, la incorporación de volúmenes monográficos, como los dedicados al drama/teatro o el *Anuario Valle-Inclán*, que desde 2001 viene constituyendo la tercera entrega anual de *ALEC*.

Quiere ello decir que *ALEC* es el resultado de un proceso de experimentación con las posibilidades y los límites de los estudios literarios en nuestro campo, y que hemos procurado adaptar la revista a las necesidades detectadas en tres momentos concretos de ese período comprendido entre 1976 y 2005. Su propia pervivencia nos hace pensar que las decisiones tomadas no fueron del todo desacertadas, y que *ALEC* ha llegado a cumplir su cometido con eficacia.

Desde sus inicios, *Anales* fue concebida como un reto, y su objetivo principal consistió en la exigencia de calidad. "Excellence in literary criticism will be our aim," decía la carta del Editor en su primer tomo de 1976, y semejante propósito nunca ha sido abandonado por la revista. Para alcanzar este logro ha sido determinante el apoyo y la colaboración desinteresada que nos han prestado numerosos colegas, tanto americanos como europeos, e incluso de otras procedencias. Ellos nos han obsequiado con su tiempo, su criterio y su entusiasmo para hacer factible la perseverancia en la calidad en un anuario que explora, desde diversos ángulos y perspectivas, aspectos significativos de las letras españolas contemporáneas, desde comienzos del Siglo XX hasta la actualidad.

Son algunos de estos generosos colegas, casi todos ellos miembros de nuestro Comité Editorial, quienes escriben en este tomo conmemorativo del trigésimo aniversario de *Anales*. Y lo hacen también en representación de muchos otros compañeros, algunos desafortunadamente ya desaparecidos, que durante tanto tiempo han colaborado con la revista.

A todos ellos y al resto de nuestros colaboradores a lo largo de estas tres décadas queremos expresarles nuestro más sincero agradecimiento por su contribución a favor de un mejor conocimiento de la literatura española.

Cordialmente,

Darío Villanueva
Luis T. González del Valle

Invierno de 2005.

THE POLITICS OF LANGUAGE: PERFORMANCE AND DISGUISE IN CONTEMPORARY CATALAN NARRATIVE

MARYELLEN BIEDER

Indiana University, Bloomington

It is a commonplace that the Catalan language is the lynchpin of national identity in Catalonia since the nationalist project began to take shape in the nineteenth century. Joan Ramon Resina, for example, has written that for Catalans *"their language"* is "the only credible identity trait left" ("Juan Marsé's *El amante bilingüe*" 5). After surveying the modern history of Catalan, Pere Anguera reaches the conclusion that, "far from coexisting with Castilian 'en armonía ideal,' as the Real Academia de la Historia stated in a recent [2000] publication, it has been consistently persecuted and proscribed by legal and political means" (92). This is similar to the language Carme Riera has literary critics use in her story *"Mon semblable, mon frère"* when they praise a young poet who writes "en un idioma encara humiliat, ofès i maltractat" (in a still humiliated, insulted and badly treated language; *Contra l'amor* 56). This sense of Catalan's role in the construction of national and individual identity and its history of marginalization find expression both in current political debates in Spain and in contemporary fiction written in Catalonia.

The emblematic nature of the Catalan language in constructing the contemporary identity of the Països Catalans continues to play out both on the Spanish stage and before the governing bodies of the European Union. Under the slogan "Catalunya és Europa," the Catalan political party Convergència Democràtica voted in fall 2004 to press the Spanish government to have Catalan declared one of the official languages of the European Union. For its part, the new Socialist government of José Luis Rodríguez Zapatero announced plans to include representatives of three autonomous regions among the delegates from Spain to the European Union. In a largely symbolic gesture, the prime minister presented the European Parliament with copies of the European Constitution in all four of the languages that enjoy co-official status within Spain's autonomous communities: Catalan, Galician, Basque and Valencian. This inevitably lead to a formal complaint by the president of the Generalitat, Pasqual Maragall, against the inclusion of a version in Valencian, on the grounds that "se hayan presentado dos versiones idénticas de la Constitución Europea con la única distinción de su procedencia (Cataluña y Comunidad Valenciana)" (Mayor and Borras 1). This political maneuvering seeks to bring international recognition to a Catalan nation that promotes its language as its defining characteristic.

In demanding international recognition for its national identity based on linguistic difference, Catalonia finds itself trapped by the logic of its own argument in the face of similar claims for Valencian, claims which diminish the range, and hence the political power base, of the Catalan language. With the decision of the new Socialist government in Spain to open up for discussion the definition of the Spanish state as set forth in the current Constitution, the relationship between the autonomous communities and the central government moves to the forefront of national political debate. Rodríguez Zapatero's observation on October 28, 2004, to the first ever meeting of a Spanish president with the assembled presidents of Spain's autonomous communities and cities, that "Aquí hay algunas regiones, algunas nacionalidades y alguna nación, llamándose cada uno como se quiera llamar," launched the word *nation* into Spain's official political discourse on autonomous governments (Garea 1). For the first time the possibility of the geographical territory that is now a unitary Spain becoming two nations materialized as a linguistic reality enunciated from the seat of Spain's national government.

This openness to debating the very identity of Spain through the politics of language has its detractors within Spain as well as within Catalonia. At about the same time, the Vice President of the Real Academia Española, Gregorio Salvador, reiterated the longstanding argument that languages "están para entenderse, no para diferenciarse," warning, in a barely veiled reference to Catalonia, that "el bilingüismo está provocando un deterioro del castellano en algunas comunidades autónomas españolas" (EFE 40). He rested his case on the potential loss of real power in the world: "No se puede dejar la segunda lengua del mundo por una lengua pequeña." The phenomenon of bilingualism, which Salvador laments, stands in opposition to the language politics on which the Països Catalans have built their case for nationhood. At the end of August 2004 Jordi Pujol, ex-President of the Generalitat, joined the polemic over Catalan national identity by remarking that "el mestizaje puede afectar a la identidad catalana" (Blanchar 31) by diluting its social, cultural and linguistic distinctiveness. Although widely attacked, his comment emphasizes the perceived need for the Catalan language and culture to remain differentiated to enforce Catalonia's historical claim to nationhood based on linguistic difference.

Against this background of ongoing political gesturing about the status of Catalan both within Spain and within the European Union, one of the most striking things about fiction written by Barcelona authors and set in Barcelona is the degree to which linguistic difference is downplayed. As visible as the negotiations are within the Spanish government and on the European stage for the recognition of Catalonia as a nation with its own language, Catalan itself is remarkably absent from much fiction written in Spanish, even when the characters inhabit a Catalan-speaking world. This makes it possible to read many novels and short stories that take place in Barcelona, whether written in Castilian or Catalan, without having to confront directly Catalonia's linguistic identity.

Some authors choose to construct hermetic monolingual worlds for their characters. More frequently, characters interact in an implicitly plurilingual society whose linguistic boundaries nevertheless remain undefined. While some authors avoid signaling the transition from one linguistic sphere to another in their fiction, others deploy a variety of strategies to suggest plurality without having to represent the space each language occupies in the lives of the characters, thus avoiding linguistic tension altogether in their fiction.

In other cases of Barcelona authors writing in Spanish, the inclusion of non-Castilian words and phrases can serve to signal a character's socio-economic status, history or cultural formation. Manuel Vázquez Montalbán, one of the Barcelona writers who most precisely defined his characters' social history, economic circumstances, political ideology and linguistic practice, used a shorthand that includes last names, isolated words or phrases, geography and especially gastronomy to situate each character within the fluid culture of Barcelona. The use of Catalan or a Spanish dialect marks the character's deviation from the default position of normative Castilian. Names like Pepe Carvalho and Carlos Stuart Pedrell, urban spaces, and the selective use of emblematic phrases—"*¡No afluixis, Carles!*"—or political slogans—"*Nuclears?, no gràcies, y Llibertat de expressió*"—suggest Barcelona's linguistic complexity without reproducing it (*Los mares del Sur* 147, 158). Vázquez Montalbán's incorporation of multiple linguistic registers brings readers into contact with language's capacity to divide as well as to (mis)communicate. Many of his characters, starting with Pepe Carvalho, are adept at what Abigail Lee Six terms "code switching" between Spanish, Catalan and other linguistic identities. The result, in the fiction of Vázquez Montalbán and Juan Marsé, is a "game of multilingual intertextuality" (Lee Six, qtd in Clark 3; Clark 5). In the comic frame of a novel like *El hombre de mi vida*, Vázquez Montalbán parodies the politics of national identity by plotting a conspiracy of small nations against hegemonic ones. Political nationhood in this novel is the subversive goal of underground movements which, if successful, will yield a Catalonia still subordinate within a larger whole: if no longer within one nation, Spain, then within a cabal of other small nations.

Since the nineteenth century, literary historians have used language as the basis for a work's inclusion in the history of a national literature. As a result, fiction about Barcelona written in Spanish and in Catalan belong to different literary traditions, so that the works of Vázquez Montalbán and Riera, for example, belong to two separate literatures. In a thoughtful essay on the concept of national literatures, Mario Santana questions this division based on the language of the text and picks up on a suggestions made by Oriol Izquierdo: "Potser caldria fer una lectura de la llengua dels escriptors catalans, i de la relació entre català i castellà, i fins i tot de l'obra dels escriptors castellans de Barcelona des dels conceptes de desterritorialització i reterritorialització (Deleuze-Guattari)" (Perhaps we need to undertake a reading of the language of Catalan writers, and of the relationship between Catalan and Castilian, and even of the works by Castilian writers from Barcelona, all based on the Deleuze-Guattari concepts of deterritorialization and reterritorialization; 166). This premise leads Santana to endorse the study of "Spanish and Catalan literatures from a territorial perspective, that is, as the literature of Spanish or Catalan citizens" (166). In other words, both he and Izquierdo propose studying an author's relationship to language and culture rather than simply assigning texts to one tradition or the other based exclusively on language. After all, as Santana reminds us, "[t]he invention of a national literature is essentially a political act" (167). The key question he raises is this: "If two texts in different languages are written by individuals who belong to the same society, if they reflect on the construction of common literary imaginary, and coexist within the same community of readers, can they be said to belong to different literatures?" (168). What he does not answer is the extent to which two such texts do indeed "coexist within the same community of readers," or whether coetaneous readers inhabiting a common, or similar, literary imaginary can constitute separate reading communities. Here is where the concept of studying literature as the "production, circulation and consumption of objects deemed as literary" (162) becomes imperative. Can two texts—written in different languages—be circulated and consumed in the same way? Carme Riera seems to offer one answer in her practice of translating—she prefers the term "versioning"—her own Catalan fiction into Castilian for consumption by different readers in a different market. This assures the broadest readership for her fiction while at the same time eliminating the disruptive potential of a work in a "foreign" language. In versioning her texts, Riera also refigures some of the linguistic tensions between Castilian and Catalan to reflect the cultural politics of Castilian readers. The phrase characterizing the Catalan language as "encara humiliat, ofès i maltractat," cited above, becomes "un idioma todavía sojuzgado" (*Contra el amor* 53) in the Castilian version of the short story.

The underlying question is how authors represent linguistic difference, or a multilingual world, in fiction written in a single language. Juan Marsé writes in Spanish but to a greater or lesser degree his fiction manifests the tensions and overlaps between Castilian and Catalan in his native Barcelona. One of the narratives in which he most cogently dramatizes the intersection of social class, language, and politics in postwar Catalonia is his story "El fantasma del cine Roxy" in which Catalan speakers and an Andalusian immigrant make common cause against Fascists enforcing Franco's Castilian-only language policy. Written in Spanish, the story depicts the survival of a marginalized Catalan culture and language during the early postwar period through an alliance with the social, economic, emotional and linguistic marginalization of a speaker of non-standard Spanish. Carme Riera, on the other hand, writes initially in Catalan, even when her fiction depicts both Catalan speakers and Castilian speakers living in Franco-era Barcelona. Again, the language in which the author writes is not necessarily consonant with the language of the dominant characters or with their multilingualism. Thus the conundrum confronting readers of both Marsé and Riera is whether the language in which the novel is written reflects the language practice of the characters.

While this tends to be a reader's initial assumption unless there are clear indications to the contrary, in the case of fiction about Barcelona the relationship between text language and the characters' language is frequently more slippery. Riera's subsequent Castilian versions of her novels reverse the representational uncertainty of the text language by using Castilian to communicate a world predominantly populated by Catalan speakers. In her latest novel, *La meitat de l'ànima,* the narrator implies that she has translated into Catalan a letter originally written in Spanish, thus establishing not only her bilingual competence but the fact that she is using Catalan to write the text that readers hold in their hands. Letters written in Spanish receive the same treatment as a letter penned in French: they must be brought into the novel's monolingual frame, even though the narrator herself has no need for a translation. In this case, both the narratee and the novel's readers are treated as monolingual readers of Catalan or as readers who demand a monolingual text.

The degree to which a novel differentiates among linguistic registers in the world it fabricates merits greater attention from critics. Juan Goytisolo is one author who has experimented with the representation of linguistic difference in a bilingual Barcelona. Among other experiments with overlapping language spheres in *Señas de identidad,* the class of Catalans who cling to their language during the Franco years speak Catalan, while French speakers in Paris speak in French. The novel transcribes both languages verbatim and ignores the limits of the linguistic competence of potential readers. The novel's final chapter reproduces fragments of the linguistic cacophony of a port city, in which tourists mingle with native Catalans and Spanish speakers, as well as signs in the four international languages that market Barcelona to the tourist trade. This fidelity in reproducing competing languages makes none of the concessions to readers that other authors find necessary.

Two recent novels from Spain that explore the relationship between language and national identity in Barcelona are Juan Marsé's *El amante bilingüe* (1990) and Carme Riera's *La meitat de l'ànima* (2004). Both authors map the spaces in which Castilian and Catalan circulate within the city, in both historical and contemporary terms, and both also dramatize the (re)invention of self through language, thus linking national and personal identity. In Marsé's novel oral language predominates, although the notebooks his character Juan Marés pens insert a component of written language, as do the texts of Víctor Valentí's Catalan theater in postwar Barcelona and the politics of linguistic normalization embodied by Norma Valentí in the contemporary city. Riera's latest novel, as indeed much of her earlier fiction, probes the production and reception of written language but it also embraces the practices of reading, listening, storytelling and, most especially, interpretation. Both novels use the name of a principal character to set up a linguistic duplicity—Juan Marés/Joan Marés, Cecília Balaguer/Celia Ballester—that replicates the character's unstable identity and plays out through the performance—both oral and dramatic—of alternative identities. Both novels are interested not only in the various ways a character performs identity but more importantly in the reception or reading of performance. Resina has asserted that "Marsé's suspension between his Catalan condition and his literary practice in Spanish expresses itself in the narrative preoccupation with identity" ("Double Coding" 99). If this is true, one would similarly have to argue that Riera's suspension between her Mallorcan condition, her Barcelona-based Catalan literary practice and her profession of university professor of Spanish poetry similarly expresses itself in a narrative preoccupation with identity. In both novels linguistic identity is central to the exploration of the cultural and historical conditions of the construction of the self.

If, as Resina states, "[i]n Barcelona Catalan is now a minority language," then the novels of Marsé and Riera remember a historical Barcelona in which Catalan figured prominently ("Juan Marsé's *El amante bilingüe*" 2). In both works the identity crises of native Catalan speakers take place against a shifting linguistic reality. Behind both novels lies the problem of the recovery of individual and national history and the role of memory in (re)constituting the self

in/through time. Marsé perhaps takes a greater interest in
the elaboration and survival of Catalan identity and the place
of language in its class dynamics, while Riera treats Catalan
identity as a given and instead explores individual identity as
a marker of national history enacted on the broader European stage. Both novels can at some level be read as alle-
gories of Catalan national identity in which performance, disguise, deception and code-switching play significant roles.

Despite their preoccupation with the imbrication of
language and identity, neither novel clearly establishes at the
outset the dominant linguistic identity of its principal character. Resina raises this point with regard to Juan Marés in
El amante bilingüe when he asserts that "Hosti, tú. ... I ara
qué?" are the only Catalan words Marés utters until his
monologue at the close of the novel ("Double Coding" 93).
However, in his *Cuaderno* Marés makes explicit reference to
his use of Catalan from childhood. In the role of Juan Faneca
he draws attention to his Catalan origins through the
constant repetition of the name Joan Marés, a usage which
his ex-wife Norma reiterates, suggesting perhaps that Catalan was their common language. The war cry he and his
childhood friend Faneca adopt, an imitation of the *traperos'*
call—"Hi ha cap pell de conill"—reduces language to pure
sound that accrues meaning only from the context in which it
is uttered (Marsé, *El amante bilingüe* 126).[1] Marsé incorporates other traces of his character's linguistic formation
into the novel, including his performance from childhood of
Catalan songs and his ability to memorize lines in the same
language. Living in a neighborhood in transition from a
Catalan to a *charnego* population, he is bilingual from childhood and capable of manipulating his accent to create multiple linguistic identities, much as he can contort his body into
many different shapes. The linguistic self and the physical
self are, as a legacy of his upbringing, performance based,
duplicitous and dependent upon an audience.

In Marsé's novel the facile equation of speech with
identity is false. When Valentí hears the young Marés "mal-
decir en castellano" (128), he assumes that Marés is a
charnego like his playmates. For Valentí's benefit Marés then

fakes what he considers to be a bad Catalan accent (129). Nevertheless, Valentí takes it for granted that even a *charnego* child will know some Catalan and expects him to be able to learn and recite verses in Catalan. Marés then furthers this misperception by faking "un leve acento charnego" in his Catalan-speaking role (133). But Valentí is as interested in Marés's talent for contorsion, a product of his upbringing in a music hall milieu, as he is in his linguistic ability and fails to detect the verbal deceptions. The older Marés displays his knowledge of Catalan in his notebooks in phrases like *"vetllades patriòtiques"* (italics in the novel; 132) that blur our understanding of whether he writes in Catalan (subsequently translated in the novel) or whether he inserts Catalan words into his Spanish, and in the parodic pleas for help he pens as a beggar, most memorably the one in which he claims to be the bastard son of Pau Casals (22). Spontaneous verbal outbursts when in the erotically stimulating presence of Norma, such as "—Cigrony, capdecony, recony i codony" (32), "—De bonito, res, maca" (178)—both specifically identified in the text as Catalan phrases but not marked typographically as foreign—and, in the role of Faneca, a repetition of the war cry (211), release a personal language suppressed by roleplaying. From a young age Marés uses language to manipulate perception and create an alternate reality, much as the upper-class Catalans use epic theater to enact a forbidden identity in "una época en que la lengua y la cultura de Cataluña están siendo fuertemente represaliadas por el franquismo, y el teatro catalán está prohibido" (131). Whereas in Marés's childhood Valentí assumed that a street urchin would not speak Catalan, Valentí's daughter Norma makes the opposite assumption when she inquires of Faneca, "—Y a su edad, y viviendo en Barcelona, ¿cómo es que no habla usted catalán?" (183). Cultural suppositions change over time. In the final, improbable dialogue between Faneca and Marés, the latter mutters the insults "—Torracollons. Malparit" (214), a last parting shot in Catalan before disappearing.

It is Marés's alter ego Faneca who offers, in the diatribe that closes the novel, what critics have read as Juan Marsé's definition of Catalonia's linguistic identity: the intermingling of Castilian and Catalan words and phrases held together by a *charnego* Andalusian pronunciation (220).[2] As an allegory of multilingual Barcelona and the linguistic instability it engenders at the level of personal, as well as national, identity, this constitutes a powerful novelistic resolution. There is no "real" Joan Marés, Juan Marés or Juan Faneca; there is only memory and language which mediate desire and enable performance. The Catalan purist Norma who pursues linguistic and carnal union with Barcelona's Catalan and *charnego* underclass receives the brunt of Marsé's satirical thrust, but the closing burst of linguistic display should also be read as satire, not message. Behind the dizzying concatenation of words there is only language, behind performance only further performances. Looked at not as a prescription for the future but as a satirical meditation on the present, the novel suggests the untenability of isolating language from historical processes and the unsatisfactory nature of tying identity to linguistic heritage. The novel's creative voice lies in the eruption of one linguistic register into the terrain of another, in the unexpected juxtaposition of words and phrases from different languages, and especially in the power of words to manipulate human desires and behavior. Marés/Faneca is after all a remarkably successful beggar with his enactment of the icons and clichés of Spanish (El Torero Enmascarado) and Catalan ("su repertorio de sardanas y de canciones populares catalanas" [219]) popular culture. In giving his public exactly what it desires, he manipulates its cultural imaginary. With his identity contortions he markets the image of Barcelona and Spain that his fellow citizens, as well as foreign tourists, expect and reward, an image that reaffirms their image of Spain and hence confirms their own sense of self. The joke is on them—and us.

In Resina's reading of the novel, identity "recedes along the symbolic axis without ever finding a final bedrock of meaning" ("Double Coding" 96). Like Riera, Marsé offers a postmodern instability, the impossibility of fixing meaning or identity. Marés deals in performance, illusion, perception; there is no essence to capture behind his language. Or, rather, language itself is identity. The end of the novel thus becomes Marés's "own version of identity integration" ("Juan Marsé's *El amante bilingüe*"1), a performative and oral pastiche of the cultural signifiers and linguistic commonplaces that speak for the double nations of Spain and Catalonia. There is no authenticity here, only repetition and juxtaposition.

Carme Riera's *La meitat de l'ànima* is the novel of a double attempt to recovery identity carried out by the first-person narrator: the initial search to uncover her mother's past becomes, by extension, a search to understand her own history and fix her identity. Because the narrator/protagonist cannot communicate directly with her narratee, the man who first documented the falsity of her assumptions about her mother and therefore about her self, her identity remains in a state of flux. Even the illusion of stability held out by the possibility of accessing the narratee's knowledge of her mother is false; identity in this novel is an ongoing process of (re)interpretation. What the narrator experiences as she searches for the truth is therefore a process of loss: a loss of the way she imagined her mother, of who her father was, of her belief in her father's unwavering love for her, of her linguistic heritage, and of political, economic and moral realities. The more she learns, the more the uncertainties multiply: did her mother love her father, did her mother commit suicide, was the suicide provoked by the death of her lover, was she spared death in a concentration camp by her father's choice of her over her sister, was she a collaborator with the *maquis* or a double agent for the Franco government, did she engage in the transportation and sale of stolen or fake art? The range of her mother's possible choices and actions makes her life emblematic of the decisions taken by many other Catalan women of her generation. For the narrator this unstable past provokes an obsession with answering the fundamental question of her own identity: "qui era jo, que em creia esser o qui m'havia cregut esser fins aleshores" (who was I, who did I think I was or who had I thought I was until now; Riera, *La meitat de l'anima* 108). As in many works of fiction, her "obsessió per l'anagnòrisi" (obsession with anagnorisis;

135) drives her on and, at another level, propels the reading of the novel, although readers know not to expect any such moment of recognition in postmodern fiction. Or rather, that moment occurs in reverse, at the very outset of her quest, when the narrator, herself an author, reads a packet of her mother's old letters and experiences the collapse of her world and her personal sense of self. The only anagnorisis the novel's climax offers is the recognition of not knowing or not being able to know, of having to construct a self in the present and not out of stable elements from the past: "Desprès d'obrir la carpeta tot em semblà encara més inestable i confús" (After opening the packet everything seemed more unstable and confusing; 142).

The contradictory stories that comprise the narrator's assembled understanding of her past are more fluid and less marginal to official history than those Joan Marés tells. He can write fragments of his memories and his narratee, Norma, can read them, while the narrator of Riera's novel can only search across two countries and three languages (as well as the Mallorcan dialect) to hear multiple versions of her family and herself The only invariable elements in the narrator's identity are her native language and by extension the space of her own literary creativity. She confesses to her unknown narratee that she does not expect to uncover "la certesa d'un llinatge nou" (the certainty of a new lineage), not does she intend to abandon the space of her own writing or her own language, "perquè espai i llengua em pertoquen, almenys per adopció" (because space and language belong to me, at least by adoption; 142). The narrator repeatedly has to remind herself and her readers that her life is not fiction, however similar discrete episodes may seem to classic novels and movies like *Sophie's Choice*.[3]

In her novel Riera constructs a family history that interweaves the linguistic and economic tensions of postwar Barcelona, as she similarly does in *"Mon semblable, mon frère"* The narrator's biological, linguistic and cultural heritage cuts across class and political identity formations within Catalonia. Her Mallorcan father, although born into the rural laboring-class, was, by virtue of joining the Falangists in the

war, able to make his way into the ranks of the urban
bourgeoisie through his transactions in the antiquities
market. As the narrator remembers, he never lost his Mallorcan accent, even though his economic and social mobility
were only possible in Castilian-speaking Barcelona. The novel
addresses class mobility through the decline of the Mallorcan
landed aristocracy, which makes possible much of her
father's success in the art market, the rise of nouveau riche
urban entrepreneurs, and the exile of the urban educated
Catalan political class. Although her father survives in her
memories as the ideal parent, he remains nameless throughout the novel,[4] an erasure of naming that parallels the
missing name of her mother's lover, the man who possibly
was the narrator's true biological father.

This absence of naming is repeated in the narrator's
namelessness within the novel, although she alludes to the
letter "C" that replicates the initial of her mother's name,
Cecília, and suggests her dependence on her mother's identity. Nevertheless, naming is in itself no guarantee of know-
ability, since her mother's doubled name, Cecília/Celia, only
makes her less accessible to her daughter. A daughter of the
urban middle class, her mother grew up in Catalan-speaking
Barcelona where her father was a deputy for Esquerra
Republicana in the Generalitat's Parliament during the
Republican years. A political refugee in France from 1939 to
1946, she was raised by a French couple after her father and
sister were incarcerated in a concentration camp. After the
war ended, she returned alone to a Castilian-speaking Barcelona where she worked in art restoration before marriage. In
one of the ironies of her family's history, in postwar Barcelona the narrator's parents attended a dinner for the
Caudillo given by the president of the Diputación in the
former Palau de la Generalitat, now renamed the Palacio de
la Diputación (42). This change of name and function in
Barcelona under the Franco dictatorship is mirrored in her
mother's change of allegiance and economic circumstances
upon marriage to a supporter of the regime. Her trilingual
upbringing in Catalonia and France makes linguistic disguise
possible, while her experience in restoring works of art also

suggests a capacity for transformation, an ability to distinguish between authenticity and imitation, and a familiarity
with making something pass for what it is not. One of the
possibilities that the narrator confronts is that her mother
"es dediqués al tràfic il.legal, al contraban artístic" (engaged
in illegal transactions, in artistic contraband; 162). Art fraud
thus figures in the novel as a metaphor for a market economy
in which everything, including a nation's cultural heritage, is
for sale. Although performance is not an inherited talent for
her mother—except insofar as politics is performance—as it
is for Joan Marés, historical circumstances make performance first a necessity and then an option. Perhaps the
defining moment in her life occurs when her father, the
narrator's grandfather, is forced to choose which of his two
daughters to send to a concentration camp. At least this is
the way the narrator's mother recounts the episode to her
lover, but perhaps this version of herself is no more reliable
than any other. Perhaps it is a self-serving story that
absolves her of allegiance to any moral code, or perhaps the
sense of being chosen to survive the war impels such
narratives and masquerades.

Given the historical conditions of the narrator's upbringing—she was born in 1950—the public language of her
youth was presumably Castilian, the language which allowed
her parents to enjoy economic success and upward mobility,
while Catalan was likely their private language. The novel,
however, does not explicitly draw this distinction. When addressed in the street in Catalan, her mother responds in
Castilian, marking her social position as well as her public
language. Nor does the novel account for the narrator's linguistic competency, although attending school in Mallorca,
especially after her mother's death, helped preserve her Catalan heritage and knowledge of the language. When as a child
the narrator's paternal grandmother takes her to a séance to
help her cope with her mother's death, the supposed voice of
her mother speaks in the Mallorcan dialect and not in
Catalan, thus revealing the falseness of the contact from
beyond the grave. Speech would seem to be the one authen-
ticator of identity, but the discovery of the letters her mother

wrote in Castilian and French undermines the narrator's belief in the essential bond between language and identity. The novel gives the narrator no linguistic identity, taking it for granted that as an educated woman in a multilingual world she has the ability to read and speak Catalan, Spanish and French. What is significant here is the absence of a need to account for the protagonist's language formation or to fix her identity within one language or the other. She knows her mother's voice but we readers cannot know hers.

Bearing the initial of her mother's name, the narrator seems to have no separate identity within the novel apart from the search for traces of her mother, despite the fact that she is a published author with a public following. The mantra that drives the narrative forward is the doubled name of Cecília/Celia which becomes progressively emptied of meaning as the narrator pursues her investigations. Her project of "salvar Cecília de l'oblit" (saving Cecilia from oblivion) and "perpetuar la seva memòria" (perpetuating her memory; 234) binds her identity further to that of her parent. In the process she contributes another piece to the puzzle of Catalan history. Throughout her narrative the narrator tries to access her mother's life by restaging the circumstances of her disappearance, scrutinizing her letters, examining her photographs, recalling memories of her, reliving feelings about her, interviewing everyone who knew her, and reading histories of the period. In the process she successively adopts the roles of reader, listener, researcher, confessant (in psychoanalysis) and finally, in a recuperation of her profession, writer. At the end the narrator comes full circle by writing down her experiences in order to reestablish contact with her narratee. Circumstances have changed her receptivity to the unknown Lluís G., much as historical events changed her mother.

At the end of the novel written language—the transposition of verbal interviews into written form—becomes the medium for the expression of identity, as oral language is in Marsé. Film and literature further mediate both the narrator's understanding of the past and readers' interpretation of the novel. Familiarity with canonical literature leads both the narrator and the reader to recognize in the name Albert

Camus a possible resolution of the enigma at the core of the novel, thus making the circumstances of Cecília/Celia's death historically plausible both within the novel and beyond it. The intersection of historical memory and fiction reminds us of the extent to which authors' biographies are themselves fictions. While Camus's name brings the anagnorisis the narrator longs for, it raises as many questions and doubts as it answers. Riera links Cecília Balaguer and Albert Camus not only through politics and romance but also through language. She draws on the fact that Camus had a Menorcan grandmother to create a linguistic bond between them that is more intimate than their common French. As the narrator learns, Camus did not speak Catalan but nevertheless knew "algunes paraules en la variant menorquina que havia sentit a l'àvia, i el podia llegir" (some words in the Menorcan dialect that he had heard his grandmother speak, and he could read it; 187).

Neither Marsé in *El amante bilingüe* nor Riera in *La meitat de l'ànima* marks the boundaries of their characters' linguistic practice, thus suggesting that the passage from Catalan to Castilian in both novelistic worlds is fluid and un-remarkable. Readers of Riera's novel in Catalan may assume that her narrator writes her books in that language. However, Riera avoids giving her protagonist a specific linguistic profile by having her sign books alongside Quim Monzó, Jaume Cabré, Rosa Regàs, Carmen Casas and Eduardo Mendoza, some of whom publish predominantly in Spanish and some of whom write almost exclusively in Catalan (19). Although Riera seems to establish that the narrator is writing her latest work, the one in the readers' hands, in Catalan, the narrator just as clearly is capable of inter-viewing her mother's friends and acquaintances in any of three languages. The fact that her narratee, the unidentified "Lluís G.," is presumably a Catalan speaker/writer, positions all readers to adopt a similar linguistic position. When Riera publishes a Castilian version of her novel, the narrator will not need to translate her mothers' letters, except for the one in French, perhaps leaving the impression on readers that she has written her book in Spanish. If the narratee's name

becomes "Luis G." in the Castilian version, then the reader's
linguistic relationship to the narrator will shift accordingly.

In sum, Riera seems more interested in depicting a multilingual society than in defining the spaces the Catalan language occupies in contemporary Barcelona. The contrast
between the contested linguistic arena the narrator's parents
inhabited and her seemingly smooth transition between
languages sets out the degree to which the place of Catalan
has changed over the decades. By drawing the linguistic
parameters of Catalonia in more detail for the lives of the
narrator's parents and grandparents, Riera sets out the
historical conditions that produced the narrator's linguistic
formation and experiences. What is perhaps most surprising
about language in Riera's novel is that she draws French into
the equation both through the experiences of Catalan exiles
in France and by widening the literary panorama to include
Albert Camus's Catalan linguistic heritage. Thus her plot
hinges less on romance or on political intrigue than on the
intersection of language and identity.

Mario Santana has proposed breaking down the barriers
between Catalan literature and Spanish literature in order to
"underline the importance of particular cultural contents
that would otherwise remain hidden from view: the contribution of Spanish speakers to the cultural identity of Catalonia
(and, by the same token that of Catalan speakers to Spanish
culture)" (167). Marsé and Riera seem to foster this project in
their novels by refusing to define the boundaries between
Catalan and Castilian in their fictional worlds. Marsé dramatizes the dissonance between language and cultural identity
and between different linguistic registers as a way to satirize
the excesses of single-language politics, as Riera has done
elsewhere in her fiction, while Riera maps the historical
conditions that enforce linguistic unity, reward conformity
and incite resistence. *La meitat de l'ànima* is one of Riera's
least satirical novels, but in it she too dramatizes language as
disguise and plots the economic rewards of cultural, artistic,
emotional and linguistic falsification.

That the language in which a text is written may not be
the language of the narrator or of the protagonist comes as

no surprise to readers. What is surprising is the convention that keeps a novel like *El amante bilingüe* from figuring in the category of "Catalan fiction" and a novel like *La meitat de l'ànima* from belonging in "Spanish fiction." Both novels share in a larger project of exploring the imbrication of language in the construction of identity in a historically, culturally, and politically complex world where individuals remain trapped between memories of a lost past and the desire for a stable sense of self. For the narrator of Riera's *La meitat de l'ànima*, linguistic mediation in the return to writing and to the space of creativity is the only way to cope with not knowing who she is and to continue to seek stories about her mother and herself, much as Joan/Juan Marés in *El amante bilingüe* continues to reinvent himself through oral language.

NOTES

1. Resina opines that "The rag picker's [sic] cry is the narrative trace of a reality on whose suppression the novel's ideology rests" ("Double Coding" 99).
2. Resina identifies the novel's closing monologue, which is prompted by a question addressed to Faneca/Marés, as "a renewed effort to surmount the limitations inherent in the linguistic mediation of identity" ("Double Coding" 102). Elsewhere Resina characterizes the monologue as an example of bilingualism and a false solution to Barcelona's linguistic future, asserting that in the end the language with the greatest national power will win out and displace the other ("La identitat al mercat" 66).
3. The visual experience of films overlays the opening scene of the novel which, like *Brief Encounter*, is set in a train station, making the film one of the novel's primary intertexts.
4. Her father's first name, which began with "L," may have been the one he gave his son, Llorenç (31, 136), duplicating the daughter's inheritance of the "C" of her mother's name.

WORKS CITED

Anguera, Pere. "Denied Impositions: Harrassment and Resistence of the Catalan Language." *Journal of Spanish Cultural Studies* 4 (2003): 77-94.

Blanchar, Clara. "Goytisolo afirma en el Fórum que la inmigración es enriquecedora." *El País.* September 2004: 31.

Clark, Rosemary. "Normalisation and/or an Ethics of Difference: Marsé's *Rabos de lagartijo* in a Post-Colonial World." *Journal of Catalan Studies: Revista Internacional de Catalanística* 2002: 1-6. (www.uoc.edu/jocs)

EFE. "Gregorio Salvador alerta sobre los daños que causa el bilingüismo." *El País* 7 September 2004: 40.

Garea, Fernando. "Zapatero admite en la cumbre autonómica que dentro de España hay otras 'naciones.'" *El Mundo* 5 Nov. 2004: 1, 8.

Lee Six, Abigail. "La oscura historia del primo Paco/Francesc: Code-switching in Juan Marsé's *La oscura historia de la prima Montse.*" *BHS* 76 (1999): 359-68.

Marsé, Juan. *El amante bilingüe.* 1990. Barcelona: Planeta, 1993.

_____. "El fantasma del cine Roxy." *Teniente Bravo.* 1987.

Mayor, Leonor and Xavier Borras. "Maragall llevará a los tribunales a Zapatero por reconocer el valenciano." *El Mundo* 5 Nov. 2004: 1, 7.

Resina, Joan Ramon. "The Double Coding of Desire: Language Conflict, Nation Building, and Identity Crashing in Juan Marsé's *El amante bilingüe.*" *MLR* 96 (2001): 92-102.

_____. "La identitat al mercat: L'escriptor català i la ideologia del xarneguisme (I)." *diàlegs* 4 (April-June 1999): 23-48 [147-72].

_____. "La identitat al mercat: L'escriptor català i la ideologia del xarneguisme (II)." *diàlegs* 5 (July-September 1999): 45-71 [353-79].

_____. "Juan Marsé's *El amante bilingüe* and Sociological Fiction." *Journal of Catalan Studies: Revista Internacional de Catalanística* 3 (2000): 1-12. (www.uoc.edu/jocs)

Riera, Carme. *La meitat de l'ànima.* Barcelona: Proa, 2004.

_____. *Contra el amor en compañía y otros relatos.* Barcelona: Destino, 1991.

_____. *Contra l'amor en companyia i altres relats.* Barcelona: Destino, 1991.

Santana, Mario. "National Literatures and Interliterary Communities in Spain and Catalonia." *Catalan Review* 14 (2000): 159-71.

Vázquez Montalbán, Manuel. *Los hombres de mi vida.* Barcelona: Planeta, 2000.

_____. *Los mares del Sur.* 1979. Barcelona: Planeta, 1998.

EL TEATRO DE AZORÍN: "COMEDIA DEL ARTE"

MARÍA DEL CARMEN BOBES NAVES
Universidad de Oviedo

El 25 de noviembre de 1927 se estrena en el teatro Fuencarral, de Madrid, la obra de Azorín titulada *Comedia del arte*, en tres actos. Está dedicada a Francisco Fuentes: "admirable actor, escrupuloso director de escena, profundo conocedor del teatro," por su "admirador y amigo, Azorín." Sus personajes: Don Antonio Valdés, Pacita Durán, don José Vega, Paco Méndez, doña Manolita, Joaquín Ontañón, el Doctor Perales, un niño, y como comparsas: actores y actrices.

Sin entrar en el texto dialogado, la presentación, vista desde la historia y la teoría del teatro, resulta un tanto sorprendente: el título crea unas expectativas sobre personajes, formas e historias, que dejan de cumplirse inmediatamente, ya en la lista de los personajes, a los que esperaríamos encontrar con los nombres de los actores de la Comedia del arte: Pierrot, Colombina, Arlequín, Pantalón, el Capitán Spaventa, Polichinela, etc. Ninguno de estos personajes, ni sus tipos, aparecen en la obra de Azorín, tampoco se alude para nada a sus trajes, a sus máscaras , o a la forma de actuar que los define.

Por otra parte, la dedicatoria dirigida a "un escrupuloso director de escena, conocedor profundo del teatro," hace pensar que estamos ante un tipo de teatro culto, aunque inspirado en la tradición popular italiana, que tiene en cuenta la línea histórica que enlaza con la renovación de la escena y del texto dramáticos que llevan a cabo años antes el suizo A. Appia (1862-1928) y el escenógrafo inglés E. G. Craig (1872-1966). Craig sentía una gran admiración por la Comedia del Arte italiana, como una de las manifestaciones teatrales más originales y genuinas, no por la frescura romántica que pueda provenir del planteamiento sencillo e ingenuo de las historias que escenifica y que se repiten una y otra vez, sino como técnica, como modelo del arte del actor. En Europa los teatros, a principios de siglo XX, habían abierto sus puerta a renovaciones textuales y escénicas que se concretaron en movimientos artísticos de carácter general o sólo dramático, como el expresionismo, el surrealismo, el constructivismo, el cubismo, etc., y también habían vuelto la mirada a la historia y habían revalorizado la Comedia del Arte. Autores de éxito en el paso del siglo XIX al XX, p.e. Benavente, resucita personajes y situaciones de la tradición escénica popular italiana en su obra de mayor éxito, *Los intereses creados* y en su continuación *Ciudad alegre y confiada*, por cuyos espacios escénicos se mueven Colombina, Polichinela, el Capitán, Arlequín, etc., en torno a los amores de una pareja, de nombres también frecuentes en los protagonistas de la comedia del arte, Leandro y Silvia.

Si de los personajes y los prototipos pasamos a los espacios escénicos, podemos comprobar también que en *La comedia del arte* de Azorín están concebidos de un modo que nada tienen que ver con los espacios de la Comedia del arte italiana. En ésta el espacio escénico había logrado, con gran economía de medios, facilitar enormemente el movimiento de los personajes y el ritmo de las acciones: sobre un tablado más o menos amplio, y con escenografía de telones y cartones pintados, aparecía una calle o plaza, con dos casas de frente o en esquina, desde cuyos balcones pueden hablar los amantes o sus ayudantes, dando así unas posibilidades verticales al escenario que permitían la mirada a lo lejos (una especie de *teitoscopia*, como en el teatro griego) para observar y vigilar quién viene; conseguían la simultaneidad entre la escena y el primer piso, entre el escenario y un piso alto, bien fuese para el diálogo cruzado, a tres o cuatro bandas, o para utilizarlos como "lugares de acecho" desde donde se ve sin ser visto (a no ser por el público, naturalmente)... Nada de esto aparece en la obra de Azorín, y tampoco aparecen los juegos escénicos basados en la oposición "exterior"/"interior," que tan fácilmente podían resolverse en la escena italiana mediante un arco, una ventana, una puerta, dos calles que confluyen en la plaza, etc. como espacios practicables, de encuentro, de sorpresa, de escondite, de acecho, etc.

Y finalmente, el texto de Azorín, ni por el diálogo, ni por las acotaciones, no es el típico "scenario" o "canevas," es decir, el guión, donde se insertan anuncios de monólogos y de diálogos que los actores deberían improvisar sobre temas tópicos que enmarcan la historia: el amanecer, el tiempo, los placeres de la mesa o de la caza, etc. La Comedia de Azorín es un texto escrito con su diálogo y sus acotaciones, un discurso completo, según las formas normales de la comedia de autor, sin dejar espacio para improvisaciones de los actores o recitaciones de memoria.

En *La comedia del arte* de Azorín todo el primer acto transcurre en un espacio exterior (un jardín, en el campo), como espacio escénico patente, representado en el escenario mediante la escenografía y decoración adecuadaa, donde se centra la acción, y un espacio latente: una sala donde dicen que están celebrando una comida todos los actores de la compañía y de donde vienen y a donde van los personajes que por turnos ocupan el espacio patente de la escena; el movimiento de este acto se reduce a pasar del espacio patente al latente desempeñando los actores funciones de información o de coordinación. El segundo acto tiene espacio de interior: el saloncito de la casa de Manolita, la primera actriz, donde de nuevo se encuentran los personajes del primer acto diez años después y donde la información sobre los ausentes se pone al día. El tercer acto, con dos cuadros, transcurre en dos espacios: el saloncito de un teatro, contiguo el escenario como espacio latente, y un gabinete de un restaurante, un rato después de la representación y de la cena. El juego escénico en los tres actos es mínimo y funcional: conversaciones de los que permanecen fijos en escena con los que llegan y traen noticias de los espacios latentes, narrados y contiguos, y luego se van.

Si de la lista de las "dramatis personae" y de las posibilidades del juego espacial, que son anteriores al comienzo del diálogo, pasamos al contenido del texto, tampoco encontramos en la comedia de Azorín nada que recuerde las historias habituales de la Comedia del arte; en ésta las historias versan sobre amores contrariados entre jóvenes señores que, con la ayuda de los criados, y las picardías de Arlequín, superan todos los obstáculos y alcanzan la felicidad en la boda; suelen estar entreverados de episodios cómicos, a veces un tanto groseros y abundantes en mentiras, malos entendidos y "tareas escénicas" a cargo de los *zanni*, que entretienen al público y lo hacen reir; mucho movimiento, improvisación del diálogo con tiradas de versos sobre temas tópicos y motivos o unidades narrativas o dramáticas, que van señalando los "scenari," o "canevas," combinándolos de forma ágil y adecuadamente para las representaciones (el amanecer, las quejas de los criados, los diálogos de amor correspondido y los diálogos de amor rechazado, repertorios de consejos de los padres a sus hijos, repertorio de fanfarronerías de los Capitani, etc.) y motivos dramáticos recurrentes sobre descubrimientos con sorpresa de espacios escondidos o espacios de acecho, personajes inesperados, situaciones amorosas difíciles entre hijos de familias enemistadas, reconocimientos imprevistos de filiaciones y paternidades, etc. (*teatro dell'improviso* y *teatro a notizia*, se llama también, por las continuas originalidades y sorpresas que deparaban las historias, siempre repetidas en su disposición general). A veces, la pareja central de jóvenes enamorados se desdobla y aparecen, bajo esta nueva vuelta de tuerca, amores cruzados, que luego se arreglan, malosentendidos que dan lugar a lloros y alegrías posteriores, etc. La composición de la obra con éstos u otros retazos no la encontramos en *La comedia del arte* de Azorín en la que hay un argumento, una historia de actores en los que se cruza la vida y el arte de la representación, y que tiene, como manda Aristóteles, un principio, un medio y un final.

Desde el análisis de estos hechos, nos preguntamos: ¿qué idea de la "comedia del arte" quiere manifestar Azorín? ¿Por qué da el título de "Comedia del arte" a una obra así? No hay, desde luego, un paralelismo formal o temático entre esta

Comedia del arte azoriniana y la acostumbrada Commedia dell'Arte de la tradición escénica renacentista italiana. Azorín aclarará, en los últimos diálogos del acto primero, y lo hace después de un recorrido por los más diversos temas dramáticos, a qué llama él comedia del arte: las relaciones del escenario con la vida, la construcción de los personajes de ficción frente a personajes vivos, papeles aprendidos frente a la vida cotidiana que discurre por sí sola sin guión previo, escenario actores frente a la permanencia del teatro que cambia de anécdotas, de personajes, de temas, pero sigue siendo representación de la vida humana, etc. El primer acto es una exposición verbal de los principales temas que se han discutido en la teoría del teatro a lo largo de la historia, y en ocasiones una representación de alguno de los problemas de la misma realidad escénica. Puede pensarse que con esta temática el título más ilustrativo podría ser: "Comedia del arte dramático," ya que escenifica los problemas que el teatro presenta para su realización escénica, en un estado sincrónico y también en su devenir en la historia.

En las primeras intervenciones, Valdés, que está en escena (plazoleta en un jardín, con bancos, en un restaurante fuera de la ciudad, en el campo), informa que la compañía ha tomado un descanso, que están celebrando una comida en un espacio interior narrado, nunca presentado, y proclama: "no trabajaré; no traigo el papel; hemos venido todos a distraernos un rato." De hecho, en el espacio latente, en el comedor, los actores que no están en el escenario ante el público, están discutiendo con entusiasmo y con gran algarabía sobre las relaciones del teatro y la vida, según nos dirá Manolita, la primera dama de la compañía, que saldrá al jardín más tarde; y sobre la escena patente, Valdés se enzarzará con todos los que sucesivamente van llegando, sobre los temas diversos que hemos enunciado, todos referentes al teatro como representación, no como texto.

El sentido que adquiere el conjunto de la representación es que parece imposible para los actores alejarse o evadirse de su profesión en el escenario o fuera del escenario: o están representando o están hablando de la representación y de sus

problemas; Valdés, fuera del comedor, habla de estos problemas, los demás, en el comedor, discuten de los mismos temas.
  Por momentos el lector tiene la impresión de que se va a
improvisar fuera del escenario, haciendo un "fundido" entre
una obra clásica y la vida en su realidad inmediata, y parece
que "la comedia del arte" se va a construir sobre el modelo y
las referencias a una obra que la compañía de actores está
preparando para estrenarla a beneficio de Valdés, que se
retirará pronto.
  Estamos ante una especie de "teatro en el teatro," o "esce-
nificación del teatro," pero fuera del teatro, o al menos fuera
del escenario. El pacto escénico en esta obra consiste en
admitir que la representación se hace en un escenario que no
aparece, y que los demás espacios, no muy alejados, e incluso
contiguos: el jardín, el comedor, el saloncito, son lugares de
vida, no de representación, espacios donde los actores pro-
yectan sus obras, ensayan o hablan de sus cosas, pero no
representan. La oposición "teatro/vida" se materializa en la
oposición espacial "escena/espacios contiguos" relacionados
con la escena, directamente o por el movimiento de los actores. Por eso, se insiste en que la compañía ha salido al campo
a descansar y a divertirse y está prohibido estudiar los papeles: conviene no mezclar vida y teatro, pero parece que los
actores no son capaces de conseguirlo. Estén donde estén,
alguien llega que procede del escenario.
  Aparte de la construcción dramática que se hace sobre el
modelo de un personaje fijo en escena y los movimientos par-
ciales y concretos de actores que llegan y se marchan, que
preguntan y responden, y que se suceden de modo que la
entrada de uno va seguida de la salida de otro, el tema será
único en este primer acto: una continuada reflexión sobre el
arte dramático a partir de temas puntuales que se van aso-
mando a los diálogos "reales"; se comentan y se valoran las
posibilidades de expresión de los signos no verbales en la
figura del actor, la expresividad del rostro, de las manos, de
los ojos, el movimiento, la entrada en escena, "que es muy importante"… se van sucediendo en las conversaciones, sin
dejar blancos o dejar paso a otro tipo de conversaciones, o de
acciones.

Estos temas se amplían con reflexiones directas sobre las posibilidades expresivas de los sistemas de signos no verbales que se contraponen al dominio de la palabra en escena: "las manos de ese actor son tan expresivas como sus ojos. Con sus manos, sin hablar, lo expresan todo [...], el gesto de ese actor es tan variado, tan rápido, tan múltiple, que las palabras son casi inútiles. El gesto, como los ojos, como las manos, expresa todas las pasiones." Son las teorías que planteará de un modo sistemático la semiología del teatro desde su aparición en Polonia y Checoslovaquia por los años treinta del siglo XX: O. Zich publica su obra *Esthétiquede l'art dramatique. Dramaturgie théorique* en 1931, el mismo año en que J. Mukarovski publica *An attempted structural analysis of the phenomenon of the actor*, obras que inician las teorías semiológicas sobre el teatro y cuestionan tradiciones y posibilidades: los signos verbales y los signos no verbales del escenario, los modos de significar de unos y otros, el valor semiótico de los espacios dramáticos, etc. La práctica escénica había evolucionado mucho con los movimientos artísticos a los que hemos aludido, pero también en lo que se refiere a la ideología subyacente en la práctica escénica; se hacía necesaria una revisión de las teorías y de las prácticas escénicas que habían caído en un formalismo y en un mecaniscismo que limitaba su función prácticamente a acompañar a la palabra.

El teatro, desde el último tercio del siglo XIX, pero sobre todo desde comienzos del siglo XX empezaba a dejar de ser en la mayor parte de las naciones europeas un arte formalizado, como había impuesto el dominante teatro francés, o el teatro de caja italiana, y buscaba una expresión más dinámica que afectaba al sentido semiótico del espacio y también fundamentalmente a la idea de que la palabra no era el único sistema de signos válido sobre el escenario. El teatro que se representaba en Europa en los escenarios comerciales en el último tercio del siglo XIX se había convertido en "teatro de palabras," es decir, conversaciones en una sala decentemente amueblada, donde entraban y salían los personajes discrecionalmente, y donde nunca pasaba nada. Un teatro experimental se inicia en algunos escenarios y luego se extiende a la práctica comercial del arte dramático. Empiezan a valorarse y a utilizarse las luces como sistemas de signos capaces de expresión y comunicación dramática; se descubre el valor histórico de los decorados, del traje, del peinado; se explota el simbolismo de los objetos en escena, etc.

Sin embargo, y para considerar este ambiente en sus dimensiones de "revolución" dramática, hay que advertir que el teatro siempre había utilizado, tanto para dar unidad de sentido, como para intensificar el dramatismo o la comicidad del texto dialogado, signos de sistemas semióticos no verbales: objetos, que por estar en escena asumían un valor sémico; distancias, gestos, tonos, ritmo, silencios, vestido, maquillaje, peinado, ruidos y sonidos, etc. que estaban desde siempre sobre el escenario, y que sin duda asumían valores sémicos integrados en la palabra, pero no se les daba el valor y la consideración escénica adecuada en las teorías sobre el arte escénico, dado el dominio generalizado de la palabra y la total confianza que se tenía en sus valores semánticos. La renovación procede no del uso de los sistemas de signos, no verbales sino de la consciencia de que todo lo que está en escena, y por el hecho de estar allí, se semiotiza, y, por tanto, todo debe ser considerado y estudiado como expresión y comunicación con el público.

Por otra parte, desde 1900 en que aparece *La interpretación de los sueños*, de Freud, el mundo onírico, con sus asociaciones sorprendentes y no lógicas, en sus espacios y tiempos con superposiciones y sentidos propios, no empíricos, estaba buscando su lugar en el teatro, de un modo particular en la representación, y trataba de ver cómo materializarse en escena; los autores y directores teatrales quieren explicar por qué un clima trágico puede reforzarse con un tono de voz, o con una determinada actitud corporal, con un gesto, o bien con las luces manejadas desde un punto de vista expresivo o simbólico; mientras la palabra puede insistir en el sentimiento de terror o en el clima de angustia que en ocasiones produce un hecho que se asocia a cualquier vivencia diaria, en la escena puede encomendarse la creación del sentimiento o la concomitancia de un recuerdo a un determinado tono de luz. Un modo de iluminación con color y lateral consigue en *La sirena varada*, de Casona, o en *Enrique IV*, de Pirandello, el efecto de dar irrealidad, de locura, o simplemente crea otra realidad con unas escenas que se presentan como materialización del deseo, de la fantasía, de la vida interior, del desengaño.

Todas estas cuestiones preocupan a los actores en su trabajo, preocupan a los directores en la puesta en escena y a los autores en sus textos, y además se abordan desde la teoría y desde la práctica teatral, tanto textual como escénica. Estos son los temas que se discuten en *La comedia del arte* de Azorín, sobre el cañamazo de la historia de una compañía que se renueva en el tiempo. Son temas que no se tratan de un modo sistemático, sino que salen al hilo de las conversaciones de actores, porque ellos no son teóricos del arte escénico, sino creadores o técnicos de los signos dramáticos.

Un actor a punto de retirarse (don Antonio Valdés), reflexiona sobre cuestiones escénicas ante una joven meritoria que va a tener su primer papel (Pacita Durán); estamos en una especie de escuela de teatro, que se inicia en el primer acto y se prolonga en los otros, sobre el cuadro de la vida (no del arte) de los actores, porque ficcionalmente se desarrollan en el jardín, en el saloncito de un hogar, en el salon de un teatro adyacente al escenario, en el comedor de un restaurante, mientras en el escenario se actúa o se prepara la actuación. Las reflexiones, aunque no sistemáticamente expuestas, tienen un carácter teórico en el discurso y no ocuparían más tiempo que su realización en la palabra; las vivencias tienen un cariz sentimental a lo largo del tiempo implicado en los tres actos de la comedia (presente *in fieri*) y en los dos entreactos (pasado al que se recupera para explicar el cambio de situación en los actos). Son ideas expuestas fuera del escenario, en espacios próximos, por personas vinculadas al teatro (actores, meritorios, médico, familiares), que las introducen en sus vidas como ecos de la escena y de lo que el arte escénico demanda.

La vida y el arte se cruzan en los actores, y el teatro de la vida deja ver la vida de la escena clásica con los personajes que se mueven en ella mediante el cuerpo de los actores, en un fundido que poco a poco va desvelando correspondencias: el viejo actor, a cuyo beneficio se prepara la función, es como el viejo Edipo, porque los papeles que va a representar Valdés y los demás cómicos que se reúnen con él en el campo corresponden a *Edipo en Colono,* de Sófocles, según sabemos cuando el mismo Valdés "saca del bolsillo un papel y empieza a leer":

> Hija de un viejo ciego, Antígona, ¿a qué país, a qué pueblo hemos llegado? ¿Quién acogerá hoy con una pobre limosna a Edipo errante?

La obra de Sófocles, como modelo depurado de teatro clásico, se erige en el trasfondo de la historia viva que está desarrollándose en el mismo teatro, en el gran panel que da sentido a las referencias de todos los que piensan en la representación a beneficio de Valdés, y los actores se hacen preguntas ante el público que sigue expectante el cambio de los temas, según van entrando y saliendo en escena: se discute sobre las relaciones de la vida y el teatro, sobre la pérdida de la personalidad real absorbida por el mundo de ficción en que se mueve el actor al asumir la personalidad de los personajes: "¿podemos prescindir nosotros de trabajar siempre?" / "la ficción lo es todo para nosotros" / "la ficción es más bella que la Naturaleza" / "Trabajando siempre en el mundo de la ficción, cuando nos ponemos en contacto con la Naturaleza, nos sentimos desorientados. El arte ha entrado en lo más hondo de nuestro espíritu"...

De la conversación y del diálogo entre personas y sobre temas de la vida diaria se pasa, de modo insensible, al diálogo escénico de actores en la obra clásica: de vez en cuando se encuentran recitando un papel del Edipo, y viceversa, el diálogo de Sófocles se prolonga con naturalidad en el diálogo actual y vivo que afecta a las relaciones de la vida diaria. En un momento determinado, Pacita se identifica con Antígona, conoce su papel, y empieza a recitarlo:

> Edipo, padre infortunado, veo a lo lejos las torres de las murallas que rodean la ciudad; el lugar en que nos encontramos es tranquilo, apacible; está poblado de laureles, de viñedos y de olivos. Y entre el follaje, los

ruiseñores entonan sus cantos melodiosos. Descansa en esta peña. El camino que has hecho es trabajoso para un anciano.

Edipo se convierte en la imagen de todos los artistas que viven por el ideal: "ciego y viejo, lleva sobre sus hombros el peso de todos los dolores..." La figura del viejo Edipo, asistido por su hija, converge con la figura del artista viejo que está ante la joven meritoria de la compañía, a la que espera un brillante porvenir. En el mundo del teatro, como en todos los órdenes de la vida, mientras unos terminan su carrera y otros se incorporan, todos cumplen o cumplirán una trayectoria inexorable hasta un final en el que se asumen todos los dolores, incluída la ceguera de la renuncia.

Los temas de reflexión cambian con la entrada de un nuevo personaje en escena. Se cierra el discurso sobre la identificación del actor y el personaje, y se pasa al tema de la inspiración que puede ser artística o tomada de la realidad, y que enlaza con el problema de la ficcionalidad, tan debatido.. Entra Ontañón, un actor cómico, y explica dónde encuentra modelos para los personajes que representa, dónde se inspira para dar forma en escena al papel que le encomiendan; parece claro que el actor no tiene todos los registros necesarios y debe buscar canónes en la vida, según el principio mimético defendido por Aristóteles, que no sólo da materia al mito, a las fábulas, en cuanto son "copias de conductas humanas," sino que es también el principio que inspira el arte de la representación: "paseo por las calles, entro en los cafés, en las tiendas, en las iglesias; subo a los tranvías [...], calle, siempre calle." Hasta que encuentra un individuo que de forma natural es el modelo para su personaje, y entonces lo sigue, lo observa, lo copia. No se crean las representaciones de los personajes en el estudio, se determinan en la vida y a partir de ella se imitan, porque, acaso "¿Son mejores los telones y las bambalinas?" El dilema arte/vida no se discute en abstracto, lo enuncia y lo resuelve un actor al enfrentarse con su propio trabajo. Azorín no lo presenta en una discusión en la que se defienda dos o más posturas, cada una con sus razones, lo encarna en Ontañón, que ya tiene una opinión propia

y definitiva, presentada como indudable: la escuela de la vida
resulta más eficaz que el aprendizaje en escena. Sin embargo,
el segundo acto volverá sobre el mismo problema y será
Valdés quien proponga una solución más ecléctica: el verdadero arte es mezcla de estudio e inspiración, de genio y de
modelos.

Se cierra o se aparca un tema y surge otro de inmediato,
con la llegada de la primera dama de la compañía, Manolita
Redondo: ella viene huyendo del interior donde acalorada-
mente: "discuten sobre la interpretación escénica de los
personajes antiguos." El problema de la reposición de los
clásicos, tanto en el texto como en la representación: ¿deben
hacerse reconstrucciones arqueológicas o deben actualizarse
los clásicos?, ¿se pone el texto lingüístico al día? ¿Es más
acertada una "representación arqueológica," o una versión al
día?, ¿deben conocerse, mediante un estudio hermenéutico
los contextos lingüísticos y culturales de las obras para
representarlas adecuadamente?, ¿quizá el teatro es universal
y válido para todos los tiempos, como lo está demostrando el
hecho de que Valdés se identifica con Edipo? Sobre el tema no
se decide nada, queda ahí planteado como uno de los muchos
que tiene el teatro y afecta al texto y a su persistencia en el
tiempo, al discurso con sus variantes anecdóticas, al actor y a
la representación.

Las discusiones o las presentaciones de los temas y problemas teóricos se hacen mediante la exposición de un actor y la
concordancia de los que están dialogando con él, que se
limitan a asentir, en una especie de "diálogo socrático," pero
a veces es la misma historia escenificada la que ejemplifica y
confirma alguna de las ideas: por ejemplo, en esta *Comedia
del arte,* de Azorín, la de las relaciones, interferencias e
incluso identificaciones entre la vida y el arte, según Valdés
hace de sus propias circunstancias con las de Edipo, y las de
Pacita Durán con las de Antígona.

Las grandes obras constituyen imagen de la vida, son
pararelas o se superponen con otros tiempos y otros personajes y en todo caso persisten en la historia y forman con ella
un *continum* que se descubre y sorprende cuando se analiza;
se llega a la conclusión de que el teatro escenifica siempre la

misma obra: la vida humana, y esta es igual en todos los tiempos, como comedia y como tragedia.

Esta idea se manifiesta en la misma representación, no mediante palabras que la expliquen directamente: llega Valdés recitando el papel de Edipo y le da la réplica Pacita en el papel de Antígona:

> Siéntate y guarda a tu viejo padre.
> Tanto tiempo hace que cumplo este deber, que no he de aprenderlo.
> ¿Puedes decirme dónde estamos?
> Cerca de Atenas, sí; pero este lugar no sé cual es.
> Antígona, hija mía. ¿Nos han abandonado todos?
> Sí, padre mío; todos nos han abandonado.

El diálogo de *Edipo en Colono* se continúa en un diálogo entre los actores: el personaje cede la palabra al actor, cuando éste se ha identificado con la situación que está representado, y lo hace de modo espontáneo, sin ningún aviso, como si fuera lo natural que la ficción fuera seguida de la realidad, tanto que el espectador que no conozca el texto no observa ningún ictus: las dos últimas ocurrencias, aunque incluyen el nombre de Antígona y el apelativo de "padre mío," que remiten a la situación griega, no pertenecen ya al texto de Sófocles, y sirven de transición al resto del diálogo que corresponde a la relación Valdés-Pacita:

> ¿Y tendrás tú fe siempre en mí?
> Fe y entusiasmo tendré siempre.
> No puede una niña sacrificar su juventud a la vejez
> Yo tengo fe, tengo confianza; lo sacrificaré todo.

Sin embargo, el corte no puede pasar desapercibido para el autor, don José Vega, que interviene rápido: "ese no es el texto de mi traducción," y es precisamente aquí donde Azorín da por primera vez la clave del título de la obra, a la vez que señala distancias y competencias entre el autor y el actor, ambos creadores del teatro representado. Azorín da el nombre de "comedia del arte" al teatro que se escenifica con las

palabras improvisadas del actor sobre una situación creada
por el autor:

"Comedia del arte. El autor da la situación, y el actor pone
las palabras" y esto en todas las obras dramáticas, pues existe
la comedia del arte, y también la tragedia del arte. Y es
sorprendente que esta última contraposición se repite dos o
tres veces hasta que se acaba el primer acto de la obra,
tragedia/comedia, es lo mismo, es teatro. Parece que no hay
más teatro que el que ofrece la modalidad de la "comedia del
arte," que podría llamarse, por tanto, "teatro del arte," o
mejor, "teatro del arte dramático," pues éste es su tema.

Esta concepción de la comedia del arte parece nueva, no
coincide con la tradicional italiana, ni en la práctica, ni en la
teoría, se suma a otras que han ido apareciendo como
interpretaciones más o menos alejadas de la italiana, y se
denominan o se consideran del mismo modo, bien porque
repiten personajes, como *Los intereses creados*, de Benavente,
bien porque se refieren a alguna manera de improvisación
sobre el escenario.

Parece que Azorín entiende como comedia del arte, la obra
que escenifica los problemas del arte escénico. Más que "comedia del arte" o "teatro del arte," podría llamarse efectivamente "arte de la comedia" o "arte del teatro," pues en el
texto se discute el arte de la comedia, el arte del teatro y la
posibilidad de que el autor tenga libertad y competencia para
improvisar los diálogos sobre la situación que un autor le
ofrece.

En su conjunto, el primer acto de la *Comedia del arte*, en
el panorama de fondo de las relaciones internas de una compañía de teatro, discute o presenta temas sobre los signos
escénicos: entradas, salidas, gestos, manos, distancias; sobre
las interferencias y relaciones teatro-vida; sobre el modo de
interpretar el teatro clásico, y sobre la actualidad de este
teatro cuando se ve en él una imagen de las situaciones que
ofrece la vida cotidiana. Y concluye con la idea de que la
escena acoge una forma de arte específica donde el papel del
autor es crear situaciones y la función del actor es ponerle un
discurso. No obstante, esta última condición, sólo incipiente-
mente la aporta el actor en tres o cuatro ocurrencias al pro-

longar el diálogo de Edipo y Antígona. El discurso normalmente corresponde al autor de la obra; a los actores les corresponde su realización escénica solamente. La teoría y la práctica discrepan claramente en este punto de *La comedia del arte* azoriniana.

No cabe duda de que este primer acto es ambicioso, temáticamente, al plantear todos esos problemas del teatro, a la vez que construye también una historia sobre las relaciones entre los actores de la compañía, en situaciones bien dramáticas y con funciones bien diferenciadas: el autor, la primera dama, el actor de carácter, la meritoria, el hijo de la primera dama, que representa la renovación y la continuidad, y hasta el Doctor de la compañía. Cada uno tiene asumido su papel: la retirada para Valdés que prepara su beneficio con la función de *Edipo en Colono*, el debut para Pacita, a la que se le abren las puertas del éxito; el estudio de campo para Ontañón, que aprende en la vida cómo debe actuar en escena, el estudio y la preparación para el hijo de la primera actriz, etc... Lo que estos actores están viviendo fuera del escenario es una tragedia, la de la vida, que con el paso del tiempo acaba con unos y da paso a otros, a los que reserva el mismo destino: lo que están ensayando para representar en el escenario es una tragedia clásica, la de la muerte de Edipo; lo que están viviendo es su propia tragedia, su camino hacia la muerte, profesional y vital. Para construir el teatro ha de seguirse un método que consiste en el del reparto de papeles y roles: el autor creará las situaciones, la historia, el mito, y los actores darán forma al discurso con el diálogo. Esta sería la tesis general, que luego se vive de modos diferentes.

Los temas que se ofrecen en los diálogos y la misma representación que pasa del teatro a la vida y construye historias sobre el esquema del teatro clásico constituyen el "mito" que Azorín desarrolla en el primer acto de su *Comedia del arte*.

El segundo acto cambia de tiempo: diez años más tarde; también cambia de espacio: el interior de una casa modesta (un comedorcito); no cambia de personajes, aunque los presenta en otra situación vital y son ellos mismos los que dan cuenta de lo que les ha pasado en el largo entreacto. El texto se centra más en la vida y deja de momento de ser una

reflexión sobre las posibilidades, personajes y funciones del
teatro para convertirse en un relato: diez años atrás se cele-
bró la función a beneficio de Valdés con *Edipo en Colono*,
cuyo papel de Antígona dio gran fama a Pacita; dos años
después se quedó ciego; ahora está en casa de Manolita y su
hijo Paquito, que lo han acogido, lo atienden y consuelan; el
doctor Perales trae todos los meses un dinero para los gastos
del viejo actor, y se sospecha que lo manda Pacita, de gira por
América. Los demás, tanto Manolita como el Doctor se declaran pobres y no pueden prescindir del dinero que llega para
atender al viejo actor empobrecido. La situación de Edipo en
Colono se repite en Madrid: Pacita-Antígona atiende al héroe
ciego, las gentes (Manolita, Paquito, Perales) le dan su limos-
na, y él aporta su experiencia dando lecciones de actuación a
Paco, el hijo de la primera actriz. Esta es la situación que
abre el segundo acto, las acciones se realizaron en el entreacto y, por eso, son narradas, están en pasado y no son
vividas en escena.

Como ocurre en muchas obras, las acciones se pierden
entre los actos y cada acto dibuja e informa sobre una situación presente que ha ido configurándose en los años omitidos.
Pérez de Ayala en *Las Máscaras* había censurado esta práctica habitual en las obras de Jacinto Benavente, que
construye sus obras sin acción, o si la tienen, está fuera del
escenario, relegándola bien a los entreactos, por tanto en
tiempo pasado, o bien, si es simultánea a la representación,
hace que transcurra fuera de la escena mientras los actores
conversan de temas triviales, sentados en el sofá de la sala
"decentemente amueblada." El teatro así estructurado es un
"teatro de palabras," pues lo que ocurre realmente en escena
es una conversación, que suele ser ingeniosa, chispeante,
hábilmente llevada por un grupo amplio de personas, etc.,
pero que no es la acción dramática.

Sin embargo, el escamotear la acción de la escena no
parece que haya sido un rasgo de estilo exclusivo de Benavente, pues el mismo Ayala hace otro tanto en su obra *La
revolución sentimental*, según ha demostrado J. Canoa
("Pérez de Ayala y el teatro," en *Homenaje a Ramón Pérez de
Ayala* [Universidad de Oviedo, Servicio de Publicaciones,

1980] 161-89) y lo mismo advertimos en la *Comedia del arte*, de Azorín. Es un modo, quizá no muy teatral, de lidiar con el tiempo en presente que exige la representación, y buscar quizá una simultaneidad entre la acción fuera y el comentario dentro de la escena. Es posible encontrar otras variantes, según autores, obras y tipos de teatro.

La situación se ve alterada con la llegada de un telegrama que anuncia que Pacita ha vuelto de América y va a presentarse en la casa de doña Manolita para ver a su querido don Antonio. Preparan la visita para que Pacita asista a una de las clases que el actor ciego y viejo, retirado de escena, imparte a Paquito, que aspira a ser un gran actor, y todos se confabulan para darle la sorpresa al maestro. Ontañón, al oir que Pacita sorprenderá una clase de teatro en la escena, exclama: "¿Comedia del arte? Estoy en mi elemento," que resulta un tanto difícil de interpretar: ¿qué quiere decir en este contexto "comedia del arte": ver cómo se entiende el arte de representar? Desde luego en ningún caso puede aludirse a improvisación del texto. El tema de la comedia del arte está traído un poco por los pelos: no parece salir de una manera espontánea de la conversación, pues procede de una intervención casi ex abrupto de Ontañón y no entra en los cánones históricos, ni en los que en el primer acto ha señalado Azorín.

De nuevo nos preguntamos ¿qué concepto de *comedia del arte* se maneja aquí? ¿Ver ensayar es comedia del arte? ¿Es comedia del arte asegurar la continuidad del arte, y que un actor pase sus conocimientos a otro? ¿Estamos de nuevo ante una reflexión sobre el "arte de la comedia," el "arte del teatro"?

De hecho, este segundo acto, a partir de ahora sigue las pautas del primero y ante Valdés todos intentan hablar del arte dramático, que es cálculo, inspiración y estudio... y un poquito de otra cosa que no es humana, sino divina, el genio. Sobre el tema se había opinado antes, cuando Ontañón en el primer acto expone su modo de hacerse con el personaje, de crearlo para identificarse plenamente con él a partir de modelos vivos tomados de la realidad; ahora parece que se da la versión definitiva y Valdés expone toda una teoría, más o menos ecléctica, sobre el arte de representar en el escenario:

El actor, dicen unos, debe hacer sus papeles por cáculo.
El actor, contestan otros, debe fiarlo todo a la inspiración. Y ni una cosa ni otra. Es decir, las dos cosas.
Todos los grandes actores han sido las dos cosas. Vais a
verlo. Yo voy a representar un papel, he de empaparme
de ese papel, he de compenetrarme con él, he de profundizar en él todo lo que pueda. Y para crear ese tipo
que un poeta ha imaginado, iré por las calles, asistiré a
las tertulias, frecuentaré toda clase de gentes. En suma
observaré atentamente con minuciosidad los gestos, los
movimientos, los ademanes, las inflexiones de la voz del
personaje que he de representar [...] La noche de la
representación llega... Entonces todo se me olvida. Los
pormenores de la realidad están en el fondo del espíritu,
pero yo voy hablando, hablando... Sin saber nada, de
pronto lanzo un grito, hago un gesto, un ademán, que
electrizan al público, que le emocionan y que le hacen
aplaudir calurosamente... ¿Sabía yo al entrar que tal
frase iba a decirla con una entonación que ha llenado de
horror trágico a los espectadores? No; de ningún modo.
No, la realidad ha surgido porque estaba acopiada,
almacenada, y, por encima de todos los pormenores de la
realidad, ha ido aleteando, mariposeando la inspiración.
Y eso es todo.

Las observaciones se centran en el arte de Pacita que
aparte de su técnica, como la anteriormente descrita, que
comparte con todos los buenos actores, tiene un secreto para
las representaciones clásicas: "pone alma nueva, de ahora, a
los personajes antiguos."

De nuevo estamos ante el Arte de la comedia (y de la
tragedia) más que ante la Comedia del arte. Tampoco es propiamente "teatro en el teatro," al menos en el sentido que
siempre se ha dado a esta expresión y que parecía insinuada
en el primer acto al aludir e incluso ensayar *Edipo en Colono*.
Aquí la idea de comedia del arte parece inclinarse hacia un
contenido más preciso: es comedia del arte hablar de los
problemas y temas de la representación sobre la escena. En el
primer acto se definía la comedia del arte de acuerdo con el

método que consistía en separar los roles del autor (crear situaciones) y del actor (hacer el diálogo). Ahora se amplía el concepto y se considera comedia del arte la reflexión en escena sobre los problemas del teatro, sean éstos del texto o de la representación.

Se prepara el recibimiento de Pacita con el ensayo en el que Valdés da lecciones a Paco. Es la conjunción de teoría y práctica: lecciones, pero siempre sobre una obra concreta que sirve de pauta general. Es la escena V del acto III de *El Trovador*, una escena apasionada para la que el maestro pide ímpetu, más pasión. Están en esto cuando llega Pacita, a la que todos ven y el ciego intuye; todos sienten un estremecimiento que paraliza los ensayos. Don Antonio se siente manipulado porque no le han dicho que Pacita estaba en Madrid. El encuentro de Valdés y Pacita es, según Valdés "comedia," según Pacita "todo teatral," según Ontañón, "teatral." De nuevo la representación se confunde con la vida y el encuentro de las personas se convierte en encuentro de personajes.

Es muy interesante que en esta escena, crucial e intensa en la obra, las palabras ceden su función a los gestos, y las acotaciones se hacen cargo de expresar las acciones:

> (Aparece Pacita en el fondo, en el comedorcito; Manolita, Ontañón y el Doctor Perales, que estaban sentados, se levantan en silencio al verla, atraídos irresistiblemente por su presencia; Paco se detiene y la contempla extasiado. Pacita, conmovida, les hace señas que callen) […].

> (Siguen las señas entre Pacita y los demás personajes. Pacita llora y se limpia los ojos con el pañuelo. Los demás personajes le dicen que ya basta y que se retire. La actriz se retira de la puerta) […].

> (Entra Pacita precipitadamente, sollozando, y se dirige a Valdés).

Todos los movimientos y las acciones están en las acotaciones, son signos no verbales, que resultan de gran eficacia escénica y hasta logran una contraposición entre la vida (gestos, indicaciones a Pacita) y texto dramático representado, que no tiene nada que ver (*El Trovador*).

Don Antonio, ante la presencia real de Pacita, afirma: "¿Representar? ¿Quién se acuerda del teatro?" a lo que Pacita sabe contestar: "¿Qué quién se acuerda del teatro? Usted no puede dejar de ser el gran actor de siempre?" Y efectivamente se ponen a preparar de nuevo, como para cerrar en círculo la rueda de la vida y del teatro, una representación de *Edipo en Colono* y vuelven a recitar los papeles de Edipo (Valdés) y de Antígona (Pacita). La representación será esta vez a beneficio del autor, don José Valdés, pues "¡el más grande poeta de España está pobre!" Toda la escena, toda la vida, se resume de nuevo: "Comedia, tragedia del arte." Los actores, los autores, el arte del teatro, todo es una comedia, todo es una tragedia. Vida y teatro para la gente del teatro es lo mismo: "¡Siempre en escena!"

Azorín va perfilando el sentido de su título. Al terminar este segundo acto parece que se distancia del significado que se le da en la historia del teatro a esa modalidad italiana conocida por *Commedia dell'Arte*. No parece referirse a un estilo concreto de representar que exige una historia, cuya disposición se recoge en un "scenari" o "canevas," es decir, un guión sobre acciones, movimientos, gestos, etc. un esqueleto de la obra, que animan los actores con tiradas de versos sobre motivos tópicos y con una anécdota también tópica, que se saben de memoria. Azorín llama comedia/tragedia a la vida de los cómicos, aunque no tengan el nombre propio de los personajes que repiten como actores: Colombina, Arlequín, Pantalón, Capitán, Polichinela, etc. y que el público madrileño conocía muy bien cuando se estrena su obra, en 1927.

En 1907, en el Teatro Lara de Madrid, se estrenaba la obra de mayor éxito de Benavente *Los intereses creados*, que siguió representándose (y no sólo en España) de una manera regular y frecuente. En 1930, en una votación en la que participaron cincuenta mil personas, el público la considerá la obra maestra de su autor. En ella aparecen muchos de los personajes de la *Commedia dell'Arte* y todos ellos tienen un papel tópico, si bien la obra no cumple con la fórmula básica de la comedia italiana: el diálogo no se improvisa, es el ingenioso diálogo de Benavente (*Los intereses creados*, edición de F. Lázaro Carreter [Madrid: Cátedra, 2000], Introducción). Los nombres de los personajes de la comedia del arte estaban en el recuerdo de los aficionados al teatro, que siguen viendo la obra de Benavente.

El final del segundo acto de la *Comedia del arte* azoriniana podría muy bien haber sido el final de la obra: parece que se han tratado todos los temas, parece también que desde el punto de vista de los actores que intervienen en el cambio generacional está asegurado: doña Manolita-Pacita, Valdés-Paco; se inicia la *Comedia* con una función beneficio, cuyos ensayos asoman en el primer acto y se cierra el segundo con una función beneficio, cuyos ensayos se repiten, pues se trata de la misma obra. La estructura parece perfecta, es decir, acabada, si el argumento de la obra fuera la trayectoria del actor paralela a la trayectoria del autor. Y sin embargo hay un tercer acto.

Se acerca la acción al espacio físico del escenario, "se supone el saloncillo de un teatro," al que traen a Valdés, que se ha desmayado en escena mientras recitaba un texto que ha sustituído por uno suyo, como había hecho en el primer acto dándole las réplicas a Pacita Durán. Va a consumarse la historia viva de la obra: teatro y vida convergen en la tragedia del tiempo. Si la historia "teórica" parecía estar completa, si los dos primeros actos son un muestrario de temas dramáticos, entreverados por la vida de los actores, este tercer acto pone en primer plano la vida, es decir, la muerte, y desplaza la representación: el juego continúa con un cierto contraste en la disposición de los tres actos.

Valdés ha repetido una y otra vez que su vida es el teatro; Pacita, cuando el maestro a final del segundo acto quiere olvidar al teatro por la alegría de verla, le recuerda que su vida es el teatro, y ahora en el escenario, la vida se le pone ante el texto, y de nuevo se identifica con Edipo, haciendo un fundido definitivo de vida y representación y muere al final, como Edipo en Colono. Cuando en escena dice su propio texto con vida y con verdad, el éxito se alza apoteósico con interminables aplausos. Los actores lo celebran y brindan por el arte, por el amor: Pacita y Paco recitan su amor con versos que Calderón pone en boca de Cipriano para dirigirse a Justina (*El mágico prodigioso*, Jornada I), y cumplido todo, Valdés muere en la escena. Ha dado el testigo primero a Pacita, ahora a Paco: el teatro seguirá su andadura de siglos y será espejo de la vida de los actores y del público, de la humanidad entera. Esta es la *Comedia del arte*, tal como la entiende Azorín, que no es la *Commedia dell'arte* italiana, *Commedia dell'improviso*, o *Commedia a notizia*. No hay personajes tópicos, no hay improvisación del texto, no hay casos nuevos sobre esquemas viejos. Hay una vida que se acaba frente a otras que empiezan, y hay un arte que persiste y se repite con anécdotas variables.

La Comedia del arte ha dejado ecos en los temas, en la técnica, en la representación del teatro europeo. Se ha estudiado su presencia en el teatro inglés, sobre todo en Shakespeare, en el teatro francés, en el teatro español, etc. y casi siempre se detecta a través de los nombres de los personajes tipo que se aproximan, mediante el nombre genérico de Polichinelas, al teatro de marionetas (buratini), o al teatro de personajes más o menos formalizados, tanto por su atuendo (se alude a la vestimenta de Arlequín y a sus triángulos, con frecuencia), o por su actuación; se hacen referencias a la improvisación del texto por parte de los actores; se ve en toda la tramoya de un pequeño tablado el arte escénico en sus orígenes, con entradas, con salidas, con sorpresas, se valora su frescura y su ingenuidad, sus reiteraciones, sus recursos cómicos, etc. Con la obra de Azorín estamos ante otra forma de entender la comedia del arte: consiste en llevar al escenario las discusiones teóricas y prácticas del teatro, del texto y de la representación, de los actores, de la historias, etc, cosa que no aparece en la *Commedia dell'Arte*. Como ya hemos dicho, más que *Comedia del arte*, habría que titularla Arte de la comedia.

BENAVENTE EN CLAVE HOMOERÓTICA: *EL RIVAL DE SU MUJER* (1933)

DRU DOUGHERTY

University of California, Berkeley

"El Teatro goza hoy de la más amplia libertad; puede decirnos cómo somos y cómo deberíamos ser. El espectador es la única autoridad que puede oponerse a las libertades del autor" (Benavente, "La moral en el teatro" 26). Así señaló Jacinto Benavente el poder del espectador en el teatro español a principios del siglo pasado. Los autores disponían de múltiples recursos escénicos para representar la vida contemporánea, pero su "amplia" libertad estaba limitada por la autoridad del público, ese "monstruo de cien mil cabezas" a decir de Ernesto en *El gran Galeoto* (Echegaray 71). La *autoridad* aludida por Benavente tenía su concreción institucional en la censura, pero más temible era su manifestación directa en la sala, a través de silencios, réplicas o protestas airadas. El público burgués, que sostenía la institución del teatro, se sentía designado para vigilar los discursos de la escena, cuyo grado de discreción no permitía que se hablara de ciertos temas indignos o—palabra emblemática de la época—"escabrosos" (Gómez de Baquero). Todo autor tenía que torear ese toro, y Benavente era reconocido como diestro en el oficio. Sobrevivía (y medraba) en el teatro aunque sabía que decir verdades en público (a un público que pagaba) era siempre arriesgado.

Cabría pensar que pocos autores se atreverían a hablar sobre el sexo en el teatro, dada la moral que hacía de la "comedia blanca, sentimental, anodina" el producto escénico

más consumido por la burguesía madrileña, según Luis Araquistáin (Araquistáin 66). Pero tenía razón Foucault al
observar que el siglo veinte fue singularmente prolífico en la
invención de discursos para hablar de la libido: "¿Censura
respecto al sexo? Más bien se ha construido un artefacto para
producir discursos sobre el sexo, siempre más discursos, susceptibles de funcionar y de surtir efecto en su economía
misma" (Foucault 32). Un vistazo a la producción cultural de
principios del siglo XX confirma este juicio. Desde las colec-
ciones de novelas *sicalípticas* hasta los populares libros del
doctor Marañón, pasando por las ilustraciones eróticas de un
José Zamora y el llamado "teatro ínfimo," los consumidores
del sexo escrito, grabado o escenificado podían escoger entre
una oferta realmente amplia.[1] Sin embargo, no todo fue apto
para todos, y se situaron estos productos, como la misma
prostitución, en sus guetos, llamados "colección afrodita,"
"teatro picante," tratado de "higiene" o espectáculo
"galante." Entre el populachero teatro Maravillas, donde
toda la "hermosura de las Venus de la casa" tenía "un magnífico pretexto de exhibición" (A. 35), y el aristocrático teatro
Beatriz, donde fue estrenada la comedia recordada aquí,
mediaba una distancia social considerable. En 1933 España
era una república de trabajadores, pero tratándose de teatros,
todavía había clases.

 ¿Cómo hablaron del sexo los personajes de *El rival de su
mujer*, cuya acción giraba en torno a una relación entre dos
hombres, que a muchos les parecía más homoerótica que
amistosa?[2] Mediante un discurso de murmuraciones, maledi-
cencias y medias palabras, dosificado de signos que apun-
taban a una intimidad que sobrepasaba la mera—o la pura—
amistad. En esta obra de 1933,[3] el telón se levanta dando
paso a una situación típica de comedia de salón: Silda, dama
de la alta burguesía madrileña, busca despertar el interés de
su marido, Jaime, dándole celos, ya que le nota frío y distante
desde hace tiempo. Entra en escena Eduardo, galán joven
quien encuentra en Silda a una mujer predispuesta a aceptar
sus atenciones. Tras conocerse se vuelven inseparables—para
la dama, "era más que coquetería, más que un capricho: era
una gran pasión" (*Rival* 10)—hasta que un día el galán

conoce al marido de la que piensa será su nueva amante. A partir de ese momento, Eduardo se aleja de Silda y pasa a ser el mejor amigo de Jaime. Ofendida, sintiéndose en ridículo, Silda comienza a creer lo que ya comienza a murmurar todo el mundo: "que la amistad ha podido más que el amor. Un marido que es el rival de su mujer" (*Rival* 26).

En ningún momento se menciona el sexo (ni mucho menos el deseo homosexual) en *El rival de su mujer*, pero todo gira en torno a la sospechosa "amistad" entre los dos hombres. Todos comentan, con suma discreción, el ambiguo triángulo amoroso sin que nadie afirme, o desdiga, los rumores de un lazo erótico entre los dos varones. Sin embargo, el proyecto de un viaje juntos de Jaime y Eduardo obliga a que por fin se encuentren palabras para hablar del famoso "amor que no tiene nombre." A todos les interesa evitar un escándalo sexual como aquél que Benavente había escenificado dos años antes en *De muy buena familia* (1931) y que el público, según Díez-Canedo, identificó con un suceso de la vida real.[4] De ahí que Jaime y Silda, en la intimidad de su casa, adopten primero un léxico típico del viejo drama de celos:

> Silda. […] ¿Tú no crees que yo te quiero?
> Jaime. ¿Por qué no he de creerlo? ¿Por qué no has de quererme?
> Silda. No; así con esa seguridad, no; porque lo que no se aprecia no se teme; si te importara mi cariño temerías perderlo, haberlo perdido.
> Jaime. ¿Entonces prefieres que dude de ti?
> Silda. Sí, lo prefiero […]. (*Rival* 30)

Para luego pasar a discursos más antiguos—del *Banquete* de Platón—, y más modernos—del ensayo sobre la sexualidad "limítrofe" de Don Juan, publicado pocos años antes por Gregorio Marañón—:

> Jaime. […] Para las mujeres la amistad entre hombres es siempre como una ofensa a vuestra soberanía. Algo mejor andaba el mundo y andaban los hombres cuando la amistad tenía más importancia que el amor; aparte

de lo que creen muchos imbéciles, la preponderancia del
amor sobre la amistad en los hombres no es una señal
de virilidad, sino de afeminamiento; no hay nada más
afeminado que el hombre faldero, el hombre de mujeres
acaba por ser tan femenino como ellas. El doctor Marañón ha juzgado muy bien a don Juan Tenorio.

Silda. Eso prueba que don Juan Tenorio sabía cómo
enamorar a las mujeres: [...] para enamorar a las mujeres hay que hacerse un poco mujer. (*Rival* 33)[5]

Como veremos más adelante, este discurso sembró dudas
entre el público del estreno. ¿Era esta "amistad entre hombres" una forma velada de amor homosexual? ¿Gozaban
Jaime y Eduardo de aquella "amorosa amistad" que valora-
ban "artistas y filósofos" en la antigua Grecia? (Benavente,
"Algunas mujeres de Shakespeare" 154). *El rival de su mujer*
termina quemando la amistad entre los dos hombres en aras
del matrimonio burgués, pero quedaba abierta la cuestión de
si la virilidad tenía que orientarse necesariamente hacia el
sexo contrario. Mediante las dudas sobre la relación entre
Jaime y Eduardo, Benavente invitó al público a considerar
que la sexualidad masculina podía desligarse del deseo por la
mujer.

Pero volvamos a la respuesta de Silda—"para enamorar a
las mujeres hay que hacerse un poco mujer"—ya que tuvo
que despertar recuerdos en el público madrileño de otra obra,
estrenada en el teatro Centro, hacía poco, *La prisionera*, de
Edouard Bourdet, cuyo tema fue el amor lésbico.[6] En la obra
de Bourdet, Irene (de la misma clase social que Silda) está
enamorada de una señora de la alta sociedad parisina cuyo
atractivo "misterioso... temible [...] lo envenena todo" (*Prisionera* 41). Irene es *prisionera* de una pasión que le repugna
y contra la que intenta luchar en vano: "Debes creer que
estoy loca. Y sí... Es verdad... Estoy loca... Hay que tratarme
como a una loca... [...] Tú no comprendes que no sé lo que
hago... Es como una prisión a la que vuelvo siempre a
encerrarme, a pesar mío" (*Prisionera* 45-46). La obra de
Benavente fue, en cierta medida, una respuesta al

planteamiento de Bourdet, una vuelta al revés no sólo de la pareja femenina—por otra masculina—sino también de la imagen carcelaria, que en *El rival de su mujer* ya no alude al amor entre miembros del mismo sexo sino a las normas de una sociedad que considera dicha relación una perversidad.

Para enamorar a las mujeres

Según Enrique Díez-Canedo, en *La prisionera* Bourdet planteó la cuestión de las "aberraciones del instinto sexual" de una forma directa (Díez-Canedo 148), pero, como afirma Mariano Martín Rodríguez, el autor francés trató el amor lésbico "conforme a la moral pública vigente," es decir, como "costumbre de su tiempo ante la que expresa su disconformidad," precaución que permitió que la obra se estrenara en el circuito comercial (Martín Rodríguez 202-203). Así, según el cónyuge de la mujer que "fascina" a Irene (la señora de Martelli sí sabe enamorar a las mujeres), la lesbiana, al perder su feminidad—su capacidad de responder al deseo masculino—, queda convertida en ser perdido y peligroso:

> [Martelli se dirige a Carlos, quien está enamorado de Irene.] Pasarás la vida corriendo detrás de un fantasma al que no lograrás aprisionar nunca. [...] Esas mujeres no han sido creadas para nosotros. Hay que huir de ellas. ¡Dejarlas! [...] porque vienen de otro planeta distinto. (*Prisionera* 40-41)

La protagonista de *La prisionera* gana cierta simpatía del público en tanto lucha contra su condición lésbica: aborrece su homosexualidad y quisiera comportarse conforme la norma enunciada por el hombre que consiente en casarse con ella para "salvarla": "La única solución normal para una hija de familia [es] el matrimonio" (*Prisionera* 22). La pasión de Irene por otra mujer viene a ser, así, una condición no natural y por tanto abominable, que no se atreve a confesar a nadie: "Si la dijera," dice, "nadie la comprendería" (*Prisionera* 19).

En un momento, sin embargo, Irene nos hace entrever que su "sufrimiento oculto" proviene de las mismas normas sociales que la condenan al silencio. Al hablar con Carlos sobre su secreto, se hace cargo del influjo que ejerce sobre ella la opinión "de todos":

> Irene.—Si miento es porque me obligan a mentir.
> Carlos.—¿Quién?
> Irene.—Todo el mundo. No tengo otro recurso. [...]
> Carlos.—[...] Una mentira como esa no puede pros-
> perar. Está condenada...
> Irene.—Si fueras amigo mío de verdad escucharías algo
> más a tu corazón y olvidarías los preceptos de la moral
> burguesa. (*Prisionera* 21-22)

Al hilo de esta idea—de que la verdadera prisión de Irene es "la moral burguesa"—retomaría Benavente su planteamiento del amor homoerótico cuatro años más tarde. Los protagonistas masculinos de su comedia no abominan de su amistad ni se sienten prisioneros de ella. Antes bien, celebran un lazo que les une como no lo haría el matrimonio. Podría aventurarse que la sociedad española de los años treinta ofrecía pocas oportunidades para que afloraran relaciones amistosas entre cónyuges de la alta burguesía, propiciando que los hombres buscaran una compañía intelectual y espiritual entre sus iguales en tertulias, ateneos y círculos privados. Pero el lenguaje con que Jaime y Eduardo hablan de su amistad está codificado para evocar los discursos de Fedro y Aristófanes en *El banquete* de Platón. A la idea de Fedro—el amor homosexual es superior al heterosexual por orientarse hacia la virtud del alma en vez de hacia la pasión por el cuerpo—se une el recuerdo del mito del andrógino explicado por Aristófanes. Así explica Eduardo el origen de la amistad que comparte con Jaime en el estado "asexual" y "equívoco" de los jóvenes andróginos:

> Eduardo.—[...] ¿No sabemos todos que la amistad fue
> siempre antes que el amor?... Y ¿no es acaso el mejor
> recuerdo de nuestra vida la primera amistad ingenua,

pudorosa, asexual todavía, pero ya equívoca? Después, es la vida; más que la vida es la sociedad, con sus prejuicios, vertidos en leyes por conveniencia social... Es la mujer que se entra por nuestra vida y se enseñorea de ella; sólo los débiles, o los muy fuertes, sucumben a la inclinación primera... (*Rival* 53).[7]

Sin saber si lo uno o si lo otro

La equiparación de los *débiles* con los *muy fuertes* en este discurso resulta arbitraria hasta que prestamos atención a las reseñas del estreno de *El rival de su mujer*. Ya en el texto dramático se nota un contraste entre dos personajes masculinos, Jaime y Pepín, que ocupan polos opuestos en la jerarquía varonil. Jaime, el marido de Silda, es un hombre inteligente, rico y de ideas progresistas quien recibe elogios de todos que le señalan como el "fuerte" de la comedia: "Esta noche tenía que haber oído a Jaime: con qué claridad abarca todos los problemas de la situación mundial; es un encanto oírle, se contagia uno de inteligencia" (*Rival* 13). Como dice su mujer, ante los demás hombres de su clase, "La superioridad de Jaime es abrumadora" (*Rival* 11). En cambio, Pepín, como indica su nombre, es poca cosa, "un imbécil" que "no agradece la tolerancia con que se le soporta en sociedad" según Silda (*Rival* 24). En una escena la "debilidad" de Pepín queda clara: Silda se enfada con él, Pepín protesta con remilgos, amenaza con marcharse y cuando nadie le hace caso, se calla. "Dada la actitud de Silda conmigo sabe Dios lo que aun tendría que oír si permaneciera un momento más. ¡No, no; esto no!..., ¡esto no!... ¡No me detengáis, no me detengáis!... (*Sentándose*) (*Rival* 25).

Las reseñas del estreno indican que Pepín, el hombre "débil" frente al "fuerte," es el típico maricón consentido por la sociedad en tanto marca su homosexualidad claramente mediante ademanes afeminados. Contrapunto del varón íntegro, su afeminamiento resulta útil precisamente porque hace resaltar lo masculino del marido de Silda. Cuanto más "faldero" Pepín, tanto más viril Jaime. Pero, como diría Judith Butler, la *performance* de Pepín, en cuanto se pasa de

la raya, pone al descubierto el hecho de que lo afeminado—y
por tanto lo viril también—son roles que todo el mundo interpreta. El género resulta, así, una categoría inestable y sus-
ceptible de confusión, lo cual provoca las exageraciones
"hiperbólicas" de un sexo y otro. En el estreno, el actor que
tuvo a su cargo el papel de Pepín exageró tanto los signos del
tipo afeminado que el público protestó:

> El galán joven, Sr. Merás, descompuso tan exagera-
> damente su tipo, con tan inconveniente alarde, que
> hubo de corregirse, ante la protesta del público, su
> juego, "artísticamente" poco honesto. (Chabás)
>
> [Merás] estuvo a punto de ser aplaudido en una
> escena difícil y peligrosa y entró en barrena, por con-
> fiarse demasiado en la gracia del vuelo equívoco... (Ol-
> medilla)
>
> Miguel Merás se excedió en el dibujo de un tipo afe-
> minado, que no era menester subrayar de aquel modo.
> (*Floridor*)
>
> Hasta diríamos que la interpretación fue perfecta, si
> el Sr. Merás hubiese tenido el buen gusto de ahorrarnos
> algunos perfiles demasiado recalcados del personaje que
> le correspondía. (A.R. de León)
>
> No queremos achacar al autor el exceso de tinta china
> con que se nos presentó en la pulcra escena, tan admi-
> rablemente cuidada del Beatriz, ese tipo de invertido
> que repugnó a tantos espectadores. (Bureba)

El último juicio citado, del crítico de *El Socialista*, resulta
hoy ingenuo. Todo conduce a pensar que la exageración fue
intencionada, para asociar, mediante el contraste, a dos personajes homosexuales en la comedia, uno fácilmente reconocible por sus ademanes afeminados, el otro tomado por modelo de virilidad heterosexual. Esta intención la captó el ojo
perspicaz de Manuel Núñez de Arenas, cuya reserva ante ella
dio voz a la duda que muchos albergaban: "Benavente
subraya que la sociedad acepta toda combinación frívola amorosa o todo vicio; que lo que no acepta es la pasión, la cosa
noble. El personaje de Pepín, festejado y acogido porque es

ostentosamente afeminado. Pero se rechaza la gran amistad de dos hombres, a quienes no hay por qué atribuir mutua atracción sexual" (Núñez de Arenas). Codificado como vicioso, el homosexual ostentoso es aceptado en sociedad ("no agradece la tolerancia con que se le soporta en sociedad"), mientras que Jaime, el hombre superior, tan viril como otro cualquiera del público, será aborrecido por amar a otro hombre. Gracias a los gestos del actor, se puso al descubierto *escénicamente* la norma social que Benavente estaba cuestionando: "si uno se identifica con un género, tiene que desear al otro" (Butler 249). Como sugieren Jaime y Eduardo, dos hombres aparentemente viriles, los signos de género no coinciden necesariamente con la inclinación amorosa esperada por la sociedad. Benavente planteó, en fin, que el amor, y hasta la "mutua atracción sexual," no tenía por qué seguir siempre los cauces heterosexuales. Preguntó Núñez de Arenas: "¿Nos conocemos a fondo nosotros mismos? Nuestra amistad, ¿no encerrará otra cosa?" (Núñez de Arenas). Y añadió Manuel Abril: "El público, ante la innecesaria y desagradable exhibición de un afeminado, protestó ruidosamente; lo mismo debieran haber protestado los dos hombres que se ven en trance inicuo de acusación tan malvada. Como no lo hacen, de ahí que el público dude y se quede sin saber si lo uno o si lo otro" (Abril).

Ventriloquia escénica

Así censuraron las "libertades del autor" los espectadores de *El rival de su mujer*. El propio Manuel Abril declaró en su reseña que la ambigüedad dejaba mal parada a la buena sociedad, adicta (en el mundo de la ficción) a las "interpretaciones torcidas," y peor a los dos amigos, abiertos a la sospecha "de que puedan ser verídicas las murmuraciones." Y sentenció el crítico: "Si algo hubiera entre ellos debieran hablar, y conducirse, y reaccionar de otro modo" (Abril). Es decir, debieron negar en vez de proclamar su "verdadero amor," o conducirse como los típicos afeminados del teatro ínfimo, para así facilitar que los espectadores salieran de dudas. Volvemos, así, a la cuestión de cómo hablar, en un foro público como el teatro, de lo que la sociedad condena al silencio o a las medias palabras. La solución de Benavente consistió en forzar *al público* a hablar de aquello que sus personajes callan. Y el autor se salió con la suya, ya que la crítica, en sus reseñas del estreno, no tuvo más remedio que prestar sus voces al tema planteado.[8] Un discurso de ambigüedades y reticencias en el escenario se volvió, al otro día en toda la prensa madrileña, un coro de voces dedicadas a esclarecer, sugerir y sobre todo negar la "mutua atracción sexual" entre dos hombres. *El rival de su mujer* fue, en palabras de Foucault, un verdadero "artefacto para producir discursos sobre el sexo."

Sin poder evitar hablar, la mayoría de los críticos, sin distinciones de ideología política, se resistieron a aceptar el consejo popular de "piensa mal y acertarás." Así, por ejemplo, la pregunta que se hizo Marín Alcalde en *Ahora*—"¿por qué esa duda turbia comparece también [...] en un careo de las dos almas masculinas, que se contemplan frente a frente en la escena de la despedida?"—encontró su respuesta tranquilizadora en este comentario de Manuel Machado en *La Libertad*: "Yo no veo, yo no puedo ver en esta nueva comedia de Benavente [...] más que una apología de la amistad. [...] Estamos hartos de ese confusionismo—no siempre de buena fe—que atribuye comúnmente cierta ambigüedad a la amistad entre hombres o entre mujeres o entre mujeres y hombres." *Floridor* defendió la misma idea en *ABC*, refiriéndose a los sentimiento de Jaime: "Para su noble pecho la amistad está por encima de los mudables y pasajeros sentimientos del amor. Es algo más fuerte que todo, incorruptible a toda otra pasión impura y mezquina, universalizada religión de fraternidad entre todos los hombres."

Más atento a las ambigüedades estuvo Jorge de la Cuesta en el periódico católico *El Debate*:

> No está clara. Voluntariamente no está clara la idea de Benavente en esta comedia. Parece que ha querido hacer un elogio de la amistad; uno de aquellos elogios tan dignos y tan frecuentes en los filósofos clásicos. Pero el pensamiento clásico se ha contaminado de la más

sucia de las ideas modernas, según la cual no hay un
sentimiento, ni el más puro; un afecto, ni el más noble,
que no tenga un torpe, bajo e inconfesable sedimento
sexual.

También subrayó la ambigüedad del caso Manuel Núñez de
Arenas: "Benavente, voluntariamente, lanza al juego la
amistad equívoca," al tiempo que Juan G. Olmedilla observó
en *Heraldo de Madrid* que "el amor y la amistad, anta-
gónicos" tenían "una misma oscura raíz biológica." En *El
Liberal*, Arturo Mori, claramente molesto, opinó que *El rival
de su mujer* era "una de esas comedias que cuando se estre-
nan ya está el público enterado de todos sus pormenores.
Comedia de truco inmoral, podría a pesar de eso, atraer al
público si no fuese tan sexualmente desagradable." Entre
unos y otros, en fin, se hablaba de una posible relación
homoerótica entre Jaime y Eduardo, vínculo nunca aclarado
por el autor pero planteado, a decir de Juan Chabás, con una
"intención moderna" falta de la habitual "esquivez medrosa"
del autor.

Modernizar...

Como indican las reseñas del estreno bonaerense citadas
en la nota 7, a la crítica le llamó la atención el diálogo "cargado de intenciones freudianas" de *El rival de su mujer*, discurso que mereció de Jorge de la Cueva una descalificación
sin tapujos: "Flota de una manera indecisa y vaga [...] ese
concepto freudiano que lo empaña y lo nubla todo... Asoman
todas las dejaciones expuestas, con este cinismo audaz tan
moderno." Al crítico de *ABC* también le pareció que en *El
rival de su mujer* pasaban "cosas de hoy" propias de "la
moderna sociedad." ¿Por qué insistir tanto en el carácter
específicamente *moderno* del asunto? Evidentemente porque
en 1933, pensar la sexualidad a la manera freudiana era la
tendencia más avanzada en la investigación psicológica. El
crítico de *La Voz* declaró que "Ninguna mujer, antes de la
guerra, es decir antes de Freud, y de Marañón, hubiera in-
sinuado" lo que sugiere Silda al decir que su marido es su

"rival." Marín Alcalde también subrayó "el valor de un experimento psicológico" en la comedia de Benavente, cuya famosa sonrisa mefistofélica se confundía ya con "la docta sonrisa de Freud."

Por convencionales que parezcan estas alusiones, son indicios de que la comedia de Benavente llevó a la escena una manera de abordar la sexualidad considerada *moderna* por la sociedad española del momento. Tanto las ideas de Freud sobre "el carácter pansexual de la teoría de la libido" (Paulino Ayuso 70) como las de Marañón en torno al carácter "bisexuado" del ser humano estaban en el aire y, aludidas por los personajes masculinos, condicionaban la respuesta crítica ante la comedia. Como ha demostrado Paulino Ayuso, los autores dramáticos de los años veinte y treinta estaban al tanto de las teorías de Freud y manejaron conceptos como el inconsciente, el narcisismo y el complejo de Edipo con soltura en obras como *Tic-Tac* (Claudio de la Torre), *El otro* (Unamuno) y *Las adelfas* (los Machado). Estas, y muchas otras obras, habían acostumbrado al público a aceptar un enlace entre nuevas propuestas científicas y nuevas formas dramáticas, práctica que contribuía a definir una vanguardia teatral en la época. "Freud ofrece un caudal nuevo de cuestiones. Y lo nuevo es lo moderno" (Paulino Ayuso 81-83).

Tal vez más pertinentes para la acogida de *El rival de su mujer*, fueron las publicaciones de Gregorio Marañón por cuanto este famoso doctor se acercaba al tema de la sexualidad con un criterio biológico cuyos resultados, aplicados al donjuanismo, le habían convertido en figura célebre. Su ensayo sobre la "tendencia inversiva" de Don Juan, publicado en la *Revista de Occidente* en 1924, así como su libro *Tres ensayos sobre la vida sexual* (1926), tuvieron tanta difusión que hasta en los juguetes cómicos de Muñoz Seca los personajes sabían quién era Marañón.[9]

El concepto del *andrógino*, que aparece en un discurso clave de Eduardo, ya citado, en *El rival de su mujer,* adquiere en los ensayos de Marañón un valor inusitado ya que desde una perspectiva puramente biológica la coincidencia de los dos sexos en el hombre y la mujer no resulta anormal:

> Desde que hay recuerdo de la vida de los hombres, el sexo no ha sido nunca un valor absoluto. O mejor dicho: entre el varón perfecto y la hembra perfecta se han encontrado siempre innúmeros tipos intermedios en los que la virilidad y la feminidad se ofrecen con caracteres menos netos hasta llegar a una zona de conjunción bisexual, en la que la pureza y la diferenciación de los tipos extremos se torna en ambigüedad y confusión. (*Tres ensayos* 173)

Marañón seguía midiendo el género en una escala que iba desde "el varón perfecto" hasta "la hembra perfecta," y recomendaba a sus pacientes la máxima "diferenciación de los sexos" de acuerdo con la evolución de la especie humana (*Tres ensayos* 187). Sin embargo, negar "valor absoluto" a un sexo u otro suponía, para la época, una audaz novedad. Argumentar científicamente que "innúmeros" tipos de "ambigüedad" sexual se encontraban en la vida cotidiana daba pie a aquellos que situaban a Jaime y a Eduardo en una "zona de conjunción bisexual"

> Hoy, en efecto, sabemos que casi nadie es hombre en absoluto, ni mujer en absoluto. Sin entrar aquí en discusiones [...], es evidente que todo ser es, en sus principios, bisexuado, y que sólo posteriormente se decide el sexo definitivo a que pertenecemos durante toda nuestra existencia. Pero este sexo definitivo no es casi nunca absoluto [...]. Es siempre una mixtura de los caracteres somáticos y funcionales de los dos sexos, si bien con enorme predominio de uno sobre otro. (*Tres ensayos* 175)[10]

Junto con esta "relatividad del sexo" Marañón introdujo en el debate sobre la sexualidad en España la noción de que en esa mixtura, el "sexo vencido" por el sexo dominante "se esconde, tal vez en algunos casos acaba por anularse. Pero, generalmente, está sólo dormido y acecha los momentos de debilidad de su rival para hacerse presente." La homosexualidad en los animales y en el hombre venía a ser, así, "el recuerdo del hermafroditismo primitivo," una "etapa retrasada" del desarrollo sexual que no acababa en una diferenciación sexual plena (*Tres ensayos* 176-77).

Como biólogo, Marañón opinaba que la bisexualidad (la homosexualidad) no era "una monstruosidad," pero como médico acabó por incluirla entre las "manifestaciones aberrantes del amor," calificándola de "perturbación sexual" e "instinto torcido" (*Tres ensayos* 184, 191, 193). Esta vacilación recuerda la valoración del lesbianismo en *La prisionera*, cuya protagonista se siente presa de un deseo oculto que anula su feminidad. Ni hombre ni mujer, la lesbiana en la obra de Bourdet es un "fantasma" que "vaga" en un "reino de sombras" (*Prisionera* 40). Exactamente así se refiere Marañón a la "zona de conjunción bisexual" en el hombre y la mujer: "Cada hombre, o la inmensa mayoría de ellos, llevan un fantasma de mujer, no en la imaginación, que entonces sería fácil expulsarle, sino circulando en su sangre, y cada mujer un fantasma, más o menos concreto, de hombre" (*Tres ensayos* 172). Para el médico español, este fantasma era el rival realmente peligroso, habitante de la zona ambigua desde la que emergían las perturbaciones sexuales que escandalizaban a la sociedad. (De ahí que la lesbiana de *La prisionera* se acusara de "loca.")

La comedia de Benavente, en cambio, dejó de lado las concesiones sociales de Marañón y volvió a su novísima tesis de que la normalidad genérica es una determinación puramente *convencional*:

> Pero creo que todos anhelamos salir ya de la región de la patología para entrar en la normalidad de la vida de los instintos, o en *lo que hemos convenido en llamar normalidad*, cuya frontera de separación con lo que no lo es, con lo anómalo y enfermizo, es casi siempre, como venimos esforzándonos en demostrar, *una línea absolutamente convencional*. (*Tres ensayos* 204; las cursivas son mías)

Ni Jaime ni Eduardo se sienten enfermizos; lo anómalo para
ellos es que tengan que renunciar a su amistad antes de que
ellos mismos se pongan en evidencia:

> Jaime. [...] Lo que importaba era salvar nuestra
> amistad.
> Eduardo. Importaba tanto que había de salvarla hasta
> de nosotros mismos. Es difícil no llegar a dudar
> cuando todos dudan.
> Jaime. ¿De quién íbamos a dudar? ¿De nosotros
> mismos?
> Eduardo. De nosotros mismos, sí. (*Rival* 53)

Dicha renuncia se convierte, así, en un sacrificio dictado por
una voluntad social "absolutamente convencional." Para
Benavente, la patología no reside en "el 'otro sexo'" que
Jaime lleva oculto en su sangre; se halla más bien en Silda,
por cuanto es cómplice con el acuerdo social sobre lo que
constituye la normalidad. La modernidad enseñaba que la
heterosexualidad era una norma social, no biológica.

... la tradición

Luis Araujo-Costa, siempre atento a las fuentes clásicas
del teatro moderno, apuntó que Benavente no hacía en *El
rival de su mujer* sino actualizar temas desarrollados siglos
atrás por Luciano en sus *Sueños*: "Benavente ha traído a los
días actuales la tesis apuntada del satírico de Samosata, y la
ha combinado con la doctrina de Marañón sobre Don Juan."
Asimismo, Juan Chabás declaró que "el tema no es nuevo, ni
la postura de Benavente frente a él puede tampoco sorpren-
dernos por su audacia ni su riesgo."[11] Es más, según Fernández Almagro, la obra de Benavente tenía un aire "fin de
siglo" aunque vestida "a la moda de hoy." Se nota que para
estos tres críticos algo en *El rival de su mujer* sonaba a ideas
y dramaturgias pretéritas. Ese algo es fácil de concretar:
Benavente sacaba de su amplia manga el género predilecto de
su clase de hacía cincuenta años, esto es, el drama de celos
que enfrentaba a un hombre, casado con una mujer más

joven, y un rival masculino amigo de la pareja. Recuérdese
que con esta fórmula hizo su debut en el teatro Galdós, con
Realidad (1892), y con ella tuvo Echegaray uno de sus
grandes triunfos, *El gran Galeoto* (1881). En los dos dramas
citados, la rivalidad se entendía (aparentemente) de acuerdo
con convenciones heterosexuales de la época. Mas, ¿qué pasa-
ría si se volviera a escribir el drama de celos finisecular en
clave homoerótica? La respuesta la tenemos en *El rival de su
mujer*.

Muchas son las similitudes entre las obras de Echegaray,
Galdós y Benavente, pero en esta ocasión me limito a señalar
tres que situaron a *El rival de su mujer* en una tradición que
Benavente actualizó para su época. Los dos hombres enfrentados—Julián y Ernesto (*El gran Galeoto*), Orozco y Federico
(*Realidad*), Jaime y Eduardo (*Rival)*—se encuentran unidos
por lazos de amistad cuya fuerza sufre una prueba a causa de
la infidelidad, real o imaginada, de la mujer. La infidelidad
atenta tanto o más a la amistad de los dos hombres que a la
institución del matrimonio. La novedad del drama de Galdós
consistía en dar prioridad a los lazos afectivos y espirituales
entre Orozco y Federico, dejando muy en segundo término la
cuestión del adulterio. Así, Orozco, al divisar el fantasma de
Federico en la escena final, le pide que se acerque para recibir
su abrazo: "Vivo te amé... Vuelve a mí..., quiero verte. (*La
imagen vuelve a mostrarse.)* Eres mi idea fija, como yo fui la
tuya" (Galdós 137-38). Se trata de rivales sólo según las
normas de la sociedad, ya que en la intimidad de la memoria
y del dolor, son almas que se quieren.[12]

En segundo lugar, el discurso dramático de las tres obras,
potenciado por la capacidad de insinuación semiótica propia
del teatro—piénsese en los silencios y los gestos de los actores—, invita al público a descifrar signos lingüísticos y
cinéticos que apuntan a una verdad cuanto más íntima, más
oculta. Lo que observa Fornieles sobre *El gran Galeoto* vale
también por las otras dos obras: en ella se escenifica "un
juego en el que no sólo participa el público, sino también los
personajes, pues los mismos protagonistas intentan averiguar
si existe o no amor entre ellos y se esfuerzan por interpretar
los signos ocultos de la pasión" (Fornieles 56). Galdós se sirve

del fantasma de Federico y del *aparte* escénico para exterio-
rizar el conflicto de Orozco entre el amor y la amistad. A su
vez, Echegaray crea un espléndido *cuadro vivo* que simula el
matrimonio al exigir Julián que Ernesto y Teodora (los
novios naturales) se arrodillen delante de él y se miren,
esperando adivinar si entre ellos pasa una mirada de "luz" o
de "fuego" (*Galeoto* 252). Diferentes entre sí, estos mecanismos plásticos tienen en común con *El rival de su mujer* la
integración del público en el juego de leer los signos sociales y
corporales que hayan de denunciar el secreto del sentimiento
oculto.

Por último, esta participación del público conlleva un importante mensaje simbólico/social, ya que los espectadores en
la sala asumen el papel que corresponde a la sociedad mirona
y murmuradora en el mundo de ficción. Durante la representación, y sobre todo en los entreactos, el público actualizaba
el mecanismo social que en el mundo representado intenta
sorprender (y vigilar) la pasión oculta. Como bien dice don
Julián en el prólogo de *El gran Galeoto*, el verdadero drama
"empieza cuando el drama acaba." Cuando cae el telón,
empieza todo el mundo a especular sobre (y así determinar)
lo que se calla en el escenario. Convertir de esta forma los
secretos del amor en cuestión pública es demostrar que éstos
se representan a través de signos de género que todos—tanto
los personajes como los espectadores—han de descifrar. En *El
rival de su mujer*, Benavente llevó este juego a sus últimas
consecuencias, dejando sin aclarar, a diferencia de sus
precursores, el misterio del afecto y haciendo así explícito (y
efectivo) el papel del público: su fallo, su *autoridad,* iba a determinar el carácter de la relación entre Jaime y Eduardo.

Benavente, al modernizar el drama de celos, demostró lo
arbitrario que era pensar que el otro hombre del triángulo
amoroso sería siempre el rival del *marido* y no de la mujer.
Su obra desencadenó una controversia pública cuya variedad
de pareceres comprobó la dificultad de saber, a ciencia cierta,
el carácter verdadero del amor entre dos seres humanos. "No
pongamos malicia en «El rival de su mujer»," aconsejó
Araujo-Costa, para acto seguido recordar hitos clásicos en la
historia de la literatura homoerótica, desde las odas de Safo y

la Égloga II de Virgilio hasta los sonetos de Shakespeare. Quedaba claro, en fin, que en 1933 los "símbolos del «Banquete» de Platón: varones, hembras y hermafroditas" dieron mucho que pensar—y decir—, incluso en un periódico conservador como *La Época*. Será que aquellos símbolos siempre callan su sentido, confiados en que todo el mundo hablará por ellos.

NOTAS

1. Véanse los estudios de las novelas eróticas realizados por Lily Litvak, Carlos Reyero, y Wadda Ríos-Font.

2. Un secreto a voces, la condición *gay* de Benavente apareció sugerida en la biografía de Ángel Lázaro (1930) en frases como las siguientes: "Habla Benavente de ciertas intimidades y travesuras amorosas como un calavera. Sin embargo, no hay actriz que pueda jactarse de haber escuchado la declaración de amor del comediógrafo, ni nadie ha señalado todavía una mujer como la amante de este poeta que tan bien observados caracteres femeninos refleja en sus comedias. Se habla, se murmuraba de ciertas anormalidades fisiológicas que hoy son ya utilizadas en España como temas literarios [aquí Lázaro se refiere, en nota, a *El ángel de Sodoma*, de Hernández Catá]. Los rumores llegan a oídos de Jacinto Benavente, y él se encoge de hombros" (Lázaro 29). Para un planteamiento del homoerotismo en el primer teatro benaventino, véase la introducción preparada por Javier Huerta Calvo y Emilio Peral Vega para su edición de *Teatro fantástico*. (No mencionan la obra estudiada aquí.)

3. Llevada a la escena por Irene López Heredia el 15-IV-1933, la comedia en tres actos tuvo poco éxito comercial, llegando sólo a las 34 representaciones. A los ocho meses apareció una edición impresa en la colección popular *La Farsa* (Año VII, Núm. 321, 4-XI-1933), de la que cito en adelante. Antes de llegar a Madrid, la obra fue estrenada en el teatro Odeón de Buenos Aires en 1932.

4. En su reseña del estreno, apuntó: "La comedia sombría, cuyo primer acto peca un tanto de sermoneador, toca una llaga viva y tiene corroboración en el recuerdo de algún suceso sensacional" (Díez-Canedo 150).

5. En su ensayo "Notas para la biología de Don Juan," Marañón estudió "el mito de la falsa virilidad" de Don Juan, cuya dedicación plena al amor, incapacidad para el trabajo y pasividad ante el otro

sexo le acercaban al "centro de gravitación sexual, que normalmente reside en la mujer" (Marañon, "Notas" 34).

6. Traducida por Cadenas y Gutiérrez-Roig, la comedia se estrenó en Madrid el 18-V-1929 y fue un éxito discreto (51 representaciones). Su temática lesbiana no dejó de parecer "escabrosa" a la crítica (Vilches y Dougherty 279-80).

7. De la relación "equívoca" entre amor y amistad habla Zafirino en *Cuento de primavera*, una de las obras recogidas por Benavente en *Teatro fantástico* (1892): "Nuestra amistad se alimentará de nuestro amor, y nuestro amor, en vez de consumirse en sí mismo, vivirá de nuestra amistad. Será la unión acendrada de dos almas que miran al Cielo y allí unen sus miradas al tocarse en la Tierra" (161). Quien habla aquí es una mujer disfrazada de hombre que se dirige a Ganimedes, personaje masculino representado por una actriz. Los ecos en *El rival de su mujer* de estos tempranos juegos de género motivan mi discrepancia con Huerta Calvo y Peral Vega cuando afirman, en su edición de *Teatro fantástico*, que para 1907, año en que se estrena *Los intereses creados*, "El Benavente aburguesado" ya "se había impuesto sobre el inconformista y renovador" (133, nota 23).

8. Como ocurrió con *De muy buena familia*, tal vez se hablara más antes del estreno que después, según anotó un redactor anónimo de *La Voz*: "esta novísima producción benaventina [...] viene precedida de una aureola de escándalo, o cuando menos, de curiosidad." El mismo periodista sacó a relucir, de recortes de prensa de Buenos Aires, donde la obra se estrenó meses antes, frases que fomentaban dicha "curiosidad": "en el diálogo conductor de la acción cargado de intenciones freudianas, contención de lo evidente en velos de insinuación discreta... Benavente ha cuidado con exquisito tacto de que nadie sepa a ciencia cierta en qué galerías de las almas masculinas en juego vive y alienta la fuerza que hace la amistad de estos dos hombres invulnerables a la infidelidad, refractarios al odio, impasibles ante la manzana de una posible discordia" (sin firma). En *Luz* apareció una reseña del estreno bonaerense según la que Silda "comienza a pensar que en esa vinculación [entre Jaime y Eduardo] hay algo más fuerte que una simple amistad. Algo más ignominioso. Sospecha en una relación sexual y, para alejar su duda, la que insinúan maliciosamente quienes la rodean, trata de provocar, por todos los medios, el distanciamiento de los dos hombres" (sin firma).

9. En *La plasmatoria*, de Muñoz Seca y Pérez Fernández, Don Juan vuelve del más allá a un Madrid modernizado, y sus primeras palabras son: "¡A ver! ¿Dónde vive Marañón?" (29).

10. Marañón era consciente de manejar ideas propuestas por Otto Weininger, teórico también citado por Luis Araujo-Costa en su reseña de *El rival de su mujer.*

11. Dicha audacia se nota en una "Sobremesa" del dramaturgo de 1909, en la que defendió a Felipe Trigo contra la crítica de que abusara del tema de la sexualidad en sus novelas: "Y ¿creen ustedes, en efecto, que hay otro más importante? De ahí nacimos todos y esa es toda la vida. No sirve hacerse los desentendidos. Si hombres y mujeres civilizados pretenden hacer asunto de misterio de ese asunto, es porque saben bien que en él está el verdadero secreto de nuestra vida y hay pocas vidas que puedan mostrar sus secretos. Dime cómo amas, te diré quién eres. [...] ¿En dónde está nuestro secreto? «Behind the veil»: detrás del velo, como dijo Tennyson, en otro sentido, pero más exacto en este. Detrás del velo pudoroso con que todos procuramos ocultar el misterio de nuestros amores" ("Sobremesa").

12. Agradezco a Harriet Turner el recuerdo de esta amistad galdosiana, cuya reminiscencia de las ideas de Aristófanes en *El banquete* de Platón está patente.

OBRAS CITADAS

A. "'Las mujeres bonitas' [obra de Antonio Paso (padre)], en Mara-villas." *Ahora* (16-IV-1933): 35.

Abril, Manuel. "En el Beatriz. 'El rival de su mujer,' de don Jacinto Benavente." *El Imparcial* (16-IV-1933): 8.

Araquistáin, Luis. *La batalla teatral.* Madrid: Mundo Latino, 1930.

Araujo-Costa, Luis. "Beatriz.—Presentación de la compañía de Irene López Heredia y Mariano Asquerino con el estreno de la comedia en tres actos, el segundo dividido en dos cuadros, de Jacinto Benavente, «El rival de su mujer»." *La Época* (17-IV-1933): 1.

Benavente, Jacinto. "De Sobremesa." *Los Lunes de El Imparcial* (14-VI-1909): 3.

_____ "La moral en el teatro." *Conferencias.* Madrid: Librería de los Sucesores de Hernando, 1924. 3-29.

_____ "Algunas mujeres de Shakespeare." *Conferencias.* Madrid: Librería de los Sucesores de Hernando, 1924. 145-201.

_____. *El rival de su mujer (comedia en tres actos).* La Farsa [Madrid], Año VII, Núm. 321 (4-XI-1933).

Bourdet, Edouard. *La prisionera.* Versión castellana de José Juan Cadenas y Enrique F. Gutiérrez-Roig. *La Farsa* [Madrid], Año III, Núm. 91 (15-VI-1929).

Bureba, Boris. "Beatriz. «El rival de su mujer», comedia de don Jacinto Benavente." *El Socialista* (16-IV-1933): 4.

Butler, Judith. "Gendered and Sexual Performativity" [*Bodies that Matter*]. *Modern Literary Theory*. 4ª edición. Eds. Philip Rice y Patricia Waugh. Londres: Arnold, 2001. 247-251.

Chabás, Juan. "La compañía de Irene López Heredia estrena en el Beatriz «El rival de su mujer», comedia en tres actos de Jacinto Benavente." *Luz* (17-IV-1933): 6.

Cueva, Jorge de la. "Beatriz: 'El rival de su mujer.'" *El Debate* (18-IV-1933): 4.

Díez-Canedo, Enrique. "De muy buena familia. *Teatro Muñoz Seca. Compañía de Margarita Xirgu.* [*El Sol,* 12-III-1931]." *Artículos de crítica teatral. El teatro español de 1914 a 1936.* Tomo I. México: Joaquín Mortiz, 1968. 148-151.

Echegaray, José. *El gran Galeoto.* Ed. James H. Hoddie. Madrid: Cátedra, 1989.

F. "Beatriz: «El rival de su mujer»." *ABC* (16-IV-1933): 57-58.

Fernández Almagro, M. "Beatriz. Presentación de la compañía Heredia-Asquerino. Estreno de la comedia en tres actos de D. Jacinto Benavente 'El rival de su mujer.'" *El Sol* (16-IV-1933): 12.

Foucault, Michel. *Historia de la sexualidad. 1. La voluntad de saber.* Madrid: Siglo Veintiuno, 1992.

Fornieles, Javier. "Introducción biográfica y crítica." *El gran Galeoto* [Echegaray]. Madrid: Castalia, 2002. 7-65.

Gómez de Baquero, E. "Cuestiones literarias. El tema sexual." *El Sol* (7-II-1926): 1.

Huerta Calvo, Javier y Emilio Peral Vega. "Introducción." Jacinto Benavente, *Teatro fantástico.* Madrid: Espasa Calpe, 2001. 9-85.

Lázaro, Ángel. *Biografía de Jacinto Benavente.* Serie "El Libro del Pueblo." Madrid: Compañía Ibero-Americana de Publicaciones, 1930.

Litvak, Lily. *Erotismo fin de siglo.* Barcelona: Antoni Bosch, 1979.

Machado, Manuel. "Beatriz. «El rival de su mujer»." *La Libertad* (16-IV-1933): 8.

Marañón, Gregorio. "Notas para la biología de Don Juan." *Revista de Occidente*, Tomo III (enero-marzo 1924): 15-53.

_____. *Tres ensayos sobre la vida sexual.* Madrid: Biblioteca Nueva, 1926.

Marín Alcalde, Alberto. "'El rival de su mujer,' de Benavente, en el Beatriz." *Ahora* (16-IV-1933): 33.

Martín Rodríguez, Mariano. *El teatro francés en Madrid (1918-1936).* Boulder: Society of Spanish and Spanish American Studies, 1999.

Mori, Arturo. "Teatros. Sábado de Gloria. Beatriz.—«El rival de su mujer», comedia de Jacinto Benavente." *El Liberal* (16-IV-1933): 11.

Muñoz Seca, Pedro y Pedro Pérez Fernández, *La plasmatoria.* Colección *Biblioteca Teatral*, Año XIV, Núm. 175.

Núñez de Arenas, M. "En el Beatriz. 'El rival de su mujer,' comedia en tres actos de D. Jacinto Benavente." *La Voz* (17-IV-1933): 5.

Olmedilla, Juan G. "Irene López Heredia y Mariano Asquerino se presentan en el Beatriz con una original y atrevida comedia de don Jacinto Benavente." *Heraldo de Madrid* (16-IV-1933): 4.

Paulino Ayuso, José. "El teatro de la subjetividad y la influencia del psicoanálisis." *Teatro, sociedad y política en la España del siglo XX.* Coord. Mª Francisca Vilches de Frutos y Dru Dougherty. Número monográfico del *Boletín de la Fundación Federico García Lorca*, año X, núm. 19-20 (1996). 69-85.

Pérez Galdós, Benito. *Realidad.* Ed. Lisa Pauline Condé. Lewiston/Queenston/Lampeter: The Edwin Mellen Press, 1993.

Reyero, Carlos. "¿Falleras *Art Déco* o *Drag Queens?* Álvaro de Retana y la iconografía del trasformismo." *El mediterráneo y el Arte Español. Actas del XI congreso del CEHA.* Valencia: Comité Español de Historia del Arte, 1996. 333-337.

_____. "¿Demasiado modernas? Las mujeres en las ilustraciones de novelas eróticas de entreguerras (1914-1936)." *VIII Jornadas de Arte. La mujer en el arte español.* Madrid: Centro de Estudios Históricos [C.S.I.C.], 1997. 513-523.

_____. "Equívocos plástico-literarios y caracterizaciones ambiguas en la novela erótica española de entreguerras (1915-1936)." *La Balsa de la Medusa*, 41-42 (1997): 61-89.

Ríos-Font, Wadda C. "To Hold and Behold: Eroticism and Canonicity at the Spanish *Fines de Siglo." Anales de la literatura española contemporánea*, 23 (1998): 355-78.

Sin firma. "En el Beatriz. 'El rival de su mujer,' comedia en tres actos de Jacinto Benavente." *La Voz (*14-IV-1933): 3.

Sin firma, "Teatro español en Buenos Aires." *Luz* (3-XI-1932): 5.

Vilches de Frutos, Mª Francisca y Dru Dougherty. *La escena madrileña entre 1926 y 1931. Un lustro de transición.* Madrid: Fundamentos, 1997.

ALMODÓVAR AND THE THEATRE

GWYNNE EDWARDS

University of Wales, Aberystwyth

Although film is in many ways very different from theatre, practitioners of the former have frequently been involved in and influenced by the latter. Many actors who have achieved worldwide fame on the cinema screen began their career on the stage and have subsequently moved between the two. Laurence Olivier, Richard Burton, and Anthony Hopkins were all stage actors in the early part of their professional lives, while in recent years Dustin Hoffman, Kathleen Turner, Jessica Lange, and Nicole Kidman have all appeared on the London stage. As for film directors, Orson Welles acted in and directed plays long before he made his cinema directorial debut with *Citizen Kane*, Elia Kazan often moved between the two forms, and, more recently, Sam Mendes and Stephen Daldry, both initially English theatre directors, have made successful films: *American Beauty* and *Billy Elliot* respectively. Numerous stage plays have also been made into films, as in the case of *Hamlet, Henry V, A Streetcar Named Desire, Cat on a Hot Tin Roof*, and, in the case of Spanish plays, *La casa de Bernarda Alba* and *¡Ay, Carmela!*. As far as Spanish creative artists are concerned, it is interesting, too, to note that, having been given a toy theatre as a child, Luis Buñuel subsequently introduced various scenes of a theatrical nature into his films: in *Le Charme discret de la bourgeoisie* the characters in search of a meal suddenly find themselves on a stage, while the food they are served is seen to consist of stage props. In contrast, Lorca, arguably the greatest Spanish

dramatist of the twentieth century, had a great love of the
cinema, and attempted to use film techniques in his own
work, notably in the cinematic *Viaje a la luna* and *El paseo
de Buster Keaton*. Movement between the two forms is thus
quite common, and what is true of the individuals already
mentioned is also true of Pedro Almodóvar, considered by
many to be the most essentially cinematic film-maker of the
last quarter of a century.

In the late 1970s, while working at the Telefónica in
Madrid and in his spare time making short films with a
Super-8 camera, Almodóvar was also associated with the
experimental theatre group, Los Goliardos. His contacts with
theatre actors meant that some of them appeared in his
Super-8 films, while he also took part in theatre productions.
At one point he had a small part in a production of Sarte's
Les mains sales, in which the lead was played by Carmen
Maura, already an outstanding actress. She and Almodóvar
became firm friends, and he has since described how he spent
time in her dressing-room, fascinated by her application of
make-up in preparation for her role. His observation that this
was "una ceremonia que siempre me ha gustado mucho en
los actores" is particularly interesting in relation to the
influence of theatre on his films.[1] Around the same time, he
played the part of a female neighbour in a touring production
of Lorca's *La casa de Bernarda Alba*.[2] And after making *La
ley del deseo* in 1986, he intended to film his own version of
Lorca's play, a project which did not in fact materialize. The
film which did materialize was *Mujeres al borde de un ataque
de nervios*, but this too sprang from a theatrical source, for in
La ley del deseo Almodóvar had included an episode from
Jean Cocteau's twenty-five minute play, *La Voix humaine*, in
which a lonely woman speaks to her lover on the telephone.
Almodóvar has expressed very clearly his admiration for
Cocteau's play: "El papel de la mujer abandonada que
escribió Cocteau es realmente muy bello" (Strauss 91). And
if, in the end, *Mujeres al borde de un ataque de nervios* is a
comedy, and therefore very different from *La Voix humaine*,
Almodóvar has suggested that it owes something to the farces
of Feydeau, in short, another theatrical influence: "Pero si

hay, al fin y al cabo, una referencia teatral en la película, es más Feydeau y la comedia de bulevar [...] El guión de *Mujeres al borde de un ataque de nervios,* que es un guión original para cine, también parece ser una adaptación de una obra de teatro" (Strauss 92). Later still, Almodóvar's *Todo sobre mi madre,* made in 1999, contains, as a homage to Lorca, the famous episode from *Bodas de sangre* in which the mother of the bridegroom speaks of the spilled blood of her elder son. If, then, much emphasis has been placed on the influence of American, European, and even Japanese cinema in Almodóvar's work, it is important too to pay due regard to his debt to theatre, which he clearly loves, and with which— especially Spanish theatre—he is evidently familiar. It is a debt which should be considered both in terms of ideas and particular theatrical conventions.

In this context, the notion of art imitating life and life art is one which has permeated literature, including theatre, for many centuries. It is neatly encapsulated in the idea that "All the world's a stage," on which, in the course of our lifetime, we play many parts, as actors do in a play. Furthermore, the device of "the play within the play" has often been employed by dramatists to reflect events in the lives of a play's principal characters, in much the same way as those characters are in turn a mirror to the play's audience. So, in *Hamlet*, the strolling players stage a murder scene which parallels Clauduis's murder of Hamlet's father. In recent times Lorca too has used similar tactics. In the second scene of *El público*, for example, the Figura de Cascabeles and the Figura de Pámpanos play a game which is at once playful and vicious, which is observed by the homosexual Director and his three companions, and which reflects their own behaviour towards each other. Similarly, in Act One of *Así que pasen cinco años*, the episode in which the already dead El Niño and El Gato voice their fears of oblivion is watched by El Joven, El Viejo, El Amigo, and Amigo Segundo, whose ultimate fate will be identical.[3] In this respect, the way in which Almodóvar introduces episodes of this kind into a number of his films points to his fascination with an old theatrical tradition.

In *La ley del deseo*, as we have seen, there is a scene from Cocteau's play, *La Voix humaine*, in which a woman speaks to her lover on the telephone. The episode reveals the woman's profound unhappiness, but this is in effect no different from that of Tina, who plays her, for, unable to form and sustain a lasting relationship with a man, she knows that her own life is in disarray. Later on, her brother Pablo offers her a part in a film he intends making, because, he believes, the character's problems with men are similar to hers. In other words, Almodóvar employs the technique of "the play within the play"—or, more precisely, "the play within the film"—to highlight the way in which art and life can be so closely interwoven. Similarly, in *Tacones lejanos*, premiered in 1991, Becky is a cabaret artist who, at one point in the film, appears on the stage of a theatre in Madrid and sings a song—"Piensa en mí"—which powerfully reflects her feelings for her daughter, Rebeca, who is at this moment in prison, listening to the song on the radio. Indeed, in Almodóvar's films in general there are songs, sometimes on the soundtrack, sometimes performed by a singer, whose words encapsulate the emotions of the on-screen characters, but in the case of *Tacones lejanos* the song becomes a kind of musical soliloquy, sung by the character herself. Again, *La flor de mi secreto*, premiered in 1995, begins with a staged episode, anticipating *Todo sobre mi madre*, in which two hospital doctors inform a mother that her son is brain dead and is otherwise only being kept alive by machines. But we realize later on that the grief of the mother is an anticipation of the grief experienced by the film's principal character, Leo, when she is abandoned by her husband. Moreover, Leo has already witnessed the staged episode in the hospital, never imagining that the feelings suggested there will soon be her own. Once more, then, Almodóvar underlines the idea that art and life, fiction and reality, are interconnected.

Amongst Almodóvar's films, it is, though, *Todo sobre mi madre* which is most closely connected to the world of the theatre and which most consistently develops the art-life relationship. Early on in the film, its protagonist, Manuela, takes her son, Esteban, to see a stage production of

Tennessee Williams' *A Steetcar Named Desire*. A scene from
the play is incorporated into the film, as are others later on,
and, at the end of the performance, Manuela tells Esteban
that, as a young woman, she had herself played the part of
Stella, the wife of Stanley Kowalski and the younger sister of
Blanche Dubois, in an amateur production. Just afterwards,
outside the theatre, Esteban is knocked down and killed by a
car when he tries to obtain the autograph of Huma Rojo, the
actress who plays Blanche. When Manuela then goes to
Barcelona to inform her former husband of their son's death,
she discovers that the production of *Streetcar* is playing
there, and after a while she succeeds in becoming Huma
Rojo's personal assistant. Furthermore, when Nina, the
actress who plays Stella, fails to arrive for work, Manuela
replaces her in the role. Later on, Manuela agrees to look
after the dying Rosa, her long-time friend, La Agrado,
becomes personal assistant to Huma, and when both Huma
and Nina are unable to perform on a particular evening, La
Agrado entertains the theatre audience with a long and
amusing soliloquy. And when *Streetcar* has ended its run, we
see Huma Rojo rehearsing the role of La Madre in *Bodas de
sangre*. As well as this, much of the film takes place in
different parts of the theatres where the production of
Streetcar is playing: in dressing-rooms, corridors, the
auditorium, the entrance to the theatres. A whole theatrical
world is thus created.

   Apart from the above, there are other episodes in the film
which involve role-play of a highly theatrical kind, not least
the sequence early on in which Manuela, the co-ordinator of a
hospital transplant unit, plays the part of a woman who is
being informed by two doctors that her husband is brain
dead. This episode is, we soon discover, part of a regular
programme—as in *La flor de mi secreto*—of simulated
situations which are designed to help the doctors deal with
bereaved relatives and obtain their permission for organ
donation. Together with the scenes from *Steetcar*, it further
underlines the emphasis on theatre and performance in
Almodóvar's film. But there is more to it than this, for the
roles in which the characters of the film are involved are soon

revealed to spill over into their personal lives, performance and reality closely interwoven. The most striking example of this concerns the "simulation" mentioned above, for when Esteban is knocked down by the speeding car and taken to the hospital where Manuela works, she becomes the grief-stricken mother to whom her son's death is announced by the very same doctors who participated with her in the earlier role-play. The emotions which all three attempted to assume there are now all too real, no longer the subject of an academic discussion which follows the "simulation," but the bitter reality which has to be confronted, art transformed into life in the most cruel manner.

In addition to the way in which Manuela's performance as the grieving widow becomes the reality of her grief for her son, the lives of many of the other characters in the film are seen to be quite as dramatic, in the case of the actors, as the roles they play on stage; or, to put it another way, the emotions which they assume on stage are experienced at first hand in the complications of their personal lives. In *A Streetcar Named Desire*, Blanche Dubois, her younger sister Stella, and Stella's husband, Stanley Kowalski, are thrown together in a highly charged and dramatic relationship, and in the scenes which Almodóvar inserts into his film we see, firstly, Blanche's anguish, bordering on madness, as she is taken away by the doctor and the nurse, and, secondly, Stella's fraught and deteriorating relationship with Kowalski, both during and after her pregnancy. In many respects, Huma Rojo is very different from Blanche Dubois. The latter lives in a world of fantasy, of gentlemen callers, of imagined refinement and elegance, while Huma is a realist, toughened by hard work and accustomed to the triumphs and disappointments of life in the theatre. Nevertheless, she is, in her off-stage relationship with Nina, just as anguished as is Blanche in the play. And Nina, in some respects more like Blanche then Stella, attempts to escape from the reality of her world into the world of drugs.

Huma's real-life anguish is revealed when, after a performance of *Streetcar*, she realizes that Nina, instead of waiting for her, has gone off in search of drugs. And when

Manuela then offers to drive her in search of Nina, a clear link is made between the play and reality when Huma expresses her gratitude to Manuela in a phrase which, in *Streetcar*, Blanche applies to the doctor who has offered her his arm: "Siempre he confiado en la bondad de los desconocidos"(63).[4] That part of the film which subsequently focuses on Huma and Nina is then seen to be as much the story of their deteriorating relationship as is that of Stella and Kowalski. Indeed, just as at one point Stella and her husband argue bitterly and he ends up hitting her, so Huma and Nina have such violent disagreements that, after a particularly unpleasant confrontation, they are both hospitalised. As for Nina, we see her, off stage, removing the padding she wears in the part of the pregnant Stella. At the end of the film, we are informed that she is married and has a child. In short, Nina has become the mother she plays in *Streetcar*. Art and life are once more closely connected.

If Huma Rojo's and Nina's stage roles have clear echoes in their own lives, much the same can be said of Manuela, quite apart from the episode involving the death of her son. When, for example, she had played the part of Stella in the amateur production of *Streetcar* twenty or so years ago, Stella's baby, as in Nina's case now, anticipated the birth of Manuela's child not long afterwards, while Esteban, who then played Kowalski in the play, became Manuela's husband and the father of her child. Again, just as in *Streetcar* Stella tells Kowalski that she is leaving him and will never set foot in the house again, so Manuela subsequently left Esteban and returned from Barcelona to Madrid. But there is even more to it than this, for when Manuela returns to Barcelona twenty years later in search of her former husband, becomes personal assistant to Huma Rojo, and then replaces Nina as Stella in *Streetcar*, her personal life, as in the case of Huma and Nina, becomes at least as harrowing as the role.

Manuela's return to Barcelona involves her in a series of traumatic events she could not possibly have imagined, most of them directly connected with the husband on whom she had previously turned her back. We gradually discover that her abandonment of Esteban was all to do with a partial sex change he had undergone in Paris during a two-year absence from Manuela—he retained his genitals but returned with female breasts—and the promiscuity which was its consequence. Her search for him twenty years later therefore exposes her once more to the world of transsexuals, and in particular to the effects of her former husband's continuing sexual irresponsibility. Manuela soon discovers that Rosa, a young nun who works in a care centre for drug-addicts and prostitutes, has not only become pregnant by Esteban but has also been infected by him with H.I.V. Manuela subsequently takes care of Rosa until she is admitted to hospital, and then sees her die. And finally, at Rosa's funeral, she encounters Esteban—or Lola, as he/she is now known—who, ravaged by Aids, has only a short time to live. There is thus in Manuela's life a triple relationship—herself, Rosa, Esteban—which is even more emotionally draining than the on-stage triple relationship—Blanche, Stella, Kowalski—of which, when she takes on Nina's role, she becomes a part. It is not so much a case of life imitating art as of outdoing it in its intensity. And, as well as this, Manuela's real-life relationship with Esteban is far more fraught than when, in Tennessee Williams's play, he once played Kowalski to her Stella.

Another character who can be seen in this way is La Agrado. Although she is not a trained actress, she later replaces Manuela as Huma Rojo's personal assistant, and in that capacity not only memorizes Nina's lines but appears on stage one evening in order to entertain the audience with an autobiographical soliloquy. The fact that she is able to do so with such aplomb is, moreover, due to the fact that, although she is untrained, her off-stage manner is decidedly theatrical. As a transsexual prostitute, she is accustomed to giving a performance and indulging in extravagant gestures on the stage where she and others like her sell their wares. Indeed, this "stage" is vividly evoked when Manuela arrives in Barcelona and travels to the district known as "el Campo." This is where the transsexuals and other prostitutes parade. Cars drive around in a circle, their headlights the equivalent of theatre spotlights as they illuminate the swaying and often half-naked bodies. It is a truly theatrical spectacle. But, apart from this, La Agrado's speech and manner are decidedly dramatic in her off-stage daily life. At one point, when she has encountered Manuela after an absence of twenty years, both dress as prostitutes, comically displaying themselves in public as they make their way to the centre for drug-addicts and drop-outs. And Agrado's conversation is filled with outrageous phrases and one-liners which would be well suited to any comic play. When, for example, she studies her face in the mirror after a beating from one of her clients, her reaction and manner are typically exaggerated:

> AGRADO (*grita, desconsolada*): ¡¡ Si parezco el hombre elefante!! (45)

And similarly, she laments her bad luck a little later:

> AGRADO: [...] yo lo único que tengo de verdad son los sentimientos y los litros de silicona, que me pesan como quintales. ¡Qué mayor estoy, Manolita! (47)

In this context, it is hardly surprising that, when she begins to work for Huma Rojo, she should adapt so easily to the world of the theatre, or that, turning her back on her former way of life, she should feel that she has finally discovered her true vocation.

Esteban, Manuela's former husband, can also be said to bridge the gap between life and theatrical performance. As we have seen, he was once an actor, playing Kowalski to Manuela's Stella. When we first encounter him in the film, it is the occasion of Rosa's funeral, and he appears dramatically at the top of a long flight of steps leading down to the cemetery. There follows his first encounter with Manuela twenty years on, a highly emotional scene in which she bitterly accuses him of causing Rosa's death, and he reveals that he is himself dying of Aids. And if this were not theatrical enough, the impression is heightened by the way in which he is dressed as Lola: in black, the face heavily made-up, its paleness emphasized by the black clothing. If he once played Kowalski on stage, that performance could not have been more dramatic than his appearance here.

Closely linked to the art-life theme is the notion of individuals taking on roles, of actors becoming characters in a play or a film, and, in connection with this, the fascination which Almodóvar clearly has with the question of identity. In the films already mentioned—*La ley del deseo*, *Tacones lejanos*, *Todo sobre mi madre*—we see performers both on and off stage, in their daily lives as well as in the roles they play. Furthermore, in *Todo sobre mi madre* in particular, there are a number of sequences which are set in dressing-rooms, and in which actors are either preparing for their roles or divesting themselves of them, inasmuch as this is possible after the performance. The preparation involves, of course, the application of make-up and the assumption of costume, both of them key elements in the actor's acquisition of a new and different identity. Huma Rojo is therefore seen seated in front of her dressing-room mirror, applying the wig and make-up which will transform her into another person. And when we subsequently see her on stage as Blanche Dubois, this pale, haggard, desperate woman is certainly far removed from the feisty and attractive woman we encounter before and after the performance. On another occasion in the dressing-room, Nina, as has been mentioned, removes the padding which allows her, on stage, to suggest the pregnant Stella. In short, she reverts to her true identity after assuming that of another person.

The kind of transformation suggested here is even more powerfully evoked in *High Heels* in relation to Judge Domínguez. He is not, of course, an actor, but, in order to investigate a murder connected to a gay club, he has taken to dressing up as a cabaret singer, Femme Letal, who, on stage, impersonates Rebeca's mother, Becky, miming to her songs. In order to assume this role, the Judge wears a blonde wig, heavy make-up, and a sequined dress, and is so convincing in the part that Rebeca, who regularly visits the club, has almost come to see Letal as her mother. To this extent, the Judge's transformation from man to woman is totally convincing as far as outward appearance is concerned. But this being so, there is at one point a sequence in Letal's dressing-room where the question of identity becomes decidedly blurred. When Rebeca goes back stage and helps Letal to undress, the camera reveals in detail female garments being removed one by one—the wig, the cap which covers the Judge's hair, the corset, the tights—but it suggests too, as Rebeca kneels in front of the Judge, the bulge of his genitals. In short, the spectacle is one of half woman, half man. Furthermore, when the Judge raises Rebeca on high and then penetrates her, we have the intriguing situation of a woman having sexual intercourse with a man who is still half dressed as a woman. Again, if the Judge's desire for sexual intercourse with Receca provides evidence of his masculine drive, there is also much in the film which points to the feminine and even effeminate side of his personality. Away from his legal activities, for example, the Judge devotes his life to caring for his ageing and apparently incapacitated mother, and even if he loses patience with her from time to time on account of her constant complaints and demands, this does not invalidate our seeing his caring for her as more like that of a daughter or a female carer than of a son, for women too are prone to fits of temper and impatience in such demanding circumstances. In addition, the Judge's caring and compassionate side is also clearly revealed when he questions Rebeca about her husband's murder. While there is no suggestion in the film that he has or has had sexual relationships with men and that he is therefore bi-sexual, the Judge is undoubtedly drawn to the role he performs so well as a female cabaret singer, a role, moreover, much loved and applauded by the gay men at the club, for whom Letal has become an icon. The impression we form in watching him is that his adoption of the role is rather more than is required to investigate a murder. His dressing up as a woman is clearly a source of great satisfaction, and we may well wonder if he also does so in the privacy of his home, away from the gaze of his invalid mother.

This said, the theme of performance and changing identity discussed above relates for the most part to characters in the films who are playing parts, however much

they identify with the parts they play. But, in addition to
this, there are other characters who have been transformed,
either wholly or in part, not through the process of acting but
by medical intervention. One such is Tina in *La ley del deseo*,
mentioned earlier as taking the role of the unhappy woman
in Cocteau's *La Voix humaine*. Late on in the film, she visits
her brother in hospital and describes their early years
together, when she was not a girl but a boy: Tino rather than
Tina. Tino's father, she reveals, had had a sexual relationship
with his young son, had separated from his wife because of it,
and had subsequently taken Tino to Morroco. There Tino
had become Tina, having undergone a sex-change operation,
the father had abandoned her, and she had gone to live in
Paris before returning to Madrid, where her life has been
difficult and largely devoid of meaningful relationships with
the opposite sex. Here, then, is a case not of a male character
playing a female, as in the case of the Judge, but of a male
character becoming a female and thus assuming not a
temporary but a permanent change of identity, along with all
the emotional and psychological problems that such a change
implies. When, at one point in the film Tina enters a church
and confronts the priest who had abused Tino many years
ago, it is hardly surprising that the priest should fail to
recognize his accuser.

If this is not startling enough, there are two characters in
Todo sobre mi madre who fall into a similar category: La
Agrado and Esteban, Manuela's former husband. As we have
seen, the former is a transsexual prostitute, but it is clear
from the information she gives us about her life that she has
not undergone a complete sexual transformation, for while
hormone treatment and plastic surgery have given her
breasts and the general appearance of a woman, she also
possesses a penis. As she observes to Nina at one point: "Un
par de tetas, duras como ruedas recién infladas y además un
buen rabo" (97). As for Esteban, his transformation from
man to woman is also incomplete. In a conversation with
Rosa, in which she pretends that she is talking about a
friend—in reality herself—Manuela describes how, after two
years, the "friend's" husband returned with "unas tetas más

grandes que las de ella" (70), but that, at the same time, "El se pasaba el día embutido en un bikini microscópico, tirándose todo lo que pillaba [...] ¡Cómo se puede ser machista con semejante par de tetas!" (71). And, of course, as we have seen, Esteban proves his masculinity twenty years later by getting Rosa pregnant. To some extent, the description of these individuals, both by themselves and by others, is comic, as in the case of La Agrado's observation that "De joven fui camionero. [...] En París, justo antes de ponerme las tetas. Luego dejé el camion y me hice puta" (94). But otherwise these are troubled individuals who, as in Esteban's case, also create enormous problems in other people's lives. Esteban's dual sexuality and his attendant promiscuity has led in the past to Manuela's abandonment of him and, later on, to his infection with HIV and his eventual death from Aids. As for La Agrado, she is frequently beaten up in the course of her work as a transsexual prostitute, and even if she describes her misfortunes with an appealing sense of humour, we sense that is conceals an underlying sadness. We can well imagine the emotional trauma and crises of identity which these men longing to be women must have endured for much of their lives.

In many of Almodóvar's films there are, then, characters who are male but who play females, characters who are part male and part female, characters who were once male but who are now female, and, in one particular case, an actress who was once a man. Bibi Anderson, whom Almodóvar has known for many years, is a well-known transsexual who has appeared in a number of his films in female roles: as the striking blonde and full-figured blonde who leads the dance routine in the prison exercise yard in *Tacones lejanos*, and as the beautiful Susana, murdered by Nicholas, the serial killer of *Kika*. In addition, although this is not limited to Almodóvar's work, there are heterosexual male actors who pay homosexuals—Antonio Banderas in *La ley del deseo*— and heterosexual actresses who play either lesbians or transsexuals—Carmen Maura in the same film. For some critics, the Spanish director's films are, for this reason, considered to me rather bizarre and colourful, but the truth of the matter is that the nature of performance, whereby actors inhabit the lives of other people and assume a different identity, has clearly led him to consider more and more the broader question of individual identity both in art and in life, and the degree to which human beings can be strictly categorized.

On this issue he has observed: "Yo creo que el ser humano tiene dentro de sí todos los personajes, masculinos y femeninos, los malos y los buenos, los mártires y los psicópatas" (Strauss 86). In his most recent film, *Hable con ella*, Almodóvar examines through his two principal male characters the question of the extent to which men have a female side. Mario, initially markedly macho, reveals by the end of the film, and as the result of his contact with the more gentle and caring Benigno, a tenderness and concern which one might not have expected of him. It is an issue which has been present in Almodóvar's work from the outset, but one which, with the passing years, he is examining with increasing assurance.

The art of film, unlike that of the theatre, is decidedly visual, dialogue sometimes reduced to a minimum. The exception to the rule is, of course, the film which has been adapted from a stage play, and in which much of the original dialogue is retained, even if in other respects the play's settings have been opened up to create a more fluid effect. One such example is the film of Edward Albee's play, *Who's Afraid of Virginia Wolf*, in which the lacerating verbal confrontations between Martha and George have much of the character of the original stage dialogue. As for Almodóvar, the visual element of his films, both in terms of colour and background, is very striking indeed, but he is also, of course, the author of his own scripts, and in many respects his use of language is highly reminiscent of the stage. Particularly striking in this respect is his use of soliloquy in a number of films.

The first example of this occurs in *Pepi, Luci, Bom, y otras chicas del montón*, in which a bearded wife, desperate for sexual intercourse after three weeks of neglect by her husband, berates him in a monologue delivered at great speed and which is in many ways a comic version of Maggie's verbal attack on Brick in Tennessee Williams's *Cat on a Hot Tin Roof*. Again, in *Tacones lejanos*, Rebeca sits in front of the Judge and delivers an unbroken two-minute account of her movements during the night on which her husband was murdered. Both examples, one comic and the other serious, provide sufficient proof of Almodóvar's love of words and of a form of address which is at bottom theatrical and quite unusual in the cinema. In the case of Rebeca's monologue, moreover, the theatrical form is very effectively adapted to the requirements of cinema in the sense that it involves an extended close-up during which the camera is held on Rebeca's face and reveals, in the course of her speech, a whole range of changing emotions. In *Todo sobre mi madre*, in contrast, the soliloquy delivered by La Agrado is much more traditional in theatrical terms, for, just as much of the action of the film takes place in theatre dressing-rooms and corridors, as well as on the stage, so La Agrado stands in front of the main curtain, illuminated by a spotlight and addressing the theatre audience: *Un gran cañón de luz atrapa a la Agrado en su círculo blanco, acorralándola contra el paredón rojo oscuro de las cortinas* (103).

Because in the film La Agrado addresses the theatre audience directly—and by extension a cinema audience watching the film—the relationship which is created is less like that which we associate with cinema as a whole, and more like that which a stand-up comic, in a night-club or theatre, establishes with his or her listeners. Firstly, by speaking to the audience, La Agrado creates a feeling of intimacy, and by initially cracking a series of jokes, she makes it feel more relaxed and sympathetic towards her: "Si les aburro hagan como que roncan. Así. [...] Yo me cosco enseguida"(104). Furthermore, by making herself the topic of a speech which is essentially comic in its sheer exaggeration, she avoids any feeling of embarrassment or discomfort in her audience. On the contrary, it warms to a person who is so open and honest about herself:

> ¡Miren qué cuerpo! Reparen. ¡Todo hecho a medida! [...]
> Rasgado de ojos, ochenta mil. Nariz, doscientas, tiradas
> a la basura porque un año después me la pusieron así de
> otro palizón. Ya sé que me da mucha personalidad, pero
> si llego a saberlo no me la toco. Continúo: Tetas, dos.
> Setenta cada una, pero éstas las tengo ya superamor-
> tizadas. Silicona en labio, frente, pómulo, cadera y culo.
> (104)

By the end of the soliloquy, she has the audience eating from
her hand, a tribute to the skill with which the speech is
structured and paced. One of the highlights of the film, the
monologue points to the importance of words in Almodóvar's
work as a whole, and reminds us not only of his early
experience in the theatre, but also of the fact that when, in
the early days of his career, he showed his own short films to
his friends, he stood near the screen and improvised the
voices of all the characters. Indeed, many of the characters of
his mature films are given to speaking at length and often at
considerable speed, as in the case of the verbally voluble Kika
in the film of the same name. In addition, confrontations
between individuals, as in the case of the bitter argument
between Paco and Leo, the husband and wife of *La flor de mi
secreto*, are frequently of a very high emotional voltage and
have that face-to-face aggression which is so characteristic of
the theatre. In this context, it is no coincidence that
Almodóvar should be so insistent on thoroughly rehearsing
his actors, not least in relation to the speaking of the lines. In
this respect his punctiliousness is very evident:

> Tengo fama entre los actores de ser muy buen actor. Lo
> que pasa es que sí, es verdad que cuando estoy
> dirigiendo me siento poseído por cada uno de los
> papeles, y cuando tengo que interpretar uno delante de
> ellos, lo hago del modo más claro y expresivo que pueda.
> (Strauss 124)

Lorca, it has been said, drilled his actors mercilessly until
they were able to deliver their lines with the appropriate

timing and emphasis. It is one area amongst several in which Almodóvar has very similar ideas.

Design is also an important aspect of Almodóvar's films in which theatre may well have had an influence. It is often the case in theatre productions that the stage-design either underpins or acts as a contrast to the on-stage action, except, perhaps, in highly naturalistic plays in which the stage-setting is an attempt to reproduce a real-life equivalent. In the late nineteenth century, a number of influential stage designers, including Adolph Appia, Edward Gordon Craig, and Max Reinhart, consciously turned their backs on Naturalism, arguing that stage-design should seek to communicate the mood and atmosphere of a given piece, harmonizing with and not being separate from the events taking place on the stage.[5] It was an approach which was to find favour with such visionary Spanish dramatists as Valle-Inclán and Lorca. In Act One, Scene Three, of Valle's *Romance de lobos*, for example, the dramatic mood and atmosphere is suggested by an evocative integration of the background and the human figures: *Noche de tormenta en una playa. Algunas mujerucas apenadas, inmóviles sobre las rocas y cubiertas con negros manteos, esperan el retorno de las barcas perscadoras.*[6] Similarly, the very simple stage-direction to Act One, Scene One of Lorca's *Bodas de sangre* suggests a background of yellow which, together with the dark colouring of La Madre's clothes, suggests her bitterness and her grief for her dead husband and her elder son. As far as Almodóvar is concerned, the cinematic influences on his work cannot be denied, but it is equally possible to suggest that his early involvement with and continuing interest in theatre has also been an important influence.

In the sequence in which Manuela's son, Esteban, is knocked down by a passing car, she rushes to him, her repeated cries of "¡Hijo mío!" expressing her terrible shock and anguish. But this in turn is underpinned by the background, revealed by the camera before Esteban runs after Huma Rojo's car and as Manuela kneels beside his crumpled body. It is a wet night, the rain lashes down, the pavements and roads gleam in the rain, the colours of the buildings in the background are dull and lifeless, their angles sharp. It is a setting which contains no sense of comfort and which, in its depressing nature, underpins Manuela's anguish as effectively as Valle-Inclán's setting for the *mujerucas apenadas* in the scene described above, or Lorca's suggested background to La Madre's grief in the opening scene of *Bodas de sangre*. Furthermore, the overall greyness of the street scene dissolves in the very next sequence of *Todo sobre mi madre* into the dull colour of a long interior wall and floor inside the hospital to which Esteban has been taken and where Manuela sits disconsolately as she awaits news of him, the blankness of the background already a reflection of her imminent sense of emptiness. In both cases the method is highly expressionistic, and there are many other examples of it, both in this and in other films. In *¿Qué he hecho yo para merecer esto?*, completed fifteen years before *Todo sobre mi madre*, outdoor shots of an urban landscape—tower blocks, areas of waste ground, a motorway—are dominated by black, grey, brown and off-white colours which reflect the dull and colourless lives of most of the people who live in the barrio de la Concepción. Interiors, moreover—in particular the rooms of Gloria's house, which could well be stage-settings—are decidedly cramped, enclosing the individuals who live there in a way which vividly suggests their claustrophobic lives. On the other hand, interiors are sometimes used by Almodóvar in a rather different way. When in *Todo sobre mi madre* Manuela enters her son's bedroom to give him his birthday present, the bright colours of the walls and furniture underline both a moment of happiness and the optimism of a young life, as indeed the blues, reds, and greens of her kitchen point to the contentment she finds in her life with her son. On the other hand, the cheerful colours and furnishings of Manuela's apartment in Barcelona form an ironic counterpoint both to her anguish when she discovers that her former husband is the father of Rosa's child, and to the emotional trauma which accompanies her caring for Rosa after she has been diagnosed with HIV. And in much the same way, in *Mujeres sobre el borde de un ataque de nervios*, which most resembles a stage-play, the fawn-coloured walls and carpets of Pepa's apartment, together with the hard surfaces of telephones and answering-machines, act as a contrast to and suggest an indifference to the chaos of her personal life. Throughout Almodóvar's films, then, settings frequently have much the same function as they have in theatre of a symbolic or expressionistic nature. Indeed, it can be said of the indoor and outdoor backgrounds to the action of *Todo sobre mi madre* that they illuminate the lives of the characters as effectively as the sets for *A Streetcar Named Desire* underpin the lives of Blanche Dubois, Stella and Stanley Kowalski.

In conclusion, it is not unreasonable to suggest that, having been involved in the world of the theatre as a young man, both as an actor and an observer, Almodóvar has been influenced by that experience throughout his career as a film director. This is not, of course, to deny the enormous influence on his work of particular film traditions, in particular Hollywood, but it is equally evident that Almodóvar's fascination with certain themes—the art-life parallel, the question of individual identity—, his use of certain forms—above all the soliloquy—, his love of words, and his interest in design, has as much a theatrical as a cinematic basis. In this context it is no coincidence, perhaps, that at the moment there are plans afoot to adapt *Todo sobre mi madre* for the London stage—proof enough of the film's theatrical character.[7]

NOTES

1. For Almodóvar's theatre work with Carmen Maura, see Strauss, 23-24.
2. See García de León and Maldonado 229.
3. For this aspect of the plays, see Edwards, *Lorca:Living in the Theatre* 41-42 and 74.
4. All references are to *Todo sobre mi madre: Guión original de Pedro Almodóvar*.
5. See, for example, the study by Denis Bablet.
6. See the text published by Editorial Espasa-Calpe (20).

7. A stage version produced by Daniel Sparrow is planned for the West End to open in 2005 or 2006.

WORKS CITED

Almodóvar, Pedro. *Todo sobre mi madre: Guión original de Pedro Almodóvar*. Madrid: El Deseo Ediciones, 1999.

Bablet, Denis. *The Theatre of Edward Gordon Craig*. Trans. Daphne Woodward. London: Eyre Methuen, 1981.

Blanco, Francisco "Boquerini." *Pedro Almodóvar*. Madrid: Ediciones J.C., 1989.

Edwards, Gwynne. *Almodóvar: Labyrinths of Passion.* London: Peter Owen, 2001.

_____. *Lorca: Living in the Theatre*. London: Peter Owen, 2003.

García de León, María Antonia, and Teresa Maldonado. *Pedro Almodóvar: la otra España cañí*. Ciudad Real: Biblioteca de Autores y Temas Manchegos, 1989.

Smith, Paul Julian. *Desire Unlimited: The Cinema of Pedro Almodóvar*. London: Verso, 1994.

Strauss, Fréderic. *Pedro Almodóvar: un cine visceral. Conversaciones con Fréderic Strauss*. Madrid: Ediciones El País, 1995.

Vidal, Nuria. *El cine de Pedro Almodóvar*. Barcelona: Ediciones Destino, 1988.

BETWEEN EUROPE AND AFRICA: MODERNITY, RACE, AND NATIONALITY IN THE CORRESPONDENCE OF MIGUEL DE UNAMUNO AND JOAN MARAGALL

BRAD EPPS

Harvard University

> "Ay madre, quién fuera blanco,
> aunque fuese catalán"
> Popular saying among
> Black Cubans, quoted in Oriol
> Junqueras, *Els catalans i Cuba.*

"Spanish thought is dead." Or more accurately: "el pensament espanyol és mort" ("La independència" 33). The declaration, lapidary and dramatic, comes from Joan Maragall, in an article apparently written in 1897, but never published in his lifetime.[1] As the preeminent Catalan poet and essayist of his day, Maragall was no stranger to emphatic, contestatory statements. His poem, "Oda a Espanya," written in 1898, continues to be one of the most wrenching testimonies to the role of language in the articulation of a nation.[2] "Escolta, Espanya— / la veu d'un fill / que et parla en llengua—no castellana; / parlo en la llengua—que m'ha donat / la terra aspra: / en'questa llengua—pocs t'han parlat; / en l'altra, massa" (*Obra* 163). In this poem, written shortly before the Spanish defeat or "desastre" of 1898, Maragall confronts the significance of the signifying process itself, the language in which the proverbial problem of Spain is posed, the solution sought—or not. Emphatic and contestatory as it

may be, the poem is nonetheless concerned, in its very mode
of address, with a hearing—of Catalan by Spain and, of
course, by Spaniards—that is vital to dialogue, to verbal
correspondence. The difference between the unpublished
essay and the published poem is significant, perhaps because
as Maragall wrote to Miguel de Unamuno in 1906, "si lo
mismo lo dijera V. en prosa, fríamente, sistemáticamente, yo
creo que sería destiempo siempre" (*Epistolario* 38). That
neither Maragall nor Unamuno was a rigorously systematic
thinker is virtually a critical axiom. Indeed, Joan Ramon
Resina's assertion that "Unamuno substitutes poetics for
history and dresses politics as religion" (120), resonating
negatively with what María Zambrano called Unamuno's
poetic religion (167), might well apply to Maragall, for both
men, different as one was from the other, had a profoundly
poetico-religious understanding of reality. But they also had a
profoundly ethno-national understanding of reality that at
once brought them to loggerheads and underscored their
commonalities. For in the ties and tensions between Maragall
and Unamuno, Castile, Catalonia, and the Basque Country,
indeed Spain and Iberia, were welded together and torn
apart, not entirely unlike prose and poetry, in a spirited
exchange over literature, identity, community, autonomy,
difference, and power that took as two of its most insistent
poles of attraction and repulsion Africa and Europe. In what
follows, I will consider how Maragall and Unamuno deployed
images of Africa and Europe and, to a lesser degree, ideas of
poetry and prose in their attempts to grapple with the
"problem of Spain" and, for that matter, the "problem of
Iberia."

Exordium: Poetry, Prose, and Nationality

    Poetry, imbued as it is with the residue of religion, was for
both Maragall and Unamuno a mode of truth that was shot
through with a creativity that, visionary in thrust, out-
stripped rational thought—though not, it would appear,
national thought. Prose, as its etymology indicates, seemed,
in contrast, to be prone to a straightforward momentum and

doctrinaire execution that troubled any truly dialogic response. Articulated in poetry, the ever so figurative death of a specific sort of thought—call it Spanish, or Basque, or Catalonian—might somehow not seem quite so unremittingly disastrous; more importantly, it might even give way to a fractured correspondence between the living. The correspondence between Unamuno and Maragall—an ostensibly, and now ostentatiously, private exchange running from 1900 to 1911—is composed, not surprisingly, in prose, though both poetry and the translation of poetry pepper it in ways that heighten the sense of intimacy, sincerity, and searching, searing, dyadic openness.[3] The power of poetry, evident in the first extant letter in the correspondence, bears explicitly on friendship, faith, and mutual, quasi-mystical understanding. Maragall tells Unamuno that he has read his *Tres ensayos* "como poesía, sin meditar ni releer nada," and that, in so doing, he has experienced a reaffirmation of faith, of "fe en la fe," that he takes as a pledge of friendship: "[t]odo esto estaba dentro de mí, y usted me lo ha revelado y me gozo en ello. Dios se lo pague. Nos hemos hecho amigos' (*Epistolario* 9). Unamuno responds to Maragall's poetic profession of faith and friendship by reiterating it: "'[n]os hemos hecho amigos,' me escribe usted. Así tenía que ser, y lo que tiene que ser al fin es. Yo lo era de usted tiempo hace, porque más de una vez he apacentado mi espíritu en sus *Poesías*, y una de éstas, *La vaca ciega*, hace tiempo que me la sé de memoria de puro leerla y recitarla a otros" (*Epistolario* 10-11). Maragall's profession of a singular, spontaneous reading of Unamuno's essays, a one-time non-meditative reading that effectively rewrites the essays as poetry, elicits a response in kind from Unamuno, who goes on to ask himself "si será verdad lo que alguien me dice y es que siento con la cabeza y pienso con el corazón" (*Epistolario* 12). From the very outset of their correspondence, Unamuno and Maragall seem to agree that poetic sentiment can temper, and perhaps tame, the supposedly cold systematization of thought in prose.

The reference to cold, systematized, prosaic thought is not of Maragall's making alone. In fact, it is Unamuno who first adduces it, and he does so by way of Maragall's *El Comte*

Arnau, a long poem rich in Catalan national significance, which Unamuno claims to find "a trechos hermosísimo, pero que otras veces ... parece dejar ver el esqueleto, quiero decir, la doctrina abstracta que en parte lo ha inspirado" (*Epistolario* 12). If Maragall encounters something spiritual in Unamuno's prose, Unamuno encounters something skeletal, the bare bones of life and of death, in Maragall's poetry. Interestingly, in the first two short letters of their extant, published correspondence, Maragall finds poetry in Unamuno's prose and Unamuno finds prose, or more precisely the doctrinaire abstraction with which he here seems to associate it, in Maragall's poetry. The exchange sets the stage for further exchanges, for a back-and-forth movement in which one writer reads and rewrites, defines and disputes the definitions of, the other. The tension between poetry and prose is not, however, removed from national concerns. As Unamuno puts it, "[l]a poesía castellana no me resulta; la encuentro seca y fría; en su contendio de un prosaísmo *estilizado* ... y en su forma acompasada y cadenciosa más que rítmica y melódica" (*Epistolario* 11; emphasis original). Not all poetry is poetic, Unamuno proclaims, and Spanish poetry, that is to say poetry in Castilian, is as dry and as cold as prose. It matters little, apparently, that others might qualify Unamuno's poetry as dry and cold, as more metaphysical than lyrical, more cerebral than sensual, more abstractly doctrinaire, even in its self-conscious tentativeness around questions of faith, than concrete and fluid.[4] What matters, at least in the correspondence here under consideration, is that Unamuno introduces a national dimension to the otherwise tried and far from true division between poetry and prose.[5]

National signs complicate, and even fracture, the division of poetry and prose in ways that are important to the increasingly nationalist and anti-nationalist tenor of subsequent installments in the correspondence—or as Unamuno calls it, "epistolomanía" (*Epistolario* 12-13)—that links the two men. If Castilian poetry falls, for Unamuno, into prose, poetry itself, though undeniably marked by nationality, is at its most ideal an overcoming of nationality. Several years after declaring that he and Maragall break spiritual bread in the name of Goethe ("Creo que comulgamos en un culto, y es el culto a Goethe," *Epistolario* 11), Unamuno reaffirms his notion of poetry as surpassing national boundaries: "Nuestra pasión se hace metafísica. Pero hay un mundo, el de la poesía, en que todo se hermana. Allí Leopardi da la mano a Walt Whitman" (*Epistolario* 34). The brotherhood of poetry embraces Wordsworth, Coleridge, Whitman, and Leopardi, Guerra Junqueiro, Verdaguer, and Maragall, "el poeta español de mi generación que más me satisface" (*Epistolario* 12), as Unamuno tells his Catalan friend. Like the brotherhood of modernism of which Rubén Darío writes in *España contemporánea*, the brotherhood of poetry,[6] its "world," does not embrace, at least not with the same effusive confidence, Castilians, who centrality to the Spanish nation clearly does not translate into prominence in the "world" of poetry, a world beyond—though apparently not entirely—national markers. Unamuno's Nietzschean-inflected invocation of the superhuman and the supernatural in relation to the aforementioned interplay of heart and head, "cabeza" and "corazón,"[7] resonates with the concept of the supernational that was in vogue in certain circles during the time that he and Maragall (who was the first to translate Nietzsche to Spanish) were corresponding.[8] The supernational, as the superhuman if not supernatural overcoming of national differences, appears to be the place of true poetry, and the national, as the all too human delimitation and exacerbation of difference, appears, in contrast, to be the place of cold, calculating, self-interested prose.

Despite the presentation of poetry as beyond national boundaries, national boundaries obviously persist—and they persist, furthermore, as the condition of possibility for patriotism. Referring to Maragall's "La patria nueva," Unamuno praises the Catalan for his patriotic commitment to Spain, amid his calls for a respect of difference: "[l]o que ... dice es la verdad y es lo que sienten los españoles verdaderos ahí, en mi país y aquí mismo en Castilla" (*Epistolario* 14). Tellingly, Unamuno refers to *his* country, the Basque Country, as an integral part of a larger country, Spain, with which he identifies and by which he understands himself as

Basque and Spanish in the same blush. Maragall, for his part, replies to Unamuno's proclamation of Maragall's patriotism —a patriotism that almost landed the Catalan in jail—by saying that the State is in many respects more amenable to Anarchism ("en el mal sentido de la palabra," *Epistolario* 18) than to Catalanism. He notes, moreover, that "en todo ven separatismo, y esta es la peor señal. Así lo ha perdido España, y así se perderá a si misma. Se siente perseguida por sus propios movimientos de vida y no descansará sino en la muerte" (*Epistolario* 18). For Maragall, the Spanish political authorities, incapable or afraid of appreciating the vital movement of thought and practice, cannot accept a pluralist and plurilingual understanding of the State and thus accuse anyone who advocates such an understanding of something worse than anarchism, that is to say, of a crime against the State.

In the course of the correspondence between the two men, the question of the State, especially as it bears on regions, nations, and *patrias/pàtries*, comes to impose itself with a rhetorical force that rivals, and at times eclipses, the discussion of literature. The admiration that Unamuno expresses for Maragall's "La patria nueva" surely has much to do with Maragall's opening gambit in that essay: "Para que el catalanismo se convirtiera en franco y redentor españolismo sería menester que la política general se orientara en el sentido del espíritu moderno que ha informado la vida actual, no sólo de Cataluña, sino también de algunas otras regiones españolas progresivas" ("La patria" 197). The idea that Catalanism could support, even redeem, *Españolismo* goes against the grain of commonly held assumptions about both formations and about the relations between them. Unamuno reads Maragall, correctly, as arguing for a renovated, revitalized, and, yes, redeemed Spanish State, one that returns from the dead by turning to the parts within it that still retain some sense of life. The vital parts are, predictably, Catalonia and Euskadi,[9] regions whose implicit economic and cultural superiority may well prove incapable of overcoming their explicit political inferiority:

> la inferioridad política de dichas regiones (que están en pequeña minoría) enfrente del viejo espíritu central representativo de la gran masa de la España muerta y que, caduco y todo, vacío, momificado, tiene todavía una superioridad, si no suficiente ya para hacer política alguna positiva, bastante aún para neutralizar, para destruir, o, lo que es peor, para corromper toda iniciativa salida de aquellas pequeñas porciones de España. ("La patria" 197-98)

Maragall is unrelenting in his depiction of Spain, at least as traditionally understood, as dead and bound to death, as a "gran momia política" and a "vasta necrópolis nacional" ("La patria" 198). With rhetoric that at once recalls and outstrips that of Mariano José de Larra, Maragall presents Spain as on the verge of becoming, in its entirety, a cemetery.

The rhetoric of death that hounds the Catalan and, more intensely, the Basque languages is, under Maragall's pen, the rhetoric—and practice—of the centralist State, for which the only language that matters, that signifies, is Castilian. "Aquí hay algo vivo gobernado por algo muerto," writes Maragall, "porque lo muerto pesa más que lo vivo y va arrastrándolo en su caída a la tumba. Y siendo ésta la España actual, ¿quién puede ser españolista de esta España, los vivos o los muertos?" ("La patria" 198). In the battle between the living and the dead, the dead, endowed with political superiority and with the force of entrenched tradition, are no meager foe. The living, who are also new and modern, "nuevos" and "modernos," have to be more inventive, more wily, and more flexible than their deadly antagonists: "[l]os españoles nuevos han de improvisarse políticos, alternando con los políticos viejos, y hacerse consentir por ellos sin contaminarse de su espíritu; ... han de crear una opinión pública moderna empezando por crear intereses y necesidades modernas en la masa de un país casi africano" ("La patria" 199). For Maragall, the new, modern, vital Spain, the Spain of heroic Catalans and Basques (heroic because they have to conquer their centrifugal impulses), is an imaginary, and hence still utopian, construction of *autonomistas*, *separatistas*, and

extranjeristas ("La patria" 200) who turn to a European, non-
revolutionary internationalism for guidance out of the
quagmire of primitivism, savagery, and death that bears, it
appears, a distinctly African stamp. The internationalism of
which Maragall speaks, and which he posits as a corrective to
the nationalism of the centralized Spanish State, is limited to
Europe (and its former colonies) and to modernity, but it is
also, at its most vibrant, more poetic than prosaic.[10] Repeating Unamuno's pronouncement that "en el mundo de la
poesía todo se hermana," Maragall makes it his own,[11] and to
such a degree that he is able to declare: "lo único que me
interesa en literatura: cosas vivas" (*Epistolario* 23). But the
interest in live things cannot shake the shadow of death, and
the shadow of death cannot shake the matter of death, the
myriad ways in which death is embodied and "brought home"
even as it is displaced and exported to, and as, other people,
places, and things. If in the world of poetry everything is
fraternally joined, in the world itself much comes violently
apart.

Excursus: Africa

The variegated and highly uneven symbolic lives and
deaths of poetic and prosaic modes of national thought and
expression in the Iberian peninsula implicate modes of
thought and of expression outside it: Europe, of course, and
certainly the Americas, and rather less certainly Asia, which
tends to be figured primarily in terms of despotism and
decorative exoticism, but also, and no less significantly,
Africa, site of colonial projects and presences that, enduring
in the wake of the much-ballyhooed "disaster" of 1898, continue even to this day. The oft-repeated claim, a sort of
schoolbook truism, that Spain lost its last colonial possessions to the then rising, now roaring, power of the United
States, is patently false, but in its falsity it signals something
unsettlingly true: unlike the pearls of the Pacific and the
Caribbean, the "dark continent" seemed to matter little, or
not enough, or for all the wrong reasons, and slipped, for
many a Spanish thinker, into a never-never land, at once

slavish and indomitable, indolent and wild, sensual and fana-
tic (the title of a book by Aurora Bertrana), inimical to both
an increasingly secularized modernity and to the "eternal
traditions" of Christian humanism.[12] Unamuno himself, in an
article from 1919 (some eight years after the death of
Maragall), recognized that "[e]so de Marruecos no ha logrado
interesar a los pueblos que habitan España" ("Eso" 209).
Unamuno links the lack of interest in Morocco, interestingly
enough, to a lack of interest in Spain itself: "[e]so de Marruecos es, en realidad, un problema internacional, y lo internacional no puede interesar donde falta el sentido de nacionalidad" ("Eso" 209). But if the national and the international are insufficiently felt in Spain,[13] so too, it appears, is
the civilizing mission by which colonialism wrapped itself up
in the garb of the Enlightenment and tried to justify itself:
"¿qué obra civilizadora puede hacer en Marruecos la que no
ha sabido civilizarse ni nacionalizarse a sí misma: ¿Cómo va a
españolizar su zona la que no sabe españolizarse a sí misma?"
("Eso" 210). For Unamuno, not only have Spaniards all but
forgotten Morocco, they have all but forgotten Spain.

The place of Spain in Morocco, formalized in 1906 in the
Conference of Algeciras by which France and Spain parti-
tioned the North African nation, bears powerfully on Spain's
place in Africa in general. In the prologue to *España en
África*, a book published in 1903 by Ramos Espinosa de los
Monteros, José Rocamora expresses his surprised admiration
"que haya quien haga profesión de una tarea tan espinosa,
tan preñada de dificultades, tan desatendida entre nosotros,
como la de escribir de asuntos que se refieran á Marruecos, á
nuestras olvidadas posesiones del Golfo de Guinea, á la suerte
que el porvenir haya de depararnos en esas últimas reliquias
de nuestro poderío colonial" (vii). Barely five years after the
losses of 1898, the author of the prologue to *España en
África*, notes with evident consternation that Spain's overseas possessions, the last remnants of its colonial endeavors,
have been all but forgotten. Espinosa de los Monteros, in a
forward titled "A la prensa," combats with the fervor of a
patriotic crusader the forgetfulness and ignorance that
Rocamora signals: "La madre patria,—he dicho: es cuerpo y

alma. Ella centellea sobre nuestros ojos el mejor invento de
Dios; nos calienta la sangre para la vida mientras nos
relaciona con las maravillas del universo" (xxiii). Espinosa
and Rocamora clearly do not share either Maragall's sense of
Spain as a dead thing or Unamuno's sense of Spain as a place
of insufficient national and international awareness—even
though they do acknowledge significant problems in its
handling of Morocco. They do not, in other words, share the
sense that Spain is not a world power, that its "civilizing
mission" is exhausted. If Maragall presents Catalonia and
Euskadi as vital, potentially reinvigorating parts of Spain,
and if Unamuno at times concurs, Espinosa and Rocamora
present the African colonies as vital, potentially reinvigorating parts of Spain. They do so, to be sure, with full awareness
that many, if not most, Spaniards are practically oblivious to
Spain's presence in Sub-Saharan Africa and weary of its
presence in Morocco.

The lack of interest in Africa is, as Unamuno puts it in
1919, an effect of the lack of profit. "Se ve lo de Marruecos
como un negocio," notes Unamuno, "y en cuanto negocio parece que es, en efecto, improductivo, si es que no malo"
("Eso" 210). The business is bad not only economically but
also—and most importantly for Unamuno—spiritually. With
Spain conducting itself in Morocco as if it were a "compañía
pseudónima de seguros mutuos" rather than a nation ("Eso"
212), and with business so bad, Spain would do well to cut its
losses and run. At any rate, it should certainly refrain from
resorting to violence to shore up such bad business, for no
profit can come, Unamuno argues, of a relation imposed and
maintained by force.[14] Whatever resonance Unamuno's
opposition to the forceful imposition of power may have for
Catalonia and other parts of Spain,[15] his view of Morocco is
shaped, in all likelihood, by the still fresh memory of previous
colonial endeavors that ended in disastrous violence. If "más
se perdió en Cuba," as the popular saying goes, Unamuno
suggests that quite a bit could still be lost in Africa, not the
least of which would be the last vestiges of the much-touted
spiritual unity and dignity of Spain itself. The turn, or
retreat, to spiritual values in the face of major military and

economic losses that characterizes the so-called Generation of 1898 inflects Unamuno's view of the Spanish presence in Morocco as well. Obviously, however, not everyone shared Unamuno's ethical and spiritual preoccupations, not only those who had vested interests in Morocco and the Gulf of Guinea, but also the vast majority of Spaniards who, whether out of exhaustion, ignorance, or indifference, found little in Africa to fire their imagination to nearly the same degree as Cuba had.

Miguel Martín, writing in 1973 and noting the dearth of studies on Spanish colonial practice (as distinct from colonial events such as uprisings, rebellions, and wars), declares that Cuba alone has merited examination, and even then insufficiently. For him, "quizás la conmoción que produjo la pérdida de Cuba en la intelectualidad, explica [la] mínima atención" (5) that Morocco and other parts of Africa have received. Unamuno's article may distinguish him from other intellectuals, but, as Martín remarks, "[l]as escasas excepciones ... confirman la regla del silencio" (12). The rule of silence that attended examinations of the Spanish presence in Africa, though broken by Unamuno, Espinosa, Rocamora, and others, appears to issue from the hubbub that attended examinations of its calamitous absence in the Caribbean and the Pacific. The reasons for the disjunction are complex, but the economic is arguably, as Louis Althusser would have it, determinative in the last instance (89). For whatever primitivist monikers were applied to Cuba, Puerto Rico, and the Philippines, whatever racist practices were there unfurled, whatever practices may have linked these colonies with those of Africa, the commercial value[16] of the Caribbean and Pacific possessions was beyond dispute—or rather, their commercial value was at the very heart of dispute: the Spanish-American War. Although Rubén Darío, for one, expressed surprised indignation at the lack of reverberations that the War had on the daily life of Madrid in the immediate aftermath of defeat (suggesting, in the process, that Spain had already lost its colonies before it had fought the final battle for them),[17] there can be little doubt that the loss of Cuba, Puerto Rico, the Philippines, and Guam[18] in 1898 had dire effects, both material and symbolic, on the Spanish metropole.

The soul-searching works of Unamuno, Azorín, Baroja, and others, including Maragall, after 1898 stand as evidence of the incitement to discourse that comes with defeat. One of the most pressing of discursive responses bore, understandably, on the very status of Spain as a nation state. In the words of Ramiro de Maeztu in *Hacia otra España*, published in 1899:

> La pérdida de los mercados coloniales pone de manifiesto la periférica superficialidad de nuestra evolución económica. ... De nada sirve que Vizcaya produzca hierros, tejidos Cataluña, azúcar y carbón Asturias, conservas y vino Málaga, mineral Almería, cobre Huelva, Valencia frutos y objetos de arte y Cádiz ricos vinos. Para que estas industrias se asentaran sobre sólidas bases, sería preciso que el núcleo nacional, el granero, la meseta de Castilla ofreciera un mercado de consumo suficiente. ¿Y cómo va a ofrecerlo Castilla, despoblada por mil guerras, arruinada por la usura y por el fisco, atrasada porque en ella perviven las odiosas leyendas de los tiempos muertos. (168)

Maeztu makes no mention of Africa, nor does he qualify "la pérdida de los mercados coloniales" in any way that indicates that he is here even aware of them. He knew, of course, that Spain maintained a colonial presence in Africa, but he does not seem to have considered it to be a sufficient counterbalance to what he calls the superficiality of Spain's economic development. Indeed, if anything, Spain had so depleted its resources in colonial wars and general fiscal mismanagement that the mere thought that the African territories might provide a solution seemed risible. Regardless, for Maeztu, the very center of the nation, Castile—"la casta histórica Castilla," as Unamuno styled it in *En torno al casticismo*— could not compensate, commercially speaking, for the void left in the wake of the Spanish-American War. As a result, the periphery of Spain is, he claims, no longer overseas;

instead, it recedes to the peninsula, leaving not only Asturias, Euskadi, Catalonia, Valencia, and Andalusia without viable outlets, but also leaving landlocked Castile, and within it the capital city of Madrid, exposed to a regime of scarcity and inadequacy that had remained camouflaged, so to speak, by the exuberance of the Tropics.

References to Madrid as petty and stultifying abound at the turn of the century, and not only in the writings of those who, like Maragall, would revoke its capitality. Even Unamuno, hardly a partisan of what he called "una especie de voluptuosidad colectiva de disolución" ("El suicidio" 198), spoke of the "eterno crepúsculo poniente de Madrid" ("Madrid" 135). Yet twilight, so dear to decadents and moderns, shimmered in some deceptively enchanting ways. For all of the meditative turns, philosophical musings, and spiritual reflections that have been marshaled in the name of the Generation of 1898, the drive to the world market that Marx deemed critical to the imperious march of capitalism seemed to stall—and then to spin out of control. Bereft of the "protective" buffer of overseas colonies, of a place into which the peninsular periphery could exercise its mercantile might, the center did not seem capable of holding. In fact, so fragile was the center, that almost twenty-five years later, José Ortega y Gasset would affirm, in *España invertebrada* (1922) that, "[e]n 1900, el cuerpo español [había] vuelto a su nativa desnudez peninsular" (45). Of course, if Spain had returned to its "native nakedness," it might just be because Africa, or rather the Spanish presence in Africa, had not been enlisted, at least not successfully, to dress up the peninsula in proper imperial garb. Oblivious or indifferent to Spanish Guinea, Fernando Poo, and Río Muni (present-day Bioko and Equatorial Guinea), to Western or Spanish Sahara (whose borders were demarcated by France and Spain in 1912), and, most surprisingly, to the Spanish Protectorate of Morocco,[19] Ortega here followed the lead of countless others before him.

The lack of reference to Morocco in Ortega's and Maeztu's textual remappings (the Spanish body politic is newly naked; Spanish economic development is peripherally superficial) is surprising not only because the North African country is so

geographically close to Spain, but also because it was the site
of protracted, complex, and costly Spanish military ventures,
in 1859 and 1860 (in Ceuta), in 1893 (in Melilla), as well as
both before and after.[20] It was the war, or one of the wars, in
Morocco, after all, which sparked the popular uprisings of the
Setmana Tràgica, whose more exact cause was the
mobilization, from the port of Barcelona, of Catalan reserv-
ists in July 1909. Whatever the legal distinctions between
colony and protectorate, the conflict had all the trappings of a
colonial war and generated, in the wake of the disaster of
1898, intense feelings of exhaustion, disgust, and anger. As
Miguel Martín notes, José Martí, among others, expressed his
solidarity with the Rif, explicitly linking the situation of the
Cubans with that of the Moroccans (16-17). In Catalonia, the
feelings were no less acute, and they dovetailed, and spurred,
growing feelings of Catalan national separatism and of inter-
nationally marked class conflict. In 1900, the date of a
presumably newly naked Spain, the *Setmana Tràgica* had obviously not yet occurred, and yet for Ortega, writing in the
early 1920s, it obviously had, though here, in his embattled
essay on an embattled Spain, it constitutes something like a
hole in historical memory. For Ortega, the loss of the colonies
in the Caribbean and the Pacific does not foreshadow the loss
of the colonies in Africa, as might be expected, but rather the
loss of the peninsular peripheries themselves. "¿Termina con
esto la desintegración? Será casualidad, pero el desprendi-
miento de las últimas posesiones ultramarinas parece ser la
señal para el comienzo de la dispersión intrapeninsular"
(Ortega 45). It is a sign that, despite his inattention to other
signs of colonial dispersion, Ortega did not entirely misread.

   According to Jaume Vicens i Vives, writing some twenty
years after Franco's forces had violently checked intrapeninsular dispersion or "invertebration," the so-called Generation
of 1901, something like a Catalan version of the Generation
of 1898, saw in the "disaster" of 1898 the twilight of one
nation and the dawn of others. The Generation of 1901 "[v]a
sentir més aquest impacte," writes Vicens i Vives, "com més
enllà de l'Ebre encara persistia—malgrat els planys de molts
catalans il·lustres—la inautenticitat d'un Estat que es

recolzava en el caciquisme, las casaques de Palau, la cursi-
leria de Campoamor i una administració deplorable" (296;
quoted in Benet 20). Ortega's celebrated study of the fragmentation of Spain, a fragmentation that he much opposed,
was preceded, that is, by a spate of works that had also dis-
cerned fragmentation and that had, in many instances, supported it. In the article with which I began, Maragall himself
had noted, and supported, the dissolution of Spain *before* the
"disaster" of 1898. Building on his polemical declaration that
Spanish thought is dead, Maragall immediately adds that it is
not that there are no thoughtful Spaniards (Unamuno, with
whom he had yet to enter into a sustained correspondence,
notably among them), but rather that "el centre intel·lectual
d'Espanya ja no té cap significació ni eficàcia actual dintre del
moviment general d'idees del món civilitzat" ("La independència de Catalunya" 33). The "civilized world" is, of course,
a code word for Europe and, more amply, the West. The West
thus functions as a "world" against the world, a "world"
against all that is uncivilized, primitive, and savage. It is thus
that Maragall and other modernists shadow Africa, even
without explicitly mentioning it, as the underside of Europe,
its "Other," its benighted, negative, prehistorical image. It is
thus, moreover, that modernist and other anxiously Europeanist projects in Spain—and most emphatically in Catalonia—erect themselves. Europe, in this rhetoric, means
nothing without the drag of Africa.

   Now, if Spain, a sovereign state, was shot through with
intrapeninsular particularities and particularisms that
seemed to grow more intense as it lost its overseas colonies,
Africa, a continent, was buckled by particularities and particularisms of its own—and of Europe's making. The distinctions are important, for even as I have deployed the
signifier "Africa," Africa itself it is hardly a homogenous
unit; in fact, it is perhaps more heterogeneous than Europe.
The distinctions were clearly not lost on many a Spaniard.
After all, Morocco, like the rest of the Maghreb, retained a
cultural appeal and elicited a fearful respectfulness (as a land
of warriors, scholars, and church fathers, notably Augustine)
that did not hold for sub-Saharan Africa, commonly figured

as Black Africa, further from the peninsula in space and
historical memory and hence further from the accoutrements
of "civilization." Sub-Saharan Africa was, and remains, however, an indiscriminate mass for many a Westerner, and it is
hardly surprising that Spaniards would rework geography to
suit their nationalist, and Europeanist, aims. Tomás García
Figueras, in a historiographic work that won the Premio
Africa de Literatura in 1946 (and that all but oozes Francoist
adulation), provides a striking illustration of the ideological
malleability of geography:

> La unidad geográfica y fisiográfica de España y Marrue-
> cos, aún más acentuada dentro de la unidad geográfica
> perfecta de la cuenca occidenal mediterránea, está hoy
> perfectamente establecida; el elemento geográfico que
> separa España del Africa genuina no es el mar Medi-
> terráneo en su unión con el Atlántico, hundimiento del
> último período del plioceno; es más al sur, en el Sáhara,
> donde empieza verdaderamente Africa; en realidad, la
> afirmación de que *Europa termina en el Atlas*, en
> oposición a la de que *Africa empieza en los Pirineos*, es
> perfectamente exacta. (11-12, emphasis original)

In a marvelous reconfiguration of "natural" borders, García
Figueras bridges the Strait of Gibraltar and is brought to a
stop at the Atlas mountains. Not only does Africa not begin
at the Pyrenees, it does not begin until south of Morocco.[21]
    While García Figueras' argument may provide some un-
expected support for the beleaguered Moroccan attempt
(even more beleaguered than that of Turkey) to enter the
European Union, it here functions to reassert the legitimacy
of Spain's presence in North Africa while denying that North
Africa is Africa. Amid the seismic shifts, Spain becomes
decidedly less peripheral to Europe even as it become more
central to Morocco. As curious as it may seem, García
Figueras' map is by no means out of kilter with other maps.
León Martín y Peinador, in a geographical study from 1908,
makes a similar, if more ideologically transparent, claim: "el
estrecho [de Gibraltar] no será foso que nos separe, sino

arteria que nos una á ese Continente, donde las energías del espíritu patrio sepan encontrar su verdadera corriente de expansión" (*Marruecos* vii.). For his part, Espinosa, eschewing dubious scientific claims to land, states more forthrightly that "el Occidente de Europa y el Occidente de Africa deben ser gemelos indisolublemente asociados para el oriente de una gran evolución histórica" (xxiii). To be sure, Espinosa's contemporary, Martín y Peinador, seems to be of a similar mind, inasmuch as he sees in Morocco a way to retrieve and revitalize Spain's enervated imperialism. Championing a greater knowledge of his country's African possessions, and hence combating the widespread ignorance that attends them, Martín y Peinador declares that Spaniards should recognize and promote their "Territorios africanos, que no por modestos dejan de ser la única base de futura expansión colonial, si logramos llevar á ellos la savia fecunda de iniciativas y progreso" (*Marruecos* v). The "if" is big, to say the least, because at the time in question Spain is hardly, from the perspective of most Europeans and many Spaniards a land of invention and progress. In fact, rather than colonial expansion, national retraction and reduction seem to be the order of the day.

Ceuta and Melilla are the most visible remainders of a fissured yet resistant colonial project, typically denied as such even by the post-Francoist State as if it were impolitic to retrace the process by which a place becomes, or is made to become, part of a larger place. An apparently essential part, for if the passions and posturings that attended the "occupation" by Morocco of the tiny island of Perejil in 2002 are any indication, Spain, in all its sovereign wholeness, concentrated itself on, and in, a piece of rock that did not even appear on many an official map.[22] And it did so, does so, even as its withdrawal from the Sahara, brokered in Franco's final years, reverberates in the neo-colonial maneuvers of Morocco itself, bent on having the former Spanish territory as Moroccan territory and achieving, in the process, the displacement, suffering, and death of thousands of Saharawis. The *pateras* which drop and drown their human cargo (both North African and Sub-Saharan) on the shores of Spain, and which are only one of the many objects of concern of both central and autonomous governments, fuel anxious, ill-managed amnesties and subtle and not so subtle xenophobic acts that cannot dispense with the complexities and complicities of colonialism. Whatever postnationalism may be, it is implicated in postcolonialism in a manner that reveals both to be incomplete, even absurd, at least when they mean an overcoming of colonialism and nationalism, a leaving behind of the colony and the nation. Africa, more closely than any other area of the world, haunts contemporary Spain, haunts it in all its component or contested parts, its unitary visions and peripheral dreams, its vertebrations and invertebrations, its border controls and linguistic policies, its charitable gestures and enterprising investments, its "leyes de extranjería" and "derechos" and "deberes" of citizenship, its professions of singularity and its claims to universality, and, most acutely, its gestures of racial and ethnic tolerance. It is precisely this "haunting," this African "specter," that I would like to bring to the fore as I return to my reading of the correspondence between Maragall and Unamuno.

Exeunt: The Races of Modernity

I have strayed from a poetically tinged reconfiguration of disaster as a fractured correspondence of the living and the dead, but only in order to return to, and in so doing to underscore, something about Africa that is at the center *and* the periphery of Spain, in the rhetoric of tradition *and* of modernity, and in the politics of unity *and* of separation. Though on a necessarily smaller scale than what I have just described, Africa comes to haunt the correspondence of Unamuno and Maragall as it moves, with the unpredictable force of friendship and love, from relatively discreet perspectives on poetry and prose (by the authors and by others) to more ambitious proposals for an *Iberian* project involving, at its most visible, Castile, Portugal, Catalonia, and the Basque Country. These particular regions, nations, or parts, are not, however, stable and self-sufficient, but roll instead with more expansive regions, or mega-regions, here Europe and Africa.

They roll, furthermore, in ways that strain what many critics today might call the bounds of racial and ethnic tolerance. Inasmuch as tolerance, if not something better, is at stake, it is perhaps not beside the point to rehearse, ever so briefly, some of the more prominent perceptions about Unamuno's and Maragall's work, and in particular their more socio-politically oriented prose work. Maragall's prose, written in both Castilian and Catalan, is known, after all, for its relatively high degree of tolerance. This is especially manifest in two articles from 1909 (though the second was not published until 1932), "La iglésia cremada"[23] and, more poignantly, "La ciutat del perdó," an impassioned, though unsuccessful, plea to spare the life of Francesc Ferrer i Guàrdia and others condemned to death for their participation in the disturbances of the *Setmana Tràgica*.[24] Unamuno's prose, more familiar to the traditional Hispanist than Maragall's, and more familiar to Spaniards in general then and now, is known, in contrast, for its strong, even dogmatic assertions, part and parcel of his complex, even contradictory, appreciation of doubt. That said, neither Maragall's work nor Unamuno's can be so easily circumscribed, reduced, and defined,

For instance, Unamuno's appreciation of Catalonia, where he enjoyed his earliest success as a writer, or of the Basque language, which he studied with considerable fervor in his youth, is similarly contradictory, changing, often dramatically, over time but never quite shaking the trace of the past. Rather than endorse some totalizing, teleologically oriented view of Unamuno (or for that matter anyone), according to which what comes later is what is truer, I would follow the lead of Pere Coromines, who in a essay published in *La Revista de Catalunya* after Unamuno's death referred to "les zigues-zagues del pensament d'Unamuno" (159).[25] These zigzags and contradictions, combined no doubt with his polemical views on the "other" languages of Spain, have contributed to making Unamuno's writing the object of more sustained, and passionate, negative criticism than Maragall's, with Joan Fuster pointing to Unamuno's monologuism (79) and egotism (81)[26] and Joan Ramon Resina stressing Unamuno's fanaticism—a "convert's fanaticism" as Unamuno

himself had styled it (113).[27] Inasmuch as it takes as its object
of study the correspondence of Unamuno and Maragall.
Fuster's assessment is particularly pertinent, but should be
weighed alongside that of other critics—and of Unamuno and
Maragall themselves—who use, as I have, such words as
"friendship" and "love" to describe it.[28] A more generous
understanding of Unamuno might also, interestingly enough,
prove to be more critical, for it would refrain from consigning
his more tolerant declarations (and he makes many) to the
dustbin of falsity and of placing his more intolerant declarations (and he makes many) on the pedestal of truth.[29] Con-
currently, a more critical understanding of Maragall might
prove more generous, somewhat paradoxically, for it would
attend to the zigzags and contradictions, the moments of intolerance amidst tolerance, that constitute his writing as
well.

For in "La independència de Catalunya," the same text in
which Maragall declares Spanish thought to be dead, the eminently tolerant Maragall resorts to some of the grossest
generalizations and racialist arguments of the day. Spain is
dominated, he declares, by "flamenquisme" and "xulisme"
which "els ulls de la gent civilitzada no ... han de poder sofrir
sinó com gràcies i treballs estràmbotics d'una tribu africana"
(35). Even granting the historical differences in perceiving
racism then and now (differences which some would employ
to render racism all but anachronistic when applied to earlier
periods), Maragall's tone is here undeniably disdainful. The
problem, he insists, is that in contemplating "flamenquisme"
and "xulisme" the status of civilized people is itself imperiled.
Despite the generalized European sweep of the term, the
"civilized people" are here, most pointedly, the Catalans, or
at least those Catalans who embrace modernity and who, in
doing so, must wrench themselves from the grip of the
centralized Spanish State. Better to cut one's self off entirely
from Spain, Maragall argues, than to tolerate even as mere
entertainment (in the guise of the *género chico*) such quasi-
African spectacles: "el flamenquisme i el xulisme són el salt
endarrere d'una raça decrèpita que, de més a més, no és la
nostra" (35).[30] The invocations of race were, of course,

standard fare at the time that Maragall was writing, but there were, nonetheless, more than a few complications for anyone living on the south side of the Pyrenees. However racialist and racist the tenor of many British, French, and German thinkers, they were sure, to varying degrees, of belonging to Europe, a virtual redundancy for civilization, as Maragall himself makes clear. In the Iberian peninsula, however, things were different, and the difference—later converted into a promotional slogan for the tourist industry under Franco—punctuates the correspondence of Maragall and Unamuno in some commanding ways.

Trite and testy as they often are, the images of Africa and Africans are not always unremittingly negative. Years after "La independència de Catalunya," Maragall styles his friend Unamuno (in a letter from December, 1906) an African, but a heroic one in the extreme. "Le veo como el último héroe en pie de una batalla perdida, rodeado de cadáveres y de ruinas humeantes, irguiéndose todavía, aunque ya solo y profiriendo aquella gran voz de desafío a Europa y al siglo: —Africanos? Sí!" (48). The image is a wily one, at once flattering Unamuno's vanity as a lone and lonely prophet, an individual seer of heroic, even biblical, proportions and deriding him, in the far from neutral rhetoric of the day, as a primitive, a savage. Maragall goes on to state that "[n]unca los que hemos nacido de cara al Mediterráneo, nunca los hijos del húmedo Portugal, podremos acudir bajo su bandera: pero todos nos sentimos forzados a bajar un momento las armas y a inclinar la frente saludando al último héroe castellano" (48). In scarcely two paragraphs, Maragall has reiterated what was, by the time he wrote these lines, a commonplace of Catalanism: to wit the virtual equivalence of Spain and Africa. If Maragall claims that he is inclined to lay down his arms before the noble savage that is Unamuno, it is only momentarily, for Maragall's cause is European, his battle, that of civilization itself. Unamuno takes up the image of the last combatant in a letter from early 1907, but significantly shifts its terms. Rather than a Castilian-African who battles Europe, Unamuno presents himself as a sort of Basque-African in battle with Castilian-Africans: "peleo contra ellos,

contra los *africanos*. Porque son los africanos los que menos
se explican ni sienten mi africanismo. Resolverse así contra la
cultura europea moderna conociéndola y por conocerla, sin-
tiéndola y por sentirla, es entrar en ella. Una de las relaciones más íntimas es la relación que llamamos de oposición;
una de las solidaridades más estrechas es la de combatientes"
(55).

Unamuno's sense of Europe as an incomplete project, one
in which he, for better or worse, was implicated, and which,
by opposing, he only deepened, was far from the simplistic
jingoism that some of his most acerbic critics attribute to
him; Maragall himself praises Unamuno for his "reacción
contra la vulgaridad y el europeísmo barato" (*Epistolario*
100). But Unamuno's understanding of Africa is another
matter, arguably more showy than substantive. Unamuno's
Africanism, which he deploys in opposition to the "Africans"
of Spain, functions as a masquerade, but one that is not
entirely assimilable to another, presumably deeper masquerade: his Europeanism, which he, a reader of Goethe,
Coleridge, and Kierkegaard, deploys in opposition to the
Europeans. The relay between African, Spaniard, and
European is involute, zigzagging like so much else in Unamuno, but it is not lost on his more confidently European,
Catalan counterpart. Shortly after presenting Unamuno as
saying yes to Africa and no to Europe, Maragall refines his
presentation and proclaims: "[a]hora lo veo claro: V., el
africano, es el único europeo en esa Africa, porque claro está
que los verdaderos africanos son los que no saben que son
africanos: es menester poder tomar perspectiva, poder
situarse en Europa, para descubrir el Africa que en nosotros
haya; y en nombre de ella revelándose [sic] contra Europa es
entrar en Europa... ensanchándola hacia nosotros, es decir,
que Europa entre en nosotros a causa de la batalla" (59).
That Europe enters into Europe by entering, combatively,
into Africa and elsewhere, that it expands its identity by
waging battle with what it deems other, provides an insight
into colonialism that was not quite available, at least not
explicitly, to either Unamuno or Maragall. Of course,
Europe's battle with what was other than itself was also, and

in no small measure, a battle with itself, the devastation it wreaked elsewhere coming home, again and again, in a welter of colonial wars and, most spectacularly, two world wars.

In the limited space of an article, I can only gesture to the work of war in the words of Unamuno and Maragall. Amid all their differences, both Unamuno and Maragall, in this eminently civil and anxiously civilized correspondence, agree that they are engaged in nothing short of symbolic battle. And yet, with war on the horizon, war of a more terribly real sort (before, during, and after their correspondence), symbolic battles of the sort in which Unamuno and Maragall engage are perhaps never neatly contained. Their published words, that is, are beyond their control and may function as "arms" for others less constrained by, or less respectful of, the divisions between the word and the world. Their private correspondence, obviously before publication, is of a different order, but it too is shot through with the public words and deeds of others (poets, politicians, historians, and so on). However much both men may have waxed dogmatic, however much they may have lent "arms" to others, however much one may have differed from the other (even in waxing dogmatic and lending "arms"), however truly monologic or dialogic their interactions may have been, their correspondence is an agreement to disagree that is simply not sustained beyond them. And one of the points of agreement, of peaceful cultural coexistence, was a project that seemed to issue out of the symbolic battles that they had been waging by way of Europe and Africa: the creation of an Iberian journal. Put simply, Unamuno's Africanism (or Europeanism at a remove) and Maragall's Europeanism, one turning on the other, met in Iberianism and, more concretely, in the plan for a venue in which the linguistic and cultural particularities of the Iberian peninsula might come together without one erasing or silencing the other.[31]

The idea for an Iberian journal issues first, and perhaps understandably, from Maragall: "Una Revista Ibérica, o Celtibérica, escrita indistintamente en nuestras lenguas, de modo que se acabase por leerlas y entenderlas ya indistintamente" (*Epistolario* 106). Unamuno responds enthusiastimecally, endorsing Maragall's belief in an "alma ibérica" (*Epistolario* 105) and redeploying it with decidedly less modification than he did with Maragall's characterization of him as African. "¡El alma ibérica! ¡Qué ensueño! Pero nos lo turban castellanistas, bizkaitarristas, catalanistas, portuguesistas, andalucistas, etc., que no castellanos, ni vascos, ni catalanes, ni portugueses, ni andaluces, etcétera" (*Epistolario* 107). However much Unamuno's response to Maragall's proposal may resonate in the rhetoric of today's political parties, in 1911 it rang, as history will have it, a bit differently. Among other things, it was a not so indirect criticism of Maragall's own Catalanism, at times separatist, at times, as here, of a more cooperative federalist sort (in a previously mentioned essay titled "El suicidio de España," from 1919, Unamuno excoriates federalism, which, according to him, "sólo serviría para conservar la apariencia de Estado o de nación, sólo serviría al miserable sentimiento de la propia conservación que le hace a un pueblo, como a un hombre, esclavo," 199). Once again, it is important to remember the changes in positions of both Unamuno and Maragall, for neither man is reducible to any one fast and firm position, a position that both men linked to death. Now dead, their ability to respond, rectify, and question anew is gone, which makes it all the more important that we attend to their words or, better yet, to what I am tempted to call the afterlife of their words.

Unamuno's impatience with intelligence—itself taken, usually be way of an opportune usage of "que inventen ellos," as characteristic of his thought in general—was an impatience with a particular form of intelligence, one which relied on reduction. "¡Terrible mal la inteligencia! La inteligencia que tiende a la muerte, a la estabilidad, a la memoria. Lo vivo, que es lo absolutamente inestable, lo absolutamente individual, es impensable" (*Epistolario* 34). Unamuno's anti-intellectualism, which to Maragall's self-consciously European eyes at times merely reinforced Unamuno's Africanism, was in fact an intellectualism agonistically at battle with itself. As such, it had as its counterpart a tense appreciation of feeling which figures not only in Unamuno's

Del sentimiento trágico de la vida but also in Maragall's "El sentiment catalanista." Maragall, despite his concerns with Unamuno's melancholy and depressive sentimentality,[32] apparently did agree with some aspects of Unamuno's anti-intellectual feint. For example, in a letter from November, 1906, Maragall exclaims: "¡Ay! Que nos hemos convertido en una miserables máquinas de pensar y lo tenemos todo clasificado y distribuido en tristes piezas: esto es claro, esto es oscuro, esto alegría, esto tristeza, lo cristiano y lo pagano y lo trágico y lo idílico" (*Epistolario* 32). And, I hasten to add, "esto es África" and "esto es Europa." The very distributions and classifications about which Maragall complains traverse, that is, Maragall's own thought—particularly when expressed in prose and, as with "La independència de Catalunya," in prose that does see the light of day in the author's lifetime. But this distinction should also be taken with a grain of salt, for it cannot harden into truth with falsifying itself in the process. After all, if Maragall declared that "el pensament espanyol és mort," and hence that Catalans would do well to "desfer-nos ben de pressa de tota mena de lligam amb una cosa morta" ("La independència" 33), he later, in his correspondence with Unamuno, championed a project of cooperation and composition, though not simple unity,[33] a return to "la raíz común" from which would presumably spring "la España grande, la europea por invasión espiritual" (*Epistolario* 106).

True, the composition that Maragall envisioned was the effect of a prior decomposition, "una disintegración ... precedente de una integración nueva. Pero aquélla ya sería otra España" (*Epistolario* 70-71). Maragall's vision was by no means novel. Valentí Almirall, in *Lo Catalanisme* (1886), had read the separation of Norway from Sweden as preliminary to a renewed unity among sovereign equals (in which Denmark might also participate). Iberia is thus, at least under Almirall's pen, imagined by way of Scandinavia—and away from Africa. Maragall does not follow that route explicitly, but his concern for what might be called the triangulation of the peninsula, with Lisbon, Madrid, and Barcelona as capitals, engages Unamuno in compelling ways. For it must be

remembered—and Unamuno had to remind Maragall of the
fact repeatedly—that Unamuno, that lone Castilian-African
hero, was not only *not* African, but that he was also *not*
Castilian. "No olvide que no soy castellano, aunque el alma
de Castilla me haya empapado. El canto del Cantábrico meció
mi cuna; nací y me crié en un puerto y entre montañas. Y ni
el mar ni la montaña verde son cosa castellana" (*Epistolario*
50). And again: "Y mire lo que son las cosas. Aquí me tachan
de mal español, de extranjerizado" (*Epistolario* 56). And
more elaborately:

> Ay, querido Maragall, ustedes me tienen por un genuino
> representante del alma castellana—'castellana,' no 'ibé-
> rica'—por una especie de ultra-castellano, y no saben
> bien lo que sufro entre esta gente... ¡Esto es imposible!
> He querido darles el conocimiento de sí mismos. ¡Todo
> inútil! Choqué con mis paisanos, choqué con ustedes, y,
> sin embargo, es en Bilbao, mi pueblo, es ahí en
> Barcelona, donde se me ha tomado en serio y donde se
> me quiere. (*Epistolario* 77)

"Y donde se le odia," as he must have surely known. Leaving
aside, for the moment, love and hate, what stands out is
Unamuno's sense of embattled individualism, his un-
appreciated self-worth, his understanding of himself as profoundly misunderstood—a prophet crying in the desert. He
styles himself, after all, the force by which Castilians *should
have* recognized themselves: the extraneous entity who,
articulating Castilians' collective sense of self, if not self-
worth, should have brought them to understand themselves
and to move on, to capture the youthful vigor that he, like
Rubén Darío and so many others, had (once) located most
vigorously in Barcelona and Bilbao.

What I would signal, beyond—though not entirely
beyond—the play of personal affect, is the play of language,
itself metaphorically replayed in terms of birth and movement, a vital movement not reducible, though all too often
reduced, to death.[34] Unamuno's declarations in his letters
and prose articles about the non-viability or—in the bio-

logistic rhetoric then so prevalent—the agony and death of the Basque language have come back to haunt him and, with him, many a nationalist on this side and that. And yet, in his correspondence with Maragall, the Basque language insists as a "problem" for Iberianism as well as for the quite varied formations known as cosmopolitanism, internationalism, supernationalism, and universalism. More pointedly, the Basque language insists as a problem of translation, that is to say, as a problem of articulation *otherwise*. "Escolta, Espanya," can be heard and understood by way of a Romanic legacy or of what Maragall terms "la doble hermandad latina e ibérica" (*Epistolario* 39). Most Spanish speakers could, that is, get the gist of the "message," which does not mean that they could understand the poem in its entirety (the form of the message is as important as the message itself). As if aware of this, Unamuno set about to translate the "Oda a Espanya" to Castilian, to a language whose presence in Bilbao was arguably as much an imposition there as it was in Barcelona, but whose presence in Bilbao nonetheless offered the possibility for an intercommunication between Catalans and Basques. Needless to say, the idea of Castilian as the *lingua franca* of Spain, as the language by which Catalans and Basques communicate beyond *their* native tongues, was, and remains, ideologically fraught, so much so that Maragall, who had gently corrected Unamuno's translation of "La vaca cega,"[35] fretted about the place where his and Unamuno's Iberian review would be based.[36]

Unamuno subsequently returns to the matter of translation, a matter for which Maragall had claimed to have exactly the same feeling as his Basque correspondent: "¡Cuán igual es su sentimiento al mío, respecto al valor de las traducciones!" (*Epistolario* 49). But this time translation is a matter of Basque and Castilian, an interlinguistic relationship in which Unamuno, not Maragall, could claim to be an authority: "Leí no ha mucho en *El Heraldo* que en la estación de San Sebastián lanzó uno el grito de *¡gora Euzkadi!* [sic] (¡muera España!)—así lo decía el corresponsal—y hubo un tumulto. Y, en efecto, *¡gora Euzkadi!* quiere decir: ¡arriba Vasconia! No saben traducir y alzan la traca. No quieren entender. Van a oir no lo que se les va a decir, sino lo que se les figura que va a decírseles" (*Epistolario* 78). Something similar might be said, indeed has been said, of Unamuno himself. For it elsewhere often seems as if Unamuno were deaf to the task of translating and thus of keeping "alive" the Basque language; it often seems as if he were quick to pronounce it as either dying or dead, to eulogize it, if that, and to be done with it. Something similar might also be said of many of us, many of Unamuno's readers, the living—if only for the moment—who may believe that we have the last word on the Basque-Castilian-Spaniard-Iberian-European's last word. But as both Unamuno and Maragall indicate, there are other words mouthed, and silenced, words about Africa and, of course, African words, words rarely, if ever, seriously incorporated in any Spanish, Catalan, or Basque national project, words which fall outside the translational circuit that the West would take, still, as the World. Perhaps these other words, these African words in all their diversity, might be brought back to bear on Maragall's poetic appreciation of parts and particularisms: "[s]i cada cual pudiera sentir y decir ... su particularismo de pueblo, única cosa viva en el fondo del abstracto sentimiento de las mayores patrias, también la poesía sería la mejor política" (*Epistolario* 94). For all the differences within the peninsula, for all the intra-peninsular moves, for all the defiant and desirous takes on Spain, Iberia, and Europe, Africa, mobilized metaphorically, exploited materially, would have its say in reality too.

NOTES

1. Joan-Lluís Marfany, in his introduction to Maragall's political articles, declares: "aquest article ['La independència de Catalunya'] mai no va ser publicat. Naturalment, no podem estar segurs dels motius d'aquest fet, però no em sembla massa arriscat de deduir-ne que l'exabrupte que Maragall no tenia inconvenient a expressar poè-ticament o a comunicar privadament a l'amic li semblava massa directe, emotiu, i irreflexiu per ser divulgat públicament a través de la premsa. En comptes d'això, en els articles que sí va publicar hi trobem una actitud molt més prudent i molt més conciliadora" (xv).

2. Josep Benet also relates the prose article and the poem, though not in order to sound out the similarities and differences between the two genres. For Benet, both texts point to essentially the same thing: "[e]ls catalans, doncs, en aquell començament de segle, se sentien estranys a l'Estat al qual pertanyien. El veien com una estructura aliena i coactiva. Aquest sentiment d'estranyesa—i d'alienació—era fomentat, endemés, pel fet que, habitualment, els representants de l'Estat al Principat, tant els d'alta com els d'inferior categoria, eren gent forastera, mentre la participació dels catalans al Govern i a les institucions de l'Estat era quasi nul·la" (23-24).

3. By dyadic openness I mean a sort of delimited sharing of one with another, which is further opened, and altered, when the dyad is brought to the light of day, when the personal, private correspondence is publicized.

4. Maragall himself expresses his discomfort with Unamuno's abstract, metaphysical proclivities: "Su anuncio del *Tratado del amor de Dios*, me asusta. ¡Por Dios que no sea un amor tormentoso, nacido en aquella angustia metafísica, que dice V. con acuidad terrible!" (*Epistolario* 29-30).

5. Hayden White writes of "dissolving the distinction between prose and poetry in order to identify their shared attributes that are as much constitutive of their objects of representation as they are reflective of external reality, on the one side, and projective of internal emotional states, on the other" (125).

6. According to Darío: "No existe en Madrid, ni en el resto de España, con excepción de Cataluña, ninguna agrupación, *brotherhood*, en que el arte puro—o impuro, señores preceptistas—se cultive siguiendo el movimiento [modernista] que en estos últimos tiempos ha sido tratado con tanta dureza por unos, con tanto entusiasmo por otros" (254).

7. Unamuno writes: "Yo sólo sé que toda mi vida he soñado la fusión de la ciencia y el arte, así como del hombre y de la naturaleza; humanizando a la naturaleza la sobrenaturalizamos, y naturalizándonos nosotros nos sobrehumanizamos. Sólo comprendo al sobrehombre en una sobre-naturaleza" (*Epistolario* 12).

8. Supernationalism is a Nietzschean formation expounded by Pompeius Gener and others; see Gener's "Supernacionals!" and "Els supernacionals de Catalunya;" see also Epps' "Before Postnationalism."

9. "En una España tal [a dead Spain], un Romero Robledo, por ejemplo, parece y es en realidad más español que cualquier diputado o ministro vascongado o catalán cuya solidez de criterio o rectitud de intención enmudecen y se acobardan o transigen ante un matonismo

parlamentario o de tertulia que habla rotundamente en nombre de
España, que da y quita patentes de patriotismo, y que anatematiza
urbi et orbi, como filibustero, todo impulso de vida que intenta
penetrar en la gran momia política" ("La patria" 198).

10. After dismissing the possibility of a "solución providencial, la de
un hombre que surge y lo arregla todo," Maragall goes on to dismiss
"una revolución, porque ni hay fuerzas para hacerla ni mucho
menos para resistirla una vez hecha: sería el salto a las tinieblas..,
internacionales" ("La patria" 198). Against the specter of a Communist international, Maragall nonetheless advances the ideal of an
international comprised of small nationalities: "La juventud
catalana ... necesita concentrarse y vivir exclusivamente su vida
propia para ser modelo de pueblos en la vida internacional de una
humanidad futura: una humanidad de pequeñas nacionalidades
puras que se agrupan sin mezclarse, formando una hermosa variedad adaptada a la varia naturaleza de las tierras" ("La patria" 200).

11. Maragall responds to Unamuno: "Este sentimiento de la poesía
como integración, lo hago mío, y lo encuentro lleno de promesas,
vagas, pero sublimes" (*Epistolario* 37). Maragall notes, furthermore,
the transformative effects of poetry on Unamuno's personality: "yo
vi brillar en V. el recóndito diamante, cuando nos leía sus poesías"
(*Epistolario* 29).

12. The phrase, "eternal traditions," is from Unamuno's *En torno al
casticismo*.

13. Unamuno, never one to avoid repeating (or contradicting)
himself, insists on the insufficiency of both national and international *sentiment* in Spain: "Ese problema internacional se le plantea
a España lo mismo que el nacional se le plantea, y donde la nacionalidad no se siente, mal puede sentirse la internacionalidad. O viceversa" ("Eso de Marruecos" 212).

14. "Lo major, pues, es abandonar un mal negocio. Porque nada de
violencia. Una vez más tenemos que repetir a los que nos acusan de
estrechez de espíritu que no creemos que se deba imponer nada; que
a ningún pueblo se le debe imponer gobierno alguno contra su general voluntad" ("Eso" 212).

15. Unamuno's presentation of the Moroccan situation resonates
with his presentation of the Catalan situation, about which he says
"[n]i creo que se puede ni se debe imponerles un patriotismo español
que no sienten. Sigo creyendo que esas Ligas Patrióticas Españolas,
a base de hombres de armas, son cosa de bárbaros. No, no es posible
ni es moral imponer la unidad a la fuerza. Pero es más inmoral todavía mentir. Y es mentira que España pueda subsistir con su extension geográfica actual y como potencia espiritual con una misión

histórica que cumplir, trayéndonos esa multiplicidad de ciudadanías (ver el cap. II del Estatuto Catalán)" ("Sobre la avara pobreza" 206).

16. I say that the commercial value of the Caribbean and Pacific possessions was beyond dispute, not their management or profitability under the Spaniards.

17. In an article titled "Madrid" from January 1899, Darío writes: "Acaba de suceder el más espantoso de los desastres; pocos días han pasado desde que en París se firmó el tratado humillante en que la mandíbula del yanqui quedó por el momento satisfecha después del bocado estupendo: pues aquí [en Madrid] podría decirse que la caída no tuviera resonancia. ... Hay en la atmósfera una exhalación de organismo descompuesto" (43).

18. The Treaty of Paris stipulated that Spain renounce all rights to Cuba, thus allowing for its independence; cede Puerto Rico and Guam to the United States; and sell the Philippine Islands to the United States for $20,000,000.

19. For more on Guinea, Fernando Poo, and other Spanish enclaves in Africa, see the works by Mariano de Castro and María Luisa de la Calle and by Mariano de Castro and Donato Ndongo.

20. None other than Benito Pérez Galdós, in a 1905 text titled *Aita Tettauen* (part of his *Episodios Nacionales*) gives novelistic form to the aforementioned events, prompting Francisco Márquez Villanueva to note in his prologue to the novel that "[l]a magna crisis del 98 venía a plantear de rebote la cuestión pendiente de Marruecos" (17).

21. García Figueras attempts to justify his claim to the Spanish (and European) territoriality of Morocco by appealing to foreign authorities: "Segonzac, que exploró Marruecos, lo considera un pedazo de Europa, una Iberia Africana, que no pertenece más que sobre el mapa al resto del continete negro" (*Africa en la acción* 12). The idea of an African Iberia wiggles in interesting ways alongside the more conventional idea of a European Iberia. For some Spaniards, Africa and Europe apparently are not as fixed in *terra firma* as one might imagine.

22. Although most Spaniards in 2002 had never before heard of la Isla del Perejil, and although its presence on maps seemed to waver like the lines on a bad television transmission, Rocamora, in his prologue to Espinosa's study from 1903, refers with pride to "las descripciones animadas del Rif y de la isla del Perejil, muy dignas de mención" (ix).

23. Maragall refers to "La iglésia cremada" in a letter to Unamuno from December, 1909: "Para periódicos escribo poco. Ultimamente ... publiqué un artículo *L'església cremada* (en *La Veu*) que escandalizó a muchos porque daba razón—según decían—a los revoltosos

de julio" (*Epistolario* 101). The published article, by the way, uses the Castilianized "iglésia" rather than the Catalan "església" that appears in the correspondence.

24. Although Maragall's "Oda a Espanya," with which I opened, was published and its call for a Spanish understanding of Catalan translated into Spanish (by Unamuno), neither "La independència of Catalunya" nor "La ciutat del perdó" fared so well. In the case of "La ciutat del perdó," Maragall's call for tolerance proved intolerable for many, including Enric Prat de la Riba, who refused to publish it in the influential *La Veu de Catalunya*. In the case of "La independència de Catalunya," something verging on Maragall's own intolerance or dogmatism may have, just possibly, given the author himself pause; it remains unclear, that is, whether the essay was rejected for publication or withheld or withdrawn.

25. Unamuno refers explicitly to Pere Coromines—or Pedro Corominas—in a letter to Maragall on November 18, 1906 (*Epistolario* 33).

26. Fuster is especially harsh in his assessment of Unamuno, the "monologuista." According to Fuster, "Parece que una correspondencia habría de ser, por definición, un diálogo. Unamuno violó esta definición y se complacía en ello más o menos conscientemente. Unamuno era incapaz de diálogo. ... En el mejor de los casos, 'mono-dialogaba'—palabra que lleva su huella—: hablaba consigo mismo" (79). And further: "A no ser porque opera sobre la más comprometida parcela de lo humano, el agonismo de Unamuno llegaría a parecer—me lo parece a mí, por lo menos—, un fatigoso ergotismo, ergotismo egotista, si se quiere, pero ergotismo a pesar de todas sus irritaciones contra la 'cochina lógica'" (80-81). I do not share Fuster's perception, which is insulting, in its facile psychological portraits, not only to Unamuno but also to Maragall, as if the latter had been a dupe or plaything of the monologic egotism of the other. I would prefer, in the speculative play that inevitably attends any effort to "get into the mind" of another, the generosity of ambiguity. I can find no reason, other than resentment towards Unamuno's far from straightforward or consistent views about Catalan, to recast Unamuno's declarations of affection, friendship, and love for Maragall as so many egotistical lures. Fuster, in any case, reveals as much, if not more, about himself as he does about Unamuno. Despite the tags of monologuism and egotism, Unamuno *seems* to have felt a deep attachment for Maragall, and Maragall for Unamuno, precisely *because* they were different and, in their differences, understood dialogue to be more than an interaction among people who think the same way. The differences, and the egotistical monologuism that may accompany *any* relationship, do not appear to diminish the affection that Unamuno felt towards the Catalan.

Indeed, as Unamuno states in a note to the director of *La Publicidad* on the occasion of Maragall's death: "Yo admiraba mucho, muchísimo al poeta, pero quería más, mucho más, si es possible, al hombre. No ha habido otro que haya ejercido sobre mí mayor acción de presencia" (*De esto* 502). And, elsewhere, in a letter to Román Jori dated February 21, 1911: "Maragall vivirá, como gran poeta ibérico, español, porque ha llegado a las raíces comunes de los pueblos todos ibéricos. Y ha llegado a ellas en su lengua naturalmente" (*Epistolario* 159).

27. In an essay by Unamuno from 1911, titled 'Lengua y patria," the Basque thinker declares: "Por mi parte declaro que siento cada vez mayor fanatismo por la lengua en que hablo, escribo, pienso y siento" (598; quoted in Resina 113).

28. Fermín Estrella Gutiérrez writes of an "amistad ejemplar, como no titubeamos en llamar a la que unió en vida a Maragall y Unamuno" (184). Peter Cocozzella is arguably even more emphatic: "[e]ntre Maragall y Unamuno no hubo controversia; no se oyeron las estridencias de la voz enardecida por la arrogancia y el espíritu de la polémica. Lo que sí se manifestó entre ellos fue, una y otra vez, un deseo infatigable de acercamiento, contacto, comunión de dos almas. El epistolario maragalliano-unamuniano queda, ante todo, como monumento al milagro de la amistad" (47).

29. A more rigorous appreciation of the dialogic would attend to the contingencies of interaction, the ways in which Unamuno's views shifted—in poetry and in prose, in public and in private texts, and according to his interlocutors. I want to thank my colleague Luis Fernández Cifuentes for dialoguing with me about Unamuno's monologic, dialogic, and mono-dialogic turns.

30. Maragall goes on to defend the popular and comic entertainment of Pitarra, Vilanova, and others, "perquè en totes aquestes coses hi ha una gràcia més alta o més baixa, però ... al capdavall és gràcia europea, gràcia de gent civilitzada: ("La independència" 35). The equivalence of Europe and Civilization is as clear as it is unsurprising.

31. Maragall's invocation of an "Iberian soul" as the motivating force for an "Iberian review" does not dispense with Africa entirely: "este es el camino de todo lo nuestro, y no hay otro que este para ir ¿a donde?, no lo sé, ¿a Europa? ¿al Africa? ¿a una nueva Europa que hagamos nuestra? ¿a un porvenir americano?" (*Epistolario* 105).

32. Spurred by a reading of his friend's poetry, Maragall writes to Unamuno: "Si su idea de Dios es distinta cada vez, su sentimiento de Dios parece ser siempre el mismo, y esto me apena muchísimo, porque es un sentimiento depresivo, y para quien no sea depresivo, será tal vez una exaltación feroz" (*Epistolario* 38).

33. In a letter from January, 1907 Maragall commends Unamuno for an article of his on Europeanism: "cuantos son capaces de meterse en la piel de otro, han reconocido también su lógica, lógica de pasión, que es la viva. Y todavía se implica en ello otro reconocimiento: el de que se impone una composición ibérica, partiendo de un primer reconocimiento de diversidad, irreductible a simple unidad, pero no a composición. Yo creo que en esta composición, nunca aún realizada, está el secreto de la grandeza de España. ¡Ay! Ya sé que V. no cree en eso; que empieza por no creer en la diversidad irreductible a simple unidad. Y, sin embargo: Portugal-Castilla-Cataluña ¿no es innegable?" (*Epistolario*, 53).

34. Insisting on the necessity of following an Iberian path, Maragall writes: "es el único camino para ir con Gloria a donde debamos ir, así fuera a la muerte" (Epistolario, 105).

35. Unamuno's understanding of Catalan is clearly limited, as Maragall's delicate corrections of Unamuno's translation of "La vaca cega" indicate: Unamuno had translated "embanyada" as "bañada" and not, as it should be, "encornada" (*Epistolario* 39).

36. Maragall notes that if the review were published in Barcelona "en seguida parecería a muchos de ahí cosa de catalanismo" and that if it were published in Madrid "¿no será bastante para apartar a los portugueses que ... hablarles de algo con España es hablarles de cosa del Diablo?" (*Epistolario* 113). He proposes, thus, that the review be based in Portugal, the "other" sovereign nation state of Iberia.

WORKS CITED

Almirall, Valentí. *Lo catalanisme*. Barcelona: Edicions 62, 1994.

Althusser, Louis. "Idéologie et appareils idéologiques d'Etat (Notes pour une recherche)." *Positions*. Paris: Éditions Sociales, 1976. 79-137.

Benet, Josep. *Maragall i la setmana tràgica*. Barcelona: Edicions 62, 1992 ed.

Castro, Mariano de and María Luisa de la Calle. *Origen de la colonización española en Guinea Ecuatorial (1777-1860)*. Valladolid: Secretariado de Publicaciones Universidad de Valladolid, 1992.

_____ and Donato Ndongo. *España en Guinea: Construcción del desencuentro: 1778-1968*. Toledo: Ediciones Sequitur, 1998.

Cocozzella, Peter. "El Epistolario entre Joan Maragall y Miguel de Unamuno." *La Chispa '93: Selected Proceedings*. Ed. Gilbert Paolini. New Orleans: Tulane University, 1993. 47-55.

Coromines, Pere. "La tràgica fi de Miguel de Unamuno." *Revista de Catalunya* 83 (1938): 155-70.

Darío, Rubén. *España Contemporánea*. Barcelona: Lumen, 1987.

Elizalde, Ignacio. "Miguel de Unamuno." *El País Vasco en los modernos escritores españoles*. Spain: Baroja, 1988. 65-85.

Epps, Brad. "Before Postnationalism: Supernationalism, *Modernisme*, and Catalonia." *Arizona Journal of Hispanic Cultural Studies* 7 (2003): 135-61.

Espinosa de los Monteros, Ramos. *España en África*. Prologue by José Rocamora. Madrid: R. Velasco Imp., Marqués de Santa Ana, 1903.

Estrella Gutiérrez, Fermín. "Unamuno y Maragall: Historia de una amistad ejemplar." *Estudios literarios*. Buenos Aires: Academia Argentina de Letras, 1969. 177-204.

Fuster, Joan. *Las originalidades. Maragall y Unamuno frente a frente*. Trans. Ana Ramón de Izquierdo. Santiago de Chile/ Madrid: Cruz del Sur, 1964.

García Figueras, Tomás. *Africa en la acción española*. Madrid: Instituto de Estudios Africanos, 1949.

Gener, Pompeius. "Supernacionals!" *Els modernistes i el nacionalisme cultural (1881-1906)*. Ed. Vicente Cacho Viu. Barcelona: Magrana/Diputació, 1984. 231-33.

_____. "Els supernacionals de Catalunya." In *Els modernistes i el nacionalisme cultural (1881-1906)*. Ed. Vicente Cacho Viu. Barcelona: Magrana/Diputació, 1984. 223-27.

Junqueras, Oriol. *Els catalans i Cuba*. Barcelona: Proa, 1998.

Maeztu, Ramiro de. *Hacia otra España*. Madrid: Biblioteca Nueva, 1997.

Maragall, Joan. "El sentiment catalanista." Trans. Josep Estruch i Traité. *Articles polítics*. Ed. Joan-Lluís Marfany. Barcelona: Edicions de la Magrana/Diputació de Barcelona, 1988. 50-54.

_____. "La ciutat del perdó." *Elogi de la paraula i altres assaigs*. Barcelona: Edicions 62, 1994. 191-93.

_____. "La iglésia cremada." *Elogi de la paraula i altres assaigs*. Barcelona: Edicions 62, 1994. 199-205.

_____. "La independència de Catalunya." *Articles polítics*. Ed. Joan-Lluís Marfany. Barcelona: Edicions de la Magrana/Diputació de Barcelona, 1988. 33-35.

_____. *Obra poética. Vol. II*. 2 vols. Ed. Antoni Comas. Madrid: Clásicos Castellanos, 1984.

_____. "La patria nueva." *Epistolario*. Miguel de Unamuno and Juan [sic] Maragall. Barcelona: Distribuciones Catalonia, 1976. 197-201.

Martín, Miguel. *El colonialismo español en Marruecos (1860-1956)*. France: Ruedo Ibérico, 1973.

Martín y Peinador, León. *Estudios geográficos: Marruecos y plazas españolas, Argelia, Túnez y Tripoli, Sahara y Sahara Español, Guinea Continental e Insular Española, problema marroquí*. Madrid: Bernardo Rodríguez, 1908.

Ortega y Gasset, José. *España invertebrada*. Madrid: Alianza/Revista de Occidente, 1997.

Pérez Galdós, Benito. *Aita Tettauen*. Ed. Francisco Márquez Villanueva. Madrid: Ediciones Akal, 2004.

Resina, Joan Ramon. "'For Their Own Good': The Spanish Identity and its Great Inquisitor, Miguel de Unamuno." *The Battle over Spanish between 1800 and 2000*. Ed. José del Valle and Luis Gabriel-Stheeman. London: Routledge, 2002. 106-33.

Unamuno, Miguel de. "Discurso sobre la llengua española." *De esto y de aquello: Escritos no recogidos en libro*. Vol. I. Ed. Manuel García Blanco. Buenos Aires: Editorial Sudamericana, 1950. 563-80.

_____. "En la muerte de Maragall." In *De esto y de aquello: Escritos no recogidos en libro*. Vol. I. Ed. Manuel García Blanco. Buenos Aires: Editorial Sudamericana, 1950. 503-506.

_____. "El suicidio de España." *Crónica política española (1915-1923)*. Ed. Vicente González Martín. Salamanca: Almar, 1977. 198-201.

_____. *En torno al casticismo*. Madrid: Espasa-Calpe, 1991.

_____. "Eso de Marruecos." *Crónica política española (1915-1923)*. Ed. Vicente González Martín. Salamanca: Almar, 1977. 209-12.

_____. "Lengua y patria." *Obras completas*. Vol. IV. Madrid: Escelicer, 1968, 596-99.

_____. "Madrid y Bilbao (Reflexiones de un bilbaíno en la corte)." *Madrid, Castilla*. Ed. Jon Juaristi. Madrid: Comunidad de Madrid, Consejería de Educación/Visor Libros, 2001. 133-35.

_____. "Sobre la avara pobreza espiritual." *Crónica política española (1915-1923)*. Ed. Vicente González Martín. Salamanca: Almar, 1977. 205-209.

_____ and Juan [sic] Maragall. *Epistolario*. Barcelona: Distribuciones Catalonia, 1976.

Vicens i Vives, Jaume and Montserrat Llorens. *Industrials i polítics (Segle XIX)*. Barcelona: Teide, 1958.

White, Hayden. *Tropics of Discourse: Essays in Cultural Criticism*. Baltimore: The Johns Hopkins UP, 1978.

Zambrano, María. *Unamuno*. Ed. Mercedes Gómez Blesa. Barcelona: Random House/Mondadori, 2003.

SUEÑO DE SOMBRAS:
LA NOVELA DE DON SANDALIO,
JUGADOR DE AJEDREZ
POR MIGUEL DE UNAMUNO

CARLOS FEAL
State University of New York at Buffalo

La novela de Don Sandalio, jugador de ajedrez pertenece a la fase final de la vida y obra de Unamuno. Fechada en 1930, la sacó su autor a la luz en 1933, como parte de un volumen titulado *San Manuel Bueno, mártir, y tres historias más.* No es, sin embargo, *Don Sandalio* ninguna historia de relleno sino un relato fascinante en el cual Unamuno, quizás mejor que en ninguna otra parte, mostró la afinidad entre novelar y vivir y entre personajes y lectores de novelas. Así afirma en el prólogo al citado volumen:

> Y si alguien dijera que en este relato de la vida de Don Sandalio me he puesto o mejor me he entrometido y entremetido yo más que en otros relatos—¡y no es poco!—, le diré que mi propósito era entrometerle y entremeterle al lector en él, hacer que se dé cuenta de que no se goza de un personaje novelesco sino cuando se le hace propio, cuando se consiente que el mundo de la ficción forme parte del mundo de la permanente realidad íntima. (1118-19)

Con absoluta modernidad Unamuno se anticipa a teóricos como Roland Barthes[1] y varias décadas antes que José María Castellet proclama ya la "hora del lector."

Recurre, no obstante, el autor a una técnica tradicional al presentar su novelita como una serie de cartas de un narrador anónimo a un amigo suyo, el cual se las envía a Don Miguel, a quien supone en busca de temas novelescos. La realidad, de este modo (realidad externa, propia de un texto clásico o leíble), se introduce curiosamente en una historia donde se enfatiza la ausencia de datos, de hechos, y se pide sustituirlos por la imaginación: "Porque no hay realidad sin idealidad," leemos en el prólogo (1118). A lo cual añadiríamos, completando la filosofía del autor: ni idealidad sin realidad.

El narrador, en la primera carta, dice huir de los hombres, de sus tonterías, que (como Flaubert) no puede ya soportar.[2] Su misantropía—o "antropofobia," como él la llama (I)—[3] contrasta, sin embargo, con el hecho de que sus palabras se dirigen a un corresponsal, Felipe, a quien escribe nada más llegar al lugar elegido para alejarse del contacto humano. Desde la primera línea establece el narrador un grado notable de intimidad con el destinatario de sus cartas: "Ya me tienes aquí, querido Felipe" (I). El vocativo "Felipe" o "querido Felipe" aparece constantemente en la novela. El dativo ético se repite poco después: "Aquí me tienes haciendo [...] de Robinson Crusoe, de solitario. ¿Y no te acuerdas cuando leímos aquel terrible pasaje del Robinson de cuando éste [...] se encontró sorprendido por la huella de un pie desnudo de hombre en la arena de la playa?" (I). La lectura aquí recordada fue hecha conjuntamente por los dos corresponsales y se refiere a la huella de otro en medio de la soledad. Felipe, además, está al tanto de los dichos de su amigo y de su estilo contradictorio o paradójico (unamuniano): "sé bien que me retrucarás con mis propias palabras, aquellas que tantas veces me has oído, de que el hombre más tonto es el que se muere sin haber hecho ni dicho tontería alguna" (I). Esto nos invita a preguntarnos si el papel adoptado por el narrador ("haciendo [...] de Robinson Crusoe, de solitario") constituye una forma de sabiduría o de tontería suprema. ¿Huye de sí mismo, revistiendo un papel que no le cuadra, o le permitirá al contrario su robinsonismo dar con el hombre de verdad que lleva dentro?

Alejándose de los hombres, lo vemos comulgar con la naturaleza: "Me he hecho amigo de un viejo roble" (II). Pero la amistad con el roble humanizado no impide al narrador desear que Felipe comparta con él ese nuevo afecto: "¡Si le vieras, Felipe, si le vieras!" (II). Se expresa así el deseo de tener a Felipe allí, de verlo viendo al árbol como el narrador y de verse los dos a la vez. Luego el árbol se le aparece como un ser herido y amenazado de muerte. Es obvia la proyección psicológica de sentimientos propios: "Debe de ser muy viejo ya. Está en parte muerto. [...] Lleva una profunda herida que le deja ver las entrañas al descubierto" (II). Se resiste, no obstante, el narrador a comunicar su tragedia, a abrir su corazón. ¿De qué se queja ímplicitamente? ¿Sólo por no oír sus tonterías huye de los hombres? Felipe tendrá acceso a su alma, pero no los lectores de estas cartas, que nos quedamos sin novela; esto es, sin novela tradicional. Lo mismo ocurrirá más tarde con la novela (vida) de Don Sandalio.

Por fin el narrador sucumbe a la necesidad del contacto humano, que incluye también la de oír tonterías: "¡Hace tanto tiempo que no he oído una tontería! Y así, a la larga, no se puede vivir" (II). Pero las charlas del casino, adonde acude el narrador, avivan la herida que vimos proyectada en el roble: "Las astillas de conversaciones que me llegan me hieren en lo más vivo de la herida que traje al venir a retirarme, como a estación de cura, a este rincón costero y montañés" (III). Resulta ya claro que no es simplemente la tontería humana la que lo mueve a retirarse a estos lugares, a este "apacible rincón" (I).

Sale luego a relucir nada menos que Schopenhauer, de quien se cita un rasgo de ingenio, que da lugar a una réplica —igualmente ingeniosa—del unamuniano narrador:

> Y me acuerdo de aquella soberana tontería del pseudo-pesimista Schopenhauer cuando decía que los tontos, no teniendo ideas que cambiar, inventaron unos carton-citos pintados para cambiarlos entre sí, y que son los naipes. Pues si los tontos inventaron los naipes, no son tan tontos, ya que Schopenhauer ni aun eso inventó, sino un sistema de baraja mental que se llama pesi-

mismo y en que lo pésimo es el dolor, como si no hubiera
el aburrimiento, el tedio, que es lo que matan los jugadores de naipes. (III)

Ese tedio (*tedium vitae*) es el mismo que asoma en las palabras de Don Manuel a Lázaro en *San Manuel Bueno, mártir*:
"Mira, Lázaro, he asistido a bien morir a pobres aldeanos,
[...] y he podido saber de sus labios, y cuando no adivinarlo,
la verdadera causa de su enfermedad de muerte, y he podido
mirar, allí, a la cabecera de su lecho de muerte, toda la
negrura de la sima del tedio de vivir" (1144). El recurso del
sacerdote para combatir tal tedio consiste en dar a sus
feligreses el "opio" de la religión (1144). Y ¿por qué no el
juego de naipes o, para el caso, el del ajedrez, como luego
veremos?

Nótese, en fin, que la tontería no deja títere con cabeza.
Ya al principio de la novela se afirma que "son los que pasan
por listos los que más tonterías hacen y dicen" (I). Y ahora se
ejemplifica esa tontería en Schopenhauer. La tontería, de este
modo, resulta un factor de cohesión social o humana. Y
querer rehuirla nos convierte en seres más tontos aún, según
ya vimos. O en seres inhumanos. A esta conclusión llega el
narrador poco después al pensar en sus congéneres: "¡Si es su
misma necedad lo que me atrae! ¡Si la necesito para irritarme
por dentro de mí!" (V). Y, rizando el rizo, ¿no es acaso también una tontería (por más que graciosa) calificar de "sobe-
rana tontería" la frase citada de Schopenhauer? Pues cambiar ideas resulta superior a cambiar "cartoncitos pintados."
Esto está al alcance prácticamente de cualquiera; aquello no.
Uno percibe en el narrador, aunque huya de tertulias, a un
ingenioso tertuliano (como su creador Unamuno), amigo de
retruécanos y malabarismos mentales.[4]

Señalemos también que, tratándose de Unamuno, la
última palabra le corresponde siempre a él. La defensa de las
ideas, frente a quienes sólo presentan hechos, la formula más
tarde mediante las palabras de un tal Pepe *el Gallego*,
traductor de un libro de sociología, quien habla asimismo
como si estuviera en un casino o en alguna terulia de la Plaza
Mayor: "Antes llenaban los libros de palabras, ahora los

llenan de esto que llaman hechos o documentos; lo que no veo por ninguna parte son ideas... Yo, por mi parte, si se me ocurriera inventar una teoría sociológica, la apoyaría en hechos de mi invención [,,,] ¡Qué razón tenía nuestro buen Pepe!" (XV). Siguiendo la lección de ese amigo común, el narrador preferirá eludir los hechos para entregarse a sus inventos.

Hagamos, pues, justicia al narrador: cortado como está por el patrón de Unamuno debe ser un tipo interesante. Se divierte en observar a los otros socios del casino, aun cuando se aparta de sus conversaciones: "porque en cuanto dicen algo ya no me es posible figurarme lo que puedan pensar" (IV). Más que nada le atraen las partidas de ajedrez y, sobre todo, un jugador—Don Sandalio—que no soporta mirones a su alrededor y se entrega al juego "sin pronunciar apenas palabra, con una avidez de enfermo" (IV). Esto motiva el comentario de que "su oficio parece ser el de jugador de ajedrez" (IV). En ese oficio se confina o, más bien, lo confina el narrador, que no quiere saber nada más de Don Sandalio. La atracción del narrador por Don Sandalio es la sentida por alguien que se nos aparece como un doble: "¡Le veo tan aislado en medio de los demás!, ¡tan metido en sí mismo!" (IV). El esfuerzo del narrador por ignorar la vida de Don Sandalio (o mejor, por ahogar su curiosidad de conocerla) resulta semejante a la ocultación de su propia vida, de la que sólo nos llegan leves atisbos. Pronto entre ellos se entablarán silenciosas partidas de ajedrez. La altiva soledad de dos en compañía se va a erigir en medio de un mundo eminentemente social y banal.[5]

En cuanto a Don Sandalio, el ajedrez "parece ser para él como una función sagrada, una especie de acto religioso" (IV). Hacia el final de la novela el narrador insiste en esta significación: "Silencio [el de Don Sandalio] realzado por aquella única palabra que pronunciaba, litúrgicamente, alguna vez, y era '¡jaque!'" (XVIII).

Percibimos aquí la tendencia unamuniana a resolver contradicciones, no sólo a plantearlas. Los mundos opuestos (o los individuos opuestos) son susceptibles de conciliación. En el personaje de Don Sandalio—que no en vano se apellida Cuadrado y Redondo (XVII)—fantasea el narrador la unión de lo sagrado y lo profano, naturaleza y sociedad: "Ese hombre me atrae como el que más de los árboles del bosque; es otro árbol más, un árbol humano, silencioso, vegetativo. Porque juega al ajedrez como los árboles dan hoja" (V). El casino, donde el juego se produce, y donde los humanos intercambian tonterías, se inserta así en el marco de la costumbre, de la vida intrahistórica, tan exaltadas por Unamuno. ¿No surge incluso aquí un recuerdo de la dorada Salamanca?: "Al salir del Casino le he seguido [a Don Sandalio] cuando iba hacia su casa, a observar si al cruzar el patio, como ajedrezado, de la Plaza Mayor, daba algún paso en salto de caballo" (V). Casino y Plaza Mayor son lugares muy próximos en Salamanca, ambos frecuentados por don Miguel, quien tenía allí sus tertulias predilectas (Granjel 113). En su "Oda a Salamanca" funde una y otra vez el escritor vasco naturaleza y ciudad (o intelecto): "bosque de piedras," "cosechas del pensar tranquilo," "callejas que [...] son cual surcos de tu campo urbano" (*Poesía* I, 64, 66). A la vez, en sus referencias a las lluvias—"han llegado las primeras lluvias," escribe el 10 de setiembre (III)—y al roble norteño, el narrador aproxima el paisaje de la novela al de la región natal del autor y, en la innominada ciudad donde transcurre la acción, se mezclan—superando sus contradicciones—lo castellano y lo vasco.

La primera partida de ajedrez entre el narrador y Don Sandalio da pie a reflexiones interesantes. Insiste aquél en la consagración de Don Sandalio al juego: "Juega [...] como quien crea silenciosa música religiosa. Su juego es musical. [...] Y hasta se me antoja oírle a su caballo [...] respirar musicalmente, cuando va a dar un jaque. Es como un caballo con alas. Un Pegaso. O mejor un Clavileño [...] ¿Y cuándo tañe a la reina? ¡Pura música!" (VI). Esa entrega apasionada a una tarea, revestida por quien la hace de significación trascendente, suscita en todo caso la admiración de Unamuno, y aquí, por tanto, del narrador. Compararíamos a Don Sandalio, a este respecto, con otro personaje unamuniano, la tía Tula, quien—llevando a cabo su vocación de madre—da el biberón con la solemnidad de quien cumple un rito: "El biberón, ese artificio industrial, llegó a ser para Gertrudis el símbolo y el instrumento de un rito religioso" (*La tía Tula*

1095). Tanto Don Sandalio como Tula, desde esta perspectiva, resultan personajes quijotescos.[6] Esta dimensión, a la que apunta en *Don Sandalio* la mención de Clavileño, se hace aún más visible al final, en las siguientes palabras del narrador: "Yo me figuro que para Don Sandalio no hubo otra ella [otra mujer] que la reina del ajedrez, [...] esa reina que domina el tablero, pero a cuya dignidad de imperio puede llegar, cambiando de sexo, un triste peón. Esta creo que fue la única reina de su pensamiento" (XXII). ¿Cómo no pensar en Dulcinea y en la fantasía del hidalgo manchego, capaz de transmutarse por ella en caballero andante?

Pero el capítulo VI, tras el vuelo de la fantasía (¿quién es aquí el quijote, el narrador o Don Sandalio?), concluye planteando una duda: "También yo, como Robinson, he encontrado la huella de un pie desnudo de alma de hombre [...] ¿Será huella de tontería humana? ¿Lo será de tragedia? ¿Y no es acaso la tontería la más grande tragedia del hombre?" (VI). La tragedia, precisamente, consiste en la irrupción de la nada allí donde fracasa el esfuerzo humano para borrarla u ocultarla. Don Sandalio, impaciente, aguarda al compañero de juego "con cara de cierta angustia y mirando al vacío," se nos dice (VI). ¿Será el ajedrez, como los juegos de cartas, una simple manera de matar el tedio, el cual reaparece cuando el juego cesa, cuando no hay compañero con quien jugar? Una pregunta semejante se formula el narrador en el capítulo IV: "Y cuando no juega [Don Sandalio], ¿qué hace? [...] ¿Cuál es la profesión con que se gana la vida?, ¿tiene familia?, ¿quiere a alguien?, ¿guarda dolores y desengaños?, ¿lleva alguna tragedia en el alma?"[7]

No nos sorprende, pues, que el narrador, en el capítulo XI, deje de nuevo el casino por la playa para seguir allí encarándose con problemas trascendentales: "me he ido luego a la playa a buscar los problemas que se me antoja que me proponen las olas del mar." Dondequiera que dirija la vista, naturaleza o sociedad humana, el narrador se ve acuciado por enigmas o misterios que intenta, a la vez, resolver y mantener intactos. Esto es, intenta mantenerse vivo buscando problemas y haciendo problema de sí mismo y de su doble, Don Sandalio.[8] Por ello también nos proporciona datos escasos sobre esas dos vidas, unidas por el vínculo silencioso del ajedrez. En los lectores debe prolongarse la actitud inquisitiva, o sea, la actitud unamuniana.

Además, en el juego, y la relación con otro(s) que éste forma, se exalta la persona del jugador: "Juega [Don Sandalio] bastante bien, [...] no se le oye más que: '¡jaque!'" (VI). Ese "¡jaque!" es asimilable al "¡órdago!" oído en el mus, sobre el cual se explaya el narrador: "El *¡órdago!* [...] me divierte bastante, sobre todo cuando se lo lanza el uno al otro en ademán de gallito de pelea" (IV).[9] Por debajo de ambas exclamaciones sentimos latir la presencia de un *¡yo!*, semejante al proferido por otro personaje unamuniano, Alejandro Gómez: "¡Y había que oír cómo pronunciaba 'yo'! En esta afirmación personal se ponía el hombre todo" (*Nada menos que todo un hombre* 1012). En el contexto unamuniano la exclamación estentórea ("¡jaque!" "¡órdago!" "¡yo!") se opone a la amenaza de la aniquilación o el vacío.[10] El jaque mate final, a que la partida conduce, equivale a una muerte que nos acecha constantemente. La relación entre el ajedrez y la vida humana encuentra apoyo en pasajes de la novela como éste: "Hasta he tenido una pesadilla, y es que me he figurado a Don Sandalio como un terrible caballo negro—¡caballo de ajedrez, por supuesto!—que se me venía encima a comerme, y yo era un pobre alfil blanco, [...] que estaba defendiendo al rey blanco para que no le dieran mate" (XIII).

Podemos entender también por qué el narrador desea ignorar la vida privada de Don Sandalio: "No he podido columbrar nada de su vida, ni en rigor me importa gran cosa. Prefiero imaginármela" (IV). Porque tal vez esa vida contradiga la creencia en un yo exaltado, una mente febril e idealista como la del hidalgo manchego, y a través de las fisuras del imaginado personaje se revele el vacío clamoroso; esto es, la tontería, la gran tragedia de la tontería humana.[11]

Y del desasosiego que—como vimos—experimenta Don Sandalio solo, a la espera de alguien que juegue con él, pasamos al que siente el narrador cuando le falta Don Sandalio, impedido de ir al casino por alguna dolencia: "Y luego me di casi a temblar pensando si en fuerza de pensar en mi Don Sandalio no me había éste sustituido y padecía yo de una doble personalidad. Y la verdad, ¡basta con una!" (IX). La personalidad de Don Sandalio invade la del narrador en la misma medida en que éste suplanta al ajedrecista haciendo de él un doble de su ser solitario y misántropo, al cual adjudica fantasías propias, negándose en cambio a prestar oído a las historias que se cuentan sobre él (como ahora, por ejemplo, que a Don Sandalio le ha muerto un hijo). Parejamente el narrador nos excluye de su historia, la historia de su vida. ¿De dónde viene? ¿Cuál es su edad y profesión? ¿Cuál es la herida—repetimos—que lo atormenta, además del sufrimiento por las tonterías de los hombres? En el capítulo XIV el narrador contempla en la playa a una joven que, después de leer varias veces una carta, la hace añicos y más tarde se enjuga el llanto de los ojos. Todo sugiere aquí una historia de amor desgraciado. ¿Es éste el caso del narrador, expuesto indirectamente? Sólo en el capítulo XVI el narrador descorre un velo: "Tú sabes, mi Felipe, que yo sí que no tengo, hace ya años, hogar; que mi hogar se deshizo, [...] tú sabes que a esa pérdida de mi hogar se debe la agrura con que me hiere la tontería humana." Por qué el hogar se deshizo no resulta claro ni tampoco importa averiguarlo. Es más, el narrador parece exhortarnos a que no ahondemos en su vida. No obstante, en cuanto que en él se proyecta la figura de Unamuno, cuyas novelas abundan en motivos autobiográficos ("autobiografías" las llama certeramente Gullón), nos permitimos unas suposiciones. Sería, pensamos, la circunstancia del destierro (en parte voluntario), padecido por Unamuno de 1924 a 1930, la que de algún modo se refleja en su novelita, que el autor fecha precisamente en el año de su regreso a España. A ese destierro no quiso que lo acompañara su mujer ni ningún miembro de su familia.[12] Y tanto en Fuerteventura como en Hendaya el mar próximo consoló su soledad. No hay duda tampoco de que la injusta condena sufrida se revela como fruto de la necedad humana.[13]

    La confesión del narrador sobre su falta de hogar acaece muy poco después de otra revelación: que a Don Sandalio lo han metido en la cárcel. Por supuesto, el narrador se niega a averiguar la razón de ese hecho, que le comunica un socio del casino. Prefiere, como siempre, hacerse preguntas (sin buscar

contestación) o imaginarse escenas: "De lo que apenas me
cabe duda [...] es de que no se le da [a Don Sandalio] un bledo
del problema o de los problemas que le plantee el juez con sus
indagatorias" (XVI). Arremetiendo contra los jueces y sus
tontos interrogatorios el narrador asume un aire quijotesco y,
si no me equivoco, proyecta también sobre Don Sandalio la
figura de ese Unamuno perseguido por la justicia del dictador
Miguel Primo de Rivera.

La estrecha asociación entre el narrador y Don Sandalio se
manifiesta en estas líneas: "Iba pensando que acaso me convendría hacer construir en ellas [las ruinas de un caserío
visitado por el narrador] una celda de prisión, una especie de
calabozo, y encerrarme allí" (XVI). Y, en la frase siguiente,
irrumpe ya la imagen del hidalgo manchego como modelo
prestigioso: "O, ¿no será mejor que me lleven, como a Don
Quijote, en una jaula de madera [...]?" (XVI). No para aquí la
secuencia de motivos que permiten comparar a Don Quijote
con el narrador y Don Sandalio: "¡Don Quijote! ¡Otro solitario
como Robinson y como Bouvard y como Pécuchet, otro solitario a quien un grave eclesiástico, henchido de toda la tontería de los hombres cuerdos, le llamó Don Tonto [...]!"
(XVI). El elogio (parcial) de la tontería, que observamos ya
antes en la novela, culmina en este pasaje: el tonto puede
serlo sólo en la estimación banal de las gentes (los graves
eclesiásticos o jueces, los supuestos cuerdos, o sea, los tontos
de verdad).[14]

Otro eco de *Don Quijote* se percibe poco después, cuando
de nuevo el narrador busca refugio en el monte: "Y he llegado
al roble, a mi viejo roble, y como empezaba a lloviznar me he
refugiado en sus abiertas entrañas" (XVIII). Nos viene a la
memoria Cardenio aliviando sus penas de amante despechado
"metido en el hueco de un grueso y valiente alcornoque" (*Don
Quijote* I, xxiii). Allí, en las asperezas de Sierra Morena, lo
encuentra el caballero andante, tras haber liberado a los
galeotes.

Llamado sorprendentemente a declarar ante juez, el
narrador se entera de que Don Sandalio solía hablar de él,
según dice un yerno del encarcelado: "¿De mí? [...] ¡Pero si
me parece que ni sabe cómo me llamo!," contesta el narrador

(XVII). La cuestión no es de poca monta. Ya al ofrecerse el narrador a jugar con Don Sandalio, registra la reacción de éste: "Aceptó mi oferta y ni me preguntó, por supuesto, quién era yo. Era como si yo no existiese en realidad, y como persona distinta de él, para él mismo. Pero él sí que existía para mí..." (VI). La supuesta divergencia de sentimientos se allana ahora. Tanto el narrador como Don Sandalio se reflejan el uno en el otro, pero en su soledad y ensimismamiento se interesan también el uno por el otro. En el compañero de ajedrez no se busca, por tanto, el narrador (o no se busca Don Sandalio) a sí mismo sino a un prójimo capaz de dar y aceptar compañía. Esa compañía o, si se prefiere, hermandad de los solitarios, representada por el juego ya pacífico ya choque dramático de personalidades

En fin, tras la muerte de Don Sandalio en la cárcel, el narrador recuerda una ocasión en que entró en un café: "Había grandes espejos, algo opacos, unos frente a otros, y yo entre ellos me veía varias veces reproducido, cuanto más lejos más brumoso, perdiéndome en lejanías como de triste ensueño. ¡Qué monasterio de solitarios el que formábamos todas las imágenes aquellas, todas aquellas copias de un original!" (XIX). ¿No son también copias de un original, el de Miguel de Unamuno, los entes de ficción que pueblan su novela? El narrador, doble de Unamuno; Don Sandalio, doble del narrador (y también de Unamuno, por consiguiente). A esta idea apunta asimismo el autor en el prólogo general a su obra: "que en uno se funden y confunden los que respiran aire espiritual en nuestras obras de imaginación y nosotros" (1119).

Perdidos en las brumas del espejo, Unamuno, su narrador, Don Sandalio, no aciertan a salir de su cárcel de solitarios, a punto en todo instante de hundirse en la nada. Mas la atracción del vacío la contrarrestan impulsos de signo opuesto: "Podrás decirme que también el Casino es una especie de galería de espejos empañados, que también en él nos vemos, pero... Recuerda lo que tantas veces hemos comentado de Píndaro, el que dijo lo de '¡hazte el que eres!,' pero dijo también—y en relación con ello—lo de que el hombre es 'sueño de una sombra'" (XIX). La primera afirmación de

Píndaro ("hazte el que eres") se relaciona visiblemente con la
idea unamuniana del "querer ser." En el prólogo a sus *Tres
novelas ejemplares*, Unamuno añade este aspecto del individuo a los señalados por Oliver Wendell Holmes: "Y digo que,
además del que uno es para Dios—si para Dios es uno
alguien—y del que es para los otros y del que se cree ser, hay
el que quisiera ser. Y que éste, el que uno quiere ser, es en él,
en su seno, el creador, y es el real de verdad" (973). Por otra
parte, adjudicando al que "uno quiere ser" la condición de
"creador," Unamuno incide en la segunda afirmación de
Píndaro: el hombre es "sueño de una sombra." Ya que
entiende que esa frase apunta a la capacidad de soñar (o sea,
crear) que tiene el ser humano. Pero, en cuanto que tal capacidad no se ejerce siempre—así como no siempre el individuo
se esfuerza por ser y, frente a casos de "querer ser," los hay
de "no querer ser" (Prólogo a *Tres novelas* 973)—, Unamuno
distingue dos clases opuestas de personas: "Pues bien: los
socios del Casino no son sueños de sombras, sino que son
sombras de sueños, que no es lo mismo. Y si Don Sandalio me
atrajo allí fue porque le sentí soñar, soñaba el ajedrez, mientras que los otros..." (XIX). De nuevo Don Sandalio se asimila
al narrador: los dos son soñadores o creadores, mezclas de
Segismundo y Don Quijote: "Comparad a Segismundo con
Don Quijote, dos soñadores de la vida" (Prólogo a *Tres
novelas* 974).

Las cruciales observaciones de Unamuno pueden aún
prolongarse en el sentido siguiente. El que uno quiere ser
exige ser narrado o novelado (esto es, inventado) por uno
mismo. Narrado o novelado por otro se confundiría con el ser
ideal de uno para ese otro (el Juan ideal de Tomás, en el
ejemplo de Holmes, que Unamuno cita). Cierto, esta perspectiva se da también en *Don Sandalio*, en cuanto el narrador
atribuye tal "querer ser" (sin datos suficientes) a su compañero de juego, haciendo así de éste un héroe de la voluntad,
en terminología unamuniana. Pero a la vez intuye en Don
Sandalio a un narrador o novelista, lo cual le haría pasar de
objeto a ser sujeto de invención: "¡Qué iba a hablar de mí si
no me conocía! ¡Si apenas me oyó cuatro palabras! ¡Como no

fuera que me inventó como yo me dedicaba a inventarlo! ¿Haría él conmigo algo de lo que yo hacía con él?" (XVIII).

En el epílogo a *Don Sandalio* el autor afirma esperablemente: "me va ganando una sospecha, y es que se trata, siquiera en parte, de una ficción para colocar una especie de autobiografía amañada. O sea que el Don Sandalio es el mismo autor de las cartas." Tal idea, sin embargo, sólo tendría sentido si aceptáramos la ficción realista de un texto que el llamado Felipe hace llegar a Unamuno. Pero *La novela de Don Sandalio*, precisamente en cuanto novela o invención ("autobiografía amañada" de Unamuno), posee una innegable estructura dialógica: diálogo o, si se prefiere, monodiálogos del narrador con Don Sandalio y con Felipe.[15]

Nótense también los esfuerzos del narrador por acordar sus opiniones con juicios ajenos, las experiencias compartidas con su amigo Felipe: "Recuerda lo que tantas veces hemos comentado de Píndaro" (XIX). Igualmente atribuye a Pepe *el Gallego* ideas bien unamunianas, para las que pide, además, el refrendo de Felipe: "Lo que hoy te tengo que contar, mi querido Felipe, es algo inaudito, algo tan sorprendente, que jamás se le podría haber ocurrido al más ocurrente novelista. Lo que te probará cuánta razón tenía aquel nuestro amigo a quien llamábamos Pepe *el Gallego*" (XV). Las ideas unamunianas, que el narrador expone, han de ser debatidas con los demás, a fin de lograr una suerte de concordia: "Y de aquí, del choque de esos hombres reales, unos con otros, surgen la tragedia y la comedia y la novela y la nivola. Pero la realidad es la íntima" (Prólogo a *Tres novelas*... 974).

Hacia el final del escrito Felipe anima a su corresponsal a que busque noticias de Don Sandalio. El narrador, por supuesto, se niega: "No me interesa su historia, me basta con su novela. Y en cuanto a ésta, la cuestión es soñarla" (XXII). Y a continuación precisa más su noción de la novela como género refractario a los datos, los hechos (el llamado realismo). Arremete también contra doctrinas en boga (freudismo y marxismo), las cuales—para él—no aciertan a captar la esencia del vivir humano y, por consiguiente, no valen tampoco para estructurar un relato novelesco: "El problema más hondo de nuestra novela, de la tuya, Felipe, de la mía, de

la de Don Sandalio, es un problema de personalidad, de ser o
no ser, y no de comer o no comer, de amar o de ser amado"
(XXII).

Una vez más el narrador resulta aquí exponente de ideas
de Unamuno, que con mayor detalle se contienen en el
prólogo a *El hermano Juan o el mundo es teatro*, uno de los
últimos escritos de su autor: "frente a esta doble concepción
materialista de la historia—dirijida ésta por el hambre y por
la *libido*—hay la concepción histórica de la materia, la de la
personalidad" (714). Pero, en su afán de destacarse,
Unamuno aísla un problema—la lucha de la personalidad por
hacerse y representarse—con olvido de otros problemas igualmente cruciales, como el de "amar o de ser amado." No hay
que salir de *Don Sandalio* para corregir y ampliar la teoría
unamuniana de la personalidad. ¿Son acaso el narrador y el
ajedrecista seres reductibles básicamente a la dimensión del
"querer ser." ¿No figura también en ellos como componente
esencial la apertura al otro? El narrador no podría ignorar el
interés de Don Sandalio por él, parejo al que él siente por
Don Sandalio (o por Felipe).[16] Ninguno es, en este sentido,
semejante a Don Juan, el personaje en quien Unamuno
encarna el deseo de representarse a sí mismo y que asimila
incluso a Don Quijote y Segismundo en su condición de soñadores: "Se sueñan los tres y saben que se sueñan" (Prólogo
714). Pues Don Juan es también un "onanista," un "perfecto
egoísta, que es siempre, aun en la más íntima compañía y en
el más apretado abrazo, un solitario" (Prólogo 715). A través
del juego de ajedrez, en cambio, dos solitarios se forjan una
compañía, sin palabras apenas, soñándose uno a otro, que es
distinto a estar, como Don Juan, "siempre en escena, siempre
soñándose y siempre haciendo que le sueñen, siempre soñado
por sus queridas. Y soñándose en ellas" (Prólogo 714). Don
Juan, aunque sueñe, fracasa como novelista, ya que no se
interesa verdaderamente por la vida de nadie, por los sueños
de nadie, salvo si esos sueños lo tienen a él, Don Juan, como
objeto.

La novela de Don Sandalio, contrariamente, apela al
novelista que Don Sandalio lleva dentro o, más aún, que
todos llevamos dentro: "nuestra novela, la de cada uno de

nosotros, es si somos más que ajedrecistas, o tresillistas, o tutistas, o casineros, o... la profesión, oficio, religión o deporte que quieras, y esta novela se la dejo a cada cual que se la sueñe" (XXII). De tal modo se nos anima a ser o hacernos lo que somos íntimamente, más allá de la profesión o las actividades que constituyen nuestra vida externa.

La novela de Don Sandalio, la de él sobre sí mismo, se opone por tanto a la novela de Don Sandalio por otro. Por eso Don Sandalio debe sustituir al narrador. Haciéndose (soñándose) a sí mismo, llegando a ser quien es, Don Sandalio se hace real en un mundo donde se cuestiona la posibilidad de ser real en la mente de Dios. Se evade de la niebla, de las sombras a que se reducen los humanos en un café o casino, reflejados en los espejos circundantes.[17]

Si comparamos ahora la figura del narrador con protagonistas de otras obras de Unamuno suscitadas por la experiencia del destierro, podemos observar diferencias. El narrador de *Don Sandalio* no huye de ninguna leyenda de sí mismo, manifiesta en un libro, como Julio Macedo en *Sombras de sueño* o U. Jugo de la Raza en *Cómo se hace una novela*. De hecho, su leyenda posible se nos sustrae; sólo superponiéndolo a la persona de su creador, Unamuno, somos capaces de dotarlo de alguna entidad. De otro modo se nos escapa. Ha renunciado a novelarse (inventarse) ante nosotros para imaginar a Don Sandalio aplicado a esta tarea. He aquí un modo original de enterrar la propia leyenda, que tanto persiguió a Miguel de Unamuno.[18] El olvido voluntario de sí mismo, la renuncia al protagonismo, la lleva a cabo el narrador/Unamuno promoviendo a Don Sandalio, un simple individuo—situado en el marco intrahistórico de una ciudad provinciana—, a la categoría de héroe.

Como ser anónimo, forastero poco comunicativo, el narrador acierta a fundirse con el callado Don Sandalio. Esta coincidencia facilita el trasvase a Don Sandalio del ideal preconizado por el narrador. El ideal—el sueño—se expande a otro, a otros, entre ellos los lectores, a quienes se anima también a hacerse héroes, esto es, personajes de novela.

En el capítulo último el narrador insiste en su actitud ante Felipe: "Ahora te me vienes con eso de que escriba por lo menos la novela de Don Sandalio el ajedrecista. Escríbela tú si quieres. [...] Y tú mismo mientras así le sueñes y con él dialogues te harás novelista. Hazte, pues, Felipe mío, novelista y no tendrás que pedir novelas a los demás" (XXIII). Doble exhortación, por tanto, la del narrador en el curso de *La novela de Don Sandalio*: a hacernos novelistas de los demás y de nosotros mismos, porque una cosa es inseparable de la otra. Y mi novela coexiste necesariamente con la que otros se inventan y de la que yo formo parte. Choque de novelas o nivolas.[19]

Tras las palabras citadas últimamente el narrador se despide de su amigo, mas no sin antes informarle que deja el lugar donde lo persigue "la sombra enigmática de Don Sandalio": "mañana mismo salgo de aquí y voy a ésa para que continuemos de palabra este diálogo sobre su novela" (XXIII). Y ¿por qué se va el narrador? ¿Porque la tontería humana lo persigue dondequiera que esté y, por tanto, un sitio da lo mismo que otro? ¿O no será más bien la causa de su partida que Don Sandalio ha muerto y que la compañía silenciosa mantenida con él no puede ya prolongarse? Pues la "sombra enigmática de Don Sandalio," lo mismo que la tontería humana, no se vincula a un lugar específico. Y el narrador, de hecho, no intenta desasirse de esa sombra (ese nuevo personaje en el teatro de su mente) sino evocarla, aunque no a solas. *La novela de Don Sandalio* se termina con el anuncio de continuarla en otro lugar, en colaboración con Felipe, quien asume el papel del lector implícito. El final deviene punto de partida: origen de un diálogo entre autor y lector (querido lector), que da lugar a un texto nuevo y al proceso de hacernos novelescamente mientras recreamos lo ya escrito.

NOTAS

1. "Pourquoi le scriptible est-il notre valeur? Parce que l'enjeu du travail littéraire (de la littérature comme travail), c'est de faire du lecteur, non plus un consommateur, mais un producteur du texte" (Barthes 10). Como es sabido, lo *scriptible* en Barthes se opone a lo *lisible*: "En face du texte scriptible s'établit donc sa contrevaleur, sa

valeur négative, réactive: ce qui peut être lu, mais non écrit: le *lisible*. Nous appelons classique tout texte lisible" (10).

2. Aquí el narrador expone ideas de Unamuno: "me ocurre lo que al pobre Flaubert: no puedo resistir la tontería humana" (*Contra esto y aquello* 1040). Ricardo Gullón (320) y Carlos Clavería ("Unamuno y la 'enfermedad de Flaubert'") señalan este paralelo.

3. La novela consta de veintitrés cartas o capítulos (todos muy breves), numerados en romanos. Mis citas se refieren al capítulo correspondiente.

4. Como dice Gullón: "¿No vivió don Miguel, parte de su vida, en tertulias, y no siempre impartiendo sabiduría o debatiendo grandes temas de teología y metafísica?" (313). Por su parte, Clavería hace el siguiente comentario: "A los 'tontos de repetición,' es decir, 'los sabios,' 'los del sentido común,' oponía don Miguel 'los tontos de invención,' a los que él debía prestar oído con frecuencia" (81). Habría que pensar que Schopenhauer olvidó distinguir entre los tontos de invención (quienes inventaron los naipes) y los "tontos de repetición" (quienes juegan con ellos).

5. Destaquemos de nuevo la base realista de este texto despegado aparentemente de la realidad. Escribe Unamuno: "He conocido muchos jugadores de ajedrez y he jugado a su juego con muchos de ellos" (*Contra esto y aquello* 1184).

6. En el prólogo a *La tía Tula*, Unamuno habla de las "raíces teresianas y quijotescas" de su novela (1040).

7. Salvadas las distancias, aproximaríamos estas líneas a versos del poema "Aldebarán": "¡Siempre solo, perdido en lo infinito, / Aldebarán! / ¿Perdido en la infinita muchedumbre / de solitarios... / sin hermandad? / ¿O sois una familia que se entiende, / que se mira en los ojos, / que se cambia pensares y sentires [...]?" (*Poesía* II, 95).

8. Aduzcamos los versos finales de "Aldebarán" como muestra de un clima espiritual semejante: "¡Si la verdad Suprema nos ciñese / volveríamos todos a la nada! / De eternidad es tu silencio prenda, / ¡Aldebarán!" (*Poesía* II, 97).

9. En "La locura del doctor Montarco" Unamuno desarrolla este punto: "Hubo una jugada, [...] un jaque que no remató en mate, que fue extraordinaria. Usted hubiera visto cómo empuñó, con la mano toda, su caballo y lo puso dando un golpe sobre el tablero, y cómo exclamó: '¡jaque!'" (517).

10. Durante la crisis de 1897 Unamuno, presa de la angustia del vacío, se refugiará en el salmantino convento de San Esteban. Allí, asomado al brocal del pozo en el claustro, exclama insistentemente "¡Dios, Dios, Dios!" y concluye con otra exclamación: "¡Yo, yo, yo!" (Salcedo 110).

11. Ya en el prólogo a *San Manuel Bueno, mártir y tres historias más*, Unamuno se plantea esta disyuntiva: "Don Sandalio es un personaje visto desde fuera, cuya vida interior se nos escapa, que acaso no la tiene" (1118). Pronto, sin embargo, replica: "¿Pero es que mi Don Sandalio no tiene vida interior [...]? ¿Pues qué es una partida de ajedrez sino un monodiálogo, un diálogo que el jugador mantiene con su compañero y competidor de juego?" (1118).

12. "Cuando se me desterró [...] pedí a los míos, a mi familia, que ninguno de ellos me acompañara, que me dejasen partir solo" (*Cómo se hace una novela* 156).

13. Afirma Clavería: "no cabe duda de que don Miguel la escribió [*La novela de Don Sandalio*] en los últimos tiempos de su destierro en Francia, antes de la caída de la dictadura de Primo de Rivera. El 'apacible rincón de la costa al pie de las montañas que se miran en la mar' es Hendaya, aunque Unamuno meta en su historia temas de una vida entera" (86).

14. Un comentario semejante a éste se halla en *Vida de Don Quijote y Sancho* (255-56), lo que muestra una vez más el lazo entre el narrador y Unamuno.

15. Escribe François Meyer: "El ser de ficción [unamuniano], el único ser concreto, no existe sino por una continua relación con otro: sueño entre sueños, se sostiene reflejado, modificado, aplastado o salvado por esos otros sueños que dependen también de él, del mismo modo y en la misma proporción" (76).

16. Comentando el pensamiento de Unamuno, escribe Pedro Laín Entralgo: "Ante el otro, y movido yo por mi amorosa compasión, mi imaginación descubridora *inventa* que él es persona, *encuentra* en él su fraterna condición del otro yo" (152).

17. Meyer resume muy bien esta dialéctica unamuniana entre el ser y la nada: "El sueño en que mi yo consiste está en continua creación, se deshace y se vuelve a rehacer; tengo que soñarme, sin tregua, y volverme a soñar, afirmar mi vida contra mi muerte y vivir en continua agonía" (73).

18. "El Unamuno de mi leyenda, de mi novela, el que hemos hecho juntos mi yo amigo y mi yo enemigo y los demás, mis amigos y mis enemigos, este Unamuno me da vida y muerte, me crea y me destruye, me sostiene y me ahoga. Es mi agonía. ¿Seré como me creo o como se me cree?" (*Cómo se hace una novela* 133). Unamuno, pues, revela tanto la importancia de soñar como el riesgo de ser sustituido por el sueño. Para *Sombras de sueño* véase mi artículo "Cómo se hace teatro una novela..."

19. Esta llamada a hacerse uno novelista equivale al deseo unamuniano de "hacer de España un pueblo de yos" (cit. por Juan Marichal 231). Marichal califica de "quijotesca" tal aspiración.

OBRAS CITADAS

Barthes, Roland. *S/Z.* París: Seuil, 1970.

Cervantes, Miguel de. *Don Quijote de la Mancha.* Ed. Martín de Riquer. Barcelona: Juventud, 1971. 2 vols.

Clavería, Carlos. "Unamuno y la 'enfermedad de Flaubert.'" *Temas de Unamuno.* 2a. ed. Madrid: Gredos, 1970. 63-96.

Feal, Carlos. "Cómo se hace teatro una novela: *Sombras de sueño* de Unamuno." *Anales de la literatura española contemporánea* 20.3 (1995): 315-29.

Granjel, Luis S. *Retrato de Unamuno.* Madrid: Guadarrama, 1957.

Gullón, Ricardo. *Autobiografías de Unamuno.* Madrid: Gredos, 1964.

Laín Entralgo, Pedro. *Teoría y realidad del otro.* Madrid: Alianza, 1983.

Marichal, Juan. "La voluntad de estilo de Unamuno y su interpretación de España." *La voluntad de estilo.* Barcelona: Seix Barral, 1957. 217-32.

Meyer, François. *La ontología de Miguel de Unamuno.* Trad. Cesáreo Goicoechea. Madrid: Gredos, 1962.

Salcedo, Emilio. *Vida de Don Miguel.* 3a. ed. Salamanca: Anthema, 1998.

Unamuno, Miguel de. *Cómo se hace una novela.* 2a. ed. Madrid: Alianza, 1968.

_____. *Contra esto y aquello. Ensayos.* Vol. 2

_____. *Ensayos.* 7a. ed. Madrid: Aguilar, 1966-67. 2 vols.

_____. "La locura del doctor Montarco." *Ensayos.* Vol. 1. 505-19.

_____. *Nada menos que todo un hombre. Obras Completas.* Vol. 2.

_____. *La novela de Don Sandalio, jugador de ajedrez. Obras Completas.* Vol. 2.

_____. *Obras Completas.* Ed. Manuel García Blanco. Madrid: Escelicer, 1966-71. 9 vols.

_____. *Poesía Completa.* Ed. Ana Suárez Miramón. Madrid: Alianza, 1987-89. 4 vols.

_____. Prólogo a *El hermano Juan o El mundo es teatro. Obras Completas.* Vol. 5. 713-25.

_____. Prólogo a *San Manuel Bueno, mártir y tres historias más. Obras Completas.* Vol. 2. 1115-25.

_____. Prólogo a *Tres novelas ejemplares. Obras Completas.* Vol. 2. 971-77.

_____. *San Manuel Bueno, mártir. Obras Completas.* Vol. 2.

_____. *La tía Tula. Obras completas.* Vol. 2.

_____. *Vida de Don Quijote y Sancho. Ensayos.* Vol. 2.

MIRADAS SOBRE EL CUERPO (FRAGMENTO PARA UNA HISTORIA LITERARIA DE LA MODERNIDAD EN ESPAÑA)

LUIS FERNÁNDEZ CIFUENTES
Harvard University

Resumo en estas páginas[1] un proyecto que acaso merezca una larga investigación y un libro extenso. Se trata de lo siguiente. Un soneto ahora famoso de Baudelaire (1821-1867), "A une passante," ha sido elevado por una crítica de gran autoridad, encabezada por Walter Benjamin, al rango de texto fundacional.[2] Es el *locus classicus* de cierta mirada moderna, la mirada amorosa o, en la interpretación de Benjamin, "el amor mismo estigmatizado por la gran ciudad"; es decir, por las perturbadoras transfiguraciones urbanas de la era industrial. Baudelaire añade así, con todas sus consecuencias, un contexto de modernidad urbana a un *motivo* de antigua tradición literaria: el encuentro en la calle, la primera mirada sobre el objeto de la pasión amorosa, cuyo *locus classicus* más recordado pudiera ser, a su vez, el de Dante y Beatrice en la *Vita nova* (1294): "quando alli miei occhi apparve prima la gloriosa donna della mia mente [...] . Apparve vestita di nobilissimo colore umile e honesto sanguigno, cinta e ornata alla guisa che alla sua giovannissima etade si convenia" (Alighieri 7-8).[3]

El soneto de Baudelaire pertenece así no sólo al género de la lírica—con la característica interacción del "yo" y el "tú" como centros semánticos (Lotman 171)—sino también al de la narrativa y quizá al del drama: es el relato de un episodio

originario que Benjamin califica de "suceso" y "escena." El
análisis de Benjamin destaca, sobre todo, uno de sus equívocos:

> Cabe decir que trata de la función de la multitud, no en
> la existencia del ciudadano [en general], sino en la del
> [ciudadano] erótico. Dicha función parece a primera
> vista negativa, pero no lo es. La aparición que le fascina,
> lejos, muy lejos de hurtársele [o escamoteársele] al [ciu-
> dadano] erótico en la multitud, es en la multitud donde
> únicamente se le entrega. El encanto del habitante
> urbano es un amor no tanto a primera vista como a últi-
> ma vista. El *"jamais"* es el punto culminante del en-
> cuentro en el cual la pasión, en apariencia frustrada,
> brota en realidad del poeta como una llama (Benjamin
> 60-61)[4]

Para los efectos del proyecto que intento esbozar aquí seña-
laré en el soneto otras tres manifestaciones de una inquietante complejidad que bien pudiera consiederarse seña de
identidad urbana. Primero, el hecho de que se trata de una
mirada *circulante* (a la vez que atenta y precisa), a pesar de
esa aparente fijación del segundo cuarteto en el "oeil" de la
mujer: antes de convertirse en mirada de una mirada, ha
recorrido la figura completa, se ha detenido luego en el vestido, más tarde en la mano y su oscilación pendular, y después en una pierna que, por las modas de la época, tuvo que
ser apenas entrevista al alzarse la falda o intuída entre los
pliegues que formaría sobre la tela al caminar. Segundo, el
doble poder de la mirada de la mujer, que al mismo tiempo
mata ("tue") y rehace la vida ("m'a fait soudainement
renaître"). Tercero, el despliegue formidable de *tiempos* y
modos de los verbos—presentes, pretéritos imperfectos, inde-
finidos y pluscuamperfectos, infinitivos, gerundios, futuro—,
un conjunto destinado a representar en apenas catorce versos
las inagotables disyuntivas del nuevo tiempo urbano, es decir,
el recorrido que separa ese instante, "un éclair," de la eternidad o el *"jamais"* significativamente subrayado en el poema
por el propio Baudelaire.

La pregunta esencial de mi proyecto podría ahora formularse así: si efectivamente se trata, como parece, de un texto fundacional en la lírica europea (o, al menos, de la representación ejemplar de un fenómeno epistemológico especialmente moderno), ¿cuáles son sus huellas en la poesía española desde 1857? O, en todo caso, ¿qué manifestaciones de esa mirada urbana moderna y de la neurosis que la acompaña se pueden encontrar en la poesía española en castellano? Una investigación exhaustiva tal vez podría contradecirme, pero mientras no lo haga responderé que sólo en la poesía de la generación del 27, y sobre todo en la de Cernuda, se encuentran los primeros ecos suficientes del fenómeno de la mirada urbana que Baudelaire parece haber consignado y matizado con asombrosa diligencia. Ahora bien, en el trayecto desde Baudelaire hasta Cernuda, la crítica y la historia literarias señalan una serie de hitos donde parece obligado detenerse— ciertas figuras de la presunta modernidad española que Cernuda mismo eligió o erigió como predecesores de su poesía. Esas estaciones bien podrían permitirnos responder a nuevas preguntas, como: ¿qué clase de mirada adoptaron entonces tantos poetas españoles modernos de reconocida importancia durante esos ochenta años que separan *Les Fleurs du mal* de *Los placeres prohibidos*? Y ¿cómo explicar la diferencia de miradas?

El primero de aquellos predecesores modernos de Cernuda sería, claro está, Bécquer, a quien autorizados resúmenes, como el de la *Encyclopaedia Britannica*, declaran primer poeta moderno de la literatura española. Bécquer (1836-1870) era 15 años más joven que Baudelaire, y casi nadie parece poner en duda el carácter fundacional que a su vez tienen las *Rimas* para la poesía española posterior. Por ejemplo, Luis García Montero (*Gigante* 11), en un reciente libro sobre Bécquer, corrige así a Octavio Paz, que considera a Bécquer un poeta débil, notoriamente inferior a Baudelaire: "Frente a la lectura blanda o el elogio caritativo, los poetas han reivindicado la figura de un Bécquer fuerte, capaz de dirigir los ritmos del lenguaje y la conciencia estética hasta un verdadero *espacio de modernidad.*" Ahora bien, esa mirada amorosa determinada por los espacios públicos de la gran ciudad moderna no es ciertamente uno de los *topoi* de su poesía. Alguno de sus primeros versos parece prometer un "suceso," una "escena" inevitablemente próximos a los de Baudelaire, sobre todo en la rima que comienza:

> Te vi un punto y flotando ante mis ojos
> la imagen de tus ojos se quedó,
> como la mancha oscura orlada en fuego
> que flota y ciega si se mira al sol.[5]

Sin embargo, el resto de la rima cancela pronto las expectativas del lector baudelairiano, porque ese encuentro de miradas no tiene lugar en un contexto de ciudad moderna[6] sino todo lo contrario (si cabe la expresión): remite más bien a los ámbitos góticos preindustriales tan frecuentes en las leyendas del propio Bécquer:

> Y donde quiera que la vista clavo
> torno a ver tus pupilas llamear;
> más no te encuentro a tí, que es tu mirada,
> unos ojos, los tuyos, nada más.
>
> De mi alcoba en el ángulo los miro
> desasidos, fantásticos lucir;
> cuando duermo los siento que se ciernen
> de par en par abiertos sobre mí.
>
> Yo sé que hay fuegos fatuos que en la noche
> llevan al caminante a perecer:
> yo me siento arrastrado por tus ojos,
> pero a dónde me arrastran no lo sé.

Al mismo tiempo, tanto como la pesadilla gótica, alejan a la rima de Bécquer del soneto de Baudelaire una serie de marcas o estrategias negativas: se trata aquí de una mirada que no sólo se desvincula de un espacio concreto ("a dónde me arrastran no lo sé") sino también de un cuerpo concreto, incluso de un género sexual concreto ("unos ojos..., nada más..., desasidos"). Ella (o él) ya no es "fugitive," sino más bien perseguidor *ad infinitum*. El grave "*jamais*" de Baudelaire parece pasarse aquí también al bando contrario: no es que no te volveré a ver, es que ya no dejarás de mirarme, o que ya no dejaré de ver que me miras, un fenómeno que parece quedar subrayado por todos esos presentes que dominan la rima después de los imperfectos de la primera estrofa.

Con todo, sería concebible una versión urbana, moderna, de este tipo de fantasmagoría, de este tipo de mirada desasida. Uno de los más decididos admiradores de Cernuda (y de Baudelaire y de Bécquer), Jaime Gil de Biedma, lo intentó al menos en una ocasión, hacia 1955, en el poema titulado "Los aparecidos": aquellos "fuegos fatuos" de Bécquer vienen a hacer su ronda siniestra en la "rue assourdissante" de Baudelaire, en medio de un trajín parecido de indicativos y subjuntivos, presentes y pasados, imperfectos y pretéritos. El poema de Gil de Biedma comienza así: "Fue esta mañana misma, / en mitad de la calle. Yo esperaba / con los demás / al borde de la señal de cruce." Continúa más adelante: "Luego, / mientras precipitadamente atravesaba, / la visión de unos ojos terribles, exhalados / yo no sé desde qué vacío doloroso." Y termina: "Vienen / de allá, del otro lado del fondo sulfuroso, / de las sordas / minas del hambre y de la multitud" (Gil de Biedma 69-70). Bécquer, sin embargo, no resulta ser una referencia imprescindible entre los antecedentes de este poema. La fantasmagoría se encuentra también en Baudelaire, con la añadidura del escenario urbano; por ejemplo, en aquellos versos citados por el propio Gil de Biedma (54), "Et lorsque j'entrevois un fantôme débile / Traversant de Paris le fourmillant tableau"; o en aquellos otros que cita el mismo Cernuda (*Prosa* 757), en su famoso ensayo sobre *Les Fleurs du Mal*: "Fourmillante cité, cité pleine de rêves, / Où le spectre en plein jour raccroche le passant."

Ahora sí, lo que ciertamente parece explorar y explotar Bécquer a lo largo de las rimas no es tanto esa fantasmagoría ocular como otro tipo de mirada amorosa enteramente opuesto al planteado por Baudelaire. Escribe Jonathan Crary (20) sobre el Benjamin más baudelairiano:

Perception for Benjamin was acutely temporal and
kinetic; he makes clear how modernity [y acaso habría
que añadir, aun a riesgo de ser redundantes, "urban
modernity"] subverts even the possibility of a *contemplative beholder*. There is never a pure access to a *single
object*; vision is always multiple, adjacent to and overlapping with other objects, desires and vectors. [énfasis
mío]

Resulta que en la mirada amorosa de las *Rimas* privan precisamente esas dos alternativas, el "contemplative beholder"
y el "pure access to a single object," que Benjamin desterraba
de la modernidad más urbana. Y esos dos fenómenos se
manifiestan aquí en dos *topoi* o dos "escenas" prolijamente
cultivados luego por los poetas españoles. El primero es el de
los ojos que detenida y exclusivamente contemplan otros ojos,
como en "su mano entre mis manos, / sus ojos en mis ojos"; o,
con enfática trascendencia, en esta estrofa de la rima quizá
más divulgada de Bécquer: "mientras haya unos ojos que
reflejen / los ojos que los miran [...], / habrá poesía." La línea
que se inaugura o, más bien, se consolida ahí es la que pasa
luego por aquel verso, "Sin más horizonte que otros ojos
frente a frente," de uno de los poemas de Cernuda más directamente ligados a Bécquer, "Donde habite el olvido." La
segunda escena o el segundo *topos* es el de los ojos que velan a
la amante dormida: "Despierta, tiemblo al mirarte; / dormida,
me atrevo a verte; / por eso, alma de mi alma, / yo velo mientras tu duermes." Esta será la línea que pase más tarde por
versos de Cernuda como estos (*Poesía* 403): "Tú y mi amor,
mientras miro / Dormir tu cuerpo cuando / Amanece. Así
mira / Un dios lo que ha creado."

   Podría pensarse, por una parte, que estos dos *topoi* o dos
"escenas" de Bécquer registran una mirada típicamente romántica, pero creo que tampoco es exactamente así: acaso con
menos intensidad que en cierta lírica romántica pero no con
menos complejidad, los dos tipos de mirada se encuentran ya
en la lírica del Renacimiento y del Barroco. Por ejemplo,
cuando Galatea contempla a Acis dormido, en la famosa
fábula de Góngora, o cuando la amada acusa un intercambio

de miradas con el amado en el *Cántico espiritual* de San Juan de la Cruz: "Cuando tú me mirabas, / tu gracia en mí tus ojos imprimían; / por eso me adamabas, / y en eso merecían / los míos adorar lo que en ti vían." Quizá podría pensarse entonces que esta forma de continuidad en la lírica nacional constituye más bien un desafío a la mirada más moderna que se imponía en (y desde) las grandes urbes extranjeras.

Por otra parte, ocurre—como se podía prever—que este tipo de mirada es específicamente desacreditado por el Baudelaire más afincado en el mundo urbano. Lo hace, por ejemplo, en el fragmento 26 de *Le Spleen de Paris,* "Les yeux des pauvres" (120-23), un fragmento que Marshall Berman ha elegido como emblema de la modernidad urbana y que comienza "Ah! Vous voulez savoir pourquoi je vous hais aujourd'hui." Los amantes se encuentran y se miran detenidamente a los ojos en un café deslumbrante de los nuevos bulevares, pero los interrumpe pronto otro tipo de mirada: desde el otro lado de los ventanales, una familia humilde observa fascinada el local sin poder acceder a él. El poeta introduce entonces el punto de ruptura y descrédito de la tradicional mirada amorosa:

> J'étais attendri par cette famille d'yeux [...]. Je tournais mes regards vers les vôtres, cher amour, pour y voire *ma* pensée; je plongeais dans vos yeux si beaux et si bizarrement doux, dans vos yeus verts, habités par le Caprice et inspirés par la Lune, quand vous me dites: «Cest gens-là me sont insupportables avec leurs yeux ouvertes comme des portes cochères! Ne pourriez vous pas prier le maître du café de les éloigner d'ici?

Marshall Berman considera este *encuentro* tan moderno como lo había sido para Benjamin el *encuentro* con *une passante* y se pregunta: "¿Qué hace que este encuentro sea característicamente moderno?" Berman contesta: "La diferencia reside en el espacio urbano en que se desarrolla nuestra escena," un espacio que permite y hasta genera no sólo la interferencia sino también la cancelación o la denuncia del aislamiento idílico, detenido, de las miradas (Berman 149). Efectivamente, se trata, en la "escena," del centro de París en un momento histórico muy preciso que Baudelaire hace patente: el momento de la gran conmoción urbana, con los bulevares todavía invadidos de escombros; París entre el derribo de lo viejo y la elevación de lo nuevo; el momento en que las clases altas relevan a las humildes en la ocupación del centro. Al mismo tiempo, en el fragmento de Baudelaire se escuchan también otros énfasis, y un sociólogo como George Simmel quizá no hubiera destacado tanto la conmoción urbana que genera esos encuentros como el aislamiento general del individuo en la gran ciudad, la conciencia de un *desencuentro* urbano que se resume en la última línea del texto de Baudelaire: "Tant il est difficile de s'entendre, mon cher ange, et tant la pensée est incommunicable, même entre gens qui s'aiment!"

En la breve historia literaria que he empezado a recorrer desde Baudelaire a Cernuda, Rubén Darío (1867-1916) sería seguramente, en orden cronológico, el segundo predecesor de gran envergadura, no obstante las objeciones de Cernuda a buena parte de su obra (Mejía Sánchez, *passim*). Con Darío podrían aumentar las expectativas del historiador. Su conocimiento de la literatura francesa y las afinidades electivas que lo asociaron con ella, junto a su decidida modernidad metropolitana y cosmopolita, permiten esperar que aquella mirada amorosa y urbana de Baudelaire haya dejado algún eco en los versos modernistas de Darío. Y, sin embargo—a diferencia de su prosa, sobre todo de las crónicas, género urbano por excelencia, donde Darío recogió puntualmente muchos motivos afines a Baudelaire—esos ecos no acaban de escucharse en su poesía, tal vez porque, como observó decepcionado el propio Cernuda, "el modernismo no tuvo en cuenta a Baudelaire" (*Poesía y Literatura* 310). En un verso determinado, Darío puede equiparar la mirada al relámpago, como lo había hecho Baudelaire, pero se trata aún de una fórmula más próxima al Barroco, una especie de variante combinatoria de *topoi* como *vita brevis, carpe diem* y *collige virgo rosas*: "Nuestra infancia vale la rosa, / el relámpago nuestro mirar" (*Cantos* 419). En general, en lo que atañe a la mirada, Darío resulta más bien cómplice de Bécquer y de sus *topoi* amorosos.[7] Por una parte, el de los ojos en los ojos, la contemplación de la contemplación, que se perpetúa en versos como éste: "Mira: en tus ojos los míos" (*Cantos* 252). Por otra, el de la mujer fatal o fantástica de las *Leyendas*, ahora con la parafernalia de adjetivos que le añadió el modernismo. Por ejemplo: "Los ojos de las reinas fabulosas, / de las reinas magníficas y fuertes, / tenían las pupilas tenebrosas / que daban los amores y las muertes" (*Prosas* 102). O "Herodías ríe en los labios rojos. / Dos verdugos hay que están en los ojos" (*Cantos* 411). Y también: "Tiene ojos azules, es maligna y bella; / cuando mira vierte viva luz extraña: / se asoma a sus húmedas pupilas de estrella / el alma del rubio cristal de Champaña" (*Prosas* 90). Más aún, en los poemas de Darío como en los de Bécquer el mismo ritmo de los versos evoca una regularidad de danza de salón, muy lejos del "assourdissant" y el "hurlée" de las multitudes urbanas de Baudelaire.

Después de Darío, entre los precursores cada vez más próximos a Cernuda en el tiempo, se encuentra la Generación del 98. Buen número de críticos e historiadores la considera eminentemente contemplativa, volcada hacia los interiores, enemiga—como su admirado Nietzsche—de la gran ciudad y más o menos hostil a la modernidad, sobre todo a la modernidad dictada desde París. La Generación del 98 no parece, pues, prometer un *aggiornamento* de la mirada amorosa en la línea de Baudelaire.[8] Es también sabido que, de todos los poetas de aquella generación, Cernuda y sus compañeros cultivaron especialmente a Juan Ramón Jiménez (1881-1958), cuando menos durante su juventud. Juan Ramón Jiménez es, desde luego, el que mejor puede despertar alguna esperanza de un encuentro urbano donde la mirada amorosa sea a la vez exaltada y derrotada por el movimiento urbano y sus multitudes. Sin embargo, por lo menos hasta ese libro en que empieza a dominar en parte la gran metrópolis moderna, *Diario de un poeta reciencasado* (1916), Juan Ramón Jiménez parece atenerse al mismo horizonte visual de Bécquer, incluso cuando añade matices tan inquietantes como los de esta estrofa de *Idilios* (1912-1913): "¡Oh, cómo me mirabas! / Parecía / que te hubiera cortado mi crueldad / los párpados" (*Tercera antolojía* 413). *Diario de un poeta reciencasado* es otra cosa, como lo será en su momento *Poeta en Nueva York*:

los dos libros erigen enfáticamente a la mayor y más moderna de las ciudades occidentales en escenario de muchos de sus poemas. Sin embargo, el que estos poetas representen determinadas formas de deambular por la capital del siglo XX no los convierte necesariamente en modernos poetas urbanos de la familia baudelairiana. Los dos comparten más bien en sus representaciones el síndrome del visitante desorientado, precavido y difícilmente metropolitano, que valora lo exótico sobre lo cotidiano, la persecución de la extrañeza sobre la consecución de la intimidad en medio de la multitud. Los dos registran, desde luego, encuentros de miradas característicamente urbanas, afines, en algún grado, a las que propone Baudelaire en *Le Spleen de Paris*, pero esas miradas no llegan aquí a interferir con la mirada idílica, propiamente conyugal y sin espacio determinante. Es el caso, por ejemplo, de un poema en prosa de Juan Ramón Jiménez titulado "Alta noche." El poeta reciencasado pasea solo, cerca ya de la madrugada, por una Quinta Avenida enfáticamente despejada de multitudes: "me paro a contemplar los enormes y complicados cierres de los bancos, los escaparates en transformación, las banderas ondeantes en la noche." De pronto pasa alguien o algo, y el poema/relato concluye así (con obvios presagios de *Poeta en Nueva York*):

> Entonces vuelvo la cara y me encuentro con la mirada suya, brillante, negra, roja y amarilla, mayor que el rostro, todo y sólo él. Y un negro viejo, cojo, de paletó mustio y sombrero de copa mate, me saluda ceremonioso y sonriente, y sigue, Quinta Avenida arriba... Me recorre un breve escalofrío y, las manos en los bolsillos, sigo, con la luna amarilla en la cara, semicantando. El eco del negro cojo, rey de la ciudad, va dando la vuelta a la noche por el cielo, ahora hacia el poniente... (*Diario* 160)

Por lo demás, ningún otro *encuentro* hace saltar en estos poemas el relámpago baudelairiano de la mirada moderna, amorosa, urbana, entregada y, al cabo, "extravagante." El poeta reciencasado vuelve a sus interiores a contemplar a su amada dormida o a mirarse en las pupilas de su amada despierta, con ojos que no se han desviado aún de una tradición amorosa—o, cabría decir, epistemológica—mayormente ajena al *topos* de la gran ciudad. Después de todo, el mismo Cernuda acusó también a Juan Ramón Jiménez (como había acusado a Darío y acusará a Salinas) "de no entender a Baudelaire o de no saber incorporarlo a su propia tradición" (Barón 56). El resultado parece haber sido no tanto la producción de poemas verdaderamente urbanos como de poemas de *travelog* o carnet de viaje. El vocabulario, la textura sintáctica del conjunto de sus poemas, carecen casi siempre de la urbanidad cotidiana, irremplazable, que identificamos con Baudelaire.[9]

Al alcanzar la generación del propio Cernuda (1902-1963), el fenómeno de las miradas sobre el cuerpo parece complicarse significativamente. Por una parte—y no sabría decir si *debido a* o *a pesar de* la creciente presencia de la ciudad como objeto poético, junto a la conciencia ya muy exacerbada de una modernidad que altera las relaciones entre lo rural y lo urbano—brazos, labios, manos, muslos, senos... adquieren en el encuentro de miradas amorosas un protagonismo tanto o más intenso que el de los ojos. Por otra parte, se multiplican visiblemente los avatares de la mirada amorosa. Se diría que existen, cuando menos, tres alternativas fundamentales para esta mirada. La primera—la alternativa continuista, por nombrarla de algún modo—sería la que representa, por ejemplo, la poesía generalmente tradicional y epigramática de José Bergamín (1895-1983). Bergamín reelabora con su elegante economía conceptual los dos *topoi* de la mirada amorosa recuperados y reforzados por Bécquer, y los combina con aquella otra mirada hacia dentro, tan cultivada por la Generación del 98. He aquí apenas una muestra de los innumerables poemas de Bergamín, casi siempre muy breves, que vendrían al caso: "Mírate en mis ojos / y verás en ellos / la imagen oscura / de tu claro sueño" (140). "Me estoy mirando en tus ojos. / Me estoy oyendo en tu voz. / [...] / Soy como si fuera otro: / otro que quiere ser yo" (ibid. 75). "Quiero mirarme en tus ojos / sin dejarlos de mirar / hasta que ciegue los míos / la luz de su claridad: / la luz de una claridad / que les hiere y que los quema / porque no pueden llorar" (211-12).

La segunda alternativa, la más afectada de surrealismo, estaría representada, por ejemplo, en la obra de García Lorca, que tiene la ventaja de compartir con la de Cernuda una atención hasta entonces poco frecuente a las zonas erógenas del cuerpo. Por razones obvias, de García Lorca importa aquí, sobre todo, *Poeta en Nueva York*. La cuestión de la mirada, y concretamente la mirada amorosa en la gran ciudad moderna, parece generar una de las múltiples paradojas o contradicciones que despliegan sus poemas: la ciudad está poblada de ojos, ojos perentoriamente abiertos, pero a la vez ojos ciegos, perdidos o llagados, al menos para (o por) un amor que se predica invisible y desnortado ("Panorama ciego de Nueva York" se titula uno de los poemas más representativos). Así, por una parte, declaran unos versos: "No duerme nadie por el cielo. Nadie, nadie. / Pero si alguien cierra los ojos, / ¡azotadlo, hijos míos, azotadlo! / Haya un panorama de ojos abiertos / y amargas llagas encendidas" (García Lorca 84).[10] Por otra parte, otros versos anuncian: "El amor [estaba expresado] por un solo rostro invisible a flor de piedra." O también, "Pero tú vas gimiendo sin norte por mis ojos" (109). Y una cita más de este mismo orden (o de este mismo desorden): "pero debajo de las estatuas no hay amor, / no hay amor bajo los ojos de cristal definitivo. / El amor está en las carnes desgarradas por la sed" (134). En términos de Benjamin podría decirse que estos poemas ofrecen menos la representación del ciudadano erótico que la del ciudadano desubicado, cuya mirada apenas puede reconocer otra cosa que la enajenación o el desvanecimiento de aquel erotismo baudelairiano.

La tercera alternativa, mucho más próxima al modelo de Baudelaire, se manifiesta de forma un tanto marginal, casi secreta. Podría representarla, por ejemplo, Vicente Aleixandre (1898-1984), con dos poemas más bien excepcionales, poco conocidos y raramente incluidos en antologías (el último, al menos). Antes de citar esos poemas, sin embargo, es preciso advertir que, por regla general, en la poesía de Aleixandre (como en la de sus coetáneos) domina todavía aquella otra mirada de estirpe becqueriana: "Mira mis ojos," en *Espadas como labios* (292); "Cuando contemplo tu cuerpo extendido / [...]. / Cuando miro a tus ojos, profunda muerte o vida que me llama," en *La destrucción o el amor* (354); "Los dos nos hemos mirado lentamente," en *Historia del corazón* (774)..., etc. Los dos poemas que recogen *otro* tipo de mirada son "Cinemática," quinto poema de *Ambito* (1924-1927), es decir, de los comienzos de Aleixandre; y "Primera aparición," poema de madurez (1953) alojado en ese almacén de restos que es *Poemas varios*. "Cinemática" expone también un "suceso" o una "escena," pero donde la imagen urbana de "une passante" ya no es tanto el objeto de una mirada amorosa como la construcción de frías pupilas vanguardistas, pupilas aquí tal vez menos atentas al movimiento fílmico del título que a ciertas ambiciones y postulados escultóricos de los futuristas. Se diría que en "Cinemática" Aleixandre combina cabalmente a Baudelaire con el Boccioni de *Formas únicas de continuidad en el espacio* (1913), la escultura donde trató de llevar a efecto su ambicioso proyecto de una "interpenetración de planos" que representara "plásticamente" el movimiento. No es una combinación insólita. Carl Schorske (102) observa: "Baudelaire y sus sucesores modernos contribuyeron de modo incuestionable a una apreciación nueva de la ciudad como escenario de la vida humana. Su manifestación estética ha convergido con el pensamiento social de los futuristas para dar lugar a un pensamiento más rico y constructivo sobre la ciudad de nuestro siglo." Aleixandre se incorporaría a esa convergencia con un vocabulario afín a los dos—a Baudelaire y al futurismo—, una sintaxis sincopada, casi marcial, y una versificación de encabalgamientos incesantes, esculpidos por un yo que se oculta (o se expone) rigurosamente detrás de la segunda persona del singular:

> Venías cerrada, hermética,
> a ramalazos de viento
> crudo, por calles tajadas
> a golpe de rachas, seco.
> Planos simultáneos—sombras
> [...].
> Se arremolinaba el viento
> en torno tuyo, ya a pique

de cercenarte fiel. Cuerpo
diestro. De negro. Ceñida
de cuchillas. Solo, escueto,
el perfil se defendía
rasado por los aceros.
[...]
Ojos metidos, profundos,
bajo el arco firme, negro.
Veladores del camino
–ángulos, sombras– siniestros.
Te pasan ángulos –calle,
calle, calle, calle–. Tiemblos.
[...]
Meteoro de negrura.
Tu bulto. Cometa. Lienzos
de pared limitan cauces
hacia noche sólo abiertos.

Sólo en los últimos versos, desnudos de pronombres y escasos
de artículos, el artista—escultor, cineasta, poeta—parece
registrar un impersonalizado, vagamente neurótico sentimiento amoroso: "Pasión de noche / enciende, farol de pecho,
/ el corazón, y derribas / sed de negror y silencios" (Aleixandre 91-92).

El segundo poema de Aleixandre, "Primera aparición,"
reúne ya a "une passante" con un observador a la vez dolorido y enamorado. El lector podría emparentarlos fácilmente
con los protagonistas del "suceso" de Baudelaire. Sin embargo, no hay aquí más referencia espacial que una "preciosa
arena" con la que parece recusar a propósito a la gran ciudad
y descartar el entorno trepidante, el peculiar relámpago de la
mirada baudelairiana. La mirada es ahora más bien reite-
rativa y holgada, como la misma sintaxis del poema y los presentes verbales que favorece. Al mismo tiempo, se menciona
una "esencia de juventud" que introduce otras diferencias de
matiz entre "passante" y observador:

Pasas casi como un viento y te pierdo,
oh rumorosa, en la tarde que tu paso estremece.

[...]
Y pasas despaciosa, no rauda, sino deleitable, pisando
  muy leve
con pie desnudo en la preciosa arena,
y casi te detienes, y miras, y, como al paso, me miras,
y tu graciosa cabeza vuelves y miras.
Oh, y aún allá, perdida casi, todavía tornas tu rostro
  [muy lento, y largamente miras.
[...]
Esencia de juventud, dorada alegría. Ojos grandes.
Fino cuerpo gracioso que el viento arrastrase.
Aroma al paso que mis senidos huelen.
Rastro vivo de amor que se pierde en las luces. (ibid.
1101)

Sólo Cernuda, creo, realizará esta tercera posibilidad con todas las medidas de los precisos, originarios postulados de Baudelaire. Se trata ya en su caso de una mirada que podría parecer incluso anacrónica, si no aportara su propia variante o, en términos de Crary y Benjamin, su propia adopción de la multiplicidad, su manera singular de solaparse "with other objects, desires and vectors." La conexión de Cernuda con Baudelaire es además explícita por partida doble (posiblemente más explícita que la de ninguno de sus compañeros de generación). Por un lado, Cernuda recuerda en "Historial de un libro" que, cuando llegó a la universidad y se inició en la lectura *comme il faut*, "Baudelaire fue el primer poeta francés a quien entonces empecé a leer en su propia lengua y hacia el cual he conservado devoción y admiración vivas" (*Realidad* 486). En otro apasionado ensayo, Cernuda declara a Baudelaire "el primer poeta moderno, el primer poeta que tuvo la vida moderna; y todos cuantos después de él hemos tratado de escribir versos, seamos del país que seamos, si tenemos conciencia de nuestra tarea, reconoceremos para con él una deuda considerable" (*Poesía y literatura* 310). Citas apenas alteradas de Baudelaire—como "Demonio hermano mío, mi semejante" (*Realidad* 154)—constituyen otra forma de reconocer esa deuda, dentro de su misma producción poética. Por otro lado, Cernuda hizo su propia declaración de afinidades urbanas en un tono poco común hasta entonces en la poesía española. Baudelaire y Benjamin hubieran recono-cido sin duda su estirpe en estos dos versos del poema "Otras ruinas": "El hombre y la ciudad se corresponden / Como al durmiente el sueño, al pecador la transgresión oculta" (*Realidad* 324). Dentro de este marco se inscribe un pequeño poema en prosa de *Los placeres prohibidos*,[11] que se titula "En medio de la multitud" (*Un río* 91):

> En medio de la multitud le vi pasar, con sus ojos tan rubios como la cabellera. Marchaba abriendo el aire y los cuerpos; una mujer se arrodilló a su paso. Yo sentí cómo la sangre desertaba mis venas gota a gota.
>
> Vacío, anduve sin rumbo por la ciudad. Gentes extra-ñas pasaban a mi lado sin verme. Un cuerpo se derritió con leve susurro al tropezarme. Anduve más y más.
>
> No sentía mis pies. Quise cogerlos en mi mano, y no hallé mis manos; quise gritar y no hallé mi voz. La niebla me envolvía.
>
> Me pesaba la vida como un remordimiento; quise arrojarla de mí. Más era imposible, porque estaba muerto y andaba entre los muertos.[12]

Es evidente, a primera vista, que los atributos fundamen-tales de la mirada urbana y amorosa de Baudelaire se des-pliegan aquí con parecida explicitud: la multitud; el suceso o la escena del insistente "pasar" ("pasar," "paso," "pasaban"); la movilidad de la mirada amorosa; la "ciudad" que ya no sólo se nombra como tal sino que se sugiere casi infinita en ese "sin rumbo" y "anduve más y más"; la "angustia" (que una versión anterior del poema hacía más explícita, pero que sobrevive ahora en tantos matices de las últimas frases); incluso el tipo de desencuentro e incomunicación que se postulan en el fragmento en prosa de Baudelaire citado más atrás. Sin embargo, me parece que dos aspectos, cuando menos,[13] del poema marcan una significativa diferencia entre el texto de Cernuda y los de Baudelaire. En este sentido le sucede a Cernuda con Baudelaire algo semejante a lo que le sucedía con Bécquer: multiplica los sentidos de su predecesor, sugiere nuevas lecturas de sus textos, revela en ellos énfasis que parecen haber pasado hasta entonces desapercibidos.

El primer aspecto es una notable modificación en las miradas. De hecho, cuando Walter Benjamin indagaba, ya en el siglo XX, la mirada propiamente urbana, no pudo atenerse únicamente y por completo a Baudelaire: lo que llegó a descubrir era no sólo que la mirada se resiente (físicamente hablando) de la perenne movilidad del transeunte metropolitano[14]—lo que Baudelaire señala repetidamente con términos como "fugitive" y "fuis"—sino también que la metrópolis ha suspendido la "reciprocidad de las miradas." En otras palabras, en la agitación de la ciudad la mirada ya no es devuelta por el otro que, a su vez, dirige sus ojos también unilateralmente hacia un tercero o una tercera cosa. La reciprocidad de la mirada que todavía registra el soneto de Baudelaire parece sobrevivir aún en otro poema de Cernuda del mismo libro, donde se leen estos versos: "Un roce al paso, / Una mirada fugaz entre las sombras, / Bastan para que un cuerpo se abra en dos, / Avido de recibir en sí mismo / Otro cuerpo que sueñe" (*Realidad* 99).[15] "En medio de la multitud," en cambio, se atiene ya a esa especie de *mise-en-abyme* más radicalmente urbana que Benjamin—sólo diez años mayor que Cernuda—había logrado identificar. Más aún, en la *mise-en-abyme* de Cernuda, el yo/tú estrictamente heterosexual de Baudelaire parece complicarse significativamente con esa percepción urbana cada vez más "multiple and overlapping" (si vale la conclusión de Crary): el tú singular y femenino de Baudelaire ha sido tan desplazado como la reciprocidad de las miradas, y la tercera persona que lo sustituye en el poema de Cernuda es primero un hombre y luego una mujer.

El segundo aspecto diferenciador es el énfasis en la muerte, explícito en los últimos enunciados del poema de Cernuda y subrayado por ese rigor de los tiempos del pasado que ni siquiera se concede una vaga alusión al presente de la escritura o de la enunciación. Cernuda parece estar consumando aquí las previsiones interrogativas de Baudelaire—"Ne te verrai-je plus que dans l'éternité?"—, aunque quizá habría que decir mejor que el texto de Cernuda propone ya una lectura de Baudelaire considerablemeente distinta de la que hizo Benjamin. El fragmento de Benjamin que he citado al comienzo ofrecía una percepción positiva, casi eufórica, del poema, ponía el énfasis en "la douceur qui fascine"—"el encanto del habitante urbano," en palabras (traducidas) de Benjamin—y no en "le plaisir qui tue," y colocaba el centro de gravedad del poema en ese *"jamais"* subrayado por el poeta. Desde luego, a través del poema de Cernuda, el centro de gravedad parece situarse más bien en "le plaisir qui tue," pero no sólo porque el mismo *"jamais"* pueda arrastrar connotaciones de muerte y el resto del poema resulte, entonces, densamente poblado de señales de mortalidad—desde el luto de la "passante" o la estatua luctuosa que se identifica con ella hasta la noche y la eternidad—sino también (y me atrevería a decir, sobre todo) porque ese "renaître" que parece colmar de *vida* la escena urbana de Baudelaire y justificar la interpretación de Benjamin—"Fugitive beauté / Dont le regard m'a fait soudainement renaître"—contiene, sin embargo, para Cernuda un inesperado mensaje de *muerte.* Y es que las últimas palabras del pequeño poema en prosa de Cernuda,—"porque estaba muerto y andaba entre los muertos"—fueron reproducidas casi literalmente unos años más tarde en otro de sus poemas más estremecedores: "Lázaro," de *Las nubes.* Se trata de un texto mucho más extenso en el que el personaje bíblico, Lázaro, narra en primera persona el episodio de su *resurrección.* El carácter o el valor negativo de este otro "renaître" se especifica sobre todo al final de la penúltima estrofa: "Y de la imagen del amor quedaban / Sólo recuerdos vagos bajo el viento. / El [Cristo] conocía que todo estaba muerto / En mí, que yo era un muerto / Andando entre los muertos" (*Poesía* 246).

Si Carl Schorske estaba en lo cierto, Baudelaire y Cernuda—al menos el Cernuda de "En medio de la multitud"— quedarían entonces en lados opuestos de la controversia moderna sobre la gran ciudad: Baudelaire, junto a los futuristas y la vanguardia (representada, por ejemplo, por el primer Aleixandre) del lado de los urbanitas convencidos, los que encuentran aliento en la moderna agitación urbana; Cernuda, al lado de los disidentes, en compañía de Nietzsche y Simmel, Rilke y Doss Passos, que escribieron páginas amargas sobre la gran ciudad. Hay, sin embargo, otro aspecto inquietante en esta difícil trayectoria de cierta mirada moderna desde Baudelaire a Cernuda. El poema de Cernuda comparte con los de Aleixandre no sólo la representación tardía de un fenómeno que había conocido una singular vigencia, un verdadero auge, casi cien años antes; comparte también un carácter marginal e indeciso. Los poemas de Aleixandre, a los dos extremos de su obra completa, parecen en cierto modo rechazados del centro o de los centros más canónicos de su poesía. *Los placeres prohibidos*, publicado en 1931, es ciertamente uno de los libros capitales—quizá *el* libro capital—de Cernuda, pero este poema en prosa, compuesto originalmente también en 1931, sólo fue incorporado a *Los placeres prohibidos* en 1958, con importantes cortes y transformaciones (*Un río* 91, nota). Si a esto se añade que el texto de partida, "A une passante," ha conocido en castellano traducciones a menudo descuidadas e incluso disparatadas y ha sido escasamente acogido por las antologías españolas de Baudelaire,[16] el panorama que he tratado de resumir se vuelve aún más desconcertante. El lector no puede evitar el preguntarse: ¿Por qué este rechazo, esta resistencia o esta dificultad ante un fenómeno tan significativamente moderno, o, por lo menos, ante sus representaciones literarias?

Quizá este fragmento de historia literaria resultaría más completo si indagara en este punto lo que ocurre con la mirada amorosa y urbana en la poesía española posterior a Cernuda, entre tantos poetas que a menudo se declararon sus herederos. Se diría que, por una parte, parece proliferar como nunca la mirada de Baudelaire que Cernuda ha recuperado; por otra parte, sin embargo, no deja de sorprender la vigencia de los topoi de la mirada que abundaron desde Bécquer. Por ejemplo, ¿son los ecos de Bécquer o los de Baudelaire los que se escuchan de forma predominante en versos como estos de Luis Rosales: "aparece tu rostro, / y sé que para verte tengo que hacer un gran viaje desde mis ojos a los tuyos, / y desvivir distancias, advertencias y defunciones, [...] / y vivir es tan sólo un espejo sangrando, / un espejo que se vuelve a quebrar todos los días cuando paso por él para mirarte" (Ayuso 107-

08)? ¿Y qué huellas se podrían rastrear en poemas como
"Unidad" de Gimferrer (166-67) o "De la inutilidad de los
cristales ópticos" o "Chagrin d'amour principe d'oeuvre
d'art" de Carnero (194 y 140-42), tan poblados de miradas
inevitablemente urbanas? Acaso el historiador habría de
detenerse con particular estudio en "La contemplación viva"
de Claudio Rodríguez (233) donde la mirada de Baudelaire
parece agudizarse una vez más, si bien en una calle de Avila y
en un mediodía gris de febrero: "Pasa / esta mujer, y se me
encara, y yo tengo el secreto, / no el placer, de su vida / [...] /
Y veo su mirada / que transfigura; y no sé, no sabe ella, / y la
ignorancia es nuestro apetito / [...] / lo que huye / y lo que me
destruye: / este pasar, este mirar" (233).[17] En todo caso, a
estas alturas de la herencia (2003), un poeta tan eminentemente urbano como Luis García Montero (*La intimidad* 71-
72), probado experto en la poesía de Bécquer, ha sentenciado
de una vez por todas que "han pasado los vientos / [...] / Han
pasado las leyes del honor y de la vida, / las mejores palabras,
/ y mirarse a los ojos no es sencillo."

NOTAS

1. Una versión mucho más breve de este ensayo apareció en *Cinco
lecturas de Luis Cernuda en su centenario*. Ed. Philip Silver y José
Teruel. Madrid: Fundación Federico García Lorca/ Instituto Internacional, 2002. 51-67.
2. Esta es la versión que se recoge en las ediciones más recientes de
Les Fleurs du Mal (1857): "La rue assourdissante autour de moi
hurlait. / Longue, mince, en grand deuil, douleur majestueuse, / Une
femme passa, d'une main fastueuse / Soulevant, balançant le feston
et l'ourlet; // Agile et noble, avec sa jambe de statue. / Moi, je buvais,
crispé comme un extravagant, / Dans son oeil, ciel livide où germe
l'ouragan, / La douceur qui fascine et le plaisir qui tue. // Un éclair...
puis la nuit!—Fugitive beauté / Dont le regard m'a fait soudainement renaître, / Ne te verrai-je plus que dans l'eternité? // Ailleurs,
bien loin d'icí! trop tard! *jamais* peut-être! / Car j'ignore où tu fuis,
tu ne sais où je vais, / Ô toi que j'eusse aimée, ô toi qui le savais!"
3. El episodio concreto como tal sólo se relata en prosa. Los sonetos
de la *Vita Nova* se reservan para la versión más alegórica del caso.

Para la modernidad de Baudelaire, en cambio, el encuentro en sí es ya materia propia de la lírica.

4. Trato de aclarar entre corchetes la traducción de Jesús Aguirre.

5. Emilio Barón (51) señala puntualmente la relación de la rima con Baudelaire, pero no se ocupa de las diferencias. Al mismo tiempo, esa imagen de unos ojos que deslumbran como el sol se prodigó ya en el Siglo de Oro. Un solo ejemplo: en el Madrigal II, Gutierre de Cetina agradece a la amada que se cubra los ojos con la mano, "que el resplandor extraño / del sol se puede ver mientras se cela." Otra variante de la imagen de Cetina reaparecerá en uno de los poemas breves de Bergamín que cito más adelante.

6. Alarcón Sierra (38) señala una presencia del contexto urbano baudelairiano ("autour de moi hurlait") en la rima LXV ("a mi oído / de las turbas llegaba el ronco hervir"). Pero, aparte la ausencia de una mirada amorosa y urbana, se trata ahí de nuevo de la aparición más bien fantasmagórica de unas "turbas" quizá más afines al París del siglo XV de *Notre Dame de Paris*: el yo poético lamenta su soledad en una noche igualmente simbólica en la que no encuentra "asilo," ni agua para su "sed," ni comida para su "hambre"...

7. No falta, sin embargo, entre los modernistas lo que Martí (Ramón Cernuda 80-81) llamó "Amor de gran ciudad," sólo para denostarlo, espantado y airado como un predicador. Tampoco falta la mirada que caracteriza a ese amor desde Baudelaire. James Irby me señala, por ejemplo, los ecos evidentes de "A une passante" en un poema de Amado Nervo (1870-1919), "Cobardía": "Pasó con su madre. ¡Qué rara belleza! / ¡Qué rubios cabellos de trigo garzul! / ¡Qué ritmo en el paso! ¡Que innata realeza / de porte! ¡Qué formas bajo el fino tul!... / Pasó con su madre. Volvió la cabeza: / me clavó muy hondo su mirada azul! / Quedé como en éxtasis... Con febril premura, / «¡Síguela!», gritaron cuerpo y alma al par. / ... Pero tuve miedo de amar con locura, / de abrir mis heridas, que suelen sangrar, / ¡y no obstante toda mi sed de ternura, / cerrando los ojos, la dejé pasar!" (Nervo 541). Nervo, amigo y admirador de Darío, bien podría tener cabida en esta historia literaria española aunque sólo fuera por la popularidad que alcanzó en su día en España y por el hecho de que el libro *Serenidad*, donde aparece "Cobardía" fue publicado originalmente en Madrid (1914).

8. Alarcón Sierra (35) señala que ese baudelairiano "bramar de la calle ensordecedora" se encuentra en un poema de Manuel Machado (1874-1947), a su vez tan admirador de Darío y tan influido por su modernismo. El poema se titula "Domingo," pertenece al libro *Caprichos* (1900-1905), relata el *ennui* del poeta encerrado en su casa al final de un domingo, y no parece tener otra conexión con Baudelaire que su primer verso: "La vida, el huracán, bufa en mi

calle" (Machado 55). Se trata, además, de las "turbas" felices del domingo en un "barrio" que difícilmente parece representar a la gran ciudad y sólo el "oído" tiene vigencia en el poema.

9. Por estos años, tanto en la poesía catalana como en la hispanoamericana se encuentran ejemplos de una especial modalidad urbana que tiene también su precursor en el Baudelaire de "A une passante": el amor, o tal vez sólo el deseo, a primera *vista* (o a primer *oído*) dentro de alguno de los fugaces vehículos que caracterizan el movimiento urbano (un fenómeno afín, por otro lado, a la erótica y la estética del tren que cultivaron las vanguardias). Quizá el más notable es el caso de Joan Salvat-Papasseit (1894-1924) en "Encara el tram," de *L'irradiador del port y les gavines* (1921): "Noia del tram, tens l'esguard en el llibre / i el full s'irisa en veure's cobejat. / I el cobrador s'intriga si giraràs el full: / sols per veure't els ulls! / Que les cames se't veuen / i la mitja és ben fina; / i tot el tram ets tu./ [...] / I si jo baixés ara?—Mai no et sabria els ulls... / Té! Ara ja he baixat! (Salvat-Papasseit 26). Me señala James Irby que Alfonsina Storni (1892-1938), en "Una voz" (1925), propone un caso semejante, pero con un sujeto femenino que en un tren suburbano renuncia a la mirada para dejarse seducir sólo por una voz *que pasa*: "Voz escuchada a mis espaldas, / En algún viaje a las afueras, / Mientras caía de mis faldas / El diario abierto, ¿de quién eras? // Sonabas cálida y segura / Como de alguno que domina / Del hombre obscuro el alma obscura, / La clara carne femenina. // No me di vuelta a ver el hombre // En el deseo que me fuera // Su rostro anónimo, y pudiera / Su voz, ser música sin nombre. // ¡Oh simpatía de la vida! / ¡Oh comunión que me ha valido, / Por el encanto de un sonido / Ser, sin quererlo, poseída!" (Storni 127-28).

10. "Y en uno de mis ojos te llagaste," dice el verso 110 del *Cántico espiritual* de San Juan de la Cruz.

11. Desde luego, como observa Derek Harris, "la presencia surrealista se halla en su forma más acentuada en los poemas en prosa de *Los placeres prohibidos* ("Introducción" a Cernuda, *Un río* 36). Ahora bien, por una parte, los mismos surrealistas tuvieron a Baudelaire por el rey de los poetas y, por otra, Octavio Paz (36) recordará precisamente que "Cernuda descubre el espíritu moderno [¿el de Baudelaire?] a través del surrealismo."

12. El poema ha sido comentado por algunos críticos. Barón (88) se refiere a la relación entre el poema de Cernuda y el de Baudelaire, pero se limita más bien a una paráfrasis: "Tema esencial en la poesía de Cernuda es la soledad: amor a la soledad, horror a la compañía no deseada, a la muchedumbre." En realidad, la cuestión de la soledad en Cernuda es mucho más complicada, como revela, por ejemplo, la conexión entre "En medio de la multitud" y "Lázaro," a

la que me referiré luego. Sigue Barón: "al par que desasosiego producido por la visión entre el gentío de alguien que hubiese podido cambiar nuestra vida (o así lo presentimos). Alguien que despierta nuestro deseo más hondo, para desaparecer, al instante, entre esa muchedumbre anónima que nos oprime y nos hace perder la posibilidad de ese ansiado contacto. Tema propio de Baudelaire, como nadie ignora, analizado agudamente por Walter Benjamin." Capote Benot (153), que presenta el poema sin aludir a Baudelaire, hace una sencilla glosa de su texto y concluye que el poema es hermético hasta lo imposible, señala, sin embargo, que "Todo el poema tiene un carácter temporal pretérito." Ulacia (62-66 y 165) busca la presencia de Baudelaire en *Un río, un amor* y *Los placeres prohibidos*, pero no se refiere en absoluto a este poema (que sin embargo menciona más adelante, en otro contexto). Jenaro Talens alude de pasada al poema como muestra del rechazo de los paraísos artificiales por parte de Cernuda, y aunque acaba de mencionar a Baudelaire no llega a relacionar este poema con "A une passante."

13. Dejo a un lado la diferencia, por otra parte muy significativa, de que Cernuda haya optado por hacer en prosa lo que Baudelaire hizo en verso. James Valender (128) se ha referido ya a la intransigencia con que Cernuda inistió en encomendar lo narrativo exclusivamente a la prosa, si bien ni sus versos ni sus prosas revalidan principios tan tajantes.

14. "Transeunte" traduce, creo, "passant" y "passante." Una curiosa errata de la edición bilingüe de *Les Fleurs du Mal* en Editorial Cátedra produce "A une passeante." En un momento determinado, Barón (89) traduce "passante"como "paseante." Estas insignificancias parecen constatar de algún modo la supervivencia, 150 años después, de esa renuncia, desidia y, en definitiva, *decalage* de la modernidad española que retrasó hasta la lírica del 27 la aparición de la mirada urbana de Baudelaire en la poesía española.

15. Me recuerda José Teruel que, años más tarde, todavía recuperará esa mirada recíproca en uno de los poemas en prosa de *Variaciones sobre tema mexicano* (124): "Estos ojos morenos, de mirar prolongado, que toca y que penetra; ojos a los que asoma el alma, que son ellos mismos el alma. Al pasar, inesperadamente se abren y caen sobre uno como un poniente quemado, dejando en quien los ha visto un gozo inconcluso, y con él el deseo de verles abrirse otra vez mañana."

16. Sin salir de la época de juventud de Cernuda, la traducción entonces más socorrida de Baudelaire parece haber sido la de Marquina, publicada primero en 1905 y luego, corregida, en 1916. Marquina traduce así el primer terceto: "Un relámpago... luego la noche. Di, beldad / que huyes ¿a qué sacarme del sopor en que estoy?

/ No te volveré a ver hasta la eternidad." Circulaba entonces también una famosa *Antología de la poesía francesa moderna*, de Enrique Díez-Canedo, que no incluye "A une passante."

17. Debo a Philip Silver la primera noticia de este poema, que él considera directamente emparentado con el de Baudelaire "A une passante."

OBRAS CITADAS

Alarcón Sierra, Rafael. "La ciudad y el domingo; el poeta y la muchedumbre (de Baudelaire a Manuel Machado)." *Anales de la literatura española contemporánea* 24 (1999): 35-64.

Aleixandre, Vicente. *Obras Completas*. Madrid: Aguilar, 1968.

Alighieri, Dante. *Vita Nova*. Ed. Guglielmo Gorni. Firenze: Einaudi, 1996.

Ayuso, José Paulino, ed. *Antología de la poesía española del siglo XX*, II. Madrid: Castalia, 1998.

Barón, Emilio. *Odi et amo. Luis Cernuda y la literatura francesa*. Sevilla: Alfar, 2000.

Baudelaire, Charles. *Las Flores del Mal*. Traducidas en verso castellano por Eduardo Marquina. Madrid: Francisco Beltrán, 1916.

_____. *Petits Poèmes en prose (Le Spleen de Paris)*. Ed. Henri Lemaitre. Paris: Garnier, 1962.

_____. *Las Flores del Mal/Les Fleurs du Mal*. Trad. Luis Martínez de Merlo. Madrid: Cátedra, 1993.

Benjamin, Walter. *Poesía y Capitalismo*. Trad. Jesús Aguirre. Madrid: Taurus, 1999.

Bergamín, José. *Antología Poética*. Ed. Diego Martínez Torrón. Madrid: Castalia, 1997.

Berman, Marshall. *Todo lo sólido se desvanece en el aire. La experiencia de la modernidad*. Trad. Andrea Morales Vidal. México: Siglo XXI, 1991.

Capote Benot, José María. *El surrealismo en la poesía de Luis Cernuda*. Sevilla: Publicaciones de la Universidad, 1976.

Carnero, Guillermo. *Ensayo de una teoría de la visión (Poesía 1966-1977)*. Madrid: Hiperión, 1979.

Cernuda, Luis. *Poesía y Literatura*, I y II. Barcelona: Seix Barral, 1971.

_____. *Poesía completa*. Ed. Derek Harris y Luis Maristany. Barcelona: Seix Barral, 1975.

_____. *Ocnos*, seguido de *Variaciones sobre tema mexicano*. Madrid: Taurus, 1977.

_____. *La realidad y el deseo*. Madrid: Alianza, 1998.

_____. *Un río, un amor. Los placeres prohibidos*. Ed. Derek Harris. Madrid: Cátedra, 1999.

Cernuda, Ramón, *La gran enciclopedia martiana*, vol. 12. Miami: Editorial Martiana, 1978.

Crary, Jonathan. *Techniques of the Observer*. Cambridge: MIT, 1990.

Darío, Rubén. *Prosas profanas y otros poemas*. Ed. Ignacio Zuleta. Madrid: Castalia, 1987.

_____. *Azul. Cantos de vida y esperanza*. Ed. José María Martínez. Madrid: Cátedra, 1995.

Díez Canedo, Enrique y Fernando Fortún. *Antología de la poesía francesa moderna*. Madrid: Renacimiento, 1913.

García Lorca, Federico. *Poeta en Nueva York*. Madrid: Austral, 1998.

García Montero, Luis. *Gigante y extraño. Las Rimas de Gustavo Adolfo Bécquer*. Madrid: Tusquets, 2001.

_____. *La intimidad de la serpiente*. Barcelona: Tusquets, 2003.

Gil de Biedma, Jaime. *Volver*. Ed. Dionisio Cañas. Madrid: Cátedra, 1993.

_____. *El pié de la letra*. Barcelona: Crítica, 1994.

Gimferrer, Pere. *Poesía. 1970-1977*. Madrid: Visor, 1978.

González del Valle, Luis. *La canonización del diablo. Baudelaire y la estética moderna en España*. Madrid: Verbum, 2002.

Jiménez, Juan Ramón. *Tercera Antolojía*. Madrid: Biblioteca Nueva, 1970.

_____. *Diario de un poeta reciencasado*. Ed. A. Sánchez Barbudo. Madrid: Visor, 1995.

Lotman, Yuri, *Análisis of the Poetic Text*. Ann Arbor: Ardis, 1976.

Machado, Manuel y Antonio. *Obras Completas*. Madrid: Plenitud, 1951.

Mejía Sánchez, Ernesto. "Rubén Darío, poeta del siglo XX." *Luis Cernuda ante la crítica mexicana: una antología*. Comp. James Valender. México: Fondo de Cultura Económica, 1990. 115-130.

Nervo, Amado. *Poesías completas*. Madrid: Biblioteca Nueva, 1935.

Paz, Octavio. "La palabra edificante." *Luis Cernuda ante la crítica mexicana: una antología*. Comp. James Valender. México: Fondo de Cultura Económica, 1990. 51-74.

Rodríguez, Claudio, *El vuelo de la celebración*. Madrid: Visor, 1976.

Salvat-Papasseit, Joan. *Cincuenta Poemas*. Selecc. y traduc. José Batlló. Barcelona: Lumen, 1977.

Schorske, Carl. *Pensar con la historia. Ensayos sobre la transición a la modernidad*. Trad. Isabel Ozores. Madrid: Taurus, 2000.

Simmel, George. "Las grandes urbes y la vida del espíritu." *El individuo y la libertad*. Trad. Salvador Mas. Barcelona: Península, 1986. 247-61.

Storni, Alfonsina. *Antología Poética*. Buenos Aires: Losada, 1973.

Talens, Jenaro. *El espacio y las máscaras. Introducción a la lectura de Cernuda*. Barcelona: Anagrama, 1975.

Ulacia, Manuel. *Luis Cernuda: escritura, cuerpo y deseo*. Barcelona: Laia, 1984.

Valender, James. *Cernuda y el poema en prosa*. London: Támesis Books, 1984.

LA EDAD DE LA LITERATURA (1800-2000)

GERMÁN GULLÓN
Universiteit van Amsterdam

El esclarecimiento del carácter de la cultura española moderna sigue siendo motivo de estudio permanente, pues quedan numerosas cuestiones sin resolver; entre las necesitadas de investigación, urge que precisemos el carácter de las relaciones entre nuestras literaturas nacionales y las europeas y el contenido asignado a la palabra moderno, entre las varias que saldrán a lo largo del trabajo. Un lector de las historias literarias sacará la impresión de que somos diferentes, una enorme península, donde las influencias extranjeras llegan meramente a suplir el genio nacional, cuando en realidad durante la época moderna resultamos deudores del entorno europeo. Tampoco digo que la diferencia se debe a que existimos geográficamente aislados por un obstáculo natural, la barrera que suponen los Pirineos, sino que la divergencia proviene de la frontera levantada por una cultura mal preparada para recibir las novedades foráneas. Ninguna de nuestras ciudades, digamos, poseyó el carácter intelectual de Weimar, la patria de Goethe, ni las universidades decimonónicas españolas se comparan con las alemanas de entonces. Nuestra diferencia tiene un origen social, porque eramos una sociedad con menos recursos económicos, una escasa preparación intelectual y un inferior número de lectores con respecto a Francia o Inglaterra, factores que deben, en mi opinión, ser tenidos en cuenta a la hora de explicar las letras españolas.

Nuestra asimilación de lo extranjero se efectuó por medio de la copia, en ciertos casos superficial, sin que las bases filosóficas subyacentes a tales cambios fuesen asimiladas en profundidad, y en muchas ocasiones con un enorme retraso. Por eso, nuestra modernidad requiere todavía un estudio sostenido, para que lleguemos a entender mejor sus bases conceptuales. El siglo XVIII permanece en parte enigmático, se duda de sus aportaciones y del impacto producido por los dos hechos significativos de la centuria, la Ilustración y la revolución francesa, en el entorno letrado; no sabemos si supone un enorme compás de espera, mientras vivíamos aislados, a extramuros de las corrientes de renovación intelectual y social, o no. El XIX, por otro lado, es visto con recelo por los fundamentalistas del esteticismo. Sobre la primera mitad, el período romántico, apenas hay consenso entre los especialistas sobre su carácter, y muchos se han descarrilado ocupados en cuestiones temáticas o de límites y cronologías, mientras el estudio sistemático del origen filosófico del ismo ha quedado a medio hacer, al tiempo que en monografías mil se reivindican las más diversas personalidades y obras. La segunda mitad de la centuria, la era del vapor y de la filosofía positivista, es siempre presentada con desdén intelectual, que sólo es concebible en un país tan reacio a la ciencia como el nuestro. El primer tercio del siglo XX, desde la época modernista a la vanguardista y comienzos de los años treinta, momento glorioso de las artes ibéricas, carece de un perfil consensuado, porque el noventayochismo ha desprestigiado el modernismo, aislando a la modernidad española de las del resto de Europa. Ha quedado sin estudiar bien el nacimiento de dos tipos de lectores a partir del modernismo y de la vanguardia, el que entiende, por estar bien preparado (Ortega y Gasset 4), educado en la lectura (Bourdieu) y los que no lo están para acometer ciertos libros difíciles. Las consecuencias de esa separación fueron importantes para la redefinición del público lector; desde luego aquel al que Cervantes apela en el prólogo de su *Quijote* nada tiene que ver con el que pide Julio Cortázar en su famosa novela *Rayuela* (1963).

La palabra moderno suele entenderse de modos muy distintos, según quien la emplee. El significado que en este trabajo interesa es el emergente en el momento cuando se sustantivizó la palabra. Cuando decimos los tiempos modernos nos referimos, siguiendo la costumbre establecida por los historiadores, al momento que se extiende de 1500 a 1800, el período que siguió a la edad media, que a su vez fue precedido por la edad antigua. En el siglo XVIII la palabra, como acabo de decir, se sustantivizó, es decir que empezó a querer decir no sólo lo nuevo, sino también lo que mira al futuro (Habermas 17). Y lo que es aún de mayor importancia, el período en que todo tiene que autojustificarse, que su valor no proviene del ajuste a unos valores predeterminados. El trasfondo lo conforma naturalmente la querella de los antiguos contra los modernos. Lo moderno es aquello que se justifica a sí mismo, que extrae las normas valorativas de sí mismo (Habermas 18). Este cambio radical en el mundo ha quedado difuminado en el campo de la historia literaria española, en parte porque la literatura del siglo de oro fue apoyada en la larguísma posguerra franquista, mientras la literatura moderna era postergada, y muchos de sus artistas proscritos. Ha quedado un cierto tic, que siempre intenta justificar lo moderno con su afinidad o paralelismo con lo clásico, cuando en verdad, la diferencia entre un tipo de arte y el moderno es importante.

Quisiera recordar un hecho olvidado con facilidad por los críticos literarios: la época moderna de la cultural europea, de 1750 a 1930 aproximadamente, está influida decisivamente por las letras alemanas. Desde la filosofía, de Immanuel Kant y Hegel, a Shopenhauer y Nietzsche, pasando por la literatura, de Wolfgang Goethe a Thomas Mann, por la crítica, Leopold Ranke, y llegando a la música, Ludwig van Beethoven y Richard Wagner, la cultura germánica influirá poderosamente en todo el continente. Allí hay que buscar el origen del cambio paradigmático, en el pensamiento humano surgido en la época romántica. La influencia alemana llegará a España, pero amortiguada, filtrada en muchos casos por las letras francesas o inglesas, a las que los españoles tendrán un mayor acceso, por ser idiomas mejor conocidos por nuestras elites de entonces. Los exiliados afrancesados, obligados a emigrar tras la derrota de Napoleón, que regresen al país, junto con los liberales, que huyeron durante el reinado de Fernando VII (Llorens), importarán buena cantidad de ideas

y costumbres sociales, por ejemplo, la afición a la lectura extensiva. Baste recordar también algunos nombres, como el de
Sanz del Río, José Ortega y Gasset y Américo Castro, para recordar que de Alemania importamos el fundamento del pensamiento progresista que presidieron la Institución Libre de
Enseñanza y el Centro de Estudios Históricos, entre otras
instituciones.

Por eso, mi aportación de hoy se remite en parte a las concepciones de origen alemán, que si bien llegaron a nuestras
orillas con menos fuerza, su impacto fue igualmente fuerte, y
como ha pasado a lo largo de la historia española, el hecho
que el idealismo llegara un poco tarde, hizo que su influencia
se prolongara más entre nosotros. Un primer objetivo del presente trabajo, por lo tanto, es delinear un marco para el entendimiento de la literatura moderna española, que permita
comprenderla en un contexto amplio, donde las limitaciones
impuestas por el nacionalismo geográfico y lingüístico sean
cuestionadas.

Sobre las edades de la literatura

Las historias literarias resultan útiles para ordenar los
conocimientos sobre autores, obras y corrientes literarias, sin
embargo, su uso habitual sirve principalmente para apri-
sionar el conocimiento literario, comprimiéndolo en píldoras
didácticas. Sus páginas cobijan, so capa de la supuesta objetividad de los datos, innumerables prejuicios sobre autores,
obras y corrientes literarias. Por ejemplo, y saco al estrado el
caballo de batalla que he utilizado durante las dos últimas
décadas, el tratamiento otorgado por un amplio sector de la
crítica al realismo decimonónico falsifica lo que sus represen-
tantes, como Benito Pérez Galdós, contribuyen a las letras
españolas de la segunda mitad del siglo XIX. Las repetidas
alusiones a que el ismo huele a puchero, a costumbrismo, a
copia de la realidad, o dicho en otras palabras, a aire enra-
recido, indican un absoluto y cerril desconocimiento del
mismo. No importa que destacados críticos hayan explicado
una y mil veces, que no, que Galdós es un escritor moderno
(Ricardo Gullón), un maestro en el arte de narrar, y lo mismo

se puede decir de Leopolpo Alas 'Clarín,' o de Emilia Pardo Bazán, y que lo hayan mostrado en sus libros. La norma crítica vigente soslaya su obra, negando el posible ejemplo artístico ofrecido por sus creaciones. Lo único que parece quedar de ellos es su retrato parcial de la sociedad ochocentista y poco más, y todo ello oliendo a rancio. O sea que la historia literaria falla estrepitosamente en una de sus responsabilidades capitales: ofrecer un canon *vivo* de la literatura en lengua española. Una ristra de nombres, obras y corrientes literarias, por muy útil que sea, no sirve si no interconecta las obras y autores mediante lazos superiores a la mera cronología.

Tamaña injusticia no cabe cargarla entera a hombros de la historia literaria, ni en las espaldas de los especialistas de los nombrados autores, sino en nuestra escasa habilidad para renovar las clasificaciones, y permitir que éstas soporten una mayor amplitud conceptual. Se debe más bien a que las historias literarias resultan cortadas por un patrón escaso, que apenas deja a la obra revolverse, mostrarse, y más en el momento presente en que la intermedialidad ha empujado a la literatura a un rincón, sin que la crítica parezca saber como devolverle el papel destacado que disfrutó en las últimos doscientos años. Ciertamente, la trasmisión de ideas en la historia de la humanidad reposó durante mucho tiempo en los estudios teológicos, luego la filosofía en el siglo XVIII reveló a la religión de esa misión, y la literatura a su vez sustituyó a la filosofía a fines del XIX, convirtiéndose en el centro de atención y el lugar donde las ideas encontraban su mejor representación. Sin embargo, hubo un momento, el período romántico en que la literatura desdeñó ese papel de espacio privilegiado del mundo de las ideas, prefiriendo declararse independiente de toda conexión con el mundo palpable. Durante el realismo lo volverá a exigir, y gentes como Francisco Giner de los Ríos alabarán la nueva actitud mostrada por los autores en sus primeras obras. En el siglo XX, condicionado por el desarrollo e influencia de la cultura de masas, y sus productos privilegiados, el cine y la televisión, vimos como la literatura cedía poco a poco su puesto de espacio privilegiado (Benet 13), donde tenía lugar el principal debate sobre el ser humano y su existencia; el vigor de la entrada de las ciencias sociales al panorama intelectual, como bien vio ya muy pronto José Ortega y Gasset (*La deshumanización* 1) , también contribuyó a desnudar a la literatura de algunas de sus licencias. No obstante, la primera mitad del mismo, ciertamente el primer tercio, con la aparición de los grandes escritores, desde Rubén Darío, Ramón María del Valle-Inclán y Juan Ramón Jiménez, hasta James Joyce o Marcel Proust, fue el momento más glorioso de la literatura en toda su historia. Nunca antes, ni en el siglo de oro, la literatura actuó tan consciente y orgullosa de su carácter artístico, lo que dio lugar a un magnífico momento de ediciones comerciales (Assouline 44).

Por todo ello, resulta ampliamente justificado que cortemos el progreso y los cambios habidos en la literatura de otra manera a la tradicional o histórico-literaria, no tanto para obviar la labor metodológica de historiografía literaria, que sin duda impone orden en el caos de la producción libresca, sino para resituar a la literatura, que ha quedado encerrada en unas urnas estéticas, donde se hallan las cenizas de las obras inmortales. En última instancia, la historia literaria entiende que la obra una vez publicada está muerta, y sin más la incinera y coloca en casillas. Cuando los textos existen siempre, incluso en la sombra de la inlectura, del olvido, en una cambiante vida, porque los contextos mantienen con ella un diálogo callado, un lazo social irrenunciable, que les insufla nueva vida (McGann 48).

Ya lo dije antes, la etapa gloriosa de la literatura del primer tercio se vio quebrada en España por las vanguardias, cuando el público lector común se separó del letrado. La literatura de carácter estético prosiguió su camino, hasta que en el último tercio del siglo XX se topa con el comercialismo y la creciente fuerza de los medios audiovisuales, que, por un lado, absorbieron parte de los lectores literarios e impusieron el regimen de los superventas. Y quizás lo peor fue que la fuente de incipientes lectores literarios, los estudiantes universitarios, que se supone recogerían la antorcha y mantendrían la tradición literaria, desvían su interés hacia el cine y a los libros superventas, con lo que sólo el público lector de pelo gris, interesado masivamente por de la literatura de carácter estético, conservador, queda encargado de mantener la antorcha lectorial de la institución literaria. Estamos, pues, en el nadir de la edad de la literatura. Las historias literarias resultan incapaces de recoger este desarrollo socio cultural, y hacen de inútil contrapeso a la realidad cultural. La cultura en la época romántica, justo como reacción al neoclasicismo, supuso una manera de criticar la vida social, el aire aburguesado que iba tomando en el siglo XIX, ese período, esa visión de la cultura ha desaparecido del mundo, pues en el presente el valor económico de la obra de arte reina supremo en la apreciación del mismo. En resumen, la cultura ha terminado un gran ciclo, que comenzó siendo una protesta al entorno social, pasó a ser un arte independiente, autónomo, para terminar siendo despojado a finales del siglo XX de sus nobles propósitos (Germán Gullón, *Los mercaderes*).

La mayor parte de la juventud apenas visita los cementerios culturales y menos sus restos, a no ser forzados obligados por el estudio, porque la cultura de masas ha impuesto otras coordinadas en su educación. Un posible incentivo, que da resultado en ciertos medios universitarios, es presentar el libro literario en un contexto cultural, señalando las relaciones que guarda con la historia, con la sociedad, con todo cuanto sucede en su entorno. La lectura literaria clásica resulta, en mi visión, una de las posibles lecturas, pero el libro, presentado en un contexto amplio, permite una interpretación más vital, que supera el tipo de lectura basada en la creencia de que los libros de literatura son escritos por gente poeedora de una sensibilidad especial, que denominamos autorial. Por eso presento un rotulo, el de la Edad de la Literatura (1800-2000), del que ya he escrito en otras ocasiones, que permite asociar a la literatura otros aspectos culturales que sin duda la condicionan, pero que ahora pretendo llenar de contenido, estableciendo a la vez su posible utilidad para cuantos explicamos y estudiamos literatura española a comienzos del siglo XXI.

La idea es que las historias literarias, nacidas hacia mediados del siglo XIX, adoptaron unas premisas de lo que era y no era literatura, y del puesto de la misma en el espectro de

las artes que ha sido sumamente útil, pero que considerada
desde la altura de nuestra época resulta inadecuada. Por
varias razones, siendo las dos principales, el que mezcla la
literatura moderna con la literatura, por ejemplo, medieval, y
decir que *Los milagros de Nuestra Señora*, de Gonzalo de
Berceo, es literatura igual que las *Rimas*, de Gustavo Adolfo
Bécquer, resulta un verdadero dislate. La calidad literaria,
expresiva, de Berceo tiene el encanto de lo primitivo, de una
literatura basada en el símil, en los encantos de las comparaciones sencillas, mientras la de Bécquer inventa en lengua
española toda una manera de expresar el amor, uno de los
sentimientos motores del espíritu humano moderno, con una
lengua hecha y muy rica, léxica y sintácticamente hablando.
Bécquer escribe literatura, y esto es lo más importante,
consciente de que lo está haciendo. Berceo redacta un texto
cargado de historias, a modo de ejemplos, dedicadas a sugerir
en su audiencia la relevancia de la devoción a la Virgen. Cabe
decir que Berceo fue un artesano de la literatura y Bécquer
un artista. Eugenio de Ochoa, en un artículo de la principal
revista del romanticismo, *El Artista*, llegó a proponer que se
distinguiera entre pintador y pintor, siendo sólo este último
el que ejercía la pintura como arte noble (Francisco Calvo
Serraller 137). Menciono el dato para subrayar la diferencia
de mentalidad con referencia a lo que se considera arte antes
y después del romanticismo.

Si los comparamos dentro de la historia de la literatura,
Berceo resulta una figura de indudable relevancia en el
camino hacia mayores logros, lo que es injusto. Lo mejor es
situarlo no tanto en la edad media de la literatura, sino en la
Era de la Palabra, con lo que sus coordenadas resultan
mucho mayores, y el eco que tiene su libro resulta diferente.
Entonces, por los siglos XII y XIII, el papel que desem-
peñaban los libros era muy otro que durante el romanticismo,
como dije. La trasmisión oral, piénsese en el *Cantar de Mío
Cid*, dominaba sobre la libresca. España casi no era España,
pues la mitad se llamaba Al-Andalus, y el centro de esa mitad
sur era el reino de Granada. El castellano, el catalán y el
gallego, empezaban a sustituir al latín en diversos terrenos de
la actividad humana, desde las ventas de tierras y herencias,

hasta los textos legales. Cristianos, judíos y árabes, provenientes de culturas y religiones diferentes, se mezclaban entre sí (Castro). El mundo cristiano dominante promueve la construcción de las grandes catedrales góticas españolas junto con el nacimiento de las primeras universidades, Palencia, Salamanca, Valladolid, donde se inician con timidez los estudios laicos. O sea que la obra del monje Gonzalo de Berceo representa una chica miaja del total de la cultura subyacente en su tiempo, y ponerla de gran ejemplo de su época, parece una burla a la riqueza de la cultura española. Durante décadas, los estudiantes han sido sometidos al estudio estricto de la literatura, de la literatura a palo seco, como si el discurso literario, y sigo con la edad media, fuera el más importante de la época. Nadie con sentido común puede pensar que los trabajos de un monje en un convento de la Rioja representan el centro de la cultura de su tiempo. Tamaña exageración es concebible desde la perspectiva de la era moderna, cuando la literatura adquirió un papel predominante en el espacio cultural, muy distinto del que ocupaba en los siglos de la reconquista. Cuando Emile Zola en sus novelas representa las injusticias sociales de la sociedad francesa del ochocientos, sus obras están en el centro del escenario, la literatura cuenta y es leída, porque se sabe que allí está el escenario donde se dramatiza la problemática social y personal de su tiempo.

Tampoco en la Edad de Imprenta, en el Renacimiento y el Siglo de Oro, fue igual que hoy, aunque su mundo resulta ya diferente; la literatura, los libros, ocupaban un lugar principal en la transmisión de los conocimientos, además de que los libros impresos se podían transportar fácilmente de un lugar a otro. Miguel de Cervantes escribe ya para sus lectores, es el primer clásico que cuenta con que será leído, no sólo escuchado. Podía prescindir del recurso cansado de la repetición, ya que la memoria del lector podía acudir en su ayuda. Éste, al sostener un libro en sus manos, tiene la posibilidad de releerlo y activar la memoria de episodios olvidados. El autor podía también redactar un texto más complicado y ofrecer varios significados contrapuestos; por ejemplo, que las cómicas hazañas protagonizadas por el magro caballero de la

Mancha y su orondo Sancho Panza, significaran algo diferente a otro nivel. El hidalgo manchego sabe que sus altos
discursos y miras ocultan la realidad, que la mujer por la que
siente lujuria es una simple aldeana, Aldonza Lorenzo, si bien
la cuquería del caballero la transforma en Dulcinea del
Toboso, la inalcanzable dama. Incluso en algunas ilustraciones, las de una edición del *Quijote* del último cuatro del siglo
XVII, hecha en la imprenta Plantin-Moretius de Amberes, se
ofrece la imagen de Aldonza Lorenzo convertida en dama.
Este juego psicológico le sirve para tapar sus verdaderos
deseos, sublimándolos.

La preocupación por naturaleza ocupaba en el siglo de oro
un lugar predominante en las relaciones entre el hombre y el
mundo; no olvidemos que el ser humano, aunque no se consideraba ya el centro del universo, porque Copérnico había
publicado su *De revolutionibus orbium coelestium libri sex*
(1543), los poderes sociales, la iglesia en particular, seguían
negando la evidencia científica de que la tierra no giraba en
torno al sol, como luego harán con Charles Darwin y la evolución biológica del hombre en *On the Origin of Species by
Means of Natural Selection* (1859). En la Edad de la Literatura, el hombre se ha caído ya de varios pedestales, el
copernicano y el darviniano, entre otros, y buscó un camino
donde poder afirmar su propia iniciativa y poder, fuera de la
naturaleza, porque ésta no parece serle tan favorable.

Otro aspecto digno de reseñar es que el modo de leer
cambió radicalmente a finales del XVIII y comienzos del XIX,
y aquí la importancia de la influencia francesa e inglesa se
suma a la alemana en todo el dominio europeo, cuando se
pasó de una lectura intensiva a una extensiva. Y cito a Reinhard Wittmann:

> Basándose en fuentes pertenecientes al norte y centro
> de la Alemania protestante, Rolf Engelsing ha esbozado
> un proceso por el cual, a lo largo del siglo XVIII, la lec-
> tura repetitiva intensiva durante toda una vida de un
> pequeño canon común de textos conocidos y normativos
> que no dejan de interpretarse—en su mayor parte de
> índole religiosa, y sobre todo la Biblia—se ve sustituida

por un comportamiento lector extensivo que pone de
manifiesto de un modo moderno, laicizado e individual,
cierta avidez por consumir un material nuevo, más
variado, y, en particular, por satisfacer el deseo de entre-
tenerse privadamente. (Wittmann 439)

Este cambio resulta extraordinario, y pocas veces es tenido en
cuenta, las consecuencias del mismo son igualmente dignas
de consideración, y de un alcance del que no tenemos espacio
para comentar. Vuelvo a citar al crítico alemán.

La identidad burguesa se forma, por tanto, al hilo de la
creación de una nueva esfera a-cortesana de lo público,
que se desarrolló como una "esfera de las personas privadas convertidas en público" que pone en tela de juicio
el monopolio interpretativo y de información de las au-
toridades estatales y eclesiásticas y que da pie, primero
en lo literario, y luego en lo político, a nuevas estructuras antifeudales de comunicación e intercambio. El
estatus heredado por nacimiento es sustituido por la
identidad individual. Primero trató de ganarse y de
afirmar su ansiada autonomía en el ámbito espiritual.
Esta individualidad burguesa, cuyas señas de identidad
son el descubrimiento y la liberación de la subjetividad,
estaba deseosa de comunicación con el fin de ampliar su
limitado universo de experiencias. (Wittmann 441)

El desarrollo del individuo, consecuencia del cambio en el
modo de lectura, vendrá, como enseguida comentaremos, a
suplementar otra serie de factores que contribuirán a
cambiar el paradigma cultural.

Hacia 1800, la literatura y su interpretación sufre una
transformación impresionante. Se llena de poder, de autosu-
ficiencia y se declara independiente, autónoma. Digamos, de
momento, que el origen de esta infatuación se halla en la
filosofía idealista, que separó los procesos racionales de los
perceptuales, confiriendo a estos últimos el poder de actuar a
su albur, y estableció una conexión entre la percepción y la
creación artística. El verbo, a su vez, sabe desprenderse de la

capa de habla cotidiana, y celebrar un tipo de discurso, el literario, que no necesita de los normales apoyos referenciales habituales para existir. Así la literatura es llevada en alas del idealismo a un estado especial de existencia, donde la literatura existe en sí y para sí misma. Lo mismo le sucederá poco después a la música (Neubauer), que en alas del romanticismo, se separa de toda función común, las que siempre hacía desempeñado, acompañada de la palabra, en funciones religiosas, etcétera. En un momento dado, la música es música, y no dice expresa del mundo exterior. Igual sucede con la pintura, que pronto será sólo color, manchas de color, baste recordar los extremos del arte abstracto en este sentido. Esta autonomía de las artes proviene de una visión idealista del mundo, que hoy parece haberse agotado, debido en gran medida al empuje de las fuerzas intermediales, la cultura de masas y la comercialización de las artes. Por diversas razones las artes se acercan de nuevo al mundo, donde la literatura existe y compite con las nuevas artes visuales.

Los mejores estudiantes de la literatura aprenden a recitar con soltura la sucesión de ismos literarios modernos, neoclasicismo, romanticismo, costumbrismo, realismo, naturalismo, simbolismo, vanguardismo, etcétera. La congruencia de línea continua ísmica da la impresión de que la literatura se puede estudiar como una superposición de etiquetas cambiantes, pero que en el fondo la literatura permanece la misma, cuando en realidad no es así en absoluto. Allá por el 1800 culminó, como aduje, un proceso de cambio efectuado en el terreno de la filosofía, de la teoría crítica, y de la creación, que permitiría la inauguración de una Era de la Literatura. Fue un momento, como dijo hace años Herbert Read, de los que hay uno o dos por milenio, y no tiene nada que ver con un genio, sino con una conjunción de gentes e ideas. Le cito:

> Such revolutions do not come about as a result of indi
> vidual efforts: the individuals are swept along in a cur
> rent which they, least of all, can control. Kant's philo
> sophy is inconceivable without the stimulus of Hume;
> Fichte is inconceivable without Kant, and Schelling
> without Fichte. Let us rather visualize this whole move-

ment of thought as fleet of vessels moving towards new
and uncharted seas. Kant and Fichte, Schleiermacher
and Schelling; Herder and the two Schlegels; Goethe
and Schiller; Tieck, Novalis, and Wackenroder—so
many vessels advancing in the stream of thought, flash-
ing signals from one masthead to another, and all
guided on their way by the lodestar of trascendental
truth. As they proceed from some harbor in the Baltic,
they are joined by solitary vessels from neigboring
countries. (Read 84)

El crítico describe con propiedad cómo un nuevo
paradigma cobra fuerza, los autores apoyándose los unos en
los otros, sumando fuerzas, y la manera en que el primer
núcleo se forma en la filosofía alemana, que se extiende a la
literatura, y de ahí a otras culturas, principalmente las
inglesas y francesas.

De hecho, de entonces data la literatura, el considerar al
arte de la palabra como tal y el cambio de paradigma filosófico, que ahora presidía el idealismo, fueron los factores
desencadenantes. El sujeto pensante que hasta ese momento
en la historia actuaba de origen del discurso racional,
estableciendo los puentes entre el hombre y el mundo, se
retrae, se llena de sentimientos, de pasión, y desequilibra su
racionalidad al aceptar la influencia de los movimientos
pasionales (Greimas y Fontanille XXIV). La nueva Edad se
asentará, pues, en un cambio de paradigma, y de él se
derivará toda una serie de características que afianzarán y
expandirán su influencia. Consideraré a continuación las
principales características.

LA EDAD DE LA LITERATURA

1. *El nacimiento de la estética*

La historia de las ideas indica que ha habido dos grandes
momentos en la historia de las ideas estéticas. El primero, y
del que el arte ha dependido desde sus comienzos hasta el
romanticismo, que puede ser denominado el mimético, pues
entonces todas las normas de cómo debía ser una obra de arte

dependían de unas normas y proposiciones teóricas que todo
creador o autor debía acatar. Se daba por supuesto que exis-
tían en el mundo unas grandes ideas, "unos principios universales y normas eternas que hay que materializar o 'imi-
tar'" (Berlin 347). El arte en la antigüedad pertenecía a las
actividades productivas, y dentro de esas artes estaba la imi-
tativa, que permitía al que copiaba un poco de espacio, la
naturaleza dejaba algo para configurar, que el espíritu
humano rellenaba (Gadamer 48). A fines del XVIII y comienzos del siglo siguiente estas normas son rechazadas, sobre
todo en Alemania, entre los estudiantes de la filosofía
idealista, contagiados del romanticismo, exigen la libertad, y
proclaman la libertad del yo. Estas minorías, iluminadas en
cierta manera, desdeñaron lo corriente, el atenerse a las
normas cotidianas, al trabajo artesanal, repetitivo, y se
dedicaron a inventar un nuevo espacio, el del arte, que les
llevaba hacia dentro de sí mismos, a explorar su interior, su
sensibilidad, que enseguida les revelaba su superioridad sobre
las masas artesanas.

Poco antes de mitad del siglo XVIII, un filósofo alemán
Alexander Gotlieb Baumgarten, estableció una distinción
entre el orden lógico del pensamiento y el componente perceptual del conocimiento, y de éste derivó el concepto de
belleza nacida en los sentidos (Germán Gullón 89-90). Sobre
estas ideas reforzadas por las de Immanuel Kant (1724-1804),
que separó el conocimiento de la naturaleza del conocimiento
subjetivo, nació el concepto moderno de la belleza. El hombre,
según él, pertenecía a dos esferas, la del mundo natural, que
poseía sus propias reglas y determinaciones, y la individual.
Kant, en su libro la *Kritiek der Urteilskraft* (1790), relacionó
la subjetividad humana con el entorno sensorial las ideas,
señalándolo como el ámbito donde surge la belleza y lo
sublime. Allí la personalidad humana se manifiesta, argumenta el filósofo, sin los condicionamientos de la naturaleza
exterior. Sobre estos cimientos se construiría a continuación
la estética romántica, que dejaba atrás los varios cimientos de
la retórica clásica, dando el salto de lo exterior, la naturaleza,
a lo interior. Las ideas de Baumgarten y de Kant serían
llevadas a un extremo por los románticos alemanes, Friedrich

Schlegel, Novalis y Schelling, y por el filósofo Fichte, y su idea del yo absoluto. Quien dijo que sólo es posible conocer desde el yo, y que la belleza, el arte, emana de la estructura simbólica que el yo artístico imprime en las obras de arte. Así, el yo absoluto se convierte en centro del universo literario, y se inicia la gran fábula de la literatura moderna. El arte cortaba las amarras con el mundo exterior, y el artista iba a ser el ser creador de símbolos y maneras de expresar lo que llevaba dentro.

2. *Del idealismo al textualismo*

Emilio Lledó apuntó, apoyado en un trabajo de Richard Rorty, la conexión existente entre la filosofía idealista del XVIII y el textualismo del siglo XX, es decir que estableció la relación entre el momento fundacional de la edad de la literatura, cuando los textos, el lenguaje que los constituye, son considerados que hablan de sí mismos, sin que se aprecien sus referencias al mundo exterior (Lledó 117). Dicho en forma sencilla, las palabras recogen formas ideales de la realidad, que preceden a nuestro contacto con el mundo, son como una pre-visión o hipóstasis del mismo. Por eso, como dice Lledó si a lo que se refieren las palabras no se hallaba en el mundo palpable, tuvieron que encontrar otro lugar de origen, como fueron "el yo, la mente, el lenguaje, la historia, el mundo más allá del mundo" (119).

Así el texto parece emanar de estados anímicos que predefinen y anteceden el contacto con la realidad. De ahí que Rorty tuviera la agudeza de relacionar el idealismo con las teorías de textualistas de Roland Barthes, Foucault, Derrida, y Harold Bloom. Es como una lógica continuación, que comienza con la muerte del autor, cuya presencia no parece interesar para nada, y termina con la declaración de que el texto lo es todo, y nada fuera de él resulta relevante para su entendimiento. Los estudios culturales pusieron fin a esta situación, devolviendo el texto al mundo; gracias a Edward Said en particular, se ha vuelto a valorar el estudio del contexto en que surge la obra literaria.

3. *La tradición crítica romántica*

La crítica alrededor del 1800 cambia de piel en congruencia con el cambio de orientación filosófica recién descrito, hacia el idealismo, sustentada por una innovadora manera estética de concebir el mundo. Por ello, la crítica se orientará también hacia la creación de un nuevo sistema de valores, y la apreciación de la obra de arte cambiará de sentido. Esencialmente pasamos, en palabras de Abrams, de un tipo de crítica mimética a una expresiva. Lo cual significa que la obra de arte nace en el seno creativo de un autor y se exterioriza en la escritura. Lo plasmado en el objeto creado son principalmente los sentimientos, las intuiciones, combinadas con las percepciones y los pensamientos del artista. O sea, que el contenido de una obra de arte, de un poema, proviene de "la mente del autor" (Abrams 22). En cierta manera, el autor deviene una especie de Dios. Y por supuesto, la historia de la literatura, no dejará de repetir tales ideas. Rubén Darío ensalzó en un celebre poema a los artistas diciendo: "Torres de Dios, poetas."

4. *Arte y literatura*

Me detengo en estas palabras para aclarar extremos que a estas alturas deben conocerse de sobra. Que la palabra arte no ha significado históricamente siempre lo mismo. En el siglo XVII había que especificar de qué arte se hablaba, si eran, por ejemplo, las bellas artes, porque "junto a ellas, estaban las artes mecánicas, artes en el sentido de técnica, de producción industrial y artesanal, que constituyen, con mucho, el ámbito más amplio de la práctica productiva humana" (Gadamer 46). Todavía existen en España centros donde se enseñan "artes aplicadas," como la escultura.

Tampoco las ideas artísticas surgidas en el romanticismo fueron las únicas que se manifestaron en las letras. No sólo la literatura existirá en ciclos de variado signo, realista o literario, sino que las ideas sociales de la Ilustración seguirán vivas en el consciente intelectual. Un escritor como Mariano José Larra o un Rubén Darío serán escritores abocados al literalismo, pero nunca traicionarán sus ideales ideológicos.

Se suele achacar la inquietud que provocan a las características literarias, cuando en verdad emanan de la riqueza de
sus ideas emanadas de la Ilustración. O sea, que la riqueza de
relaciones existente entre el arte y la literatura sobrepasa el
mero límite de la palabra e incluye siempre el de las ideas.
Por supuesto, estas ideas, en el caso de Charles Baudelaire,
de Larra, o de Unamuno, les hará aparecer como escritores
malditos, contaminados. Y se tenderá a separar su literatura
pura de sus obras contaminadas. Quizás cabría decir que la
verdadera grandeza de un literato proviene precisamente de
su mezcla de códigos, como en Baudelaire o Heine, en que las
ideas provenientes de la Ilustración nunca se separan
demasiado de las estéticas; igualmente que en tiempos recientes, los grandes literatos son aquellos que saben mezclar
e inspirarse en tradiciones diferentes, que resultan en este
sentido mestizos, como el húngaro Irme Kertész, el
sudafricano J.M Coetzee o el jamaicano V.S. Naipul.

5. El arte por el arte: la autonomía literaria y el estilo

Los dos momentos en que el romanticismo español (Navas
Ruiz; Gies) adquiere carta de ciudadanía literaria son la
noche del estreno del *Don Álvaro o la fuerza del sino* (marzo,
1835), del duque de Rivas, y el día del entierro de Mariano
José Larra (1837), cuando un joven lee unos versos de elogio
del difunto genio a los pies de su tumba. Era José Zorrilla.
Desde comienzos de siglo había ido desarrollándose un estilo
de época. Dos grandes escritores, de formación neoclásica,
que fueron fuertemente contagiados por el renovador espíritu
de los tiempos. Por su formación y por la particular situación
de España, el romanticismo de ellos y de otros no es exactamente paralelo a otros romanticismos europeos. Les falta la
base de convicción filosófica de los autores de allende los
Pirineos, es decir, que el pensamiento desarrollado en torno
al yo, al individuo, a considerar la percepción, la sensación,
por encima de lo racional como alimento del arte no se da en
ellos como, por ejemplo, en Théophile Gautier (1811-72), en
Francia. El prólogo a su novela *Mademoiselle de Maupin*
(1835) es considerado el primer manifiesto del arte por el

arte, aunque la expresión fue usada originariamente por Benjamin Constant (1767-1830). Además es un ismo que llega
tarde a España, y en esto disiento de apreciados amigos
(Sebold). Sin embargo, y a lo largo del siglo, en escritores
como Juan Valera, y sobre todo con el modernismo, las
principales ideas del romanticismo, que fueron heredadas a
través de Charles Baudelaire por lo simbolistas, llegarán a
España con una enorme fuerza. El romanticismo en su
aspecto filosófico se manifestó en España con medio siglo de
retraso, y su contribución al paradigma fue escaso.

6. La literatura se desliga de la moral

La literatura según la establecen los románticos europeos,
alemanes, franceses e ingleses, constituye un arte autónomo,
cuyo único objetivo es la creación de la belleza. Y lo que es
más, forman un espacio propio, el de la literatura, donde
rigen unas normas independientes de las vigentes en el
mundo civil, por ejemplo, la moral nada tenía que buscar o
juzgar en las obras literarias. Los juicios seguidos contra
Baudelaire y contra Flaubert se solucionarán gracias a que
los jueces aceptaron que la literatura era regida por sus propias reglas. Valga recordar el proceso seguido contra Flaubert
por la supuesta inmoralidad de su novela *Madame Bovary*. Su
abogado defensor en una de las más agudas defensas posibles,
argumentó que las palabras dichas por la protagonista no
eran de ella, y no del autor mismo, que se valía del estilo indirecto para citar opiniones. O dicho de otra manera, el abogado estableció que el autor no era el originario de aquellas
palabras, sino los personajes mismos, que expresaban sus
ideas, que no eran compartidas por el autor. Así, la novela dio
un paso importante hacia su autonomía. A convertirse en un
espacio regido por sus propias reglas.

Los románticos alemanes, que siguieron las disquisiciones
de Baumgarten, de Kant, de Fichte, y las ideas expresadas
por los primeros románticos, especialmente los hermanos de
Schlegel (Flitter), serán quienes extiendan con sus escritos el
certificado de nacimiento de la literatura, tal y como la vamos
a concebir en el siglo XX . Téophile Gauter, Alfred de Musset,

Baudelaire, Flaubert, los simbolistas, hasta Virginia Woolf, James Joyce, Marcel Proust, crearán las obras que constituyen la cima del arte de la palabra. El propósito final era leer un libro y olvidarse que las palabras servían también para una comunicación ordinaria. Valle-Inclán en las *Sonatas* o el Juan Ramón Jiménez de *Platero y yo*, sin duda, consiguen que leamos como si estuviéramos escuchando una sinfonía, perdidos en el deguste sensorial que es capaz de provocar una pluma como la suya.

El arte por el arte, es decir, la idea de que la literatura en nada dependía del mundo exterior, y que era independiente de toda aplicación útil. Esta concepción la acercaba a la música, y la riqueza de las palabras, su sonido, la forma en que eran colocadas en la página, las elevaba sobre cualquier otra cualidad. Naturalmente, el arte realista en la segunda mitad del siglo XIX, se volverá contra esta manera de entender la literatura, con lo cual anotamos, que la literatura funciona en ciclos, que van desde un punto en que la literatura se desentiende totalmente de la realidad, y el ascenso hasta otro momento, cuando comienza otro ciclo, en que la literatura pide para sí mayor protagonismo en la vida social. No olvidemos que Emile Zola, será denominando un intelectual porque en sus obras pide que se entiendan como actuaciones sociales. Son, pues, dos extremos. Posteriormente, el simbolismo volverá a empatar con el romanticismo, y se alejará a sus obras de la sociedad.

Naturalmente, el arte por el arte tiene dos subproductos: el cultivo del estilo literario, de un estilo donde las palabras utilizadas sean infrecuentes en el estilo cotidiano, y la creación de una forma en las obras que sea peculiar a ellas, y que nada tenga que ver con las formas en el mundo natural. Con la creación de esas formas se evita la mímesis.

Existen en términos generales dos tipos de estilos, el normal, eficiente, que sirve para presentar un tema sin llamar la atención a las palabras mismas, que hallamos en infinidad de novelas, que pueden ir firmadas por Arturo Pérez Reverte, Anonio Muñoz Molina o Juan Pedro Aparicio, y otro, a veces denominado, el alto estilo, que se caracteriza por la ampulosidad de sus frases, con muchas subordinadas, que se

van uniendo al tronco sustancia de una frase principal, donde
el lector poco hábil se pierde en ese bosque de palabras. La
prosa madura de Henry James y la de Juan Benet dan siempre esa impresión. Ambos estilos suelen ir dirigidos hacia un
tipo diferente de literatura. El sencillo tiende a usarse para
contar sucesos, a narrar asuntos relacionados con el presente,
mientras el alto estilo tiende a elevarse hacia espacios menos
constatadles por la experiencia del lector, o utilizar un lenguaje en que la frecuencia del uso de las palabras utilizadas
resulta muy limitada.

Desde comienzos del siglo XIX en España, con anterioridad en Francia, y ofrezco el dato casi mondo, la literatura se separa de sus habituales patrocinadores, la aristocracia, y pasa a depender de los editores, que disponen de un
capital propio. Los jueces del gusto comenzarán por este
tiempo a ser también los críticos literarios. Ambas circunstancias serán importantes en la configuración futura de
un espacio literario autónomo.

7. *Un vocabulario crítico nuevo*

Hacia los años sesenta del pasado siglo se produjo un
relevo sustancial en el modo utilizado para nominar, enca-
sillar, los fenómenos literarios. Ya entonces algunos luchamos
por introducir en nuestro dominio crítico palabras como
narrador, estructura, espacio, tiempo, que venían a sustituir
a las que acuñadas en la época romántica, dominantes en las
historias literarias hasta entonces, y que siguen aflorando
aquí y aculla, me refiero a vocablos como desarrollo, revolución, progreso, crisis, etcétera. Hoy en día, manejamos palabras como raza, etnicidad, ideología, cultura, inconsciente y
canon (Lentricchia y Mc Laughlin).

Señalo este fenómeno porque indica cómo lo que comienza
siendo una conjunción de ideas, que se agavillan en las obras
de diversos autores, en varias literaturas, luego se extienden
a lo largo y a lo ancho de los espacios culturales, y los hacen
adheridos a unas palabras claves, que condensan maneras
innovadoras de pensar. En el siglo XIX, y a consecuencia de la
revolución producida por el romanticismo, palabras como

crisis resultan fundamentales, identifican el momento cuando Carlos IV sucede en el trono a su padre, y nacen, por el enfrentamiento de progresistas y conservadores las dos Españas, porque el país había vivido una convulsión histórica.

Los ciclos dentro de la Edad de la Literatura

La Edad de la Literatura abarca casi doscientos años, presididos por las ideas estéticas emanadas de la filosofía idealista, que, a su vez, inspiraron el espíritu romántico. Sirvieron para configurar un espacio independiente para el arte, presidido por el ansia de la belleza. Allí la palabra, la nota musical, o el color, pudieron existir independientes de la realidad, del mundo exterior. Supuso una especie de gran revancha del subconsciente burgués, profundamente aburrido por la ausencia en su vida de grandes preocupaciones, como las derivadas de la religión, que cada día iba perdiendo terreno, se ocupa de proveerse de comodidades. La parte más frívola de los burgueses se dedica a la moda y a procurarse adornos, tanto que las chucherías francesas llenarán los hogares europeos. La más seria busca un sustituto a la religión, incluso a las preocupaciones filosóficas, y encuentra en la literatura, convertida en una religión laica un entretenimiento con sustancia. Permitía al burgués nada menos que construirse una vida interior, donde el yo reina supremo, que aprende a pasearse por las galerías del alma, donde, por supuesto, nunca llegan los ruidos del mundo; el eco queda siempre en terreno privado. Los burgueses encuentran en la literatura un espacio terapéutico y un lugar donde matar el aburrimiento en que les fueron dejando la desaparición de los valores tenidos hasta entonces en gran estima, por las sucesivas revoluciones, desde la francesa a la del 1868. La burguesía española había llenado el país de jardines al aire libre, donde pasear su ocio, la literatura se convertirá en el gran jardín interior de la burguesía, donde podrán pasear a su espíritu.

Sin embargo, la Era de la Literatura no resulta uniforme. Al contrario, toda ella conoce varios ciclos, en que la línea literaria sube o baja, quiero decir en que la autonomía, la literalidad de las obras disminuye o aumenta. Hay momentos en que el índice realista de la literatura sube, por ejemplo hacia 1885, el año de publicación de *La Regenta*, de Leopoldo Alas, *Los pazos de Ulloa*, de Emilia Pardo Bazán, y *Fortunata y Jacinta*, de Pérez Galdós, mientras en otros predomina la literatura artística, por ejemplo, el año 1902, el año fantástico de la novela modernista española, cuando aparecieron al mismo tiempo obras firmadas por Azorín, Pío Baroja, Miguel de Unamuno y Ramón María del Valle-Inclán (Martín 9).

Tras medio siglo de prosa, la segunda mitad del siglo XIX, la era del vapor, en la que las ciudades y el paisaje se fueron llenando de novedades prácticas, como el alcantarillado urbano, las vías del tren y las chimeneas de las fábricas, el siglo nuevo se inauguró con una gran fiesta modernista. Aunque España era tras el desastre un país en total bancarrota moral y económica, a nadie parecía preocuparle la situación, observará un tímido hombre recién llegado al país, Rubén Darío. La belleza de los textos impresos en colores malvas, prosas y versos llenos de azul, de príncipes, pajes y estanques adornados con nenúfares, sustituían con ventaja los monótonos libros decimonónicos. Se acuñaban monedas hechas con un decidido fin artístico, los carteles que engalanaban calles e interiores lo mismo, anunciando productos o ocasiones señaladas, recibían también un tratamiento especial. El color, la letra, las figuras representadas, muy modernas, según se decía por entonces, llamaban la atención por su estilizada y rara belleza.

Los edificios de ciudades como Barcelona adoptarán formas sugerentes, novedosas, porque el vivir cotidiano no debía ser un mero habitar de paso. Subir en el ascensor del club del Liceo, una preciosa bombonera, no era lo mismo que ascender a un piso superior en un cubículo manufacturado por el señor Sneider, donde el único adorno es la chapa donde se indica el nombre del fabricante. El arte (p.e. Ramón Casas) y la artesanía (p.e. Riquer) dan su último do de pecho, antes de que el mundo del diseño industrial, el estilo Bauhaus, impongan la sobriedad y la forma geométrica, de contornos limpios. En fin, todo lo feo y lo malsonante quedaron vetados para el general regocijo de las clases medias. A la idea de que la buena vida se puede suplementar con el confort, con la moda, se le añade el suplemento de ese mullido sentir que produce la sensibilidad aplicada a embellecer el entorno vital.

La fiesta modernista celebraba con plena justificación el alborear de una sensibilidad humana apenas experimentada con anterioridad, una en que los sentidos aparecen sincronizados, la vista con el oído y con el olfato, con el gusto. Las fragancias hablan y los silencios oyen. El cerebro humano resulta capaz de conciliar los sentidos pensados hasta entonces independientes. El *homo sapiens*, el ser humano guiado exclusivamente por la razón, pasa a ser un antiguo, decimonónico, cuando se le compara con el hombre sensible del siglo XX. Desde las revistas ilustradas a los comics, traídos a España a mediados del ochocientos, al cine, vemos cómo la cultura se ha haciendo multisensorial. Quizás fue el decadentismo, el mundo de la droga, el que descubrió los caminos de cooperación sensorial que hoy entendemos mejor.

La cultura riente y melancólica a la vez de la época simbolista oculta una profunda brecha en el pensamiento humano: el arte y la ciencia en la encrucijada del mundo moderno empezaban un imparable alejamiento, que obligaría a una inminente partición del patrimonio de conocimientos. El naciente siglo trajo, según ocurre en cada cambio de centuria, un anhelo de novedad, de progreso, y la esperanza de cumplir ese deseo se la disputaban los hombres punta de todos los campos del saber. Cada uno quería ser quien mejor explicaba al ser humano y definía su futuro, pero acabarían apropiándoselo los científicos. Ellos forjaban el mundo a la medida de los deseos del hombre, que aspiraba a vivir con mayor comodidad, lujo, velocidad, innovaciones, higiene, salud, etcétera. La América del Norte se ponía a la cabeza de ese mundo, y allí sigue todavía.

El siglo XX será un siglo en que ocurrirá lo mismo el paradigma romántico-modernista será el principal, el dominante, pero habrá momentos en que todo ello cambiará. Además, el la llegada del cine, del séptimo arte, hace que la literatura se retiré aún más, que busque su puesto. Si en un primer momento se inclina a recluirse en el paradigma romántico-modernista, el público la saca de ahí, pues la autonomía del

público que había ganado en el siglo XIX a comienzos del
siglo XX, con la educación universal, con la cultura de masas,
la convierte a la literatura en un arte de entretenimiento, en
el que el lector aprecia la lectura de historias. Es decir, que el
la Edad de la Literatura ha terminado, porque la gran
mayoría de los lectores no quieren un arte autónomo, sino
uno que les cuente historias, que de alguna manera posean
una relación con el mundo habitado por ellos.

Los que hoy insisten en mantener la literatura como un
arte autónomo son una minoría, y sus lectores somos también
minoría, pero los que a la vez somos críticos literarios, no
podemos menos que constatar un cambio de rumbo hacia una
literatura comercial. Negarse a ello es un absurdo, y corre-
mos el mismo peligro que con la música clásica, que no ha
sabido ponerse a tono con los tiempos, y las nuevas generaciones de jóvenes no tiene ningún interés en la misma, prefiriendo otras músicas.

Mi propuesta, para el trabajo por donde lo comencé, es que
debemos cambiar de patrón, pasando del histórico-literario
estricto, en que ordenamos las obras bajo criterios cronoló-
gicos, temáticos, o de gusto personal del historiador, a uno de
corte más amplio, en las edades de la cultura, y dentro de
ellas las de la literatura. El cambio es que traslada el acento
de la historiografía, que tiende siempre a recaer en el crono-
logismo y el comentario, en vez de dedicarse a crear contextos. El de la Edad de la Palabra es la oralidad y todas sus
consecuencias para el desarrollo de la memoria, de los
patrones de narración; la Edad de la Imprenta permite
entender la literatura y su relación con la racionalidad, con la
posibilidad de representar continuos estructurados, ligados
en forma de red; la Edad de la Literatura, debe presentarse
como el gran momento, donde el hombre, por fin, se sueña
rey de la creación, el gran fabulador del mundo. Además, el
marbete de era permite abrirlo a todas las artes, a comple-
mentar el arte de la palabra con todas las demás, y así permitir un mejor entendimiento del conjunto de la empresa
humana.

NOTAS

1. La mayor diferencia entre los críticos se halla precisamente en esta característica recién apuntada. La de cuantos piensan que el mejor sentido de una obra es el salido de la pluma del autor y la de quienes opinan que los textos permanecen abiertos, pues las cambiantes circunstancias histórico-sociales en que existen los hacen decir las cosas de otra manera. Los primeros se atienen a la letra, los segundos a la letra viva.

2. Otra de las críticas que se pueden hacer a las historias literarias es su parcialidad, la falta de transparencia de con que se seleccionan los criterios que guían los juicios allí utilizados.

3.Cae fuera de este trabajo y de mi competencia intelectual, pero simplemente recuerdo que en el presente el ser humano ha recibido otro fuerte golpe a su esencia humana, propinado por la biología molecular, la genética, que nos certifica que las acciones humanas ya están marcadas en nuestros genes, con lo que el concepto del yo, de la individualidad, se ha hecho aún más conflictivos.

OBRAS CITADAS

Abrams, M.H. *The Mirror and the Lamp. Romantic Theory and the Critical Tradition*. Oxford: Oxford Univdersity Press, 1953.

Assouline, Pierre. *Gaston Gallimard. Medio siglo de edición en Francia*. Barcelona: Península, 2003

Benet, Vicente J. *La cultura del cine. Introducción a la historia estética del cine*. Barcelona: Paidós, 2004.

Berlin, Isaiah. *El fuste torcido de la humanidad. Capítulos de la historia de las ideas*. Barcelona: Península 1990.

Bourdieu, Pierre. *La distinción. Criterio y bases sociales del gusto*. Madrid: Taurus, 1999.

Calvo Serraller, Francisco. *La imagen romántica de España. Arte y arquitectura del siglo XIX*. Madrid: Alianza, 1995.

Castro, Américo. *La realidad histórica de España*. México: Porrúa, 1962.

Del Río, Ángel. *Historia de la literatura española, II*. New York: Holt, Rinehart and Winston, 1963.

Flitter, Derek W. *Spanish Romantic Literary Theory and Criticism*. Cambridge: Cambridge University Press, 1992.

Gadamer, Hans-Georg. *La actualidad de lo bello*. Barcelona: Paidós, 1991.

Gies, David, ed. *El romanticismo*. Madrid: Taurus, 1989.

González del Valle, Luis T. *La canonización del diablo. Baudelaire y la estética moderna en España*. Madrid: Verbum, 2002.

Greimas, Algirdas Julien y Jacques Fontanille. *The Semiotics of Passions. From States of Affairs to States of Feelings*. Minneapolis: University of Minnesota Press, 1993.

Gullón, Germán. *La novela en libertad*. Zaragoza: Tropelías, 1999.

_____. *Los mercaderes en el templo de la literatura*. Madrid: Caballo de Troya, 2004.

Gullón, Ricardo. *Galdós, novelista moderno*. Madrid: Taurus, 1960.

Habermas, Jürgen. *El discurso filosófico de la modernidad*. Madrid: Taurus, 1989.

Lentriccchia, Frank y Thomas McLaughlin. *Critical Terms for Literary Study*. Chicago: University of Chicago Press, 1990.

Lledó, Emilio. *El silencio de la escritura*. Madrid: Espasa Calpe, 1999.

Llorens, Vicente. *Liberales y románticos. Una emigración española en Inglaterra 1823-1834*. Madrid: Castalia, 1968.

Martín, Francisco José. Introducción. *Las novelas de 1902*. Ed. Francisco José Martín. Madrid: Biblioteca Nueva, 2003. 9-15.

McGann, Jerome J. *A Critique of Modern Textual Criticism*. Charlottesville: University of Virginia Press, 1992.

Navas Ruiz, Ricardo. *El romanticismo español*. Madrid: Cátedra, 1982.

Neubauer, John. *La emancipación de la música. El alejamiento de la mímesis en la estética del siglo XVIII*. Madrid: Visor, 1992.

Ortega y Gasset, José. *La deshumanización del arte*. Madrid: Revista de Occidente, 1960.

Read, Herbert. "Coleridge as Critic." *Lectures in Criticism*. Ed. R.P. Blackmur et al. New York: Pantheon Books, 1949. 73-116

Rorty, Richard. *Consequences of Pragmatism (Essays: 1972-1980)*. Sussex: The Harvester Press, 1982.

Sebold, Russell P. *Lírica y poética en España, 1536-1870*. Madrid: Cátedra, 2003.

Wittmann, Reinhard. "¿Hubo una revolución en la lectura a finales del siglo XVIII?" *Historia de la lectura en el mundo occidental*. Ed. Guglielmo Cavallo y Roger Chartier. Madrid: Taurus, 1998.

JAVIER MARÍAS'S *TU ROSTRO MAÑANA*: THE SEARCH FOR A USABLE FUTURE

DAVID K. HERZBERGER
University of Connecticut

Javier Marías begins *Tu rostro mañana* with a peculiar warning: "No debería uno contar nunca nada" (13). This is unusual advice for any writer to give, but it is particularly striking in the case of Marías, whose work celebrates the entire process of storytelling as the principal way in which we connect ourselves to the world and give it meaning.[1] As the narrator notes in Marías's 1994 novel, *Mañana en la batalla piensa en mí*, "el mundo depende de sus relatores y también de los que oyen el cuento" (299). Of course, between tellers of tales and those who listen to them lies a discursive and hermeneutic minefield that has stood vastly before critical thinkers since Aristotle and has obtruded harshly into theoretical discussion for much of the twentieth century. For Marías, more practitioner than theorist, complexity frames his thinking but pragmatics give it form and color. Hence he might say of stories, as Marianne Moore remarked about poetry, "these things are important not because a / high-sounding interpretation can be put upon them but because they are / useful" (266).

In nearly all of his writing Marías seeks to incorporate tellers and listeners into the fabric of his narrative. They assume a variety of roles, but function principally to allow Marías to work through his ideas on writing while avoiding the compression of his views into one scheme or another. Thus, for example, he is able to engage the nature of narrative without embracing unfettered representation (i.e., the mimetic traditions of realism) or yielding to opposing postmodern claims of pure configuration. He explores instead the contingencies of language, structure, interpretation, and context that form the heart of writing and reading, and he shows how both may be "useful" within society.

Marías conveys his ambivalence about the referential capacity of narration without despairing over the impossibility of ever getting it right. On the one hand his narrators seem to deny the potential of linking word and world in transparent reciprocity (e.g., "por el mero hecho de contar [lo sucedido] ya lo está deformando y tergiversando" [*Negra* 9]; "Relatar lo ocurrido es inconcebible y vano" [*Negra* 10]). On the other hand, however, they firmly sanction the role of stories in establishing such a link: "Voy a alinearme con los que han pretendido [relatar lo ocurrido] alguna vez o han simulado lograrlo" (*Negra* 11). Hence while malleability at the root of storytelling defines much of Marías's work, so too does the belief that in some ways (and in some circumstances) writing refers efficaciously to the world and in other ways it does not. Marías's exhortation in the first line of *Tu rostro mañana* not to narrate, or to keep quiet, therefore creates a confounding dissonance with the demand for telling stories that shapes his idea of the world, informs his view of writing in general, and quite literally introduces the story that we are about to read in his novel.

Beyond the overarching paradox of this introduction to his work, and the ironic subversion of his own narrative that it implies, Marías's challenge to storytelling suggests a number of pertinent questions. Most pointedly, why would he begin his story by warning against telling stories? Is it dangerous to do so, perhaps irrational or even futile? And further, how might such an admonition shape readers' expectations about what they are preparing to read? More narrowly, does the warning form part of the plot, offered as practical advice and aimed at a specific character or circumstance that will later be revealed? Does it function as a metafictional framing device that promotes the self-directed turn of the novel, thus converting its referential base into a (re)presentation that stands unpropped against life?

While the terseness of Marías's admonition initially gives no hint to readers suggesting how to proceed, and Marías himself clearly offers no unequivocal answers, assorted possibilities begin to register as the narrator constructs the context and lays bare the intentions of his assertion. Above all, what is asserted derives from the deeply rooted concern that gives shape to *Tu rostro mañana* and resonates in much of the author's work. The concern might be summarized as follows: we should refrain from telling stories because, regardless of their perceived authenticity at any particular moment, what we say may be appropriated and folded into another story, which in turn is appropriated by another until our narrative stretches beyond its original context, intentions, and meaning to form part of someone else's story and thus serve someone else's interests. This process can be insidious and fraught with treachery, for it implies misappropriation and misreading of original desire and turns intention into a form of hermeneutic encroachment.

Yet the process is also inevitable, as Marías has shown in his previous work. *Negra espalda del tiempo*, for example, is written expressly to correct the perceived misreading of the author's earlier novel, *Todas las almas* (1989), and serves in part as an attempt by Marías to gain ownership over the use of the text by other readers.[2] With similar intentions, *Tu rostro mañana* signals that readers must traverse the narrative terrain with care. The novel aggressively turns inward to explore the nature of storytelling and outward to consider how stories relate to life when inserted into new (con)texts. Further, the narrative explores how such a process represents and configures life in the present as well as the past. But most importantly, Marías proposes how narrative might be used to envision (and configure) human actions in the future—how stories might foretell, as the title puts it, "tu rostro mañana."

The "story" of *Tu rostro mañana* is largely straightforward: the first person narrator, Jaime Deza (also called Jacobo, Jack, Jacques) has returned to England to work as a

translator for the BBC during the break-up of his marriage.
Following a dinner party in Oxford at the home of his old
friend and Hispanist, Peter Wheeler, Deza receives an offer
to join a group of people whose work is linked to former
secret service activities of MI6. While Deza is unable to
discern the precise affiliation of his group (or even if it is government sponsored), he gradually assumes responsibility for
questioning people of potential interest, or of listening to
them answer questions posed by others. His task then consists of writing a report about their character traits. Most importantly, he speculates about future actions of people based
upon the stories that he pieces together about their past. He
is perceived by others in his group as a talented colleague, as
having the "don," if not to predict the future, to create
valued stories of his own about likely behavior in diverse
situations that have not yet occurred. In other words, Deza's
task is deeply rooted in linking stories to life.

During the course of his work Deza listens to others
narrate (or he reads a text of their narration) and offers
analysis (interpretation) that gives concrete meaning to their
story in the present and affords potential meaning for the
future. It is the future "in reality" that concerns him,
however, and he tells an imagined story about what may
occur to the extent that the future can be inferred from
stories of the past. His job, in short, is to "contar lo que aún
no era ni había sido, lo futuro y probable o tan sólo posible—
la hipótesis—, es decir, por intuir e imaginar e inventar; y por
convencer de ello" (22). Listening, analyzing, and telling—the
reception and giving of meaning—thus become the content of
the novel's form even though the narrator (Deza) has warned
against narrating from the outset.

The reasons to eschew the telling of stories remain paramount in the novel, however, despite the nature of Deza's
work. These turn upon both theoretical and practical considerations, each linked to the other through the articulated intentions and uncertain consequences of narrating. In the first
place, in his reflections on his own story, Deza perceives the
frailty of his discourse even while asserting its power. He
thus makes the critical point:

> ... sólo cuento cuando no hay más remedio o se me pide
> insistentemente. Porque ... aprendí que lo que tan sólo
> ocurre no nos afecta apenas o no más que lo que no
> ocurre, sino su relato (también el de lo que no ocurre),
> que es indefectiblemente impreciso, traicionero, aproxi-
> mativo y en el fondo nulo, y sin embargo casi lo único
> que cuenta, lo decisivo, lo que nos trastorna el ánimo y
> nos desvía y envenena los pasos, y seguramente hace
> girar la perezosa y débil rueda del mundo. (27)

Deza claims the right here to distinguish between stories that
are true and those that are invented, and in each case affirms
the capacity of language to represent the world or to make
things up about it. The distinction is critical, but curiously,
not pertinent. By this I mean that while Marías clearly proposes to distinguish between what is real and what is not
(with appropriate concessions to the shadowy terrain in between), in each case he bestows upon storytelling a referential substance that is available to the teller but not required to be used. For Marías, the distinction that bears
greater pertinence here and in the playing out of our daily
lives as well, grows from the dissonance between representation and being that makes of storytelling both a perception
about reality and an object in reality that is imbued with
social meaning and therefore has social consequence. In this
way Deza recognizes the dual role of language speaking *about*
the world and being *in* the world, and he affirms its ability to
shape human activity ("hace girar la perezosa y débil rueda
del mundo").

But the critical question raised by the narrative—why
should one never tell stories?—remains partially unanswered
here both in relation to what *Tu rostro mañana* actually is (a
novel) as well as what it purports to be about (a young man's
ability to predict the future). The novel hints at the answer,
but to a large degree it must be inferred from the tensions
between the mere telling of stories and how they might be
used. Two examples from the work will serve to make the
point. The first grows from a principle firmly rooted in the
legal system of the United States and summarized in the

well-known Miranda warning aimed at protecting suspects
from incriminating themselves: the right to remain silent;
anything they say may be used against them. Or as Deza puts
it, people are granted the right "a no dañarse narrativa-
mente" (18).

It is here, of course, where the role of the listener/reader
moves to the fore. But the process is defiantly ambiguous
even if the desired outcome is not. In other words, the role of
the listener in a legal case (and most specifically, the police
who interrogate the suspect) is to embrace the referential
authority of the narrative in order to move it teleologically to
the desired conclusion. While it is possible (and even probable) that the narrator/defendant may tell multiple and contradictory stories, especially if trying to avoid arrest and pro-
secution, the principal inference to be drawn from the
Miranda warning related to storytelling is not that it is difficult to distinguish between fact and fiction (thought this is
often the case), but that the distinction can be framed and
determined by language. That is to say, language is both perceived and used as an effective vehicle for referring to life. It
is consequential as equipment for living and it often deter-
mines the outcome of our lives as if it were reality itself
rather than a pale representation of it. Hence Marías's admonition never to tell anything to anyone seems to grant a
foundational realism to narrative through the implied ade-
quacy of its representations. And as Miranda presupposes,
these representations may be used in someone else's favor.

The second and more prominent example of the urgency
to remain silent is linked to World War II and British slogans
exhorting its citizens to beware of supplying information to
German spies unintentionally. Marías inserts a series of
posters into the narrative of his novel, each containing a rele-
vant image linked to a mini-narrative warning against casual
talk in public settings. In this way the people of England are
reminded during the war to "Think twice" before making
calls from party-line telephones (405); to "be like dad—Keep
Mum" (405); and always to bear in mind that "Careless talk
costs lives" (399). These repeated warnings to keep quiet, to
avoid telling stories, are designed to enhance the preserva-

tion of safety and implicitly rest upon the ability of language to represent life. Even the most casual of stories may direct the enemy to some thing in real life that poses danger to England. As with the Miranda warning, therefore, language is perceived as an able vehicle of representation that is both usable and consequential.

On the face of it, however, Marías seems to want to use his stories and to reject them too. On the one hand, stories can draw out the real, convey its substance, and convict a criminal or aid the enemy: "loose lips sink ships." Hence storytelling can make people do things they would not otherwise do and, what is more, can make them become people they would not otherwise be. As Deza remarks about one of his subjects, "en cierto sentido le importa más su historia, más el relato de esa vida que la vida misma" (355). In this sense, stories can be both reflective and transformative and thus serve as an instrument of power for those who are able to use them for either redemptive or transgressive ends.

On the other hand, Marías avers in the novel that narrations of life inevitably fail. They are vulnerable to any number of contingencies related to agency, absence, and ambiguity, as postmodern thinking has often pointed out. Wheeler forcefully asserts their failure when he ponders the accumulation of experiences and memories in his own life and how these cannot endure in the future beyond and outside of himself:

> La vida no es contable, y resulta extraordinario que los hombres lleven todos los siglos de que tenemos conocimiento dedicados a ello, empeñados en contar lo que no se puede, sea en forma de mito, de poema épico, de crónica, anales, actas, leyenda o cantar de gesta, romances de ciego o corridos, de evangelio, santoral, historia, biografía, novela o elogio fúnebre, de película, de confesiones, memorias, de reportaje, da lo mismo. Es una empresa condenada, fallida, y que quizá nos haga menos favor que daño. (127)

And as we have seen, Deza himself has come to affirm that, "[el relato] es indefectiblemente impreciso, traicionero" (27), thus undermining much of what *Tu rostro mañana* purports to be about.

For readers familiar with Marías's narrative and his ideas on writing, the dialectic proposed by the above examples, as well as the implicit dichotomy of realistic and postmodern assertions about storytelling, seem harshly discordant. It is not that Marías eschews sharp contrast or direct assertion, but that his thinking generally points to the ontological slipperiness of story and life and how each informs and shapes the other. He proposes in *Negra espalda del tiempo*, for example, that "para relatar lo ocurrido hay que haberlo imaginado antes" (196), and has written often on the centrality of words not only to our understanding of the world but also to our place within it: "Pues bien, la verdadera anomalía que no sólo se ha de dar y expresar forzosamente en la escritura, sino posiblemente también en la verbalidad, eso es, en la manera de relacionarse con el mundo y con los semejantes, es, para los escritores, que sus cabezas estén llenas de palabras" (*Literatura* 256). Text and context exist unevenly in Marías's way of thinking, but to assert silence on the one hand, or the utter insolvency of speaking on the other, discredits what makes us human to begin with. As Wheeler tells Deza following a lengthy declamation on the war campaign against speaking, "Si algo hacen o hacemos todos que no sea una estricta necesidad fisiológica, si algo nos es en verdad común en tanto que seres con voluntad, eso es hablar, Jacobo" (410).

Marías's contradictory propositions in *Tu rostro mañana* (i.e., we should not speak/we must speak; stories represent life/stories fail to represent life) are thus not easily reconciled on the face of it. They co-exist within the novel but seem not to cohere. Nonetheless, while Marías does not advance a rigid solution to the problem (such a solution could only be contingent in any case), he explores how the confluence of word and world is both necessary and inevitable. For above all, he proposes the essential *usefulness* of stories. While the self-referential structures of narration and the mimetic palliations of language rightfully create deeply rooted skepticism about stories (as the narrator reminds us throughout the novel), Marías also asserts that "Es muy delgada la línea que separa los hechos de las figuraciones" (30). Indeed, nearly all of Marías's fiction makes critical connections between reality and narration, between fact and fiction. As Deza puts it:

> Todas esas frases que hemos visto pronunciar en el cine las he dicho yo o me las han soltado o se las he oído a otros a lo largo de mi existencia, esto es, en la vida, que guarda mucha más relación con las películas y la literatura de lo que se reconoce normalmente y se cree. No es que lo uno imite a lo otro o lo otro a lo uno, como se afirma, sino que nuestras infinitas figuraciones pertenecen también a la vida y contribuyen a ensancharla y a complicarla, y a hacerla más turbia y a la vez más aceptable... (29-30)

What is important to bear in mind, however, is that Marías does not propose to use stories for their referential validity; rather he advances their use as objects in reality: "las figuraciones ya son hechos" (30). Stories circulate in society with scant control—censorship and campaigns against free talk hinder but do not block the spread of stories, as the British dramatically discovered in World War II with the uneven success of their "Careless Words" strategy. Further, stories bear forcefully upon perception and action because of their ontological as well as epistemological standing. They exist in reality but also serve as a vehicle for inquiry into what reality means within specific social contexts. And it is here where Marías makes the crucial point: whether rooted in observation or fantasy, whether true or false, stories are enmeshed in the fabric of society along with other stories, which in turn are woven into other stories and still others until they spin beyond our intention and thus beyond our control. In Marías's view, this process is at once inevitable and necessary.

The centrality of control gives shape to much of Marías's thinking on storytelling, even as he knows that any attempt to assert it is a vain chimera. As I have suggested, *Negra*

espalda del tiempo represents a reading and rewriting of
Todas las almas in order for the author to gain proprietary
rights over its meaning: the author/narrator of *Negra* wishes
to set the record straight about what *in reality* is represented
in his novel. Of course, had he not told the story at all, as he
recommends in *Tu rostro mañana*, he would not have faced
the need to set the record straight. Indeed, there would have
been no record because there would have been no story. In
other words, when a story is told, as Marías points out, it
may represent the real or the imagined; it may convey a
sense of in-betweenness as a combination of both; it may succeed or fail to a greater or lesser degree in fulfilling its implied or articulated purpose. But once the story has been cast
into the world it is appropriated by readers and aligned with
other texts. Much like Bakhtin argues that ideas form
without what he terms "permanent resident rights" (88),
Marías understands that stories are always vulnerable to
appropriation and transformation. Their importance therefore turns less upon the authenticity of their reference than
upon the meanings they accumulate over time and in
multiple contexts. In this way, power accretes to those who
hold dominance over their telling and to those able to use
them in diverse and mutable circumstances.

    However, the relation of power to storytelling is not left
unmoored from life in a referential sense. To the contrary,
the distance between stories and lives is narrowed by societal
and individual awareness of their reciprocity through paradigmatic demands of emplotment. Deza's work relies precisely upon narrowing this distance, and his value to his colleagues corresponds with his ability to see how stories and
lives sustain one another. The case of Dick Dearlove (the
name used to designate one of the persons whom Deza is
assigned to "read" and offer projections on his capacity to
kill) makes the point. Dearlove's profile is not unlike others
in the files of Deza's employer: he appears to have standing
in affairs of the government, and his future behavior, when
projected into a range of possible contexts, draws attention
for its potential influence should one of these contexts gain
prominence. Deza's focus on Dearlove centers neither solely

on his past behavior nor the narrative created around such behavior. Rather, he is concerned with how the commingling of each shapes suppositions about what Dearlove may do in the future.

Deza's supervisor, the somewhat mysterious Mr. Tupra, poses the questions that Deza is assigned to answer:

> Dime, Jack, ¿te parece que ese mamarracho, nuestro anfitrión de anoche, sí, ese cantante ridículo, te parece que sería capaz de matar? En alguna circunstancia extrema, si se sintiera muy amenazado, por ejemplo. ¿O bien que no podría en absoluto, que sería de los que bajan los brazos y se dejan acuchillar, antes que asestar ellos su golpe? O por el contrario, ¿crees que sí podría, y aun en frío? (342)

The answer comes quickly, but not easily, for the future in which Deza envisions Dearlove (situations related to potential stories in which Dearlove might act violently) demand imagining the circumstances in reality as well as the potential plot in which Dearlove is placed. The multiple possible stories (e.g., "Pongamos que se le colaran ladrones en casa, dispuestos a todo... o que lo atracaran por la calle"[350])are in fact restricted by Deza's perception of what is feasible in life ("no, él nunca iría por las calles andando" [350]). In this way plot becomes the narrative correlative of Deza's perception as well as of his ability to create a story that is mimetically adequate to the future. Cultural awareness becomes important (what might happen to Dearlove in Madrid versus London, for example), as well as the probability that Dearlove will place himself in particular geographic and social spaces. But above all, Deza understands that the story he is asked to imagine must echo how Dearlove himself would want to have his story told. In other words, the question of whether Dearlove is capable of killing someone must be framed by the narrative that he would wish to use to emplot his life.

For example, Dearlove would avoid placing himself in unseemly situations not because of their implicit danger or

his likely fear, but because of the type of story they would en-
gender about him. As Deza puts it, referring to Dearlove, "es
un horror narrativo, o una repugnancia; es pavor a su historia arruinada por el desenlace, echada a perder para siempre, hundida.... Dearlove sería capaz de matar por evitarse
tal sino. Tal sino estético, argumental narrativo, como
prefiera" (353). Clearly, story moves to the fore here not as a
representation of some thing in reality, but as a thing itself
able to shape Dearlove's actions. The fusion of real and narrative horizons is central to Dearlove and therefore must be
embraced by his reader (Deza) if a reliable interpretation is
to be offered. This in fact is what allows Deza to do his job,
which at least in part is measured by his success in satisfying
his own readers. Dearlove stands among a large cohort of
individuals, in Deza's view, who "sienten su vida como
materia de un minucioso relato, andan instalados en ella pendientes de su hipotético o futuro cuento" (361). The occur-
rences of daily living thus not only offer up the material for
Dearlove's story, but the story that he desires shapes and
thematizes his life. What therefore becomes critical is the
process by which he is able to control his own story, or the
way in which it is appropriated and controlled by someone
else for their own benefit.

   This of course brings us full circle in the novel. The
Miranda warning allowing for silence discussed early in the
work, as well as the World War II posters against "speaking"
at the end (with numerous other examples in between), underscore at every turn the dangers of telling stories. These
dangers can be linked to traditions of representation and
mimesis as well as postmodern skepticism toward all acts of
narration. They extend from reliance upon the referential
accuracy of realism as a way of expressing truth to the collapse of all narrative truth when it is expressed without
contingency. Danger also lurks in narrow meanings framed
by authorial intention and in unintended meanings engen-
dered by multiple readers. The tensions inherent in all of
these possibilities compel the aporias of narration to move to
the fore and reveal how stories can be used purposefully to
our favor as well as against it. Such a dual possibility not

only underscores the perils of storytelling, but also buttresses
Marías's contention from the outset that we should be wary
of ever telling anything to anybody.

Yet Marías's characters seem unable to resist the tempta-
tion to narrate. Indeed, the cognitive demand for storytelling
resides so deeply within human culture that all attempts to
limit its use as well as its reach are inexorably consumed by
failure. As Wheeler affirms to Deza:

> Hablar, contar, decirse, comentar, murmurar, y pasarse
> información, criticar, darse noticias, cotillear, difamar,
> calumniar y rumorear, referirse sucesos y relatarse
> ocurrencias, tenerse al tanto y hacerse saber, y por
> supuesto también bromear y mentir. Esa es la rueda
> que mueve el mundo, Jacobo, por encima de cualquier
> otra cosa; ese es el motor de la vida, el que nunca se
> agota ni se para jamás, ese es su verdadero aliento.
> (409)

The challenge that must be faced by all of human society,
but one which Deza assumes as the business of his daily life,
is how to make use of this "motor de la vida." As a reader of
others' stories, as interpreter of behavior and giver of meaning, he must "conocer hoy sus rostros mañana, por así decir:
saber ya desde ahora como serían en el mañana esos
rostros..." (465). He cannot really know "esos rostros" in the
strictest sense, but he can imagine them by creating a plot in
the future rooted both in reference and narration of the past.
Deza constantly searches for a "usable future" (to paraphrase
Henry Steele Commager's famous dictum about history), and
his search compels him to observe life and to absorb its
stories. In Deza's view life and story can not be separated;
one can not exist without the nurturing authority of the
other.

Deza's task is to tell a story with an end that has yet to
occur, analogous but ultimately opposed to the historian's
task of emplotting time that has already passed. There is a
profound dissonance to this task, somewhat akin to inquiring
of an individual, "Where were you next week?" In this sense,

narration begins as a rational proposition that deliquesces into a powerful surd. In either case, telling begets a reality that entails other texts that are useful and necessary to the way in which we position ourselves in life and the way in which we are positioned by others. Hence the danger of narrating anything at all. But as Marías sees it (and also as he tells it), we are surrounded by stories and we are connoisseurs of stories. They fulfill our need to talk about the world and they insert themselves into the world as objects with their own social standing. In this way, their telling connects us to the past and helps to define the future as well.

1. For a discussion of Marías's thoughts on tellers and listeners and the giving of meaning in his essays, see David Herzberger. For a broader discussion of the topic in several of Marías's novels (as well as many other aspects of his work), see Alexis Grohmann and Isabel Cuñado.

2. The internal textual allusions to *Todas las almas* in *Negra espalda del tiempo* form the referential foundation of the later novel and seem to give it non-fictive solidity. Marías himself has referred to *Negra* as "una novela que no es ficción," though the biography/fiction mix of the work suggests an ironic subversion of any attempt to assign purity to either fiction or nonfiction.

WORKS CITED

Bakhtin, M.M. *Problems of Dostoevsky's Poetics*. Trans. and ed. Caryl Emerson. Minneapolis: U of Minnesota P, 1984.

Cuñado, Isabel. *El espectro de la herencia. La narrativa de Javier Marías*. Amsterdam: Rodopi, 2004.

Grohman, Alexis. *Coming Into One's Own. The Novelistic Development of Javier Marías*. Amsterdam: Rodopi, 2002.

Herzberger, David. "Ficción, referencialidad y estilo en la teoría de la novela de Javier Marías. *Foro Hispánico* 20 (2001): 29-37.

Marías, Javier. *Todas las almas*. Barcelona: Anagrama, 1989.

_____. *Literatura y fantasma*. Madrid: Siruela, 1993.

_____. *Mañana en la batalla piensa en mí*. Barcelona: Anagrama, 1994.

_____. *Negra espalda del tiempo*. Madrid: Alfaguara, 1998.

_____. "Javier Marías publica *Negra espalda el tiempo*, una obra de recuerdos personales." *El Pais* 5 May 1998: 38.

_____. *Tu rostro mañana*. Madrid: Alfaguara, 2002.

Moore, Marianne. *The Complete Poems of Marianne Moore*. New York: Macmillan/Viking Press, 1967.

BUERO VALLEJO EN LA GUERRA CIVIL

LUIS IGLESIAS FEIJOO
Universidad de Santiago de Compostela

Hace treinta años, cuando nacieron estos *Anales*, yo acababa de defender mi tesis doctoral centrada en la obra dramática de Antonio Buero Vallejo. Revisado, actualizado y en parte redactado de nuevo, aquel trabajo académico se convertiría en una monografía en 1982. Hoy quiero celebrar el aniversario de las tres primeras décadas de nuestra revista acercándome a un tema que se relaciona con el autor entonces estudiado, que fue distinguido como "Honorary Fellow" de la Society of Spanish and Spanish-American Studies, para dar cuenta de una parte de su actividad casi enteramente desconocida.

Buero Vallejo, antes de dedicarse a la escena hasta ser el dramaturgo de referencia obligada cuando se habla del teatro español de este último medio siglo, había pensado ser pintor. Lector voraz de novelas y comedias desde niño, espectador asiduo de toda obra que se representase en su Guadalajara natal, como luego en el Madrid de su primera juventud, su vocación artística se dirigía, sin embargo, hacia el dibujo y la pintura, practicados también desde muy pronto. Por eso se desplazó en 1934 a la capital, a fin de cursar en la Escuela de Bellas Artes, donde le sorprendió el estallido de la guerra civil en julio de 1936.

Antes había incurrido en alguna veleidad adolescente, propia de cualquier joven con inquietudes artísticas. Llegó así a ganar en mayo de 1933 un premio literario convocado por la Federación Alcarreña de Estudiantes entre alumnos de Bachillerato y Magisterio de Guadalajara, con una narración

titulada "El único hombre", que conservó siempre y de la que
he dado cuenta no hace mucho[1]. Pero las únicas páginas
publicadas por él antes de la guerra, si bien lo fueran con un
seudónimo, se ceñían a su interés por la plástica. Se trataba
de dos artículos aparecidos en la revista *Gaceta de Bellas
Artes*, firmados "Nicolás Pertusato". Es curioso observar la
profundidad de algunas de las ideas buerianas, como la devoción por Velázquez, pues la firma elegida es el nombre del
enano con apariencia de niño que da con el pie al perro en el
ángulo inferior derecho del cuadro *Las meninas* y que años
más tarde será un patético personaje en el drama que escri-
biría sobre el pintor.

Además, en el primero de sus artículos, de noviembre de
1935, titulado "Temas para un concurso", al hilo de lo que
definía como el "panorama... desolador" de la situación de la
plástica española a propósito del Concurso Nacional de Pintura, destaca la frecuencia con que es mencionado Velázquez,
que se había convertido para él en la máxima encarnación del
ideal pictórico de todos los tiempos: "Hablo de un Velázquez
insuperado, porque ni Goya, ni los impresionistas, ni los divi-
sionistas, ni Zorn, ni Sorolla, ni nadie, en fin, hasta ahora, ha
marcado una superación verdadera del concepto óptico velaz-
queño".

Todavía más clara era su admiración en el segundo
artículo, de enero de 1936, revelada ya desde el título, "Por el
buen velazquismo (Prolegómenos a un manifiesto necesario)". Ahí llega a declarar cómo quedó deslumbrado por su
pintura: "Desde entonces este pintor—Velázquez—constituyó
mi secreta preocupación". Atraído primero por su "valor
humano", fue descubriendo poco a poco su enigma: el empleo
de la pincelada amplia, suelta, que influiría sobre los impresionistas; más tarde, la asombrosa creación de atmósferas y el
juego con la luz, para llegar al fin a la clave: "y comprendí
cómo Velázquez, que era ante todo pintor de la cabeza a los
pies, en vez de hacer de la pintura un campo de experimentación de sus anhelos metafísicos, dedicó toda su inquietud a la
resolución del problema de la visión"[2].

En estos trabajos del joven aprendiz de diecinueve años
que era entonces Buero importa destacar no sólo la indepen-

dencia de criterio, sino sobre todo la tendencia a razonar sus posiciones. Se muestra ya como una mente reflexiva, poco dada a la improvisación, que gusta de considerar los principios de lo que quiere hacer y sopesa los argumentos. Esto es especialmente destacable a la luz de los textos que vamos a considerar aquí y que darán cuenta de algunas de las ideas que están en la base de su labor futura.

Interrumpida su actividad como estudiante por el inicio de la guerra, el joven Buero se dispuso a aportar su labor en defensa de la República. Su pensamiento estaba claramente inclinado hacia el sector progresista y de izquierda. Dada su relación con los trabajos artísticos, se sumó en seguida a los esfuerzos de los alumnos de la Escuela de Bellas Artes por salvaguardar las obras de arte en peligro. Colaboró así en las actividades desarrolladas por la F.U.E. de su Escuela para proteger el patrimonio, amenazado de destrucción incontrolada ante la reacción del movimiento popular, que produjo en los primeros días el incendio de algunas iglesias y la toma al asalto de palacios y mansiones de familias de la aristocracia o la gran burguesía. Especialmente en peligro estaban las obras de tema religioso o vinculadas al culto, por lo que se evidenció la necesidad de rescatarlas y evitar en lo posible su pérdida, deterioro o destrucción.

Nació así, al parecer por iniciativa de la Alianza de Intelectuales Antifascistas, el propósito de organizar la salvaguarda de todas las obras de arte y ya el 23 de julio de 1936 se dictó un Decreto que creaba una Junta de Incautación y Protección del Patrimonio Artístico[3]. Los estudiantes de la F.U.E de Bellas Artes comenzaron a elaborar a mano carteles y murales que difundieran la urgencia de conservar todo objeto dotado de valor estético; la propaganda se basaba en la consigna de que el tesoro artístico pertenecía al pueblo y debía resguardarse a toda costa, tal como recuerda un folleto editado por la República en 1937, en el que puede verse una fotografía donde aparecen tres estudiantes de la Escuela en el momento de pegar en la pared de un edificio un cartel con el anagrama triangular de la F.U.E., en el que se lee en letras capitales: "¡¡Ciudadano!! No destruyas ningún dibujo ni grabado antiguo. Consérvalo para el Tesoro Nacional"[4]. La foto-

grafía lleva al lado el siguiente texto: "Los alumnos de la
Escuela de Bellas Artes de Madrid fijan por las calles los carteles pintados por ellos mismos durante las primeras semanas
del movimiento sedicioso". En el folleto se detalla el desarrollo del proceso:

> Al principio fueron necesarias medidas de precaución
> ante la reacción de las masas justamente indignadas
> contra las clases causantes de la guerra. Al mismo tiem-
> po hubo que organizar la protección de centros de cul-
> tura y obras de arte frente a los ataques y bombardeos
> facciosos [...]
>
> Los alumnos de la Escuela de Bellas Artes, a falta de
> medios expeditivos de reproducción litográfica, pintaron
> carteles con figuras e inscripciones relativas a la protec-
> ción del Tesoro Artístico. Un numeroso grupo de jóve-
> nes estudiantes de las clases de dibujo y pintura dedica-
> ron largas jornadas a esta labor, hasta que tuvieron que
> interrumpirla para marchar a incorporarse a los frentes
> de lucha [...] La mayor parte de aquellos carteles, ejem-
> plares únicos trazados en muchos casos con admirable
> acierto de forma y expresión, se gastaron y destruyeron,
> bajo la luz y la lluvia, en las paredes en que sus mismos
> autores los fijaban.

Esta acción urgente de confección a mano de carteles con
propaganda proteccionista queda reflejada en otra fotografía
del mismo folleto, en la que pueden verse los talleres de la
Escuela, con los estudiantes en plena labor de realización de
las pequeñas pancartas, de algunas de cuyas consignas se
reproducen otras muestras (por ejemplo: "¡Ciudadano! Los
libros son tus armas de mañana. ¡¡Ayuda a conservarlos!!"; o
bien: "El tesoro artístico nacional te pertenece como ciudadano. ¡¡Ayuda a conservarlo!!"; o, en fin: "Un objeto religioso
puede ser al mismo tiempo una obra de arte. Consérvalo para
el Tesoro nacional"). Estos carteles provisionales fueron
luego sustituidos por otros ya impresos y realizados con más
calma[5]. No es imposible que las pocas imágenes conservadas
de estos murales guarden por algún recodo la figura del joven

Antonio Buero, al que incluso cabría atribuir en concreto alguno de los carteles, por razones caligráficas que ahora no cabe explicar.

Un reportaje publicado en julio de 1937 en el *Boletín de la F.U.E.* resume la ingente labor llevada a cabo por "un reducido número de alumnos": carteles de guerra: 254; retratos de personalidades o compañeros caídos: 43; campaña de defensa del Tesoro Artístico: 390; telones de boca para teatros: 6; periódicos murales: 25; carteles monumentales: 39; ilustraciones, carteles para reproducir, dibujos: 165. En total remite a un conjunto de 1.142 obras originales, a las que hay que añadir las once esculturas realizadas por dos compañeros de esa especialidad[6].

A principios de noviembre de 1936, con el joven Buero empeñado en estas tareas, le alcanzó de lleno la tragedia, cuando, ante el avance sobre Madrid de las tropas sublevadas, se produjo una oleada de pánico que condujo a los fusilamientos indiscriminados de presos en Paracuellos, sospechosos de connivencia con el enemigo. Su padre y el hermano mayor, ambos militares pendientes de destino, habían sido encarcelados como medida preventiva. Su hermano fue luego puesto en libertad, pero el padre perdió entonces la vida; aunque su cuerpo no fuera nunca identificado, la familia comprendió en seguida cuál había sido su suerte.

Pese a todo, Buero mantuvo la fidelidad a su pensamiento progresista y siguió en sus tareas, que pronto fueron más relevantes que la confección de carteles y murales en la Escuela de Bellas Artes. Reorganizada la Junta de Incautación, se creó la Junta Delegada de Incautación, Protección y Salvamento del Tesoro Artístico Nacional, a la que el 5 de abril de 1937 siguió con carácter general la Junta Central del Tesoro Artístico, de la que dependerían todas las Juntas Delegadas. En fecha imposible de precisar, pero que debe de ser diciembre de 1936, Antonio Buero entró a trabajar en la de Madrid, formando parte de un grupo de seis personas dedicado a realizar visitas de información y recogida de obras (Alvarez Lopera 45). Otro de los trabajos consistía en visitar los pueblos de la región Centro con objeto de descubrir piezas que debieran ser salvaguardadas. Aunque él no tenía esa función, cabe sospechar que en algún momento también participó en esta actividad, dado el recuerdo de cuño indudablemente autobiográfico en que se basa su última obra, *Misión al pueblo desierto*, estrenada el 8 de octubre de 1999, centrada en el salvamento de un cuadro atribuido al Greco que corría peligro en la guerra. A este trabajo estuvo Buero dedicado durante los seis meses iniciales de 1937, hasta que su quinta fue llamada a filas, en fecha no fácil de precisar, pero posterior a julio de ese año. Ello es seguro, porque el 8 de julio leyó por el micrófono de Unión Radio de Madrid una charla, "La mentira del arte proletario", que constituye su primera colaboración escrita durante la guerra.

Es preciso recordar estos datos, porque éste y el resto de los trabajos de los que aquí se da cuenta, deben ser enmarcados en las muy difíciles circunstancias en que fueron creados. Aparte de este artículo, que permaneció inédito y será considerado en seguida, sus colaboraciones y dibujos fueron publicados en uno de los abundantísimos periódicos de urgencia de entonces, elaborados en el frente de batalla o en sus cercanías, olvidados durante mucho tiempo. Sólo en los últimos años pudo el autor recuperar parte de aquellos testimonios, que reunidos al fin por quien esto escribe, forman un conjunto de interés innegable.

Pero no conviene adelantarse; volvamos a su disertación radiofónica, "La mentira del arte proletario". Completamente desconocido hasta hoy, Antonio Buero conservó siempre las cuartillas mecanografiadas de su texto, del que, sin embargo, nunca me habló, pese a que, como luego se indica, tuve ocasión de comentar con él otros trabajos suyos de la época de guerra[7]. Desde luego, no se trata de un trabajo convencional. Con la impetuosidad juvenil propia de los veinte años, Buero adopta una actitud absolutamente contraria al "arte social" y a las formas de lo que luego se llamaría "realismo socialista". Su fundamento es nítido: el arte meramente repetitivo, por mucho que adopte como tema glosar realidades propias del pueblo, es un arte tan burgués, por anquilosado, como el que recoge asuntos de la burguesía o la aristocracia, porque el tema nunca puede convertirse en criterio para dar validez al arte. Es muy clara su apuesta por una concepción del arte como investigación de la realidad.

Proclama entonces un principio que debía de resonar como algo extraño en tiempos de urgencias políticas: "La forma lo es todo. Y no hay tema si no hay una forma justa". Su actitud parte del máximo respeto hacia el receptor popular, al que se engaña si se le da una versión degradada, haciéndola pasar por "arte proletario". Buscando la "utilidad", se le ofrece una superchería: de esa manera, "más bien hace el juego a la burguesía y contribuye a definir su perfil y consolidar su moral". No puede renunciar a su esencia y, en otro caso, mejor es repartir a los obreros "cualquier folleto de exposición doctrinal". No hay ciencia proletaria, sino ciencia. No hay arte proletario, sino arte. Y éste siempre es espejo de su tiempo y del medio en que fue creado, pero la conferencia denuncia asimismo la teoría del reflejo como algo conscientemente planificado por el creador: el reflejo no es un fin, sino un medio, que percibirán luego quienes lo contemplen.

No cabe, pues, hacer "pintura de clase", y trae al respecto el ejemplo de Goya. "¿Qué es más útil para la educación del Pueblo, afinar su sentido de la forma y de la expresión por la contemplación de una obra en que estas se han conseguido, o adularle con la pálida rapsodia de una epopeya que ya conoce?" Y para reforzar sus tesis, recuerda que la proliferación del arte de propaganda propia de aquellos días era "pseudoarte", necesario, sin duda, para momentos de emergencia, pero claramente concebido como tal por sus autores: no cuadros, sino carteles o pasquines. Llega así a aventurar un momento futuro en que, tras la "post-revolución", el arte sea como la ciencia, algo "cuya finalidad fundamental es la investigación de la naturaleza por medio de los procesos que le son peculiares".

Ciertamente, la expresión de tales ideas sorprende por el lugar y el momento político en que se expusieron. No es extraño que, mucho tiempo después, el autor escribiera en sus cuartillas una breve nota preliminar manuscrita: "Yo tuve la temeridad—quizá la inconsciencia—de dar esto por radio. Sentó mal...". Pero, además, destaca en el texto la presencia de un talante decididamente independiente, defensor de una

concepción del arte—y la literatura—como indagación de la
realidad, y no como mero vehículo de transmisión de verdades previas. Antidogmático, dialéctico a su modo, anuncia
ya la mentalidad de quien, años después, iba a enfrentarse a
su labor como dramaturgo desde concepciones muy similares.
Unos días después, en el ya mencionado *Boletín F.U.E.*
apareció publicado un texto con la firma "Antonio Buero. De
la Profesional de Bellas Artes". Se titulaba "Lope de Vega,
decapitado", y glosaba los destrozos causados en las figuras
de la fachada del edificio de la Biblioteca Nacional, en el
paseo de Recoletos. Este artículo de circunstancias se cen-
traba en la estatua de Lope, alcanzada por una bomba aérea,
que había destrozado su cabeza[8].

Muy poco después debió de ser llamado a filas al ser movi-
lizada su quinta y, tras unos días de instrucción sumaria en
un cuartel, fue enviado a Villarejo de Salvanés, a unos cincuenta kilómetros de Madrid, para completar la formación
militar. Ante la falta de personal con aptitudes, el comisario
de su batallón lo situó en su oficina con el fin de que hiciera
dibujos para el periódico mural. Se encargó también de dar
alguna charla a los soldados en la iglesia del lugar, convertida
en almacén. Pero su destino militar se decidió cuando apareció allí de revista un comandante médico de las Brigadas
Internacionales, conocido como el Dr. Goryan, quien observó
con atención los dibujos realizados por Buero.

Oskar Goryan era el nombre de guerra que usaba el médico húngaro que en realidad se llamaba Imre Beer. Muy
preocupado por la difusión de sus ideas acerca de la Sanidad
de combate, vio en la habilidad artística que mostraba Buero
un instrumento idóneo para la plasmación gráfica de técnicas
y procedimientos. Por ello pidió de inmediato su incorporación a la XV División, situada en ese momento en la retaguardia del frente del Jarama. A partir de entonces, la trayectoria de nuestro autor en la guerra iba a estar vinculada a
la figura de Goryan, evocada por él muchos años después en
su *Libro de estampas*:

> Mucho dibujé y pinté durante la guerra: en el taller
> plástico de la F.U.E. para periódicos murales, en el

periódico de mi unidad... Y escribí asimismo no poco para éstos. Me queda poquísimo de todo aquello: apenas más que este retrato. Oscar Goryan era médico traumatólogo. Al parecer, de origen húngaro. Fue Jefe de Sanidad de la XV División en el frente del Jarama; después Jefe de Hospitales del Ejército de Maniobra y del de Levante. Durante la mayor parte de la contienda, mi Jefe directo. Salió de España en 1938 y en la tercera etapa de *La Voz de la Sanidad*, periódico por él creado, le dediqué un artículo de despedida bajo este dibujo, que realicé en su ausencia y ayudándome con una foto.

En efecto, el afán por difundir consejos y consignas relacionadas con la Sanidad a través de un medio escrito llevó a la creación de *La Voz de la Sanidad de la XV División*, que tenía prevista una periodicidad decenal. Su primer número apareció el 27 de mayo de 1937 y constaba de tan sólo seis páginas, aunque la extensión fue ampliándose luego y acabó fijándose de forma casi regular en dieciséis páginas. Aunque el idioma prioritario fue el español, como estaba dedicado a una División de las Brigadas Internacionales aparecieron también muchos textos en otros idiomas, sobre todo inglés y alemán. El carácter utilitario que tenía desde su génesis no impedía la aparición de otro tipo de consignas, así como de frecuentes colaboraciones literarias; en el número inicial se reproducía, por ejemplo, aparte de un poema en inglés y otro en alemán, el dedicado por Rafael Alberti a las Brigadas: "Venís desde muy lejos... Mas esta lejanía, / ¿qué es para vuestra sangre, que canta sin fronteras?".

También desde el principio se incluyen, aparte de alguna fotografía, dibujos, esquemas gráficos y caricaturas que sirvieran para ilustrar los artículos; sin embargo, su frecuencia y calidad eran bastante escasas, como producto, sin duda, de manos no muy hábiles que trabajaban movidas por la urgencia. Ello iba a cambiar a partir de finales de agosto o principios de septiembre de ese año, cuando se produce la incorporación de Antonio Buero a la XV División. La causa de su traslado no parece difícil de descubrir: el doctor Goryan, preocupado por la eficacia didáctica de los textos, encontró en

el joven soldado que procedía de Bellas Artes a alguien capaz
de elaborar con rapidez un dibujo claro, nítido y expresivo,
que conseguía con pulcritud y sencillez la visualización
inmediata de los aspectos teóricos abordados en cada caso, ya
se tratase de esquemas, cuadros estadísticos, planos topo-
gráficos, modos de realizar el traslado de heridos y las curas
más urgentes o de ubicar correctamente los hospitales y
centros de primera atención.

Una parte de la labor como ilustrador de Buero durante la
guerra puede ser calificada de directamente instrumental o
didáctica y se ciñe, pues, a lo que cabe considerar pedagogía
de urgencia impuesta por las necesidades de atención médica
en los frentes de guerra. Pero sus tareas se extendieron
mucho más allá. De un lado, se empleó también a fondo en la
elaboración de dibujos de mayor ambición, fuese para ilustrar
poemas y canciones, o con composiciones de libre elección
sobre temas bélicos o revolucionarios. De otro, fue poco a
poco encargándose de la redacción de textos, a veces breves y
ocasionales, luego auténticos artículos o ensayos, que llegaron
a formar una serie en torno a las relaciones entre la pintura
del pasado y la Sanidad. Por ello, muchos años más tarde, él
mismo recordaría en una larga entrevista cuáles eran las funciones desempeñadas a las órdenes de Goryan: "Era húngaro
de origen, pero había vivido en la Unión Soviética. Se trataba
de una persona excepcional, de una gran humanidad. Trabajé
mucho con él en *La voz de la sanidad*. Llegué a ser el redactor jefe, el dibujante, el articulista de fondo y lo que quieras. Y estuve también trabajando en la Escuela de Capaci-
tación de Sanitarios, que montó, y en otras mil cosas: periódicos murales en las zonas del frente que visitábamos, concur-
sos entre compañías..." (*Buero por Buero* 17).

La práctica totalidad de este trabajo como dibujante y
como escritor ha permanecido hasta hoy desconocido[9]. Recopilado por mí a base de rastrear las páginas de ese periódico,
formará muy pronto un volumen que creo de interés indudable y del que este artículo quiere ser tan sólo un avance y
un anuncio[10]. Con todo, debe advertirse que la identificación
de los originales de Buero no siempre ha sido fácil, porque
una buena parte no fueron firmados. Para lograrlo, he de

confesar que tuve la fortuna de poder discutir con él hace unos diez años la autoría de muchos textos y dibujos. El propio Buero no había conservado apenas nada de toda esa labor, cuando sus vicisitudes al final de la guerra le llevaron a prisión, desde donde hubo de afrontar una condena a muerte y sucesivos traslados por penales y presidios, hasta salir en libertad en 1946. Sólo mucho después, ya en sus últimos años, algunos amigos le facilitaron unos pocos ejemplares o fotocopias de *La Voz de la Sanidad*.

Por mi parte, en los años noventa localicé en la Biblioteca Nacional de Madrid una buena parte de la colección completa del periódico, lo que me permitió obtener reproducciones de bastantes dibujos y textos. En un par de sesiones en el domicilio del autor, con el que me unió una profunda amistad a raíz de la elaboración de mi Tesis doctoral, pude verificar con él la autoría de varios textos suyos que habían aparecido anónimos, así como bastantes ilustraciones que no estaban firmadas. Aún recuerdo con emoción cómo reaccionaba al volver a ver algunos dibujos elaborados sesenta años atrás, pese a que lo que yo le aportaba eran simples fotocopias, no todas de la mejor calidad. Observaba con toda atención los trazos y diseños y a veces comentaba, entre irónico y orgulloso, que algunos no estaban mal del todo. Con insólita seguridad, desechaba la autoría de alguno y afirmaba la de la mayor parte de los que yo mismo había sospechado que eran suyos. Además de los que llevan su firma, hoy contamos, pues, como base segura con la confirmación que pudo hacerme el autor. Luego él mismo consiguió a través de la generosa donación de algún amigo varios ejemplares originales del periódico, en los que señaló todo lo que era de su mano[11].

Con todo, es posible que algún texto más de circunstancias y algún otro gráfico o esquema, debidos también a su pluma, hayan quedado enterrados en el periódico y su paternidad será ya siempre dudosa, por no haber tomado en su día la precaución de obtener fotocopia completa de los ejemplares que se guardaban en la Nacional, que tampoco eran todos los publicados[12], y discutirla entonces con él. Sin embargo, la inmensa mayor parte de su trabajo ha podido ser rescatada y, aunque sospecho la presencia de su mano en algún otro escrito o dibujo, son poco relevantes y aquí me ceñiré tan sólo a los de autoría segura.

En tal sentido, es posible que sea ya suyo un dibujo aparecido en el número 10 del periódico, de fecha 27 de agosto de 1937. Sin embargo, los primeros que sin duda confeccionó figuran en el número 12, de 17 de septiembre. Carecen de firma, que por el contrario, sí tiene otro de gran formato a toda página que se inserta en la entrega siguiente, la 13, de 27 de septiembre. Así fueron publicándose colaboraciones gráficas de Buero en casi todos los números. Como aquí no pueden reproducirse y hemos de centrarnos en sus textos, bastará señalar que, en general, los más utilitarios, casi siempre de formato pequeño, están sin firmar—a veces hay hasta once dibujos suyos en un solo número—. En cambio, los más ambiciosos sí llevan su nombre, transcrito de forma sistemática como "BVERO" y con indicación del año en números romanos. Estos son de mayor tamaño y se consagran a ilustrar un poema, a menudo en alemán[13], a conmemorar un acontecimiento, como los dos dedicados a la revolución soviética del número 17, de 7 de noviembre, o al retrato de un personaje, como los de Ramón y Cajal o el propio Goryan.

Por lo que toca a los textos, el primero de autoría indudable apareció en el número 17; se trata de un breve suelto sin firma en homenaje a la revolución rusa, escrita cuando el joven Buero acababa de afiliarse al Partido Comunista o estaba a punto de hacerlo. Su nombre aparece ya al pie de un artículo en el número siguiente, el 18, de 17 de noviembre. Como no es del caso recordar todas sus colaboraciones, atenderemos tan sólo a las más relevantes. Entre ellas cuentan los artículos-ensayo acerca de las relaciones de la Sanidad con la pintura. Las dos entregas iniciales de la serie, aún sin firma, tituladas "Un grabado de sanitarios" y "Al margen de un cuadro humorístico", figuran en el número 24, de 17 de enero de 1938 y reproducen las obras comentadas. Uno se centra en un aguafuerte de Goya, el 24 de *Los desastres de la guerra*, "Aún podrán servir", y está inspirado por un interés didáctico evidente. Pero, aunque acaba por admirar al final la expresividad de la imagen goyesca, su formación clásica no deja de impulsarle a señalar las que le parecen insuficiencias en el modelado y la composición; y siempre, por encima de todo, surge la devoción por Velázquez. El otro gira en torno a un lienzo de Van Ostade y revela una notable independencia de criterio y un fuerte compromiso ideológico, que le lleva a tomar distancias frente al pintor holandés que parece reírse de la miseria que retrata.

En el número siguiente, el 25, de 27 de enero, se continúa la serie sobre pintura y medicina con un trabajo ya firmado, "Tres cuadros de la humanidad (La piedra de la locura)", sobre obras del Bosco, Van Hemessen y Teniers, que se reproducen. El ensayo, muy ideologizado, habla de los errores y supersticiones del pasado y de la larga marcha de la humanidad hacia el triunfo del pueblo. Destaca la facilidad creativa con que maneja las ideas de los pintores y supone en ellos pensamientos sobre su arte y su técnica. Pero no puede dejar de advertirse asimismo en el texto la temprana pasión bueriana por algunos autores, que permanecería en él mucho tiempo después y que iba a aflorar en algún texto dramático. No se trata sólo de la mención que hace de Velázquez, sino especialmente las de Ter Borch y Vermeer, todos ellos artistas de un momento en que, como ahí afirma, la "pintura está... alcanzando en la historia su cúspide máxima". Casi cuarenta años más tarde, los nombres de Ter Borch y Vermeer estarán de nuevo emparejados en la rememoración que hacen los personajes en una patética escena de *La Fundación* (*Obra Completa*, 1.1433).

Ese número 25 fue el último de *La Voz de la Sanidad de la XV División*, pero ello no supuso el fin del periódico. Trasladado Goryan a otro sector del frente por tierras de Aragón y Levante, se llevó con él a Buero y algún otro de sus colaboradores para continuar allí la publicación, con el mismo propósito y secciones, pero ahora con el título de *La Voz de la Sanidad del Ejército de Maniobra*, cuya numeración comenzó desde el 1, con fecha 17 de febrero de 1938. Ahí se publica otro texto suyo, sin firma, "Apunte breve sobre Mayno, la primera cura y otras cosas", con el que se reproduce el cuadro del pintor del XVII "La recuperación de San Salvador de Bahía", que figuró en su día en el Salón de Reinos y hoy está en el Prado[14]. En este artículo surge ya en la mente del Buero

de 21 años una idea que desarrollará luego en su teatro y que
llegará a convertirse en la clave central de su cosmovisión
filosófica y de su pensamiento dialéctico, que, si tiene muy
presente la necesidad colectiva del progreso social, no olvida
nunca el valor de cada ser humano. Por ello, ante un lienzo
que conmemora un hecho de armas y que refleja la doliente
realidad de los heridos, da expresión a su humanismo y
atiende a las víctimas, "los hombres que sufren", que son
siempre los mismos, los hombres de a pie, y consigna su condena hacia el caudillo que desprecia "el hecho de una vida
humana truncada en servicio de causas injustas". Pero más
sorprende aún hallar expresada ya entonces esta idea con una
fórmula que reaparecerá casi idéntica en un drama de treinta
años más tarde: la consideración, ante el camarada caído,
"del valor infinito de su vida", que por fuerza evoca la fórmula de los investigadores de *El tragaluz*: "La importancia
infinita del caso singular" (*Obra Completa*, 1.111).

En el segundo número, de 10 de marzo, aparece otro
artículo con su firma, "El sacamuelas.—T. Ronbouts" e incluye curiosos comentarios acerca del realismo y la mentira
del arte, que, sin embargo, puede ser verdad. Buero sigue en
la línea de su charla radiofónica de 1937 y revela su desconfianza ante la simple captación del parecido con la naturaleza: "El que admira este cuadro porque lo encuentra igual a
la realidad está en un escalón óptico más bajo que el nuestro". Incluso se permite aludir negativamente a la teoría del
"realismo social", aunque lo hace por medio de una perífrasis:
frente a quienes defienden el arte como instrumento para
"conocer progresivamente la verdad"—con lo que sostiene
que no está conseguida previamente—, sitúa a los que lo conciben como algo que sirve "para enriquecer nuestra mentira
interna, como... determinado concepto estético". No es difícil
ubicar en esos puntos suspensivos un ejercicio de prudencia
frente a los defensores de una teoría que contaba con el
mayor predicamento entonces en los medios marxistas.

En el número 3, de 29 de marzo de 1938—la regularidad
decenal de la publicación había desaparecido, sin duda por la
marcha adversa de la guerra para el ejército de la República—se publica otro artículo, "Operación quirúrgica.—

Teniers", que llama la atención porque está casi enteramente dialogado. El número 4, de 15 de abril, imprimía otro firmado, "Un camarada de hace tres siglos", a propósito de una de las lecciones de anatomía de Rembrandt. Ahí se descubre la agilidad con que el futuro dramaturgo sabe ver o imaginar la vida latente en un cuadro, al atribuir cualidades humanas o circunstancias concretas a algunas de las figuras retratadas. En él latía ya en germen el talante creador que había de llevarle a animar en escena a los personajes de "Las meninas" o de los cuadros de Goya. La serie sigue en el número 5, de 30 de abril, con el ensayo "La visita del doctor", en el que se comparan dos cuadros holandeses del XVII sobre ese tema.

El 31 de mayo de 1938 se publica el último número de *La Voz de la Sanidad del Ejército de Maniobra*, que era el 6. Incluye el artículo firmado, "Una pintura de camilleros", en este caso un cuadro de Goya. Sorprende constatar de nuevo en el joven Buero la presencia de una mente regida por el principio dialéctico, que no olvida al hombre concreto en la consecución de las mejoras colectivas; así lo revela su atención a "la enorme importancia social del dolor individual", al igual que su recelo ante lo que llama de forma eufemística "posiciones excesivas". Ante la difusión de interpretaciones de la teoría marxista que predicaban la supremacía absoluta del "pueblo" frente al hombre concreto, al que había que sacrificar sin recelo en provecho de la mejora social, es necesario subrayar su preocupación por el "problema único del dolor humano", convertido en el objetivo final, pues no en vano proclama en el cierre de su trabajo que ése "es, en fin de cuentas, el problema cuya solución buscamos y que guía nuestra lucha".

Los reajustes habidos en las tropas republicanas determinaron la unificación de los Ejércitos de Levante y de Maniobra, con el nombre del primero. De ahí nace la tercera fase del periódico, ahora con el título *La Voz de la Sanidad del Ejército de Levante*, que esta vez prosiguió su numeración, de forma que el primer número fue el 7, de fecha 18 de julio de 1938. En él aparece el trabajo "Descubrimiento del optimismo", que se centra en un cuadro de Tomás de Kéyser,

en el que puede verse de nuevo la facilidad imaginativa con
que dota de ideas o sentimientos a los personajes de un
cuadro, haciéndolos vivos y adelantando lo que realizará en
algunos dramas de bastantes años después. Asimismo es
perceptible el desarrollo cada vez más claro de su mente
dialéctica, unido a un creciente grado de compromiso con las
ideas colectivizadoras, que no ahogan, sin embargo, la
atención a las individualidades que pueden intuir el futuro,
como revela la mención final a los "seres aislados" que ade-
lantaron el presente y en los que no es difícil descubrir a esos
otros excéntricos en su tiempo que formularon ya "la pregunta" de que se habla en *El tragaluz*.

La entrega siguiente, nº 8, de 18 de agosto, edita una carta
abierta al "Doctor P. R.", aunque la identidad bueriana se
oculta bajo las siglas Z. L., según nos confirmó él mismo. Se
trata de un escrito curiosísimo, porque en él aparece por primera vez una dicotomía que dará posteriormente mucho
juego en la concepción de personajes de su teatro, la oposición
entre "activos" y "contemplativos", como la ha llamado
Ricardo Doménech. Escribe entonces el joven Buero: "Podemos decir, camarada, que en la guerra—como en la paz—se
dan dos tipos extremos de laboriosos: el hombre parado y el
hombre activo". Es muy interesante observar toda la categorización que sigue respecto a cada uno de los dos tipos. El
primero puede ser laborioso, dice, en circunstancias
propicias; si no son así, "el hombre parado encontrará en
ellas montañas infranqueables. Todos sabemos de esos talen-
tos de café—un caso extremo—que se pasan la vida "reser-
vándose" y hablando de su obra futura, esa obra que sólo
aguarda para salir a que las circunstancias sean propicias.
Naturalmente, esas circunstancias no llegan nunca y el
supuesto talento permanece eternamente ignorado, pues es,
en realidad, una impotencia interna de trabajo lo que le
impide hacer nada interesante".

Parece un augurio de lo que hará decir después al Larra
de *La detonación*, y cabe asimismo rastrear ya la idea de que
es preciso trabajar y no quedarse en la inacción por estrechos
que parezcan los márgenes de una situación determinada,
esto es, la base de lo que se llamó su "posibilismo" y que tan

mal fue entendido a veces. "De muy otra manera procede el hombre activo. Todos los grandes hombres fueron activos— con un género de actividad interna que no tiene por qué identificarse necesariamente con la actividad física—". Por encima de la falta de medios, no hay que caer en la inactividad, y pone entonces el ejemplo de Cajal: "El activo ha saltado, gracias a su formidable impulso interior, por encima de todo. Y ha ejecutado su obra con una carencia inicial de tiempo, instrumentos y lectura, que hace estremecerse de asombro a todos los laboratorios de Europa". Su tesis es una llamada a no dejar de actuar por difíciles que sean las circunstancias, lo que anuncia la frase de Asel en *La Fundación*, que pudiera ser tomada como cifra de todo su teatro: "Duda cuanto quieras, pero no dejes de actuar"(*Obra Completa*, 1.1487): "En definitiva: nosotros creemos que lo decisivo es ser activos. Y en la guerra esta consigna multiplica su importancia, porque la guerra es quizá el mejor caldo de cultivo para la pereza. La fomenta increíblemente y—lo que es más doloroso—emperaza a muchos activos. El hombre activo puede verse convertido en parado cuando menos lo piense. Máxime cuando las crudas condiciones primarias de lucha que caracterizan a la guerra brutalizan insensiblemente nuestra tarea y aminoran nuestro propio control".

En el número 10, de 20 de noviembre, aparece el retrato firmado que Buero hizo de Goryan y que, como ya se dijo, incluyó en su *Libro de estampas*. Iba acompañado de un texto de despedida, sin firma, pero debido también a Buero, motivado por la retirada general de los componentes de las Brigadas Internacionales. En ese mismo número figuran otros dos textos de Buero, uno de ellos firmado simplemente B., "Santiago Ramón y Cajal", que va acompañado de un retrato del médico de cuerpo entero, este sí firmado.

La marcha de Goryan no determinó el fin de la publicación, mantenida por sus colaboradores hasta el fin de la guerra, aunque sólo aparecieran dos números más. El 11, que lleva como fecha "Diciembre de 1938", aparte de otros trabajos, incluye uno firmado, "Entre Goya y nosotros", ilustrado por el grabado 20 de los *Desastres de la guerra*, de Goya: "Curarlos, y a otra". La glosa del aguafuerte goyesco es muy

desfavorable para el artista, al que ve como un "viejo amar-
gado frente a los anhelos de su pueblo". El desafortunado
comentario sobre la obra de Goya que representa este ensayo
bueriano resulta excepcional en el conjunto de los escritos en
este periodo. Revela una incomprensión notable del sentido
del grabado y acaso haya que explicarlo como resultado de un
creciente pesimismo ante la marcha muy negativa de las
armas de la República, que caminaba aceleradamente hacia
su fin: la batalla del Ebro había acabado en derrota en el mes
de noviembre y Barcelona caería a finales de enero. No es
extraño que, cuando en los últimos años Buero pudo leer de
nuevo este trabajo suyo, escribiera al pie una nota manuscrita: "De este artículo es del que más me arrepiento. Se
ve que el periodismo nos lleva inevitablemente a decir tonterías. ¡Yo iba para Zdanov!"

El último número de *La Voz de la Sanidad del Ejército de
Levante* fue el 12, de febrero-marzo de 1939 y sólo nos interesa por dos pequeños dibujos y un artículo, "Cómo y por qué
hacer un Periódico Mural en los Puestos de Socorro de Batallón", firmado por él, con lo que se cierra el conjunto de sus
colaboraciones durante la guerra. Esta terminó el 31 de
marzo de 1939 y Buero siguió la suerte de los soldados
republicanos que no pudieron salir de España por la frontera
catalana, al haber quedado al sur del Ebro. El mismo resumió
los últimos tiempos[15]:

> Después a Bétera de nuevo y a Valencia, en cuya
> Jefatura de Sanidad viví el fin de la guerra. Con toda
> disciplina decidimos quiénes deberían ir a los puertos
> para intentar salir—los de mayor graduación, natural-
> mente—y quiénes deberíamos quedarnos. Yo, como
> simple soldado, me quedé; pasé dos o tres días en casa
> de un amigo, me fui después a la estación para intentar
> salir en algún tren hacia Madrid, pasé cuarenta y ocho
> horas en un mercancías repleto de soldados que al fin
> no salió; nos llevaron a todos a la plaza de toros, donde
> pasé unos días, y de allí nos fueron llevando, por
> expediciones sucesivas, a diversos campos de concen-
> tración. Autorizados poco a poco a volver a nuestros

lugares de residencia, llegué a Valencia y, en otro mercancías, a Madrid.

Luego vendría el inicio de actividades clandestinas—confección de avales, con sellos dibujados por su mano experta—,
la rápida caída de toda la célula en manos de la policía, el
juicio, la condena a muerte, la espera durante ocho meses de
su posible cumplimiento, la conmutación por cadena perpetua
y los años de prisiones y penales, hasta la libertad condicional
en marzo de 1946. Pero esa es ya otra historia, que habría de
llevarle al abandono de la pintura, salvo como ejercicio de
subsistencia en los primeros tiempos tras la salida de la
cárcel. Su camino era el de las letras; él iba a escribir, y en el
teatro vertería condensada la experiencia de sus avatares. El
estreno de *Historia de una escalera* en 1949 lo consagró al
instante y comenzó así la trayectoria que había de convertirle
en el autor más importante de la escena española de su
tiempo y uno de los más destacados de toda su historia.

Los dibujos y textos escritos por él durante la contienda
no nos descubren obras maestras, por más que los primeros
revelen las altas capacidades artísticas que prometía. Pero los
segundos dan cuenta además de los inicios de una trayectoria
como escritor y permiten vislumbrar lo profundo de algunas
de las convicciones que están en la base de lo que más tarde
desarrollaría en el mundo de la escena. Su variado interés
quedará más a la vista cuando puedan leerse en su integri-
dad. Aquí sólo se trataba de dar la primera noticia de un conjunto de colaboraciones desconocidas, que nos regalan la ocasión de asomarnos al interior de un hombre comprometido
con la libertad, que desde sus años más jóvenes reflexiona y
medita, pero se implica asimismo en la defensa de la justicia y
la solidaridad, gravemente amenazadas por entonces.

NOTAS

1. El propio Antonio Buero me proporcionó una fotocopia de las
cuartillas originales en 1970, en el periodo de elaboración de la tesis
doctoral sobre su obra. He tratado de este texto en Luis Iglesias

Feijoo, "El primer cuento de Buero Vallejo". En ese volumen se publicaba ya íntegro "El único hombre" (293-98).

2. En el volumen citado en la nota anterior (299-319), se publicaron sus dos artículos de la *Gaceta de Bellas Artes*.

3. El proceso de protección de las obras de arte, con especial atención a los cuadros del Museo del Prado, ha sido objeto en 2003 de una exposición monográfica en el propio Museo. En el catálogo que la acompañó se han incluido estudios que permiten seguir con bastante detalle esta actividad (Argerich y Ara, eds.). Véase sobre todo el trabajo de José Alvarez Lopera.

4. Encabezado por el rótulo *Protección del Tesoro Artístico Nacional*, el folleto se titula *Propaganda Cultural*, pág. [4]. Se trata de un folleto sin paginar, de 16 págs., muy bien editado por los talleres de la Tipografía Moderna. Forma serie con otros, siempre bajo el rótulo *Protección del Tesoro Artístico Nacional*. En el catálogo citado en la nota anterior, págs. 283-90, pueden verse las portadas de la mayor parte de ellos

5. La fotografía de los talleres de la Escuela, en pág. [4] del citado folleto; los otros carteles confeccionados a mano, en pág. [10]; los impresos, en pág. [12]. En las págs. 94-97 de mi artículo citado en la nota inicial del presente trabajo pueden verse reproducciones de estas páginas del folleto.

6. Véase "Actividades. La Profesional de Bellas Artes", *Boletín F.U.E*, nº 2, 15 de julio de 1937, págs. 4-5.

7. Tras la muerte del dramaturgo, las cuartillas fueron localizadas por su hijo Carlos Buero Rodríguez, a quien debo expresar mi gratitud por haberme facilitado una copia a fin de que fueran publicadas en el libro del que luego se da cuenta.

8. Puede verse una fotografía de los daños en las estatuas de la fachada, con el Lope sin cabeza, en el catálogo *Arte protegido*, pág. 251.

9. Sólo tengo noticia de un avance de los trabajos de que aquí se da cuenta: el reportaje elaborado por el Director de la Hemeroteca Municipal de Madrid, Carlos Dorado, quien publica seis de los textos y varios dibujos

10. Con el título *Buero antes de Buero*, es de esperar que sea publicado dentro de este mismo año de 2005 por la Junta de Comunidades de Castilla-La Mancha.

11. De nuevo debo dar las gracias a su hijo, Carlos Buero, con el que he revisado exhaustivamente todos los ejemplares y fotocopias que el dramaturgo llegó a reunir.

12. La Biblioteca Nacional fue adquiriendo sucesivamente ejemplares de *La Voz de la Sanidad* a lo largo de los años, hasta conse-

guir una colección completa. Hay otra en la que sólo falta algún número aislado en la Hemeroteca Municipal de Madrid.

13. En el nº 16, de 27 de octubre, figura un notable dibujo junto al poema de Ludwig Detsinyi "Blinder Genosse", esto es, "Camarada ciego". Es curiosa la aparición de esta temática, tanto en el poeta, que tenía graves problemas de visión, como en Buero, que haría luego de ella uno de los símbolos centrales de su dramaturgia.

14. Véase Jonathan Brown y J. H. Elliot (173-180, especialmente).

15. Mariano de Paco, entrevista recogida en su libro *De re bueriana* (19).

OBRAS CITADAS

Los datos bibliográficos de *La voz de la Sanidad de la XV División, La Voz de la Sanidad del Ejército de Maniobra* y *La Voz de la Sanidad del Ejército de Levante* no son incluidos en este apartado y quedan dentro del artículo.

"Actividades. La Profesional de Bellas Artes". *Beletín F.U.E.* 2 (15 de julio de 1937): 4-5.

Alvarez Lopera, José. "La Junta del Tesoro Artístico de Madrid y la protección del patrimonio en la guerra civil". *Arte Protegido.* Eds. Isabel Argerich y Judith Ara. Madrid: Instituto de Patrimonio Histórico Español-Museo del Prado, 2003. 27-61.

Argerich, Isabel y Judith Ara, eds. *Arte protegido. Memoria de la Junta del Tesoro Artístico durante la guerra civil.* Madrid: Instituto del Patrimonio Histórico Español-Museo del Prado, 2003.

Brown, Jonathan y J.H. Elliot. *Un palacio para el rey. El Buen Retiro y la corte de Felipe IV.* Madrid: Alianza Editorial, 1981.

Buero Vallejo, Antonio. "El único hombre". "Temas para un concurso". "Por el buen velazquismo (Prolegómenos a un manifiesto necesario)". *Antonio Buero Vallejo dramaturgo universal.* Eds. Mariano de Paco y Javier Díez de Revenga. Murcia: Caja Murcia, 2001. 81-87 y 299-319.

_____. "Lope de Vega, decapitado". *Boletín F.U.E.* 2 (15 de julio de 1937): 7.

_____. *Libro de estampas.* Proyecto de Mariano de Paco. Murcia: Fundación Cultural CAM, 1993.

_____. *Obra Completa.* Eds. Luis Iglesias Feijoo y Mariano de Paco. Vol. I. Madrid: Espasa Calpe, 1994.

Buero por Buero. Conversaciones con Francisco Torres Monreal. Madrid: Asociación de Autores de Teatro, 1993.

Doménech, Ricardo. *El teatro de Buero Vallejo*. 2a ed. Madrid: Gredos, 1993.

Dorado, Carlos. "Buero periodista y dibujante de guerra". *El Cultural* [de *El Mundo*] (16 de mayo de 2002): 6-12.

Iglesias Feijoo, Luis. *La trayectoria dramática de Antonio Buero Vallejo*. Santiago de Compostela: Universidad de Santiago de Compostela, 1982.

_____. "El primer cuento de Buero Vallejo". *Antonio Buero Vallejo dramaturgo universal*. Eds. Mariano de Paco y Francisco Díez de Revenga. Murcia: CajaMurcia, 2001. 81-97.

Paco, Mariano de. *De re bueriana (sobre el autor y las obras*. Murcia: Universidad, 1994.

Propaganda Cultural. Valencia: Junta Central del Tesoro Artístico, 1937.

ISSUES AND ARGUMENTS IN TWENTIETH-CENTURY SPANISH FEMINIST THEORY

ROBERTA JOHNSON
University of Kansas

In the pages of the 2003 volume of *Anales de la literatura española contemporánea*, whose thirtieth anniversary we are celebrating, I pointed out that feminist scholars of Spanish literature have tended to rely on French and Anglo-American theoretical models. There I proposed that feminist critics of Spanish literature begin to look more seriously at Spanish feminist thought for the guiding ideas of their analyses of Spanish cultural phenomena.[1] I want to continue the discussion I initiated in that brief article, which was originally a 20-minute paper delivered at the 2001 MLA meetings, and outline some of the feminist issues and arguments put forth by Spanish feminist theorists. Fortunately, we do some have several studies of individual feminist writers and some of their major works. Catherine Davies's "Feminist writers in Spain since 1900: from political strategy to personal inquiry" is a useful survey from 1900-1999 that focuses on Carmen de Burgos, Margarita Nelken, Clara Campoamor, Federica Montseny, Carmen Laforet, Carmen Martín Gaite, Lidia Falcón, Monstserrat Roig, Esther Tusquets, and Rosa Montero. *Spanish Women Writers and the Essay: Gender, Politics, and the Self*, edited by Kathleen M. Glenn and Mercedes Mazquiarán de Rodríquez, provides a more in-depth consideration of specific women writers who "theorized" or wrote essays, although not all of them feminist or studied from a feminist perspective. The volume includes Emilia Pardo Bazán, Carmen de Burgos, María Martínez Sierra, Margarita Nelken, Rosa Chacel, María Zambrano, Carmen Martín Gaite, Lidia Falcón, Montserrat Roig, Soledad Puértolas, and Rosa Montero. And most recently *Recovering the Spanish Feminist Tradition*, edited by Lisa Vollendorf for the MLA, marks another milestone, as it contains important analyses of specific authors from the Renaissance forward. The twentieth-century writers included are Carmen de Burgos, María Teresa León, Margarita Nelken, Montserrat Roig, Maria-Mercé Marçal, and Carme Riera.

As I indicated, all these studies take an author-by-author chronological approach, which gives us insights into individual writers and their contributions to feminist debates. I suggest here an "issues" approach, because questions that have been at the forefront of Spanish feminist thinking are not necessarily those that shaped the development of feminist theory in other countries. In addition, the issues approach allows for a comparison of views by several authors on a particular matter and facilitates an understanding of the theoretical nature of Spanish feminist thinking, which as I remark below, is often covert rather than overt. Geraldine Scanlon's *La polémica feminista en España*, the classic study of Spanish feminism, also proceeds along a topics format, but, of course, hers is more of a factual history of the Spanish feminist movement(s), although she does discuss a number of theoretical issues that fueled feminist debates between 1864 and 1974. From Scanlon we can begin to assess one of my central points here, namely, that unlike the more linear trajectory of feminist thought in other countries, Spanish feminist thinking has traversed a circular path that follows the vicissitudes of twentieth-century Spanish history. After a consideration of how we might view the notions of "feminist" and "theory" in the Spanish context, I will outline several salient issues and arguments that define what I am calling Spanish feminist theory. The number of these issues, including education, history, femininity (maternity), biological notions of gender, marriage, the Spanish legal system, class, work, double-militancy, feminism vs. humanism, community, suffrage, hair styles, fashion, and women's writing, is too large to treat comprehensively in an article. Here I will concentrate on history, class, work, and marriage, with a promise for a fuller treatment in a longer study.[2]

For my purposes, I use the term "feminist" for writing that addresses the condition of women in order to expose and/or attempt to correct inequities.[3] While in the Anglo-American world, few who write about or work for the improvement of women's situation would contest being labeled "feminist," such has not been the case in Spain. "Feminist" has been a troubled category even for the women like Federica Montseny, Rosa Chacel, María Zambrano, Carmen Laforet, and Soledad Puértolas, who fit many definitions of feminism but were or are reluctant to be called such. For example, Kathleen Glenn reports that "Soledad Puértolas rejected the idea that as a female author she should shed light on the world of women" (374),[4] although Mercedes Mazquiarán de Rodríquez finds feminist statements in Puértolas's *La vida oculta*: "Puértolas's self-acknowledged inability to respond quickly and cogently in front of an audience is the result of social conditioning, and her own annoyance regarding that fact is an indication of her awareness of the limitations patriarchal societies have imposed on women. Uneasiness when facing the public eye has traditionally been a woman's reaction in male-dominated cultures" (237). Mazquiarán de Rodríquez also cites Puértolas on women's writing: "Why should it be acceptable she wonders, for male writers to write about anything they desire without anyone questioning the reasons for their choices, while all women are expected to write about the same things. Once again she posits a rhetorical question charged with irony: 'Is it that women perhaps and within that category, women writers, are condemned to be exactly the same?'" (238).

It is not entirely clear why the label "feminist" should have such negative connotations in Spain. Often the resistance to the feminist label is couched in terms that pit feminism against what some women consider more universal human concerns. Some writers and activists, like Federica Montseny, were "double militants" who did not believe that

matters relating specifically to women should take precedence over what they considered the larger issues of class
oppression. Lidia Falcón countered that argument by declaring women a social class. As I will develop below, an idea
central to some Spanish feminist thought is that the sexes
are absolutely equal in abjection of all sorts (including
bourgeois marriage). Within the polarity between arguing for
an emphasis on women and women's issues and a natural
division of the sexes—what today is called "difference feminism"—and for women as human beings who should not
necessarily be distinguished in any way from the rest of
humankind, María Martínez Sierra might be seen to fall on
the extreme side of "difference feminism" or viewing the
sexes as radically different, while Rosa Chacel might occupy
the extreme opposite. As Mary Lee Bretz points out, one of
María Martínez Sierra's contributions to Spanish feminist
theory is her wedding of the notions feminine and feminist.
Martínez Sierra argues that no woman should reject the label
of feminist, because being feminist does not make a woman
unfeminine (i.e., domestic, maternal, emotional, caring):

> toda actividad generosa que le haga traspasar por un
> momento los lindes encantados de su propio hogar,
> acercarse a la vida, ponerse en situación de compren-
> derla, de darse cuenta de que hay un más allá, o un más
> abajo, hecho de injusticias tremendas y de dolores insos-
> pechados, lejos de hacer perder femininidad a su espí-
> ritu, la aumentará, ensanchándole el corazón a medida
> que acrezca el conocimiento. Por saber más no es una
> mujer menos mujer [...] no puede dar de sí más que un
> perfeccionamiento de sus facultades naturales, nunca
> un cambio de su naturaleza. (*Feminismo* 13)

Maryellen Bieder notes that early in her career Carmen de
Burgos was a master of holding feminist positions and carry-
ing out feminist activities, while strategically rejecting the
label: "As she frequently does in her public statements, she
takes both sides of the issue, opposing feminism but
recognizing its fundamental role in enacting social change"

(250-51). By the 1920s, however, she unequivocally declared herself a feminist (251).

In many cases one suspects that in rejecting the feminist label women writers wish to avoid the kinds of ridicule leveled at feminists, who were caricatured from the earliest years of the century forward in the popular press and in novels such as Pío Baroja's *Paradox, rey* and *El mundo es ansí*. In these novels the feminist characters are foreign (English or Russian), and thus a latent nationalism may be operating in Baroja's and other male writers' depiction of feminism as a foreign movement that could invade Spanish soil where traditional womanhood formed part of the nation's identity. These caricatures persisted in the scorn heaped on Carmen de Burgos, whose pseudonym Colombine was transformed into Colombone, and in the ostracizing of highly militant late Franco-era feminists like Lidia Falcón. Women writers learned to shun any association that would similarly attempt to marginalize them. And yet other women writers—including Carmen de Burgos, María Martínez Sierra, Margarita Nelken, Montserrat Roig, Rosa Montero, and Lucía Etxebarria—openly called or call themselves feminists, and they have the credentials to warrant it. However, some male public figures like Miguel Primo de Rivera and Felipe Trigo, who readily adopted the feminist label, may be suspect.[5]

The term "theory" presents another set of problems for the Spanish case. We have not been accustomed to considering Spanish thought when theorizing about feminist issues in Spanish writing, partly because that writing often does not resemble theory, as we understand it—namely, engaging in overt abstraction. Many of the Spanish feminist materials we have are more historical, sociological, or political in nature—Carmen de Burgos's book on divorce in Spain and her *La mujer moderna y sus derechos*, Margarita Nelken's *La condición social de la mujer en España*, and Lidia Falcón's *Mujer y sociedad*.[6] Of course, there is theory behind every historical, political, or sociological essay, but sometimes it is submerged and latent and needs to be teased out and foregrounded. Spanish feminist thinkers often distinguish between theory and practice, with some tendency to favor the latter. Lidia Falcón mentions a woman acquaintance who became disillusioned with attending feminist meetings in the early 1970s because those present devoted the time to "una comparación de teorías feministas" (Levine and Waldman 75). Eva Forest points to the need to base theory on experience:

> Nosotras no queremos partir de textos; más bien los problemas que surgen en cada sesión nos llevan a los textos. Por ejemplo nos preguntamos después de una discusión: ¿cómo se ha plantado tal tema en la historia?, ¿qué ha dicho de Beauvoir de este tema? O ¿qué se dijo en tal época? o ¿cómo respondieron las mujeres de cierta clase social a estos problemas? Entonces cada una se encarga y hace un poco un resumen de lo que se ha dicho sobre ese problema. Eso nos obliga a estudiar mucho y ver el problema como vinculado con todos los demás problemas, porque no se puede aislarlo. (Levine and Waldman 104)

In addition to reconsidering Spanish historical-sociological essays with an eye to feminist theoretical issues, I also suggest that we look at non-traditional materials beyond the formal essay format, such as journal and newspaper articles, autobiographies, diaries, letters, interviews, and fiction. (Catherine Davies, for example, relies on novels for more than half of the material in her pioneering article on Spanish feminist writing.) In "El hombre musa," Carmen Martín Gaite points out that as early as Rosalía de Castro the novel began to be a major ally of Spanish feminist thinkers. Perhaps instead of "applying" foreign feminist theory to Spanish fiction, we should sift through novels for autochthonous Spanish feminist theory. Fiction, memoirs, letters, and interviews may not appear to engage in the kinds of conceptualizations we expect of theory or quasi-philosophical discourse, because we have been conditioned by the practices of feminist thought in other countries to consider only a recognizable essay to be the proper source of feminist theory. We look to Virginia Woolf's *Three Guineas* and *A Room of One's Own* to find her feminist ideas rather than to *Mrs. Dalloway*, or to Simone de Beauvoir's *The Second Sex* rather than to *The Mandarins*. Because we are not accustomed to seeking feminist or other theories in sociological essays, novels, newspaper articles, or correspondence, Spanish feminist theory as a body of work with recognizable and recurring themes has eluded us. And some of the issues addressed and arguments marshaled in Spanish works are unfamiliar in the current climate of feminist theory.

Historical approaches are a case in point. The French and U.S. feminist theorists that are so often cited in our studies of Spanish literature—Luce Irigaray, Julia Kristeva, Hélène Cixous, Nancy Chodorow, Carol Gilligan, and Judith Butler—take a mostly non-historical "universalistic" or abstract (overtly philosophical or psychoanalytical) approach to the study of matters relating to women and/or gender. By contrast, Spanish feminist theory is more directly tied to specifically Spanish situations, and Spanish feminist writers for the most part begin their analyses and arguments with a historical view in order to understand the present situation. In part, the emphasis on history is central to Spanish feminist thought, because political history has varied more in Spain than it has in France, England, or the United States since modern feminism began to emerge. In honor of the emphasis of the journal we are celebrating, I deal here only with Spanish feminist thought in the twentieth century, although this means leaving out earlier feminist writers like Father Feijoo, Concepción Arenal, and Emilia Pardo Bazán. Such a limitation can be defended as well, because Spanish feminist writing became more polific after World War I (see Scanlon).

Catherine Davies divides her study of twentieth-century Spanish feminist writing into four parts that follow the swings in Spanish political life in the last century: 1900-1930, which covers the last years of the Restoration and the Primo de Rivera dictatorship, especially that crucial post-World War I era in which Spanish women entered the workplace in larger numbers and thus gained greater consciousness of their inferior social and legal status; 1931-1939, the Republi-

can period when women achieved the vote, equality before
the law, and entered political life as *diputadas* and government officials; 1939-1975, the dictatorship of Francisco
Franco, when all the gains made under the Republic were
rescinded and earlier legal codes reinstated (even worse,
some aspects of women's roles that were formerly a matter of
social convention [e.g., domesticity] became institutionalized
through the Sección Femenina); 1976-1990, the period of
transition and democracy, when women once again gained
the right to divorce, to limited abortion, and equality before
the law. As I noted, this historical situation, in which Spanish
feminists had to "reinvent the wheel" in the 1970s after the
40-year hiatus in legal and social progress for women during
the Franco era, makes the history of Spanish feminist
thought somewhat circular.

Many feminist issues of the pre-Republican and
Republican eras (1920s-1930s) resurface in the late 1960s as
Francisco Franco approached death. The pre-Republican
years were governed by the Civil Code of 1889, a series of
legal statutes that severely restricted women's legal independence. Carmen de Burgos (*La mujer moderna y sus derechos*)
is particularly eloquent on the "legal construction" of
Spanish womanhood, which she defines as a relegation to the
status of "eterna menor" (144). Unmarried women could not
live alone without parental permission; unmarried women
were legally prohibited from becoming pregnant, and if they
did, the law forbade paternity investigations; the husband of
a married woman had to authorize any work or travel she
wished to undertake, and the husband had control of all the
woman's money; the infamous article 438 dictated that the
man who killed his adulterous wife was only sentenced to
exile, and if he beat her there was no punishment. Lidia
Falcón's *Mujer y sociedad* (1969) revisits the legal construction of womanhood 40 years after Carmen de Burgos's *La
mujer moderna y sus derechos* appeared. Both women appeal
to nationalist instincts by comparing Spanish legal structures
to those in other countries; Burgos emphasizes the gains
made by women in England, while Falcón has a chapter on
"Tío Sam," which bears the heavy imprint of Betty Friedan.

(In *Feminismo*, María Martínez Sierra also compares Spain and the United States, although in her pre-Betty Friedan world, she views women's situation in the U.S. in a more positive light.)

There were, of course, some feminist threads that were not severed during the Franco years, although on the whole, Franco-era feminists were only vaguely aware of the work feminists had done in the pre-War period, if at all. When Franco-era feminists cite pre-War feminist thinking, they seldom mention specifics. Carmen Alcalde comments, for example, that

> nos quedamos un poco cortas. No supimos ver de verdad todos los valores que hubo en los años veinticinco, treinta y treinta y cinco, y en la Guerra, la gente de un valor extraordinario como Victoria Kent y Margarita Nelken o digamos «La Pasionaria», que ya es mito, y Federica Montseny y una cantidad de gente anónima con unos esfuerzos tan grandes y tan pioneras que verdaderamente no se puede decir que no hubo feminismo, tal como se dijo en este libro [her *El feminismo ibérico* co-authored with María Aurelia Capmany and published in 1970]. (Levine and Waldman 27-28)

When asked if the work of feminists like Margarita Nelken and Victoria Kent in the 1920s and 1930s was known to post-War feminists Elisa Lamas replies that there was an "ignorancia total" (Levine and Waldman 117), because the younger women were all educated under the Franco regime, which recognized nothing that happened before July 18, 1936. She remarks that a few highly educated women were aware of the feminist movement in the pre-War period, "pero son una parte pequeñísima de la población" (117).

As Catherine Davies points out, the concern for issues that had occupied feminist writing in the 1920s and 1930s did not completely disappear between 1939 and the late 1960s; they went underground and found publication outlets in the novel: "fiction [from 1940 to the 1970s] provided virtually the only means by which women [...] were able to express their preoccupations, to affirm their identity, to arouse public awareness, and yet avoid [...] arbitrary censorship" (208). A few more overtly feminist books began to be published in the 1960s (Lidia Falcón's *Los derechos civiles de la mujer* [1962] and *Los derechos laborales de la mujer* [1963]), although they did not have much resonance, and feminist issues only resurfaced as part of the public discourse in 1976. According to Linda Gould Levine and Gloria Feiman Waldman, in May of that year "varios grupos feministas organizaron una manifestación 'el Día de la Madre,' para pedir la legalización del aborto, la venta libre y gratuita de anticonceptivos, derechos iguales para hijos legítimos, ilegítimos y naturales y la abolición de la funesta *patria potestad paterna*. Se recogieron firmas para un escrito solicitando del Ministerio de Justicia la abolición de la figura delictiva del adulterio" (17). Some issues, such as contraception and abortion are new to post-1976 feminist writing, but illegitimate children, adultery, and *patria potestad* all echo issues that were fielded by feminists in the 1920s and 1930s. In the 1970s Carmen Conde even repeated Carmen de Burgos's 1904 "encuesta sobre el divorcio."

If historical circumstances inform the legal structures so prominent in Spanish feminist thought, they also strongly influence the style of argumentation we find in both pre-Francoist and post-Francoist feminist thinking. Some of the most frequently mentioned early twentieth-century feminist essays—Carmen de Burgos's *La mujer moderna y sus derechos* and Margarita Nelken's *La condición social de la mujer*—as well as the more recent (late Franco-era) Lidia Falcón all emphasize the historical situation of Spanish women, especially aspects of Spanish women's condition that derive from Roman patriarchal law, Moorish customs, and Islamic law. All contributed in different ways to the Church's strong domination in matters relating to women's lives that make argumentation for Spanish theorists more of a minefield that it might have been for feminists in other countries.[7] While both Burgos and Falcón argue from history, Falcón foregrounds the history of women's oppression beginning in the Bible in order to understand women's situation in Franco's Spain.[8] Burgos, on the other hand, incorporates history into her individual chapters that center on the nature of gender and the several rights women should enjoy in the present (1920s)—education, work, financial independence, divorce, equality in the religious and military realms, suffrage, and freedom of dress. Thus Burgos is more prescriptive, while Falcón more descriptive.

Even Rosa Chacel's "Esquema de los problemas prácticos y actuales del amor" and *Saturnalia*, which are closer to the abstract philosophical style of feminist theorizing we associate with most French and Anglo-American feminist thought, has a historical angle. She argues from an Orteguian notion that one lives enmeshed in one's historical circumstances. Thus, according to Chacel, from a historical point of view women have not necessarily suffered injustice in any particular era; their situation is synchronous with the times in which they happen to live. She does find certain thinkers (like Georg Simmel) out of synch with the times (the 1920s and 1930s) in continuing to assert that culture is male.[9] The historical in both the content and arguments of Spanish feminist thought might be a useful point of departure for considering some Spanish novels by women— Rosa Chacel's *Memorias de Leticia Valle* (1945) set during the pre-feminist era of the Moroccan Wars; Ana María Matute's *Primera memoria* (1960) set during the Spanish Civil War, but echoing events from the Inquisition that resurface in Carme Riera's historical novel *El último azul* (1994); Carmen Martín Gaite's *El cuarto de atrás* (1978), a memoir-novel of the Civil War and early Franco era; and Lourdes Ortiz's *Urraca* (1982).

Two intertwined issues—work and social class—have not typically been prominent subjects in the feminist theory to which literary scholars refer in their studies of Spanish literature, and yet it is a subject that permeates the pages of Spanish feminist writing in the 1920s and 1930s and again in the 1970s. The topic of work has a central place in Margarita Nelken's *La condición social de la mujer* and Carmen de Burgos's *La mujer moderna y sus derechos*. In the World War

I period from 1914-1918, more Spanish women began to work
outside the home due primarily to the expanding Spanish
economy and rising prices for basic goods. Despite their growing numbers in the workforce, women's wages and the types
of work available to women were vastly inferior to men's.
Margarita Nelken attributes this situation to women's
education, and she links work to the basic dignity of the
human being: "La preparación en una carrera, o en un empleo da porvenir que responda al imperioso mandato que se
presenta a todo individuo digno de bastarse a sí mismo y de
ser lo más útil posible a los demás. Poco a poco, casi in-
conscientemente, estas muchachas van formando una conciencia nueva, una moral nueva, en la mujer española" (55).
Work, she contends, leads to economic independence for
women, making unhappy abusive marriages less likely. She
also argues that intellectually disciplined women will be more
moral. Ultimately, the argument for the importance of work
to the individual becomes an argument for the health of the
nation: "Por esto pueden decirse, sin paradoja que las
mujeres de la clase media española son, en la actualidad, el
mayor *peso muerto de la nación* y, al mismo tiempo, lo que
hay en ella más enérgico y más valiente" (56, emphasis in
original). Thus work becomes the center of individual being
(its very existential core) as well as the backbone of a strong
nation.

María Martínez Sierra, likewise defends women's right to
work, albeit employing arguments that appeal to traditional—Christian and maternal—Spanish values:

> procurando trabajo honrado y retribuído en su justo
> valor a mujeres necesitadas, en vez de darles un socorro
> como limosna; administrando su labor honradamente;
> librándolas de la tiranía de un intermediario explotador,
> hacen ustedes obra de puro feminismo, puesto que,
> mujeres, trabajan ustedes en favor de sus hermanas
> desvalidas [...]. (*Feminismo* 12)

Like Nelken, Martínez Sierra employs nationalistic ra-
tionales in her feminist argumentation, although she incor-

porates motherhood into the equation. She advocates women's education and suffrage, because educated women who vote will raise better (male) citizens:

> Y... figúrense ustedes que tienen un hijo, el primero, hijo de amor y de ilusión, y que sueñan ustedes para él toda la gloria del mundo y toda la felicidad, por añadidura. Le quieren ustedes héroe, santo, sabio... ¿No les gustaría a ustedes que ese hijo, esperanza viva, pudiera educarse en una escuela que le enseñase a ser hombre de veras, en una Universidad que formase su espíritu para nobles batallas, para gloriosos triunfos? Pues bien: esa escuela y esa Universidad pueden y deben crearlas las leyes. Si las madres españolas votasen las leyes, ¿creen ustedes que estaría la enseñanza oficial en España en el lamentable estado en que hoy se encuentra? [...] Piensen ustedes que si la patria es como una madre para los hombres, para las mujeres es como un hijo... (*Feminismo* 20, 28)

Martínez Sierra's argument is intricate. Through a concatenation of circumstances, women are the mother's of the nation. As educated citizens who acquire suffrage, they will vote for better schools and universities that will in turn better educate their sons to become the future leaders of the nation.

Geraldine Scanlon found the style of Martínez Sierra's arguments paternalistic ("escribe como un maestro de escuela severo pero amable" 197), but, of course, when Scanlon wrote her book in 1974, she still believed that Gregorio had written Martínez Sierra's feminist lectures and essays. Even when one knows the female gender of the author, the arguments can appear patronizing, but they also respond to the mentality of the day and attempt to convince traditional Spanish women (most likely from the middle class) to consider progressive measures by speaking to them in language that is comforting and familiar. Scanlon comments that "[e]l tono insípido de la propaganda feminista de Gregorio Martínez Sierra nos da una idea bastante exacta del espíritu de la mujer de clase media" (197). Alda Blanco argues persuasively for a much more firmly feminist view of the essays María Martínez Sierra wrote under her husband's name: "But if in part the essays of 'Gregorio Martínez Sierra' register the rich complexity of the protest against the subordination of woman, they also reveal the theoretical turns of a corpus of ideas that always seem to be refining and making more precise what it means to be a woman in patriarchy" (81).[10]

Margarita Nelken used some the same feminist reasoning that calls on motherhood and nationalism we find in Martínez Sierra, although the tone of her writing is much less conciliatory. As Mary Lee Bretz notes, *"The social condition of women in Spain* calls for radical change and expresses a strong critique of the existing social structures" (103). Thus, as Bretz points out, at the same time that Nelken rhetorically employs terms like *"maternity, motherhood, future citizens"* (111, emphasis in original), she "criticizes those who combat feminism in the name of 'motherhood' and who blindly accept certain 'feminine' occupations with no concern for the environmental hazards to the mother, the fetus, and the infant" (111-12). One of Margarita Nelken's most important contributions to Spanish feminist theory is her coordination of the categories of gender and class. Nelken found it impossible to consider women's issues apart from social class; she believed that feminism in Spain was inextricably intertwined with class affiliations. According to Bretz, "[t]he conflict between gender and class and the complex interactions between these two categories, which sometimes overlap and sometimes compete with each other, constitute a major focus of *The social condition of women in Spain,* informed by feminist and socialist concerns, and addressed to women readers and to workers, the text struggles to create bonds between these two groups without conflating them" (106). Nelken believed that working class women, who were already equal to men in that they work, are naturally feminists. They have a "mentalidad más sana y espontánea, ignorante de los prejuicios y de los convencionalismos, se encuentra, implícitamente, al mismo nivel social que su hermano o su marido"

(36), thus their battle is limited to fighting for equal salaries and obtaining protective legislation and workers' unions that will put them on equal footing with male workers. She believed that middle class women had a steeper hill to climb because they were combating prejudices, an "ambiente mezquino," that created a real obstacle course in the march toward liberation: "Su libertad de trabajo va siempre precedida de una emancipación moral, penosísima las más de las veces; de ahí la necesidad de la lucha, la solidaridad intuitiva con las que, en otros países, supieron ya unirse a éstas, de imitarlas" (36).

If the issues of work and class (especially as they relate to women and feminism) seemed to disappear from public discourse in the early Franco era, we can find them in fiction. Carmen Laforet's *Nada* (written in 1944 and published in 1945) is an example of a novel that can be fruitfully read in light of pre-War feminist theory, especially those essays (reviewed briefly above) that theorize work as an important source of personal identity and freedom for women. *Nada* has received numerous interpretations that could have implications for understanding the novel either as a feminist or a patriarchalist work. Some critics consider the narrative technique and/or the ending as signaling Andrea's liberation from the patriarchal constraints symbolized in her nightmarish life on Aribau Street under the tutelage of anachronistic Aunt Angustias, wife-beating Uncle Juan, and sadistic Donjuanish Uncle Román.[11] Elizabeth Ordóñez, on the other hand, argues that Andrea is ensnared by the new Francoist order via her "salvation" at the hands of Ena's father, a successful capitalist under Franco's regime. And more recently Barry Jordan comes to a similar conclusion, particularly citing Andrea's apparent passivity.

However, if we situate the novel within the Spanish feminist theories on work and class that preceded it by a few years, as well as within some of Laforet's own statements on work, a feminist message emerges that coincides with ideas on work and female liberation put forth by Margarita Nelken and Carmen de Burgos. Laforet, herself, like her pre-War predecessors Burgos, Nelken, Martínez Sierra, Chacel, and

María Zambrano, began working at a young age. When she was a university student in Madrid, she wrote her first novel *Nada*, which became a source of income for the rest of her life. She married Manuel Cerezales in the same year the novel was published, but, contrary to custom in Franco's Spain, she continued to work throughout her marriage, and after she separated from her husband in 1970 she hoped to return to her career as a novelist that had been diverted into journalism due to the economic necessities of her growing family. In 1966 Carmen Laforet wrote to Ramón Sender that

> Dentro de unos días envío a cuatro hijos a Alicante con la muchacha. Me quedo en Madrid trabajando. Los americanos llegan el día 6 y hay que recibirles y pasearles un poco por aquí, y trabajar y llevarles luego a Alicante, y continuarles el viaje por España que quieren hacer. Y entregar y cobrar lo que yo haga porque con ello contamos, y si no vamos a tener que pedir limosna o cosa así... Antes de terminar las crónicas de América no puedo pensar en hacer nada de mí, y había la posibilidad de ir a Polonia también este verano y también con crónicas—en compañía de una amiga que salió de allí el año 39—la amiga a quien dediqué *Nada*. (66)

And again in the same year, she wrote to the same correspondent that "Como no escribo artículos ni nada que valga la pena, ocupada en ayudar a mi marido a solucionar nuestros problemas económicos de cada día, no he escrito lo que quiero" (70).

In light of Spanish feminist notions of the importance of work to female identity, it is significant that all the major female figures in *Nada* (except the grandmother of a distinctly different generation) work or have the formal education necessary to do so. Angustias is an administrative assistant; Gloria plays cards for money in her sister's bar; Antonia is a maid; and Ena's mother prepared for a career in music, although she did not pursue it. As Margarita Nelken theorized, class plays a large role in these women's working lives. Even though Angustias works and is the main provider for the family at Aribau Street, she does not see work as a long-term solution for a woman of her class; when marriage eludes her, she finally abandons her job and chooses the convent, the traditional route for unmarried upper-middle-class women. Much is made in the novel of Andrea's taking control of her own finances (her small orphan's pension) after Angustias's departure, reminding us of the arguments so many pre-War feminists made for the importance of women's financial autonomy to their sense of individual identity. Lower-middle-class Gloria, on the other hand, eschewing the laws of Franco's Spain, works without her husband's knowledge and is effectively the family's breadwinner. Antonia, the maid, despite the many negative connotations implied in Andrea's youthful descriptions of her, is one of the most autonomous characters in the novel. Because of her class, she was able to save Román from a Republican prison during the war, and her working status allows her to live a completely independent life at Aribau Street (she eats better food than the family members). She leaves the Aribau house at the end of the novel, while the upper-middle-class grandmother, who never worked, and her helpless son Juan, who cannot hold down a job, are stuck there.[12]

Lower-middle-class Gloria and working-class Antonia, rather than upper-middle-class Angustias, serve as Andrea's eventual role models. Like Antonia, Andrea leaves the sordid house on Aribau Street, and like Gloria she sees work not only as a viable alternative, but a necessity (unlike Gloria, however, as a single woman, Andrea can work openly rather than clandestinely). Although she briefly entertains a Cinderella ending with the well-to-do Pons, a denouement in which she would have ended up like Pons's mother, an upper-middle-class socialite wife who does not work, Andrea discards that option to follow in the footsteps of lower-middle-class Gloria who works for a living. Throughout the novel, Andrea is attending the university in preparation for a career; she tells a university companion that she will probably teach when she completes her university degree. At the end of the novel she leaves Barcelona to go to Madrid, where she will work for Ena's father and continue her university studies, which will lead to economic and personal independence from her family (in other words from the Spanish patriarchal system). Ena writes to Andrea "Hay trabajo para ti en el despacho de mi padre, Andrea. Te permitirá vivir independiente y además asistir a las clases de la universidad. Por el momento vivirás en casa, pero luego podrás escoger a tu gusto tu domicilio [...]" (Laforet 294-95).

Not all Spanish feminist theorists, especially in the late Franco era, view work as the means to women's salvation. Carmen Alcalde, for example, has less faith than pre-War feminists in the feminist preparation of the working-class woman:

> La mayoría que podría tomar un poco más de conciencia, es la mayoría trabajadora. Esta mayoría trabajadora está totalmente alienada por el trabajo y como dice Capmany «por la doble carga de mitad bestia, mitad ser humano». Pues esta mujer, no es que no tenga conciencia de su opresión como mujer, es que no tiene conciencia de nada, ni siquiera de que en un momento dado, tiene derecho a comer. No tiene conciencia porque son veinticuatro horas al día trabajando. En casa y en la fábrica. No obstante, ella sería la única esperanza. La mujer burguesa está muy tranquila y muy bien en casa; toda la teoría de Betty Friedan está aquí. (Levine and Waldman 32)

Although Lidia Falcón dedicates sections of *Mujer y sociedad* to women's work, especially to the legal restraints on it during the Franco era, she does not believe, as did some pre-War feminist thinkers, that work and economic independence will achieve true female liberation. Work is not central to Falcón's existential conception of women's independent state. She postulates that if women achieve a sense of themselves as women, economic liberation will follow. She does not believe that women have been economically oppressed, because they have never held wealth (if they do, it is because their fathers or husbands allow it): "Ella es un personaje, un ser oprimido, lo mismo economicamente que sexualmente, que personalmente; como persona está oprimida, desde el primer momento. [...] Porque no ha tenido nunca poder económico, no ha tenido tampoco el poder político. La mujer se liberará como ser humano, más tiene que liberarse en una sociedad en que no haya distinciones de clases" (72). Eva Forest also argues that work in and of itself is not necessarily liberating: "El trabajo por sí solo no libera a nadie. Aunque estuvieran en igualdad de condiciones con el hombre, tampoco liberaría este trabajo" (102). For Forest, in order for work to be liberating, it must be appropriate and satisfying. Carmen Laforet, who complained about diverting her writing skills to moneymaking journal articles, would probably have agreed.

Related to the issues of work and social class is double militancy—militancy for a political ideology as well as for feminist causes. Mireia Bofill highlights the importance in Spain of the intertwining of political ideology and feminist thinking, contrasting the Spanish situation to that in the United States:

> Claro, en América, hay antologías de textos u otros de redacción, pero, vamos, no los hay desde nuestro punto de vista que a lo mejor es más político. A nivel de divulgación general, seguramente es más político y entonces hay que ver la relación de la lucha política con la situación de la mujer, si una está subordinada a la otra, si son dos luchas independientes, si las mujeres deben luchar sólo por las mujeres y prescindir de la lucha política, o luchar sólo políticamente y dejar lo de las mujeres o intentar coordinar las dos cosas. (Levine and Waldman 49)

In the pre-War era, most Spanish feminists were identified with one or another of the leftist parties and militated to varying degrees within them—Margarita Nelken, first with the Socialist Party and later with the Communist Party; María Martínez Sierra with the Socialist Party (at least in the 1920s and 1930s); Federica Montseny with the Anarchist

Party. Thus, Spanish feminist theorists often feel the need to prioritize their several interests. In Montseny's case, for example, what she considered universal human concerns took precedence over issues she considered more narrowly pertaining to women. María Martínez Sierra, while not directly addressing the division between more universal political militancy and feminist militancy, concentrated the majority of her essay writing on feminism.

Double-militancy was a highly divisive issue in the 1970s after the long oppression of both women and leftist political parties allied with the working class. In an attempt to overcome the theoretical dichotomy between gender issues and class issues, Lidia Falcón argued in *Mujer y sociedad* that women were a separate social class. In an interview she granted some five years later, she stated that in the conflict between the class struggle and women's liberation:

> [n]osotros consideramos que la mujer es una clase oprimida, por lo tanto, entra dentro de la problemática de la lucha de clases evidentemente y hasta que la problemática ésta no se haya resuelto, tampoco se resolverá la de la mujer. Para mí, no tiene importancia una cosa que otra, tiene la misma. La lucha debe llevarse al mismo nivel y además no es imposible. (Levine and Waldman 71)

Carmen Alcalde saw women's struggle to be the overriding one, and, like Falcón, she views women as a social class whose interests should take precedence over all others: "para mí es más importante la lucha de la mujer. Para mí, es la primera lucha de clases que existe. [...] es más importante, la lucha de sexos, la lucha sexista. Mientras esto no se solucione la mujer seguirá colaborando con los partidos, con sus presidentes y directivos" (33). As I noted above, she argues that neither political parties nor working class women have time for feminist militancy. But she, like Margarita Nelken, sees an intimate connection between women's and class issues. She notes, for example, that contraceptives are necessarily a class issue, because middle-class women have access to them and working-class women do not.

In 1931 Rosa Chacel noted the tendency in contemporary gender theory (especially Georg Simmel's) to radically divide the sexes and thus "feminize" women. In the 1970s Charo Ema similarly complains that the Communist Party "feminized" women by talking to them mostly about the high cost of living: "les hablaban en unos términos demasiado femeninos" (Levine and Waldman 51). Ema, who represented the Asociación de Mujeres Universitarias, also highlights class conflicts and Spanish feminism. She notes that the working women of the Communist Party considered the university women "pequeñas burguesas," while the university women found working-class women too wed to party ideology. She points out that within the Communist Party *machismo* still reigned, and that sexual liberation and the equality of the sexes were anathema:

> no puedes decir muchas cosas porque el Partido está diciendo las contrarias; no puedes ir allí hablando de la libertad sexual cuando el Partido no está hablando de eso ni le interesa que hables de eso, porque ahora lo que hay que discutir es la recogida de basuras, y la recogida de basuras para mí es un problema del hombre y de la mujer y de todos, ¿no? No es únicamente el problema de la mujer, porque si sigue siendo el problema de la mujer, seguimos en las mismas. (Levine and Waldman 60)

The tendency on the part of some Spanish feminist theorists to see humanity in less bipolar (male/female) terms and more in terms of social class also permeates their view of relations between the sexes, especially in their institutionalized form—marriage. Margarita Nelken viewed middle-class marriage as a kind of prostitution, in which the woman sells herself to the man, who then becomes equally entrapped in a burdensome situation; the woman does not expect to work and usually does not, while the man is enslaved to the consumerist needs of his wife and children ("para el hombre de la clase media, el matrimonio significa verdaderamente una carga, y una carga que muchos no se atreven a sobrellevar" [50]). Middle-class women are educated to enter into this vile arrangement: "el matrimonio burgués se envilece desde un principio por culpa de la mujer que se vende legítimamente con no menos astucia, y a veces hasta no mayor hipocresía que una ramera" (51).

Carmen Rodríguez raises the same issues 50 years later. She asserts that the truly exploited sector of Spanish society in the Franco era is the man; married women live as parasites on the man's work. She is thinking of middle-class women, who have ample domestic service in the home and thus have few responsibilities besides going to the hairdresser three times a week, overseeing the maids, and meeting friends for *tertulias* and card games: "Pues estas esposas de estos señores, que quizá han hecho hasta una carrera universitaria o que podrían hacer cualquier tipo de trabajo comercial o en una agencia, no sé, no se plantea en ningún momento que están viviendo los dos esclavizados, aunque de diferente modo. Por otra parte, ¿cómo convencerle al hombre de que es un esclavo?" (Levine and Waldman 143). The man is not conscious of his enslaved situation; he has a false sense of power and domination because he exercises economic control. Work, for Rodríguez, is, as it was for Martínez Sierra, Burgos, and Nelken, a matter of individual dignity—an existential issue—but also a matter of equality for both sexes: "se trata de una esclavitud mutua. El hombre es un esclavo de su trabajo, la mujer es una esclava de su dependencia y de su mente. Ella esclaviza a su marido, pero a la vez, la sociedad o el marido la esclavizan a ella como individuo" (145).

Margarita Nelken addressed the mental slavery middle-class marriage represents for both men and women in her novel *La trampa del arenal* (1923).[13] This idea continues to assert itself in very recent Spanish fiction by women. For example, Lucía Etxebarria's *Beatriz y los cuerpos celestes* (1998 Premio Nadal) depicts the protagonist Beatriz's mother and father as the classic Franco era couple. The mother, when a beautiful young girl, entrapped an eligible bachelor by hiding the fact that she was an epileptic until after his physical desire for her was so strong that he could not back out of the engagement. Their marriage is a torment for both; the mother, without intellectual or other interests, devotes all her energy to her daughter, who finally rebels and leaves home. The father, alienated by his wife's insecurities, spends as little time as possible at home and keeps mistresses. Josefina Aldecoa's *El enigma* (2002) is a remake of Nelken's *La trampa del arenal* in which a man is trapped in a marriage to a superficial woman who thinks only of material possessions and keeping up appearances. In both novels the married man forms a liaison with a new type of woman who works and lives an independent life. The married man and the new woman have an open, sincere relationship he seems to desire, but finally the new woman, seeing no future in a relationship with a married man, chooses to follow a career path outside Spain, leaving the man mired in a loveless marriage that requires him to work long hours to keep up the style of life his wife wishes to live. Interestingly, in Aldecoa's version of this triangle, the progressive, modern woman Teresa is writing a book on famous collaborative couples, which is another issue (companionship and equality within marriage) that arises in pre-Franco era feminist thought. María Martínez Sierra and Federica Montseny, for example, foreground companionable relationships between the sexes in novels and essays. The subject resurfaces in 1970s Spanish feminist thought. For example, Charo Ema says that she and other leftist feminists want to "hacer un feminismo aceptable para los hombres de izquierdas. [...] Queremos tratar de ser feministas pero no quedarnos solas" (Levine and Waldman 63).

The present article, which focuses on several issues that have remained constant in Spanish feminist thought from the 1920s through the 1970s (and even the 1990s), is only a beginning. I have selected certain issues and arguments—history, work, social class, and marriage—that have tended to recur, while leaving out others (such as the 1920s debates on the biological basis of gender) that are more specific to one era than another. There are many more recent issues and arguments (for example, the double loyalties of feminists from autonomous regions addressed by Montserrat Roig, among others). This essay is an invitation to continue the search for Spanish feminist theory wherever it may be found.

NOTES

1. Linda Chown made a plea for such a practice in 1983, but few have followed her advice.

2. Many of these issues have been treated in one or another of the essays on individual writers mentioned above, and others, such as education, biological notions of gender, and suffrage are addressed in Johnson (*Gender and Nation*), although not from the perspective of comparative feminist theory. I have chosen to focus on history, class, work, and marriage because these issues, so prominent in Spanish feminist theory, define it as a body of work distinct from the feminist theory generally cited by critics of Spanish literature. Unfortunately, I cannot include an issue such as Spanish theories of women's writing, which would bring Spanish feminist theory into dialogue with major feminist theorists in the French and Anglo-American realm who have addressed the topic (e.g., Luce Irigaray, Hélène Cixous, Sandra Gilbert and Susan Gubar). That topic would require an article unto itself. As a sample I can point to ideas of Carmen Laforet and Carmen Martín-Gaite on the subject. In 1967, somewhat before the wave of French thinkers who proposed an *écriture feminine*, Carmen Laforet theorized women's writing in a private letter to Ramón Sender, which has only recently been made public. One wonders if Laforet did not discuss such matters with friends and if these kinds of ideas were not circulating orally in Spain: "Quisiera escribir una novela (pero no antes de dos años o cosa así) sobre un mundo que no se conoce más que por fuera por-que no ha encontrado su lenguaje... El mundo del Gineceo. (Que no es de la célebre frase en *El Banquete* ¿verdad? <<Tenemos las mujeres del gineceo para la casa y los hijos...>>) En verdad, es el mundo que *domina secretamente* la vida. Secretamente. Instintiva-mente la mujer se adapta y organiza unas leyes inflexibles, hipó-critas en muchas situaciones para un dominio terrible... Las pobres escritoras no hemos contado nunca la verdad, aunque queramos. La literatura la inventó el varón y seguimos empleando el mismo enfoque para las cosas. Yo quisiera intentar una *traición* para dar algo de ese secreto, para que poco a poco vaya dejando de existir esa fuerza de dominio, y hombres y mujeres nos entendamos mejor, sin sometimientos, ni aparentes ni reales, de unos a otros... tiene que

llover mucho para eso. Pero, ¿verdad que está usted de acuerdo, en que lo verdaderamente femenino en la situación humana las mujeres no lo hemos dicho, y cuando lo hemos intentado ha sido con lenguaje *prestado*, que resultaba falso por muy sinceras que quisiéramos ser?" (*Puedo contar contigo* 97). In a series of lectures in the mid-1980s, Carmen Martín Gaite, who had come into contact with Anglo-American feminist theory while teaching at Barnard College in 1980, gives a brilliant feminist reading of Rosalía de Castro's novel *El hombre de las botas azules*, in which she finds that Castro inverts the typical romantic trope of the female muse and invents a male muse for a woman ("El hombre musa"). She had used the same strategy herself in her novel *El cuarto de atrás* published in 1978. Emilie Bergmann aptly calls Martín Gaite's writings on literature "Narrative Theory in the Mother Tongue." Another example of Spanish women's theorizing about women's writing is the statement by Soledad Puértolas quoted below.

3. Carmen Alcalde raises the issue of what feminism means within the Spanish context, and one could develop an entire essay on this question alone. Alcalde, for example, shifted her view as to whether or not there had been a "feminist movement" in Spain before the Civil War, centering her argument on the theoretical issue of whether feminism entails individual or group efforts: "Lo que pasa precisamente es que la Guerra frustró completamente al feminismo, lo cortó. Entonces vino la reacción y la mujer volvió al hogar. Quizás ahora lo ampliaría más y quizás lo trasladaría mucho más a la política, al problema del no feminismo en Epsaña. [...] Yo no sé en esos momentos qué se entiende por feminismo, porque me parece que está muy confuso todo esto. Si lo entiendes como un movimiento militante, no sé hasta qué punto lo somos. Ahora, si el feminismo se entiende simplemente a nivel individual, la realización verdadera de la mujer como ser, entonces yo creo que no se puede decir que no hubo feminismo en Epsaña. Creo que hubo feminismo. Lo que pasa es que España lleva un lastre de un siglo y más, de mucha castración y mucha reacción. Entonces no hay posibilidad de feminismo en un clima de reacciones imposibles" (Levine and Waldman 27-28). Charo Ema seems to limit the term "feminista" to political action: "estoy muy cansada de hablar en reuniones porque salimos todas de allí muy contentas pero al día siguiente la cosa no es la misma. [...] Puedes hablar, te interesan más las mujeres, entiendes más su problema, es una terapia que está muy bien, pero no es una acción política" (Levine and Waldman 61).

4. Glenn also quotes Cristina Fernández Cubas as having emphatically declared "[n]inguna de nuestros libros se puede considerar

feminista. [...] Y es que literatura y feminismo no tienen nada que ver" (374).

5. Wadda Ríos-Font carefully examines Trigo's works to discover that his self-proclaimed feminist stance is not born out by his narrative strategies.

6. In distinguishing Spanish feminist thought from that in other countries, I do not overlook the fact that Spanish feminist writing has received important inspiration from foreign sources. John Stuart Mill's concept of the servitude of women looms large behind the work of Carmen de Burgos, María Martínez Sierra, and Margarita Nelken, although each adds significant dimensions to Mill's ideas that fit the Spanish context. Betty Friedan's notion of the feminine mystique had a major impact on Lidia Falcón's writing in the late 1960s, and Carmen Martín Gaite discovered U.S. feminist ideas about women's writing (Sandra Gilbert and Susan Gubar, Judith Fetterly, and especially Adrienne Rich) that inspired her to think about Spanish literature in new ways (see *Desde la ventana*).

7. For example, Mary Lee Bretz cogently analyzes Margarita Nelken's argument from history: "early in the text [*La condición social de la mujer en España*], the blame for the lack of women's advancement in Spain is attributed equally to the Moorish influence and a narrow-minded anti-Christian Church (13), but in a subtle textual about-face, in a later discussion, the text speaker points out that under the purported antifeminine Moorish regime, there were several famous women doctors at the University of Córdoba (44). The reader is left to surmise that the major contributor to the Spanish woman's developmental lag is the Church" (103). Michael Ugarte notes that Carmen de Burgos "takes great care to distance herself from the popular anticlerical discourse that was crucial to the understanding of the history of the Spanish left. On the contrary, in *Modern woman*, she uses examples from the lives of Jesus, the saints, and certain teachings of theologians as allies in her arguments for the social and legal rights for women" (63).

8. Her historical approach is very similar to Simone de Beauvoir's in *The Second Sex*, which she quotes in chapters 3, 4, and 5.

9. See Shirley Mangini (129-32) for an analysis of the seeming inconsistencies and contradictions in Chacel's arguments in "Esquema de los problemas prácticos y actuales del amor," as she attempts to overcome the male-female polarity: "One of the concepts Chacel argues most insistently is found in 'Outline' is the adherence to the belief that woman's intellectual development has been hampered by the quagmire of social institutions; nevertheless, she systematically refuses, in all her writing about women's inferior role in culture and society at large, to point the accusatory finger at the

instigators and defenders of those institutions" (132). Mangini also suggests the importance of Chacel's essays as "theoretical frameworks for understanding the ambiguous, shifting realities of her fictional characters" (132).

10. Blanco's article provides a detailed analysis of many of the literary strategies (for example, the epistolary form) Martínez Sierra employed to convince her audience. Blanco also outlines the salient theoretical issues in Martínez Sierra's feminist writing, including "the theoretical possibility of wedding femininity to feminism" (89), the importance of developing consciousness (90), the importance of feelings and passions (91), "a new configuration of the couple, founded on companionship" (92), "[t]he feminine aspiration for peace" (93), the necessity for "every woman's desire for individual freedom [to] be intertwined with the desire for solidarity" (93), "social emotions" (94), and divorce (97).

11. See especially El Saffar, Johnson (*Carmen Laforet*), Jones, Lamar Morris, Schyfter, Spires, Thomas, and Villegas.

12. Class in *Nada* is highly nuanced and is closely allied to gender in a way that Margarita Nelken's theory of the interdependence of gender and class can illuminate. The characters represent a wide range of class identifications. Interestingly, the lowest class represented—the beggar who does not work—is male. Antonia is firmly working class, while Gloria is associated with lower-middle-class shopkeepers (her sister and husband own a bar). Don Jerónimo, now Angustias's boss and a member of the Catalan upper middle class, also came from a family of lower-middle-class shopkeepers (although perhaps somewhat more respectable than Gloria's relatives, whose establishment is in the shady *barrio chino*). Angustias's upper-middle-class family opposed her marriage to a man of the shopkeeping class, and thus she was destined to be an old maid. As Nelken noted, there is much work to be done before middle-class women overcome traditional biases. Angustias and Román continue the tradition of despising the lower middle class in their scorn for Gloria.

13. For analyses of this novel see Davies (198-99) and Johnson (*Gender and Nation* 248-50).

WORKS CITED

Bergmann, Emilie L. "Narrative Theory in the Mother Tongue: Carmen Martín Gaite's *Desde la ventana* and *El cuento de nunca acabar.*" *Spanish Women's Writing and the Essay.* Ed. Kathleen

Glenn and Mercedes Mazquiarán de Rodríguez. Columbia and London: U of Missouri P, 1998. 173-97.

Bieder, Maryellen. "Carmen de Burgos: Modern Spanish Woman." *Recovering Spain's Feminist Tradition*. Ed. Lisa Vollendorf. New York: The Modern Language Association of America, 2001. 241-59.

Blanco, Alda. "A las mujeres de España: The Feminist Essays of María Martínez Sierra." *Spanish Women Writers and the Essay*. Ed. Kathleen Glenn and Mercedes Mazquiarán de Rodríguez. Columbia and London: U of Missouri P, 1998. 75-99.

Bretz, Mary Lee. "Margarita Nelken's *La condición social de la mujer en España:* Between the Pedagogic and the Performative." *Spanish Women Writers and the Essay*. Ed. Kathleen Glenn and Mercedes Mazquiarán de Rodríguez. Columbia and London: U of Missouri P, 1998. 100-26.

Burgos, Carmen de. *La mujer moderna y sus derechos*. Valencia: Editorial Sempere, 1927.

Chown, Linda E. "American Critics and Spanish Women Novelists, 1942-1980." *Signs: Journal of Women in Culture and Society* 9 (1983): 91-107.

Davies, Catherine. "Feminist writers in Spain since 1900: from political strategy to personal inquiry." *Textual Liberation: European Feminist Writing in the Twentieth Century*. Ed. Helena Forsås-Scott. London and New York: Routledge, 1991. 192-226.

El Saffar, Ruth. "Structural and Thematic Tactics of Suppression in Carmen Laforet's *Nada*." *Symposium* 28 (1974): 119-29.

Glenn, Kathleen M. "Voice, Marginality, and Seduction in the Short Fiction of Carme Riera." *Recovering Spain's Feminist Tradition*. Ed. Lisa Vollendorf. New York: The Modern Language Association of America, 2001. 374-89.

Johnson, Roberta. *Carmen Laforet*. Boston: Twayne, 1981.

_____. *Gender and Nation in the Spanish Modernist Novel*. Nashville, TN: Vanderbilt UP, 2003.

_____. "Spanish Feminist Theory Then and Now." *Anales de la literatura española contemporánea* 28 (2003): 11-19.

Jones, Margaret E. W. "Dialectical Movement as Feminist Technique in the Works of Carmen Laforet." *Studies in Honor of Gerald E. Wade*. Madrid: José Porrúa Turanzas, 1979. 109-20.

Jordan, Barry "Laforet's *Nada* as Female *Bildung*?" *Symposium* 46 (1992): 105-19.

Laforet, Carmen. *Nada*. Barcelona: Destino, 2004.

_____ and Ramón J. Sender. *Puedo contar contigo: Correspondencia*. Ed. Isarael Rolón Barada. Barcelona: Destino, 2003.

Lamar Morris, Celita. "Carmen Laforet's *Nada* as an Expression of Woman's Self-Determination." *Letras Femeninas* 1 (1975): 40-47.

Levine, Linda Gould and Gloria Feiman Waldman. *Feminismo ante franquismo*. Miami, FL: Ediciones Universal, 1980.

Mangini, Shirley. "Woman, Eros, and Culture: The Essays of Rosa Chacel." *Spanish Women Writers and the Essay*. Ed. Kathleen Glenn and Mercedes Mazquiarán de Rodríguez. Columbia and London: U of Missouri P, 1998. 127-43.

Martín Gaite, Carmen. *Desde la ventana: Enfoque femenino de la literatura española*. Madrid: Espasa-Calpe, 1987.

_____. "El hombre musa." *Desde la ventana: Enfoque femenino de la literatura española*. Carmen Martín Gaite. Madrid: Espasa-Calpe, 1987. 63-86.

Martínez Sierra, Gregorio [María]. *Feminismo, femininidad*. Madrid: Renacimiento, 1930.

Mazquiarán de Rodríquez, Mercedes. "Beyond Fiction: Voicing the Personal in Soledad Puértolas's *La vida oculta*." *Spanish Women Writers and the Essay*. Ed. Kathleen Glenn and Mercedes Mazquiarán de Rodríguez. Columbia and London: U of Missouri P, 1998. 231-49.

Nelken, Margarita. *La condición social de la mujer en España: Su estado actual y su posible desarrollo*. Barcelona: Minerva, n..d. [c. 1919].

Ordóñez, Elizabeth J. "*Nada*: Initiation into Bourgeois Patriarchy." *The Analysis of Hispanic Texts: Current Trends in Methodology*. Ed. Lisa E. Davis and Isabel C. Tarán. New York: Bilingual Press/Editorial Bilingue, 1976. 61-78.

Recovering Spain's Feminist Tradition. Ed. Lisa Vollendorf. New York: The Modern Language Association of America, 2001.

Ríos-Font, Wadda C. "'Horrenda Adoración': The 'Feminism' of Felipe Trigo." *Hispania* 76 (1993): 224-34.

Scanlon, Geraldine M. *La polémica feminista en la España contemporánea (1868-1974)*. Mexico, Madrid, Buenos Aires: Siglo Veintiuno Editores, 1976.

Schyfter, Sara E. "The Male Mystique in Carmen Laforet's *Nada*." *Novelistas femeninas de la postguerra española*. Ed. Janet W. Pérez. Madrid: José Porrúa Turanzas, 1983. 85-93.

Spanish Women Writers and the Essay: Gender, Politics, and the Self. Ed. Kathleen Glenn and Mercedes Mazquiarán de Rodríguez. Columbia and London: U of Missouri P, 1998.

Spires, Robert C. "La experiencia afirmadora de *Nada* de Carmen Laforet." *La novela española de posguerra: Creación artística y experiencia personal*. Madrid: Cupsa, 1978. 51-73.

Thomas, Michael D. "Symbolic Portals in Laforet's *Nada.*" *Anales de la Novela de Posguerra* 3 (1978): 57-74.

Ugarte, Michael. "Carmen de Burgos ("Colombine"): Feminist *Avant la Lettre.*" *Spanish Women Writers and the Essay.* Ed. Kathleen Glenn and Mercedes Mazquiarán de Rodríguez. Columbia and London: U of Missouri P, 1998. 55-74.

Villegas, Juan. "'Nada' de Carmen Laforet o la infantilización de la aventura legendaria." *La estructura mítica del héroe.* Barcelona: Editorial Planeta, 1973. 177-201.

OTRA VEZ EN LOS AÑOS TREINTA: LITERATURA Y COMPROMISO POLITICO

JOSÉ-CARLOS MAINER
Universidad de Zaragoza

Las paradojas políticas de la vanguardia

No parece cosa baladí que la noción de "vanguardia" provenga de una metáfora militar, como "manifiesto" viene de la nomenclatura de la política revolucionaria, como "iconoclastia" evoca una vieja herejía medieval y como "insurrección" reparte su semántica entre la rebeldía estética y la rebeldía cívica, mientras que "militancia"—de *miles, militis*—puede referirse a la afiliación a un partido o a la obediencia a una consigna artística. Sobre toda la terminología que designa las actitudes del arte moderno planea la sospecha de la politización, por un lado, y del ejercicio de la violencia (intelectual), por otro. Como recordó Renato Poggioli, ya Charles Baudelaire, en *Mon coeur mis à nu* (1862-1864), advirtió esa curiosa inclinación de la lengua francesa por las "metáforas militares" en orden a los matices artísticos, pero lo cierto, es que, líneas antes, el propio estudioso italiano recuerda que el uso translaticio de la palabra "vanguardia" apareció por vez primera en el crítico Gabriel Desiré Laverdan, fourierista, en 1845: aunque el autor se refiriera a las dimensiones ideológicas de la obra de arte, no a las formales, el contexto no podía ser más significativo (Poggioli 24-25).

Ni la fecha... Justo cuando el propio Baudelaire introducía en francés una palabra que ya había usado Heinrich Heine, "modernidad." Lo importante es que una y otra, "vanguar-

dia" y "modernidad," son dos términos esencialmente rela-
tivos: se es moderno con respecto a algo antiguo, se es vanguardia en orden a algo que es retaguardia o masa amorfa.
Introducen, por tanto, un clima de inestabilidad, de auto-
vigilancia, de ansiedad y en el fondo, de sospecha en la
práctica artística.

En un libro de 1997, *La responsabilidad del artista*, Jean
Clair se ha preguntado algo que no ha dejado de resultar muy
polémico desde entonces: después de 1989, principio del fin
del llamado "socialismo real," ¿se puede seguir sustentando
la idea de que la vanguardia es la encarnación del inter-
nacionalismo como lenguaje, del antioscurantismo como aspiración intelectual, del progreso y de la libertad como modos
de vida?[1] La vanguardia, ¿es asociable a la utopía del hombre
nuevo que surgía por doquier en la fraternidad revolucionaria? (La candorosa iconografía y memorialística de los
años veinte y treinta nos lo recuerda siempre: la camaradería
que permite hacer caso omiso de la incapacidad de hablar la
lengua extranjera, la alegría de sentir la naturalidad y el
fervor de la vida auténtica, la conciencia de sentirse unidos—
mediante el rito del banquete, por ejemplo—en el eje dia-
mantino de la historia que gira a nuestro favor... Son cosas
que se repiten en el mundo del arte de vanguardia—la llegada
a París desde sus provincias europeas, el encuentro en la
buhardilla o el taller destartalado—y en el mundo de la lucha
política. El largo viaje—hacia la Rusia soviética de 1930,
hacia la España en llamas de 1936... o hacia la Cuba de 1959,
o la Nicaragua de 1979, o al Estado de Chiapas en 1995—es
siempre el mismo: se viaja hacia afuera y lejos pero, en
realidad, siempre se viaja hacia el centro, hacia el interior,
hacia la verdad).

Al igual que los historiadores de la ciencia saben que el
empirismo moderno tiene más que ver con los arbitrios de la
alquimia que con la presunta racionalidad escolástica, Clair
se ha planteado si el vanguardismo es un heredero legítimo
de las Luces o es, a cambio, un sucesor del lado oscuro del
romanticismo. Y la respuesta ha sido inevitable. Su genealogía es clara, si bien se mira: por un lado, la confianza en la
innovación artística es consecuencia de la victoria de los

segundos en la histórica querella de los antiguos y los modernos, pero, por otro lado, la búsqueda infinita de nuevas formas de expresión proviene del ancho tronco del simbolismo y de su apelación a la irracionalidad.

Hoy sabemos algo más del legado del siglo XIX. Hace muchos años, cuando Antonio Machado preparaba su discurso de ingreso en la Academia Española, entrevió la unidad de fondo que había entre el idealismo filosófico, el simbolismo lírico, el evolucionismo biológico y el economicismo marxista: todos eran sueños de la razón, teorías globalizadoras de exclusiva extracción mental, en cuanto eran hijos legítimos de aquella confusión que Kant había introducido entre la realidad y su conciencia (el poeta español, por cierto, pensaba también que la vanguardia poética que alcanzó a conocer era el último episodio de aquella pesadilla idealizante que pretendía suplir la realidad con sus imágenes). Hace muy poco, un sugerente libro de Philippe Muray, *Le XIXè siècle à travers les âges* (1984), afirmó que el siglo de las Luces no fue más que la prehistoria del ocultismo decimonónico y que la historia literaria del siglo XIX no ha sido más que "la historia política del siglo XX" (Muray 60). En suma, que el esfuerzo de la razón condujo a la conversión de las convicciones en formas sustitutorias de las religiones tradicionales: todas las grandes ideas del XIX—el romanticismo social de Hugo, el positivismo científico de Comte, el naturalismo de Zola, la teosofía de Madame Blavatsky—acabaron por adoptar los rasgos imperiosos y totalizadores de una religión. Y lo que fue mera escenografía—historia literaria—en el pacífico siglo antepasado se ha convertido en motor de la vida política en la centuria que finalizo el año 2000: Stalin convirtió en una orgía de muerte las doctrinas del materialismo histórico y Hitler no ha sido el único gobernante cruel asistido de brujos y creyente en supercherías seudohistóricas.

¿Será casual que, al principio de toda esta secuencia de hechos, Francisco de Goya escribiera, al pie del más dramático de los *Caprichos*, el 41, que "el sueño de razón produce monstruos"? Todos los signos de la modernidad tienen una genealogía muy remota. El nacionalismo, como confusa y placentera entrega a la *pertenencia*, al misterio increado de la propia naturaleza, viene de Hamman y Herder; el esoterismo y buena parte de la estrategia simbolista vienen de Charles Swedenborg. En todos los casos, nos llegan de la ladera sombría del Siglo de las Luces. Y, por esos caminos, se puede llegar a ser un paisajista conmovedor o un gran poeta, pero también un temible mistificador o un fanático. El análisis de Jean Clair con respecto al expresionismo alemán es terrible. Antes de la exposición de "arte degenerado" (Munich, 1937), el expresionismo fue el arte esencialmente germánico que Goebbels apreciaba y que le llevó a honrar como artistas superiores a un germano-danés como Emil Nolde o a un noruego como Edvard Munch, que no hicieron ascos a tal preferencia. Solamente tras aquella fecha, se impusieron en lo que restaba de la vida artística alemana las preferencias de Alfred Rosenberg por el clasicismo y la megalomanía entre romanizante y tecnológica de los grandes proyectos arquitectónicos de Albert Speer. Pero conviene no olvidar que también en Rusia, poco antes, el dogma del "realismo socialista" había desplazado a los entusiasmos futuristas y constructivistas, tan estrechamente asociados al primer impulso revolucionario. Y que, sin embargo, en la Italia de Mussolini las formas geométricas de la arquitectura racionalista y los paisajes nítidos e inquietantes de la pintura metafísica convivieron sin problemas graves con los uniformes diseñados por Starace y con la retórica de Mussolini.

La conclusión tiene forma de pregunta, que Clair formula en estos términos: "¿Qué responsabilidad ha tenido la modernidad, fruto perverso del romanticismo y pervertido por el fascismo, en esa teodicea del mal que hace perder el rostro, aniquila al hombre y vuelve impotente la palabra del hombre?" (Clair 125). Lo que quiere decir, por afirmativo, que la modernidad ha impedido a menudo el autoanálisis, la confianza en los poderes nominativos del arte y ha promovido la desconfianza en la potestad superior del lenguaje. Si en más de un momento, las atrevidas tesis que se glosan son exageradas e injustas, bueno será una razonable purga de crítica radical tras muchos años de beatería acrítica...

El significado de los años treinta

Me parece que no vendrá mal tener esto en cuenta a la vista de algunos textos que se han de comentar y de alguna reflexión general sobre las dimensiones y conflictos de la vanguardia en España. La historia política de la estética española está bastante trabajada pero se echa de menos todavía un panorama suficientemente general y crítico. Ya no es novedad estricta señalar la alianza de nacionalismo y arte nuevo que estuvo presente en *La Gaceta Literaria* y que no fue ajena a su desastrado final. ¿Hubo de ser así forzosamente? Conviene reconocer que Giménez Caballero no se equivocó del todo al trasladar a España el escenario italiano de una "vanguardia colaboradora" del totalitarismo (con la polémica *strapaese-stracittà*, al fondo), ni—como veremos algo más adelante—al establecer una secuencia obligada entre el nacionalismo liberal y el hipotético fascismo español que estaba por nacer. Pero lo cierto es que suele pasarse como sobre ascuas sobre las dimensiones autoritarias y revolucionarias (mescolanza muy de época) del pensamiento y de la estética del último Ramón del Valle-Inclán, lo que sería un capítulo sabroso de esta historia. O sobre la madrugadora noción de Estado Cultural que apunta tempranamente en Eugenio d'Ors y que transita con el autor desde la Cataluña mediterránea y ordenada hasta la reseca meseta centralista, sin perder nunca del todo la brizna de *esprit* y arbitrariedad que siempre salva al autor. Y nada digamos del caso de Ortega: ¿no vale la pena conectar su bienhumorada aceptación de la "deshumanización" del arte o su convicción de la muerte de la novela decimonónica con sus ideas sobre la función de masas y minorías en la historia y con su concepción elitista y progresivamente sombría del porvenir? ¿Se equivocaba Unamuno al afirmar que las juveniles y alegres celebraciones del centenario de Góngora venían a hacer el caldo gordo a la Dictadura? ¿No cabe hacer lecturas políticas, bien transparentes por lo demás, de los centenarios de Goya, de Lope de Vega, de Garcilaso o del romanticismo?

Los años treinta pusieron todo esto sobre el tapete. Y hace ya unos años que se viene trabajando sobre ese hermoso objeto crítico y desapacible objeto vital, más allá de aquella

noción, la de "generación del 27," tan simpática en la forma
como inútil y hasta perjudicial en su uso historiográfico. La
idea de que algo cambió decisivamente en los albores del
nuevo decenio ha venido a confirmarla un espléndido libro
reciente de Hans Ulrich Gumbrecht[2] y, a mayor abundamiento, lo ratifica un artículo impresionante de 10 de
noviembre de 1927, aparecido en *El Sol*, escrito por Antonio
Espina y sobre el que llamó la atención Christopher H. Cobb:
"Vísperas del año treinta." Sobre el papel, el autor es un
inequívoco convidado del festín de arte nuevo: un "orte-
guiano" al que hallamos en la colección "Nova Novorum,"
como luego en las "Vidas Españolas del Siglo XIX," de
Espasa-Calpe; que escribe en la propia *Revista de Occidente*
desde 1923 y, por cierto, para estigmatizar la memoria decimonónica de Galdós en su número 1; en 1930 figurará, con
José Díaz Fernández como fundador de *Nueva España* y, al
cabo, pasará a los parajes más moderados de Izquierda
Republicana para llegar en 1936 a Gobernador Civil del
Frente Popular (salvó la vida milagrosamente en Mallorca).
En 1927, comentando un artículo de Ernst Robert Curtius en
la *Revista*, escribía sobre el inminente final del decenio de los
roary twenties:

> Se oye el rumor sostenido del tropel a venir. (Tocan a
> vísperas). A vísperas del año treinta. No olvidemos que
> el gran ritmo secular de la cultura moderna culmina
> alrededor de los años 30. Entre 1630 y 1640 aparecen el
> neoclasicismo y *El Cid* y el *Discurso del método*. Desde
> 1730 hasta la Revolución Francesa, es el racionalismo,
> el enciclopedismo, Voltaire y Rousseau. En 1830, los
> románticos, *Hernani*, la Europa sentimental... ¿Qué nos
> reservará nuestro difícil 1930? No lo sabemos. Lo único
> que sabemos es que el estado de espíritu de nuestra
> época—hirviente, contradictorio, nihilista, agotador—
> no puede continuar. Es necesario un orden. Una organi-
> zación a base de valores muy fijos y muy contrastados.
> Hace falta que el sentir descomunal de ejecutantes y
> creadores se trueque en indispensable sentido comunal
> y común." (Espina 121-22[3])

Algunas de las referencias de fondo son transparentes. Por supuesto, Espina alude a aquel "rappel à l'ordre" formulado por Jean Cocteau, y la urgencia de rectificar la carrera desatentada de las vanguardias nacidas en plena guerra, de *dadá*, muy particularmente. Por aquel camino, o por el de Marcel Duchamp, se iba en derechura a la entropía artística. Pero, ¿no pensaría el escritor también en aquel cosmopolitismo cínico de los Paul Morand o de Blaise Cendrars, cuyos libros parecían ser una huída permanente de la responsabilidad por la vía de fatigar la geografía, o no pensaría en la irresponsabilidad de la "falsedad" ramoniana donde cualquier realidad corría el riesgo de desaparecer por el escotillón de una greguería feliz? (*Falsedad*: era un término muy dilecto de Ramón Gómez de la Serna que había publicado sus *Seis falsas novelas* en 1927, pero recogiendo textos que se inician en 1923: las dos más intensas y "modernas"—*La mujer vestida de hombre (falsa novela alemana)* y *El hijo del millonario (falsa novela norteamericana)* son, precisamente, de 1926 y 1927, respectivamente—. Un año antes, André Gide ha publicado *Los monederos falsos*, novela sobre la juventud de su tiempo y sobre falsificaciones que son, a la par, delictivas y morales). Pero el único libro que Espina cita explícitamente es el de Franz Roh, traducido por Fernando Vela, *Realismo mágico. Post-expresionismo*, que fue una verdadera Biblia de la juventud inquieta. El texto, inspirado por la presencia de los "nuevos realistas" en Italia y Alemania, venía a dar por enterrada la fase convulsiva y romántica del expresionismo y el nacimiento de una pintura minuciosa, de inquietud más metafísica que histórica, más "cultivado" que "primigenio" y más "hondo" que "excitante" (según reza el "esquema" que cierra el volumen) (Roh 131).

¿Iba a ser recibido el agorero cambio de decenio con un generalizado *rappel à l'ordre*? (El "esquema" de Roh postula también que frente al "se mueve hacia adelante" del expresionismo, el postexpresionismo "retrocede también"). La conclusión política del artículo de Antonio Espina es, cuando menos, bastante ambigua: "El problema sustantivo de la política futura no se resuelve, como creen muchas felices gentes, al *grosso modo* de los formularios de la "autocracia" o de la "democracia," o alzando los estandartes vistosos de "monarquía" o "república." Lo que constituye la entraña del problema significa algo más profundo. Alienta ahora, comienza a alentar ahora, precisamente, como una nueva organización de conciencia, que luego al desarrollarse informará el espíritu político del siglo XX" (Espina 122). La ambigüedad pasa a ser francamente preocupante si se proyecta sobre el mapa político real. El problema de república-monarquía era inequívocamente español, pero el otro—el reemplazo de la política por la eficacia—era internacional. Y no se refiere sólo al contexto en que, por ejemplo, adquieren sentido las propuestas sobre un Estado más técnico que están en la base de las teorías de John Maynard Keynes, o en las reflexiones sobre derecho político de Hans Kelsen. Lo cierto es que buena parte del mapa continental registraba dictaduras: las había en Finlandia, Grecia, Hungría, Italia, Polonia, Portugal, Rumania, Serbia y Turquía; la iba a haber, y terrible, en Alemania. Vale decir, en una mezcla de países donde se encontraban los perdedores de la guerra y también los vencedores, cuyas arcaicas estructuras sociales no soportaban el peso de la crisis económica o el tránsito de plácidas sociedades agrarias a sociedades industriales. Para las clases medias intelectuales, había sido muy fácil ser liberal sin ser demócrata antes de 1918; tras la desmovilización y en la era de las masas, la autocracia es vista paradójicamente como una tentación demócrata: una forma superior de democracia. Los nuevos caudillos no son autócratas aislados, sino excombatientes de la guerra y militares condecorados, marcadamente populistas, que hablan y gesticulan desde el balcón de la Plaza Venecia o en una concentración en Múnich.

Cultura de minorías, cultura del pueblo, cultura de estado

El 15 febrero de 1929, en su número 52, *La Gaceta Literaria* publicaba la "Carta a un compañero de la joven España," de Ernesto Giménez Caballero. (Ramón Iglesias Parga, el "compañero", luego comunista y exiliado, era entonces lector de español en Götteborg). Como se sabe, la "Carta" fue el temprano manifiesto del fascismo español y concebida originariamente como prólogo a la traducción de *L'Italie contre l'Europe*, de Curzio Malaparte, cuyo título se había trocado significativamente por su traductor en *En torno al casticismo de Italia*. Tal trueque lo anticipaba todo; Giménez buscaba la afirmación española frente a Europa y, en consecuencia, la vindicación como prefascista de toda nuestra tradicional liberal-nacionalista:

> Sustituyamos nombres y veremos que frente a Rajna o D'Ovidio hay un Menéndez Pidal, creador de nuestra épica nacional; frente a Croce y Misiroli, hay un Ortega, creador de nuestra *idea nazionale*; un D'Ors. amante de la unidad; frente a D'Annunzio, Marinetti y Bontempelli; un Gómez de la Serna, creador del sentido latino y modernísimo de España, *stracittadino* y *strapaesano* a un tiempo; frente a Pirandello, un Baroja, un Azorín, regionalistas como punto de partida en sus obras y renovadores del conocimiento nacional de una tierra, creadores de anchos espejos; frente a Gentile, un Luzuriaga, en posibilidad experimentos enérgicos, de instrucción.... Frente a tantos otros, ilustres hacedores de nuestra Italia, un Maeztu, o un Araquistáin, un Marañón, un Zulueta, un Sangróniz, un Castro, un Salaverría, etc. Y frente a Malaparte... Pero, ¿por qué frente a Malaparte? Malaparte detrás de él, siguiéndole con respeto en muchas de sus afirmaciones. Delante de Malaparte, Miguel de Unamuno. (Giménez, *En torno al casticismo* ... xiii-xiv)[4]

De hecho, Giménez Caballero ha ido mucho más lejos que Malaparte. El texto del italiano era, en rigor, un dato más en la polémica entre los modernizadores ruralistas y los refinados y europeizantes vanguardistas de la revista de Bontempelli, *900*. Pero lo que el español pretende es establecer una genealogía ideológica donde se integren unos y otros en el marco de un proyecto político de largo alcance: la constitución y el definitivo lugar de la nueva intelectualidad española, algo que ya había sido preocupación obsesiva en las *Visitas literarias de España* desde 1925.[5] En 1931, pese a la

seria fractura interna de *La Gaceta*, el juego todavía le sirve
cuando en el número 105, 1 de mayo de 1931, Gecé pase
factura a la reciente república y le recuerde los diez puntos de
coincidencia entre la revista y el régimen recién estrenado: 1)
los fundadores de *La Gaceta* han sido los mismos de la
República (Marañón, Urgoiti, Ossorio y Gallardo, Luzu-
riaga... y el patrocinio de Ortega "el gran vidente"); 2) *La
Gaceta* se ha anticipado al reconocimiento de la peculiaridad
de Cataluña ("nuestro periódico fue la vanguardia del
plurilingüismo peninsular": se recuerda el acto de hermandad de Barcelona en 1927 y la publicación del volumen
Cataluña ante España; 3) la revista se pronunció tempranamente a favor del federalismo peninsular y del lusismo;
4) abordó la candente cuestión religiosa y se sumó a la
campaña de reconocimiento de la judería sefardí; 5) propugnó
la expansión internacional de España, a afectos de lo que
recuerda la resonante polémica del "meridiano intelectual de
Hispanoamérica"; 6) hizo público su interés por la juventud y
la universidad; 7) participó en el nuevo periodismo político:
redactores de *La Gaceta* han sido Antonio Espina (fundador
de *Nueva España*) y los principales colaboradores de *Nosotros*, revista de César Falcón, mientras que su antiguo
redactor Ramiro Ledesma Ramos ha sido el creador de *La
Conquista del Estado*); 8) divulgó el arte nuevo (la arquitectura racionalista, los muebles funcionalistas, el cubismo, el
surrealismo); 9) apoyó el cinema como instrumento social;
10) propugnó la necesidad de una política del libro.

    El artículo con una "exaltación," género muy propio del
escritor y que la posterior retórica del Régimen franquista
haría aborrecer a varias generaciones de españoles.[6] El
apóstrofe de Giménez no había de tener ningún efecto pero
deja muy claro su empecinamiento en las tesis de febrero de
1929: "Gobierno de intelectuales: Gobierno de la República
Española: estas líneas no son de justificación ante vosotros:
son de recuerdo y de justicia. Hoy que *La Gaceta Literaria*
lleva ya su vida perenne y serena, libre de toda pasión:
pensad que es el órgano periodístico de las letras—"La
República de las Letras," como se llamó el único antecedente
nuestro fundado por Blasco en 1905—que lleva cinco años de

incitaciones a vigencias actuales. *La Gaceta Literaria* no pide a la República Española más que una estimación justa. Más que justa: justiciera."

Pero ya era muy tarde. La respuesta potencial a sus propósitos la encontramos en un artículo del joven Ramón J. Sender—"La cultura y los hechos económicos"—, publicado en la valenciana revista *Orto*, en marzo de 1932 (la publicación era una mezcla anarco-comunista muy representativa del momento español de ambos partidos: los anarquistas más teóricos eran mucho más dogmáticos de lo que creían; los comunistas primeros resultaban mucho más utópicos y anarquizantes de lo que pensaban de sí mismos). Sender había hecho una carrera fundamentalmente periodística: en 1919 había escrito prosa poética en homenaje a Rosa Luxemburg y muy pronto había ingresado en *El Sol*; sus primeros textos en el diario de Urgoiti entremezclan aragonesismo, regeneracionismo y simpatías radicales que se van incrementando con los días: en 1930, el éxito de *Imán* le otorga un lugar de excepción en la joven narrativa de protesta. El número de *Orto* al que se alude es una interesante entrega monográfica sobre las consecuencias de la crisis económica de 1929 y el análisis de Sender toma como punto de partida la crisis de la cultura convencional: en Alemania nadie va ya a los teatros y en España se hunden las empresas editoriales—el caso de la C.I.A.P.—que han sido orgullo de la burguesía liberal. De ese descrédito dimana una realidad incuestionable que el escritor saluda con alborozo:

> Los primates del decadentismo del año 98, y con ellos su primer representante, Miguel de Unamuno, no interesan. Sus libros no se leen. Los de la generación intermedia entre el 98 y nosotros se han acogido a la política para buscar en ella satisfacciones intelectual-burguesas que no les podían dar sus obras (...). Esta personalidad traía consigo estimación social, bienestar económico, respeto de todos. Representaban estas aspiraciones algunos profesores de la Institución Libre de Enseñanza, del Centro de Estudios Históricos, de la Universidad de Madrid, Salamanca, Sevilla, Barcelona.

Ortega y Gasset, Marañón, Jiménez Asúa, Américo Castro. Universitarios que habían desplazado a los autodidactas de la generación posterior al 98 y que merecían aplauso y respeto por su tendencia a la sistematización, al método, a la racionalización literaria (...). Nadie quiere ser un Marañón, un Jiménez Asúa, un Américo Castro y mucho menos un Ortega y Gasset porque saben que no es una finalidad concreta en el porvenir que ya apunta.

¿Cuál era ese porvenir, cuando "las "ideas puras" ya sabemos que son escorzos individuales de individuos decadentes, siempre al servicio de la tradición"? Antes lo ha dicho con meridiana claridad de apocalipsis:

> Cuando vemos los teatros vacíos, las bibliotecas desiertas, las casas editoriales en quiebra, los museos abandonados, percibimos una realidad sana, vital, llena de esperanzas y de promesas. La crisis de la cultura burguesa, que estaba latente en España después de la guerra, se ha manifestado ya francamente con la crisis económica iniciada durante la Dictadura y precipitada con la avalancha democrática de la República.

Pero, al final, frente al intelectualismo y el espiritualismo burgués,

> el proletariado y el pueblo son en España lo subconsciente y lo intuitivo y están destruyendo el viejo sentido de la cultura y lo cultural y culto. El campo y la fábrica acabarán de triunfar y educarán a los universitarios y profesores, a los ateneos y a los periódicos. Es absurdo querer ir contra esa corriente enviando teatritos decadentes a las aldeas que saben hacer teatro como el de Castilblanco. Contra la vacilante, tímida y envilecida cultura del espiritualismo burgués, los hechos nuevos ganan cada día una batalla. (Sender 193-95)

Unos años después, mediando el exilio de 1939, Ramón Sender seguiría siendo fiel a esa concepción irracionalista de las fuerzas vitales—lo que él llamó entonces lo "ganglionar"—que pondría al servicio de una fascinante reflexión humanista, teñida del anticomunismo que compartió con otros tantos notables escritores de su época (pensemos en Koestler, en Orwell, en Steinbeck...). Pero aquí, la apelación a "lo subconsciente y lo intuitivo" populares entraña además una dolorosa confesión de impotencia burguesa, una vivencia personal de arrepentimiento y liberación lustral: en el fondo, el género literario de la nueva literatura comprometida es la "autocrítica," una práctica de Partido bien conocida, y su concepción de la fe salvadora tiene como punto central la "conversión," algo que ya conoció—¡y cómo!—el fideísmo de fin de siglo. Aunque el atractivo lenguaje de Sender hubiera hecho fruncir el ceño a algún comisario político, lo esencial del proceso descrito está presente en esta prosa de urgencia: hay que sacrificar al hombre viejo—individualista, razonador, *culto*...—en aras del hombre nuevo que es *colectivo* e *intuitivo*... y que se despide para siempre de una *cultura* identificada con el *espíritu*.

Otros, sin embargo, lo veían todavía de un modo más tradicional, fieles a un concepto más populista del compromiso, mediante el que se trataba de que las nuevas fuerzas sociales emergentes—las del proletariado—ocuparan como cosa propia el mundo de la cultura que les había sido usurpado por las clases burguesas. Por un lado, se pensaba que la cultura, en sí misma, era algo benéfico y necesario; por otro, se colegía que una auténtica vida cultural y unos "artistas de raza" tendrían siempre un hueco en su corazón (y en sus lienzos o sus cuartillas) para manifestar espontáneamente su amor por los desheredados y su esperanza en una nueva vida. Y si tal cosa no era demasiado explícita en la práctica, el espíritu de los artistas siempre encontraría algún lugar emocional de encuentro con la sensibilidad despierta de sus nuevos públicos, los obreros. Ese concepto venía de lejos, del romanticismo social, y había llegado casi indemne a las vísperas de los años treinta, como regla que inspiró Universidades Populares y Ateneos Obreros, Bibliotecas Circulantes y programas culturales de Casas del Pueblo y Casinos Republicanos.

De 1930 es el librito *Escritores y pueblo*, de Francisco Pina (la cubierta de Josep Renau muestra un sol amaneciendo sobre el mar, que aparta las nubes de la ignorancia), uno de los primeros volúmenes de la colección valenciana "Cuadernos de Cultura," de la revista *Estudios*. Su ideal queda claro en el prefacio editorial al volumen e insiste en aquella función de encuentro *indirecto* de la alta literatura y los intereses obreros a los que se aludía líneas más arriba: a fin de cuentas, y al margen de la exposición de doctrinas liberadoras, "la vibración humana es lo que irradian las obras de Whitman, Zola, Vallès, Balzac, Georges Sand, Hardy, Knut Hamsum, Gorki, Ramuz, Baroja, Heinrich Mann, Barbusse, Sinclair, London, Verhaeren," y los "de influencia proletaria neta, como Istrati, Gladkov, Esenin, Babel, Pilniak" (Pina 5). Y es que asistimos, como dice Francisco Pina, al final del arte por el arte y a los pasos firmes de un compromiso distinto: en España, los antecedentes son las obras anticlericales de Galdós y sobre todo las de Blasco Ibáñez, particularmente la tetralogía revolucionaria que entre 1903 y 1905 formaron *El intruso, La bodega, La catedral* y *La horda*.

En ese camino han perseverado "los del 98," una generación que "estuvo integrada por hombres tristes" que "advertían bien la miseria moral y mental de España, y se preocuparon cada uno a su modo de este único problema; pero lo hicieron en su mayoría como intelectuales aislados sin ningún arraigo en la entraña popular (...). Eran casi todos gentes de gabinete, a pesar del vagabundaje—más anecdótico que real—de un Baroja, y el dinamismo vigoroso—también más teórico que efectivo—de un Unamuno." A aquellos escritores ilustres, "les faltó, en general, para completar su obra magnífica, tener un concepto claro de lo que es un apostolado," y es que "España no es un país maduro donde los escritores puedan abandonarse por completo al cultivo de la literatura. Ese pecado lleva siempre consigo una penitencia, que consiste para los hombres de letras en no poder irradiar su espíritu sino en una minoría" (Pina 15). Muy otra cosa fue la labor de Dostoievski, Tolstoi y Gorki, mayor, si bien se piensa, que la de Kropotkin, Bakunin y Lenin. Pero, en definitiva, nuestros noventayochos son su único equivalente aproximado... Pina los aborda luego, uno por uno. Unamuno le parece el más político, porque no sólo es un "liberal o republicano histórico" sino un hombre popular como testimonia su reciente discurso en la Casa del Pueblo de Salamanca. En punto a Pío Baroja, "ha de llegar el día no muy lejano en que la masa obrera, los explotados y los vencidos, verán en Baroja un espíritu hermano y un defensor sincero. Su pureza y su lealtad hacia los que tienen hambre y sed de justicia constituyen un caso muy digno de anotarse en un trabajo como este" (27). Y lo mismo sucede con Valle-Inclán, "caso extraordinario de rejuvenecimiento literario," como han dejado ver *Luces de bohemia* y *Tirano Banderas*, *Viva mi dueño* y *La corte de los milagros*. Y es que, "¿será preciso decir a estas horas que el decantado carlismo de Valle-Inclán es algo puramente adventicio?" (28). Jacinto Benavente, a cambio, es otra cosa: "La audacia renovadora o demoledora de don Jacinto nos ha parecido siempre exigua y, en todo caso, cominera (...). ¿Qué son los arañazos de don Jacinto comparados con las audacias radicales y verdaderamente revolucionarias de un Ibsen, un Strindberg, un Bernard Shaw o un Wedekind?" (33). Azorín, por su parte, es un contemplativo, sin sensibilidad que no sea de naturaleza intelectual, y Ramiro de Maeztu resulta "un espíritu enclenque, admirador de la fuerza ajena y propicio a postrarse ante ella; esto explica su excesiva admiración por Nietzsche, otro que en el fondo no era más que un hombre débil" (41). Maeztu y Manuel Bueno fueron, a mayor abundamiento, "los dos únicos escritores de la generación del 98 que ofrecieron sus servicios a la vejatoria dictadura de Primo de Rivera." Por su lado, "Ortega es un tipo de escritor para el cual España resulta un país poco maduro." De ahí provienen los errores de *La deshumanización del arte*, que "algunos escritores y artistas jóvenes, dotados de un cierto temperamento horteril, tomaron al pie de la letra" (47). A Pina le interesa, a cambio, Ramón Pérez de Ayala, sobre todo por *Luz de domingo* y *AMDG*: anticaciquismo y anticlericalismo aliados en una "hermosa obra de caridad." En elogio de Luis Ara-

quistáin, el director de *España*, se consigna que no es
"escritor de gabinete" y que su ensayo *El ocaso de un
régimen* (como el semanario que se ha citado) "no se borrará
nunca de la memoria de aquellos que vibraron al unísono de
las inquietudes que la animaban" (55). De Julio Álvarez del
Vayo, por último, se encomia *La senda roja*, novela de la
Europa de postguerra, y en "Dos jóvenes" se trazan los
perfiles hermanados de Antonio Espina y José Díaz
Fernández, fundadores de *Nueva España*.

La hora de los balances

Los balances se pusieron de moda, al hilo de la cul-
minación de una densa y valiosa oferta literaria que empezaba a segregar un canon (o unos cánones). El propuesto
por Pina es todavía el balance de un talante radical, basado
en las buenas intenciones y vinculado todavía a una noción
muy pequeño-burguesa y limitada de la "sensibilidad social"
de los autores. El paso más decidido en el escrutinio de
valores habría de venir traído por dos ingredientes nuevos:
por un lado, en virtud de la consideración de la aportación
individual entendida en el marco de una secuencia histórica
nacional, de una incipiente "Cultura de Estado" (como había
propuesto tan madrugadoramente Giménez Caballero); por
otro, al apoyarse en una concepción de la literatura como
ideología de clase y considerar al escritor—como Lenin
proponía—una ruedecita más del activo engranaje de la
Revolución, o incluso del Partido. César Muñoz Arconada fue
el más capacitado mensajero de esta fórmula y su figura
previa interesa particularmente al respecto. No fue, como
Sender, un muchacho díscolo que acabó en el mundo revuelto
del periodismo sino un autodidacto laborioso, que se interesó
por la música postimpresionista (su libro *En torno a Debussy*
se publicó en 1926) y, a la vez, por el naciente cinematógrafo
(su *Vida de Greta Garbo* es de 1929 y sus *Tres cómicos del
cine*, que eran Chaplin, Clara Bow y Harold Lloyd, de 1931).
Procedía de la clase de pequeños propietarios rurales que
colocaba a sus retoños como funcionarios del Estado. Y es
significativo que Ledesma Ramos, el futuro primer líder

fascista, y él compartan, al respecto, una biografía casi idéntica: nació nuestro autor en la palentina villa de Astudillo y el
otro en la zamorana de Bermillo de Sayago, ambos opositaron
con éxito al Cuerpo de Correos, ambos recalaron en *La
Gaceta Literaria,* de Giménez Caballero, y ambos tuvieron allí
responsabilidades editoriales y dedicaciones muy especializa-
das (a la filosofía y la matemática el zamorano, a la música y
la literatura el palentino). Y los dos desembocaron, al cabo,
en la vida política: fascismo y comunismo fueron sus reden-
ciones personales y la razón de su ser, en un caso hasta
encontrar las balas de un pelotón de fusilamiento en 1936, en
el otro hasta morir, todavía joven, en el Moscú de 1964.

El texto capital de César Arconada es "Quince años de
literatura española," publicado en *Octubre,* en su número de
junio-julio de 1933, que sin duda es la más rara perla de toda
esta fiebre de balances del pasado inmediato. Su originalidad
es aplicarse a lo que el propio autor llama "la interpretación
dialéctico-materialista," única que situará las cosas en su
justa medida. Y en tal sentido, arranca, con cierto candor, de
muy lejos... Nada menos que de la mendicidad y la pobretería
del llamado siglo áureo, que ya denuncia la endeblez de la
vida independiente de las letras que ha de ser crónica en
nuestro país, para advertir luego la precaria exigüidad de las
minorías del siglo XVIII, contrastadas con las de Francia,
donde sí había "una burguesía amplia, culta, capaz, decidida
y necesitada de hacer una revolución." Larra es el primer
escritor español que, al borde mismo de la revolución liberal
burguesa, pone por escrito el drama íntimo y social del
intelectual en este país (en su artículo "¿Quién es el público y
donde se encuentra?" de la serie para *El Pobrecito Hablador*):

> La tragedia consistía en que era un escritor tipo de
> pequeña burguesía en un país sin ella. Desde Larra
> hasta la generación del 98, toda preocupación intelec-
> tual ha consistido en anhelar la existencia de una bur-
> guesía amplia, culta y comprensiva. Las admoniciones y
> la paternidad de Costa sobre la escuela, sobre la ense-
> ñanza, sobre la política, van directas en ese sentido."
> Pero algo se ha logrado, viene a reconocer Arconada

líneas más abajo: "Desde el 98 hasta hoy es cuando ha
dado todo su crecimiento, todo su rendimiento. Un
pequeño y pobre rendimiento, pero al fin ella ha podido
sustentar a escritores como Baroja, Azorín, Ortega y
Gasset, Pérez de Ayala y Unamuno: ha hecho su
pequeña revolución, ha cogido los mandos y está hoy en
pleno y efímero triunfo. (Larra 181)

Así estaban las cosas cuando el final de la guerra de 1914,
"zarabanda codiciosa de la burguesía mundial," amenazó
aquella estabilidad porque "cortó verticalmente al mundo" y
muchos jóvenes se forjaron "en esa escuela desesperante y
trágica de la guerra." El vanguardismo surgió de la divergencia parcial de la literatura y la burguesía: "Como esos
amantes desdeñosos pero no infieles, la literatura al sentirse
por una parte decepcionada y paralizada por la guerra y por
otro lado desdeñada por la burguesía, una y otra se separan,
riñen, se llenan de improperios, se castigan." Pero lo cierto es
que en la España neutral no fue exactamente así. En nuestro
país, "la burguesía española no estaba tan saturada de
cultura como para entender y hacer caso de estos juegos," y
nuestra pequeña burguesía culta "ya hacía bastante esfuerzo
con entender a Baroja y a Azorín; pasar más allá era
demasiado." *La Gaceta Literaria*

fue el vehículo que utilizó la joven literatura para salir
de su soledad de pureza—encrucijada en donde la había
metido la postguerra—y marchar en busca de la
pequeña burguesía culta que ya se suponía de vuelta de
la generación del 98. Por esto, *La Gaceta Literaria* no
fue nunca, en principio, un periódico combativo de
lucha y diferenciación, sino al contrario, un periódico
aglutinante de agrupación de todas las letras, de todas
las gentes, viejas y jóvenes, en convivencia y en el buen
deseo de que la burguesía recogiera y protegiera la
literatura joven que empezaba a manifestarse en
público. (Larra 183)

Cumplió su finalidad pero ahora, al comienzo del segundo bienio republicano y al materializarse una decepcionante "República de derechas" para escarnio de quienes asociaron el nuevo régimen a toda la felicidad política sobre la tierra, se abría un periodo nuevo. Y se enconaban las posiciones que venían de atrás: de un lado, estaba "la contrarrevolución, la reacción, el fascismo o el catolicismo de la cultura" con Eugenio Montes, José Bergamín, Ramiro Ledesma, Ernesto Giménez Caballero y Rafael Sánchez Mazas; de otro, "la corriente favorable a continuar la tradición de influencia de la pequeña burguesía. Es decir, a que en un medio tranquilo, apolítico, una burguesía culta posibilite la vida y el relieve social del escritor como en la época de Baroja o de Azorín" (y ahí militaban Benjamín Jarnés, Ramón Gómez de la Serna, Antonio de Obregón y Esteban Salazar Chapela); solitarios y aislados, estaban los "poetas puros" que seguían "dando biografías oscuras de sus sentimientos" y, por últimos, aquellos pocos que "han comprendido todo el significado de estas horas decisivas en que vive el mundo" (entre los que cita a Joaquín Arderíus, Ramón J. Sender, Emilio Prados, Rafael Alberti y Wenceslao Roces).

La edad de la servidumbre

No era fácil acertar en aquella exigente encrucijada. Era más fácil saber que todo cambiaba y que de las veladas de teatro se pasaba a la oscuridad propicia del cinema, que al paseo de las parejas al atardecer sucedía la promiscuidad de la piscina o de la excursión al aire libre, que empezaban a agonizar las tertulias de los cafés porque las sucedía ya la camaradería de las barras en las cervecerías. Era más fácil saber que el nuevo mundo tenía automóviles, anuncios luminosos, reflectores surcando el cielo, la música sincopada del *jazz*, radiorreceptores, aeroplanos, deportes y carteles en todos los muros, que entender qué iba a significar todo aquello: una vida más colectiva, más agitada, mucho más informada y, por ende, con una mayor sensación de impotencia individual.

Una de las cosas que inevitablemente decayó fue la asociación de la vida española a su imagen campesina. Por espacio de largos años, se había asociado la raíz nacional al campo castellano: sobre la imagen de sus labriegos, Unamuno acuñó la idea feliz de intrahistoria; sobre su presencia, entre miserable y conmovedora, Antonio Machado fraguó su conciencia regeneracionista y radical, y sobre los mitos históricos castellanos y la milagrosa supervivencia de la tradición romanceril, Ramón Menéndez Pidal edificó una conciencia nacionalista y liberal. No le faltaba razón a Joan Maragall cuando, en un artículo de 1903, había establecido una curiosa ecuación implícita: si los artistas del modernismo catalán habían construído una nueva literatura nacional al tomar auténtico contacto con las raíces de su tierra, sus equivalentes del resto de España hicieron lo propio al convertir a Castilla en una prodigiosa sustancia artística (Maragall 149-51).[7] Todavía, cuando en 1931 y en 1932 dos grupos de jóvenes universitarios entusiastas, las Misiones Pedagógicas y el grupo teatral de La Barraca, decidieron iniciar una campaña de cultura popular se acercaron a la sierra de Ayllón, los primeros, y a los pueblos del valle del Duero, en la provincia de Soria, los segundos. Indudablemente, no se les ocurrió por un momento acudir al campo andaluz o extremeño, que agitarían después de 1931 las ocupaciones de fincas o la miseria de los yunteros. Ni mucho menos dirigir su labor a las zonas industriales en la cuenca minera de Asturias o en la zona carbonera y textil del valle del alto Llobregat, que conocerían días de dura lucha en el sexenio republicano. Y, con certeza, no fue tanto por evitar lugares conflictivos cuanto por reencontrarse con una tradición que tenía una previa y hermosa elaboración estética e ideológica. Todavía el Sender de "La cultura y los hechos económicos," que se ha citado más arriba, evocaba por igual el campo y la ciudad alzados y, a la postre, contraponía a los "teatritos decadentes" (envenenada alusión a las campañas de Misiones y La Barraca) a aquellas resurrecciones de Fuenteovejuna que habían sido los episodios de Castilblanco o Arnedo.

El repudio del ruralismo fue lento e incompleto, pero muy significativo (la historia de su adopción y su abandono, que es una parte de la de la España contemporánea, está por hacer: huelga decir que continúa y hasta se complica todavía después de la guerra civil). Tanto como fue llamativa la lenta y dolorosa evidencia de que la nueva práctica artística, el nuevo compromiso, exigía una renuncia sistemática al yo, una vigilante autocrítica y hasta un masoquismo ejemplar ante las luminosas evidencias de la doctrina. En el número 2 (febrero de 1935) de *Nueva Cultura*, la interesante revista de Josep Renau y el grupo comunista valenciano, surgieron dos polémicas que nos van a ilustrar mucho sobre la nueva situación, más allá de los sucesos de Asturias en el otoño de 1934. En esa entrega, el propio Renau publicó el artículo "Situación y límites de la plástica contemporánea. Carta de *Nueva Cultura* al escultor Alberto," que era una cumplida respuesta a "Palabras de un escultor," el manifiesto de Alberto Sánchez en el núm. 1 de *Arte* (1933), que fue, a su vez, efímera resurrección del grupo de Artistas Ibéricos. Allí, el fundador de la Escuela de Vallecas había vuelto sobre la invención—suya y de Benjamín Palencia—de un arte que fuera a la par vanguardista y nacional y proclamaba la necesidad de un radical telurismo:

> Me dicen: la ciudad.... Y yo respondo: el campo. Con las emociones que dan las gredas, las arenas y los cuarzos; con las tierras de almagra alcalaínas, oliendo a mejorana, entre vegetales de sándalo, con las hojas secas de lija, y un arroyo de juncos con las puntas de acero galvanizado; con las tierras de Alcaén de la Sagra toledana, y los olivos, de tordos negros cuajados; también un sapo venenoso con amargor de retama y sabor de rana viva, y en el río un pez perseguido de lombrices.

A este retablo, tan propio de la estética vallecana (era, en sustancia, el programa poético del Miguel Hernández de *El rayo que no cesa*), *Nueva Cultura* contraponía la necesidad de adoptar una posición más elaborada y menos intuitiva: al decir de Renau, Alberto había abandonado la línea crítica de un Goya y había incurrido en el "ruralismo místico," como el que el uruguayo Rafael Barradas había cultivado en 1919. El tirón de orejas doctrinal resulta inequívoco: "No se puede ser un individualista que mira con desconfianza hacia la ciudad, acumula sus maldiciones sobre el espíritu degenerado de la metrópoli burguesa, origen de todos los males" y olvida la necesaria "alianza de obrero y campesino."

La otra polémica a la que aludía surgió cuando al encargarse a Juan Gil-Albert, un escritor "burgués" simpatizante, un comentario del primer estreno del Cine-Estudio convocado por la revista: se trató del filme *Éxtasis*, de Gustav Machaty. El futuro redactor de *Hora de España* proclamó, al propósito de aquella cinta refinada (y que hizo famosa el desnudo de la actriz checa Heddy Lamarr), la necesaria convivencia de un cine intimista al lado de un arte de "espesa sangre popular, al fresco." En su número 3, la revista daba cuenta de la carta de una camarada sevillano, Fuentes Calderas, que se había indignado por el contenido de la colaboración de Gil-Albert. La redacción le replicó arguyendo que ni Machaty ni su defensor eran comunistas, pero que la película había sido seleccionado por ser "sutilmente subversiva." Y es que, en España—concluía la respuesta—hacía falta todavía "la revolución democrático-burguesa," a cuyo ámbito de ideas pertenecían, sin duda, las expuestas por realizador y crítico. Y al final de la columna, un anuncio recuadrado nos recordaba el régimen de pensamiento que imperaba en aquella edad de la sumisión y la renuncia: "En nuestro amplio frente de lucha contra el fascismo, la colaboración firmada supone una responsabilidad individual. Sólo en la obra anónima está la decisión colectiva de nuestro grupo."

No era fácil ser artista en años de voluntaria servidumbre... Una solución era la que apuntaba un Ernesto Giménez Caballero al que los años no habían enmendado uno solo de sus delirios pero tampoco le habían restado su insana capacidad de leer con la lucidez del orate los signos de su tiempo. Su libro de 1935, *Arte y Estado* es, sin lugar a dudas, el documento más interesante del fascismo español pero, a la vez, es un texto que apoya sus premisas en la consideración simultánea del destino del arte en la Italia fascista, en la Alemania donde alboreaba el nazismo y en la Rusia soviética. Cualquiera de quienes se sintieran afines a estos regímenes podía hacer suyas palabras como estas:

> Para el siglo pasado había unas artes liberales, selectas, hijas del *espíritu libre*. Y otras mediatizadas, comunales, sin libertad y sin espíritu. Por ejemplo, las *artes populares*. Por ejemplo, las llamadas *artes industriales*. Por ejemplo, las *artes decorativas* (...). Hoy no podemos tolerar ese régimen *electoral*. Hoy no admitimos más régimen que el *funcional*. Y desde ese punto de vista del arte como servicio a algo superior y común entre los hombres, cada arte tendrá su rango ocasional y específico. El siglo pasado se atuvo a lo individual para jerarquizar las artes. Hoy es lo colectivo, aquello que les da rango y primacía (...). El Arte ha estado siempre al servicio de algo. Y lo que ha variado es el nombre de ese *Algo* (...). Cada época pone su ansia de *belleza* donde pone su idea de *servicio*. Nuestra época la ha puesto—como la Edad Media—en el ansia de lo colectivo. De ahí que—como en la Edad Media—aparezcan como artes, tanto más valiosas aquellas que sean tanto más instrumentales. A ello responde ese ímpetu casi místico de la Propaganda que se ha infiltrado entre las falanges de las artes actuales. (Giménez Caballero, *Arte* 82-83)

Un descrédito general iba a recaer sobre el viejo concepto de Cultura, basado en la acumulación de conocimientos,a la educación de la sensibilidad y, al cabo, la adquisición de una distinción social. "La Propaganda—proseguía Giménez Caballero—supone no sólo un objeto a propagar, sino la voluntad de que sea propagado. Dicho de otra manera: un Plan. Poco a poco, va sustituyendo ese concepto de Plan, al cada vez más arcaico de Cultura. Hasta hace unos años—todavía hoy, los liberales—creen que el Arte no es sino un fenómeno cultural, una manifestación de cultura, un lujo vital. Algo así como la caña de azúcar en el trópico, como el edelweiss en el paisaje alpino. Arte, flor de cultura. Esa concepción botánica, pacifista y bucólica, agrícola, del arte como cultura y cultivo, la vamos desechando quienes vemos en el Arte un supremo

arma de combate" (89). ¿No estamos leyendo aquí lo mismo
que, unos pocos meses antes (pero, ¡que meses tan intensos!)
leíamos en Ramón J.Sender cuando proclamaba la muerte de
concepto burgués de cultura? En 1935, Christopher Caudwell, un autodidacto inglés que moriría al lado de su ametra-
lladora en la batalla del Jarama, en 1937, ingresaba en el
Partido Comunista y escribía febrilmente sus ensayos sobre
lo que llamaba una "dying culture," una cultura moribunda.
Allí se enfrentaba con el vitalismo burgués de D.H.Lawrence
o con el resentimiento pequeño-burgués del progresista H.G.
Wells, con la idea burguesa del amor y la belleza, de la naturaleza, de la religión y de la conciencia personal. Y a propósito
del primero, escribía: "El arte constituye una función social,
lo cual no es una demanda marxista, sino que surge del modo
mismo en que se definen las formas artísticas. Sólo se
reconocen como formas de arte aquellas que tienen una
consciente función social. Las fantasías de un soñador no son
arte" (Caudwell 26). Toda la crisis del arte burgués moderno
ha venido del alejamiento de esa verdad: por un lado, vive
prisionero de la cotización del mercado, transformado en
mercancía (algo que también denunciaba Giménez en *Arte y
Estado*); por otro, ha consentido "la hipostización de la obra
de arte como objetivo del proceso artístico, y la relación de
equivalencia entre obra de arte e individuo" (29), lo que
comporta su absoluto aislamiento de una función social.

   ¿Para que sirve la cultura? El nombre de la revista
valenciana de 1935 apunta claramente a la solución: para
inmolarla en aras de un renovado sentido. En el año de 1933,
Luis Buñuel, comunista procedente del surrealismo, rodaba
las abrasadoras imágenes de su documental *Las Hurdes-
Tierra sin pan* que apenas conoció difusión en su tiempo y
que es, sin embargo, una de las obras maestras del arte de
estos días (sabemos que se rodó gracias a la aportación pecu-
niaria de un artista ácrata, Ramón Acín, que había ganado un
premio en la lotería).[8] La voz que se superpuso a sus escenas
recuerda—sobre la imagen de los niños hurdanos que
escriben en sus cuadernos escolares—que a aquellos desdi-
chados se les enseña, "como en todo el mundo," que los
ángulos de un triángulo suman ciento ochenta grados. (La

escolarización había sido uno de los más nobles empeños de la
República y quizá el más admirable de sus logros; en las
escuelas rurales de aquellos años no faltaban ya los experi-
mentos pedagógicos más modernos y, entre otros, las impren-
tillas escolares en que los niños aprendían según el método
del pedagogo anarquista francés Celestin Freinet). Pero,
algunos planos más allá, un niño escribe en una pizarra:
"Respetad los bienes ajenos." Y aquella dramática imagen
dinamita, sin duda, la placidez universalista, ilustrada, del
significado de la anterior. Si la suma de los ángulos de un
triángulo es un *universal*, ¿no lo es también ese precepto
moral? Y, sin embargo, ¿cómo no ver un sarcasmo cruel en
aquella frase sobre el encerado, escrita en un lugar donde se
nos acaba de decir que las mismas colmenas que vemos son
de gente de La Alberca y donde la desposesión, la absoluta
falta de nada propio (ni el espacio donde se duerme), es la
única ley conocida?

Toda mala conciencia es una conciencia de culpa. Y toda
conciencia de culpa impulsa a la huída. En los años treinta se
huyó hacia adelante y en ese trayecto se arribó a los infiernos
de la servidumbre, o se llegó a la tierra desolada de la
paradoja. Saber con cuánta entrega y pasión se hizo ese
camino por parte de muchos equivale a comprobar, una vez
más, qué hermoso puede llegar a ser el error si es auténticamente humano: no hay, a fin de cuentas, camino que se haga
en balde, porque del infierno se regresa aunque ya nunca
nada será la vida igual después de hacerlo.

NOTAS

1. La misma colección, "La Balsa de la Medusa," dirigida por
Valeriano Bozat, ha publicado otra selección de trabajos de Clair:
Milinconia. Motivos saturnines en el arte de entreguerras, trad. Will.
Vázquez (Madrid: Visor, 1999).

2. Me refiero a la obra de Grumbrecht que incluyo en la lista de
obras citadas; para su contenido, remito a mi reseña: "Otro modo de
contar la historia" (*Saber/Leer* 125 [1999]: 1-2). Sus supuestos
teóricos se desarrollan en el breve pero sustancioso libro *Produc-*

tions of Presence: What Meaning Cannot Convey (Stanford: Stanford University Press, 2004).

3. *Apud* el espléndido e imprescindible volumen antológico de Christopher H. Cobb, *La cultura your el pueblo. España 1930-1939.*

4. Sobre Iglesia Parga, cf. ahora María Fernanda Iglesia Lesteiro, "Mi padre, Ramón Iglesia. Un historiador de la generación del 27," *Cinguidos por unha arela común. Homenaxe ò prefesor Xesús Alonso Montero* (Santiago de Compostela: Universidade de Santiago de Compostela, 1999), I, 1243-74.

5. Retomo alguna de las consideraciones que, a propósito de este libro, hice en su reseña "El visitante sospechoso" (*Saber/Leer* 89 [1995]: 6-7).

6. En el prefacio de *Arte y Estado*, Giménez consignaba, en alusión que parece transparente a las *Meditaciones del Quijote* orteguianas y a los seis tomos de *Ensayos* que desde 1915 editó Unamuno en la Residencia de Estudiantes: "Mis libros no son *Meditaciones*, no son *Ensayos* (géneros literarios y filosóficos del liberalismo). Son *Exaltaciones*. Son *Apologéticas*" (14).

7. *Diario de Barcelona* (28-II-1901), en *Obres Completes.*

8. Cf. al respecto el clarificador trabajo de Mercé Ibarz, en el catálogo de la exposición dirigida por ella.

OBRAS CITADAS

Clair, Jean. *La responsabilidad del artista. Las vanguardias entre el terrorismo y la razón*. Trad. J. Arantegui. Madrid: Visor, 1998.

Caudwell, Christopher. *La agonía de la cultura burguesa*. Trad. e introd. Vicente Romano. Barcelona: Anthropos, 1985.

Cobb, Christopher H., ed. *La cultura y el pueblo. España 1930-1939.* Barcelona: Laia, 1980.

Espina, Antonio. "Vísperas del año 30." *La cultura y el pueblo. España 1930-1939.* Ed. Christopher H. Cobb. Barcelona: Laia, 1980.

Giménez Caballero, Ernesto. *Arte y Estado*. Madrid: Gráfica Universal, 1935.

_____. Prefacio. *En torno al casticismo de Italia*. De Curzio Malaparte. Trad. Ernesto Giménez Caballero. Madrid: Rafael Caro Raggio, 1929.

Gumbrecht, Hans Ulrich. *In 1926: Living at the Edge of Time.* Cambridge: Harvard University Press, 1997.

Ibarz, Mercé. "Un filme y sus historias: seis décadas de Tierra sin pan." *Tierra sin pan. Buñuel y los nuevos caminos de las vanguardias.* Valencia: IVAM, 1999.

Larra, Mariano José de. "¿Quién es el público y dónde se encuentra?" *La cultura y el pueblo. España 1930-1939.* Ed. Christopher H. Cobb. Barcelona: Laia, 1980.

Maragall, Joan. "La joven escuela castellana." *Obres completes. Obra castellana.* Barcelona: Selecta, 1961.

Muray, Phillipe. *Le XIXè siècle à travers les ages.* París: Gallimard, 1984.

Pina, Francisco. *Escritores y pueblo.* Valencia: Cuadernos de Cultura, 1930.

Poggioli, Renato. *Teoría del arte de vanguardia.* Trad. Rosa Chacel. Madrid: Revista de Occidente, 1964.

Roh, Franz. *Realismo mágico. Postexpresionismo. Problemas de la pintura europea más reciente.* Trad. Fernando Vela. Madrid: Revista de Occidente, 1927. Esta bonita traducción, copiosamente ilustrada, ha tenido reimpresión reciente, acompañada de un útil catálogo de la correspondiente exposición, organizada por Marga Sanz, *Realismo mágio. Franz Roh y la pintura europea 1917-1936.* Valencia: IVAM—Carta Madrid—CAAN, 1997.

Sender, Ramón J. "La cultura y los hechos económicos." *La cultura y el pueblo. España 1930-1939.* Ed. Christopher H. Cobb. Barcelona: Laia, 1980.

FACING TOWARDS ALTERITY AND SPAIN'S "OTHER" NEW NOVELISTS*

NINA L. MOLINARO
University of Colorado at Boulder

> The facing position, opposition par excellence, can be only as a moral summons. This movement proceeds from the other. The idea of infinity, the infinitely more contained in the less, is concretely produced in the form of a relation with the face.
>
> Emmanuel Levinas,
> *Totality and Infinity*

Throughout the modern era literary critics and historians have persistently arranged Peninsular literature according to generational criteria. Whether such categorization limits or expands the aesthetic texts and their historical, socio-cultural, and ideological webs of significance continues to spark debate, but it remains undeniable that, as we move into the twenty-first century, in many undergraduate and graduate classrooms faculty often describe twentieth-century Peninsular literature in terms of biographically differentiated human groups. Perhaps in keeping with this practice, then, academicians, journalists, and publishing houses in Spain have recently fastened on an emerging cluster of Peninsular writers of fictional narrative who hypothetically constitute a new literary generation.[1] Because of the contemporaneity and heterogeneity of the phenomenon, scholars do not yet concur

on the general significance, the characteristics, or even the
members of this group, but they do seem to provisionally
agree that the novelists included are somehow different from
their precursors, that their novels engage a series of potentially common elements, and that both the writers and
their narrative texts are products of the discrete historical
circumstances deriving from Spain's relatively recent transition from the dictatorship of Francisco Franco to a full-
fledged democracy, inaugurated upon the dictator's death in
1975.[2]

Often referred to as "los novísimos narradores," "los
narradores surgidos de los noventa," or some combination
therein,[3] the novelists gathered together under these related
terminological umbrellas have personally and professionally
come of age in a country radically dissimilar from but nevertheless related to the Spain of their parents and grandparents. Born between 1960 and 1971, they participate in a
globalized and globalizing economy, live in a relatively stable
democracy, and benefit from widespread technological liter-
acy. Not coincidentally, they have also artistically matured
during a series of historical moments characterized in Spain
and elsewhere by the omnipresence of a commodity culture,
which underscores the force of marketing factors and endows
"youth" and "novelty " with extreme value. As a result of the
aforementioned circumstances, these writers enjoy more
individual and collective liberties than their predecessors;
more avenues exist in contemporary Spain for them to
attract and retain editorial attention and mainstream readership; and more writers in Spain are vying for publication.[4]

Whether the fictional texts produced by the emerging
assemblage of novelists represent the regeneration or the
degeneration of Peninsular narrative remains a topic of
vociferous debate. Nonetheless, commentators along both
ends of the evaluative spectrum agree that the current narrative group evinces at least five characteristics. First, as discussed previously, most critics highlight the mass marketing
of "youth" as crucial to the advent and success of the new
narrative generation. In a related move, they frequently link
the accomplishments of these writers directly to the activities

of Spain's publishing houses, who have constructed a formidable reception complex which includes new and continuing literary prizes (some of which assure publication and some of which combine publication with monetary awards) and the creation of special editorial series dedicated to new writers.[5] Second, in keeping with the pervasive emphasis on newness, critics and authors alike have gone to great lengths to claim that heterogeneity, or what Noemí Montetes Mairal has dubbed "[e]l individualismo a ultranza" (17), definitively marks the generation. Not only do the writers routinely not see themselves as part of any larger generational community, but they stridently and uniformly reject any claim of orthodoxy.

It borders on paradoxical, then, that the third characteristic pertains to the fact that initially the critical fortunes of the entire narrative generation seemed to be intertwined with those of a particular subgroup of writers of new narrative whose novels emulated the style and ideology of "dirty realism," a primarily North American aesthetic phenomenon that produced Douglas Coupland's enormously popular *Generation X: Tales for an Accelerated Culture* (1991), from which the term "Generation X" derives.[6] In response to the confluence of narrative trends on both sides of the Atlantic, critics of the new generation in Spain tended towards two approaches: either they conflated the Spanish Generación X novelists with the entire generation, thereby effectively eliding the vast differences between the two, or they identified the subgroup as most worthy of attention. The two tactics may have also been the product of comfortable classification, successful marketing by publishers and writers, overt connections with Peninsular popular culture, or the oftentimes sensationalist content of the novels. Nonetheless, only in the last few years have scholars begun to comprehensively consider any issues that might link all members of the generation to one another and to their sociocultural context.

The fourth and fifth characteristics attest to the far-reaching sociological realities of the new novelists. On the one hand, critics observe that, whether by design or necessity or both, the majority of writers from this generation publishes in multiple literary genres, are literary critics or journalists themselves, and/or teach in Spain's educational system. Given that most of the novelists are in their 30s and 40s, the prevalence of numerous (and diverse) activities related to writing novels would appear to signal the frequent involvement of these writers in the larger cultural spheres in Spain. The writer of new narrative who can or chooses to devote her/himself exclusively to writing fictional narrative clearly constitutes the exception rather than the rule.

On the other hand, reviewers have unanimously recognized gender as a significant component in publication and reception, an indication of larger social changes in the liberalizing of Spain. While women have always played a part in defining the literary imagination of Spain, they are becoming increasingly visible in a myriad of ways, and the novelistic arena is no exception. More women writers are publishing literary texts and participating directly in the formation of literary culture by writing columns, articles and reviews in Peninsular mainstream and intellectual forums. And more women are becoming professional writers, receiving publishing subventions, and winning literary prizes. Although scholars uniformly include women authors among the members of the generation, rarely do they follow up inclusion with any sustained analysis; likewise, considerations of gender infrequently make their way into the existing critical analyses of the novels written by these new narrators.[7] Significantly, other indices of difference such as race and ethnicity, sexuality, disability, and even linguistic and cultural regionalism have largely gone unremarked, perhaps once again confirming that generational frameworks succeed predominantly through the strategy of homogenization.

While industry necessities, sociological circumstances, and the exigencies of consumer culture may well have opened the door to publication for the writers of Spain's new narrative, it is equally if not more remarkable that a startling number of the novels produced by the recent group of novelists actively foreground the nexus between ethics and alterity. In delving into questions of human identity and relationality, the novels of the recent generation of writers undoubtedly overlap with countless narrative predecessors in Spain. I will subsequently argue, however, that the novels produced by the new novelists participate in this inquiry with specific attention to the ways in which human subjects approach, perceive, and understand others and the discourses of otherness, and to the ways in which this attention informs issues of responsibility, proximity, justice, and care. While the fictional texts written by the new novelists do not always generate unproblematic ethical assessments, they do inevitably explore the extent to which a consideration of otherness shapes notions of being, imagination, language, and collectivity.[8]

The nexus between ethics and alterity has been theorized most cogently from within Western philosophy by Franco-Lithuanian philosopher Emmanuel Levinas (1906-95). Given that Levinas frames his argument, in large part, as a critique of the predominant ethical tradition of Western philosophy, it may be useful to briefly rehearse that tradition in order to better situate the radicalness of his project. Ethics, as it is conventionally understood, describes and proscribes relationships between individual human actions and the social world in which such actions arise. As so many systematic inquiries and responses to the question "what should I do?," ethics has traversed the history of the Western world for at least 2500 years, since the philosophical activities of Socrates (469-399 B.C.) whose work was then recorded and taken up by his disciple Plato (427-347 B.C.).

From its inception, ethics has been closely aligned with the relational, the rational, and the religious. As a discourse, it typically addresses deep and abiding concerns about obligation, responsibility, virtue, law, divinity, happiness, goodness, and politics. Frequently articulated as normative and prescriptive, ethics is organized around the elaboration and analysis of unequally weighted oppositions that include good/bad, right/wrong, public/private, individual/ collective, human/divine, reason/emotion, and subject/object. Perhaps the paramount reason that ethics endures as a central feature of contemporary cultural discussions is because, far from achieving general consensus, ethics has become increasingly, perhaps even definitionally, irresolvable even as it has acquired more urgency and complexity in so-called practical arenas such as government, medicine, law, biology, ecology, and economics.

Although he was trained as a phenomenologist, studied during the 1920s with both Edmund Husserl and Martin Heidegger, and wrote the first book-length study in French on Husserl in 1930, Levinas spent the next five decades of his life trying to theorize the Other as Other. His two major philosophical treatises, *Totalité et infini: Essai sur l'extériorité* (1961) and *Autrement qu'être ou au-delà de l'essence* (1974),⁹ along with a wealth of articles, interviews, public lectures, and more than a dozen book-length texts, bear witness to his persistent commitment to the question of otherness as it relates to intersubjectivity, politics, and Judaism, among other topics. During World War II most members of his family were murdered by the Nazis and Levinas himself, as an officer in the French army, was held in a military prisoner's camp from 1940 to 1945. As a result of his personal and intellectual experiences, he became increasingly disenchanted with the ways in which the philosophies of Husserl and Heidegger, along with the premises of phenomenology, continued to reify the human subject at the expense of any meaningful treatment of otherness.

For Levinas ethics commences by acknowledging the insoluble quality of human identity. He contends that the history of Western thought is and has been constructed around the elimination of ontological difference, or the systematic reduction of the Other to the Same. The Western philosophical tradition has sought to enunciate the ways in which human beings conceptualize and know ourselves by promoting the inevitable absorption or incorporation of all that is exterior to or other than ourselves; in order to articulate the self, the subject, or being, we perceive everything (and everyone) outside of us as reflections of us, as familiar to us, and as versions of the Same. While Western philosophy has conventionally permitted a separation between the self and the Other, such separation is ultimately and always overcome by consciousness, rationality, or knowledge. As Levinas writes in 1949,

> Western philosophy coincides with the unveiling of the other in which the Other, by manifesting itself as a being, loses its alterity. Philosophy is afflicted, from its childhood, with an insurmountable allergy: a horror of the Other which remains Other. It is for this reason that philosophy is essentially the philosophy of Being; the comprehension of Being is its final word and the fundamental structure of man. (as quoted in Davis 32)[10]

Insofar as he rejects knowledge of the Ego or comprehension of Being as the goals of philosophical inquiry, Levinas goes beyond both phenomenology and ontology. His discussion of Heideggerian Being as "already an appeal to subjectivity" (45) introduces an extended critique of Western philosophy as an egology (Levinas's term) in which any meaningful ethical position is at best severely compromised and at worst impossible.

Levinas explores the claims of the ethical on human subjectivity as primordial and foundational, prior to both metaphysics and epistemology, and he proposes to establish ethics as anterior to all other philosophical concerns. Before we can formulate the questions or answers regarding what there is in the world or how we know, we must, according to Levinas, elaborate a sense of ourselves, which we cannot do without also elaborating our relationship to the Other, an event that thrusts responsibility upon us. He further maintains that when we allow for the possibility of something other than or beyond ourselves, we inescapably enter into the terrain of the ethical.

One of his earliest moves in the preface to *Totality and Infinity* entails his account of the term "ethics" as something other than a set of norms or an analysis of rationally-based behavior. As he indicates twice in the opening pages, "ethics is an optics" (23, 29), a statement to which he subsequently adds the adjective "spiritual" (78). Levinas intends to re-define ethics as a matter of perception and a process of rela-

tional awareness, instead of as the effect of rational delibera-
tion or socially motivated normalization.[11] The initial use of
ethics in the first section of *Totality and Infinity* appears in
an oft-cited passage, here reproduced in its entirety because
of its centrality to Levinas's thought:

> A calling into question of the same—which cannot
> occur within the egoist spontaneity of the same—is
> brought about by the other. We name this calling into
> question of my spontaneity by the presence of the Other
> ethics. The strangeness of the Other, his irreducibility
> to the I, to my thoughts and my possessions, is precisely
> accomplished as a calling into question of my spon-
> taneity, as ethics. Metaphysics, transcendence, the wel-
> coming of the other by the same, of the Other by me, is
> concretely produced as the calling into question of the
> same by the other, that is, as the ethics that accom-
> plishes the critical essence of knowledge. And as
> critique precedes dogmatism, metaphysics precedes on-
> tology. (43)

The act of calling into question, which Levinas here reiterates no less than four times, acquires spectacular urgency
because it ushers in the disturbance that always accompanies
the presence of the Other, a disturbance that interrupts
temporal immediacy (spontaneity), unproblematic subjectivity (the ego), and self-referential knowledge (metaphysics).
Our encounter with the other, or the encounter between the
Same and the Other, necessarily destabilizes our assertions
of subjectivity, and the possibility that this encounter is produced as the activity of "welcoming"or hospitality introduces
ethical necessity.

One of the most striking sections of *Totality and Infinity*
hinges on Levinas's description of the meeting between self
and Other, a potentially reductive event that always risks
converting the Other into a reiteration of the Same. As one of
his many commentators notes, "[i]f the Other becomes an
object of knowledge or experience (*my* knowledge, *my* experience), then immediately its alterity has been overwhelmed "

(Davis 45). Levinas counters such a possibility by describing the relationship between the self and Other paradoxically: "[t]he same and the other can not enter into a cognition that would encompass them; the relations that the separated being maintains with what transcends it are not produced on the ground of totality, do not crystallize into a system.... The conjuncture of the same and the other, in which even their verbal proximity is maintained, is the *direct* and *full face* welcome of the other by me" (80). Insofar as a meeting occurs, the same and the other maintain a relationship but insofar as that encounter resists either comprehension or equivalence it also resists relation itself; "the encounter [in Levinas's thought] is not an event that can be situated in time; it is rather a structural possibility that precedes and makes possible all subsequent experience" (Davis 45). As a result, ethics as it is conceived of by Levinas constitutes first philosophy.

Levinas further rehearses the encounter between self and Other in terms of desire, discourse, and the face (*le visage*), concepts that he considers to be interlocking though not substitutable: "[m]etaphysics or transcendence is recognized in the work of the intellect that aspires after exteriority, that is Desire. But the Desire for exteriority has appeared to us to move not in objective cognition but in Discourse, which in turn has presented itself as justice, in the uprightness of the welcome made to the face" (82). He contrasts desire with need in that the former is insatiable whereas the latter anticipates resolution. Desire, according to Levinas, "is desire for the absolutely other.... A desire without satisfaction which, precisely, *understands* [*entend*] the remoteness, the alterity, and the exteriority of the other" (33). Desire thus moves the perceiving subject away from finitude, familiarity, and cognition towards infinity, otherness, and intuition.

If desire constitutes the direction by which the self proceeds towards the Other, then discourse and the face both suggest modes of contact by which the Other might express to the self. Because Levinas rejects the phenomenological process by which consciousness confers meaning on the world, discourse is no longer apprehended as a mere exten-

sion of the perceiving subject or disclosure, but as a reve-
lation, "a coinciding of the expressed with him who expresses, which is the privileged manifestation of the Other,
the manifestation of a face over and beyond form.... Discourse is not simply the modification of intuition (or of
thought), but an original relation with exterior being" (66).
Even though it lies beyond totalizing mastery, the Other
must include some means of expression in order to "register"
with the perceiving subject.

Discourse, in this formulation, is produced by the face-to-
face relationship, which is perhaps Levinas's most well-
known metaphor for the encounter between self and Other.
Just as he argues against finality and in favor of infinity
throughout his work with the ethical, so too does he suffuse
his understanding of the face with a corresponding sense of
fluidity, inexhaustibility, and perceptual process. He
elucidates the face as "a living presence; it is expression....
The face speaks. The manifestation of the face is already
discourse" (66). The face is always already the face of the
Other, which resists physicality and visibility. We cannot *see*
the face of the Other. We can only hear the Other speak
through the face, a discursive event that summons us inevitably to an unequal responsibility for the Other. Because
of "the moral dissymetry of the I and the other" (Levinas
297), which is exposed through the manifestations of
exteriority that include desire, discourse, and the face,
Levinas's understanding of the ethical is distinguished from
virtually all other ethical theory and invests with particular
import the key notions of justice and care.

How might a Levinasian problematics of alterity inform
the novels written in the 1990s in Spain by the new generation of novelists? How might the "radical heterogeneity of the
other" (Levinas 36) evince patterns of ethical experience in
and through these texts? How do response, responsiveness
and responsibility weave their way into the novelistic discourses? I contend that Spain's "other" new novelists take up
these and related issues in ways that Levinas, as a philosopher, could have neither imagined nor theorized. Across an
ample spectrum of styles, thematics, and ideologies, the new

Peninsular novelists consistently think through what it means to be human in terms of ethics and alterity. While any attempt at generalization on the basis of limited examples is obviously fraught with difficulties, an exploration of the face of alterity across two dissimilar yet paradigmatic novels by new novelists, Belén Gopegui's *Tocarnos la cara* (1995) and José Ángel Mañas's *Mensaka* (1995), may well gesture toward an ethical engagement that speaks through the relationship between self and Other.

At first glance the texts by Gopegui and Mañas constitute an unlikely pair, displaying contrary narrative structures, voices, characters, plots, aesthetic strategies, and themes. Beyond their evident and far-reaching disparities, however, the novels yield considerable similarities, especially in light of the potential knot between ethics and otherness First, *Tocarnos la cara* and *Mensaka* are firmly grounded in extensive social systems already in place when the narrative action commences, and these systems immediately generate an interpellative environment in which the characters explicitly recognize themselves through their discursive interactions with one another. Second, the two texts display an enduring concern with the contours and boundaries of human interdependence and, more accurately, with the ways in which human beings both succeed and fail in reducing ontological separation to sameness. And lastly, the novels by Gopegui and Mañas accentuate the preeminent roles of desire, discourse, and the face in the construction and exploration of intersubjectivity, and they follow the ways in which narrative fiction underwrites the ethicality of otherness.

From the outset, Belén Gopegui's second novel fashions multiple conversations about the risks and necessities inherent in facing toward the Other. The title, as the preliminary discursive sign, already extends the face as a latent location for relationship; the combination of the infinitive form of "tocar" together with the collective "nos" (which grammatically marks the action as either reflexive or reciprocal) directs the reader's attention towards an event either in progress or hypothetical in nature. The title also

pronounces at least two directions: either something or someone from beyond the collective "us" reaches towards our
shared face(s) or "we," through our distinct face(s), gesture
towards something or someone beyond ourselves. In either
case, the title fastens on the face as the site of desire.

Tocarnos la cara features minimal action, most of which
concerns the formation and dissolution of El Probador, an
experimental theatrical collective whose professed goal is to
figuratively and literally serve as a mirror for the fantasies of
a select group of clients. In order to realize their artistic
project, a quartet of actors (Ana Hojeda, Íñigo Martínez,
Óscar Azores and Sandra, whose last name is never divulged)
arranges and re-arranges themselves around the vision and
trauma of Simón Cátero, their teacher and the director of the
collective. Simón brings to the project (and to the novel) a
series of ambiguous emotional and professional attachments:
to Fátima Uribe, a lover who had abandoned him several
years prior to the narration and who re-appears midway
through the novel; to José Ángel Espinar, a deceased mentor
who has bequeathed to Simón a written document that
details the theoretical origins of el Probador; and to Pedro
Aléxei who functions as both facilitator and mediator for
Simón and his students. These relational threads, along with
the brief interactions between actors and clients and the
more sustained ties among the actors themselves, organize
the narrative action as a field of encounters.

All of the consecutively numbered and sub-divided sections of the novel, save the last, are narrated by Sandra, who
transcribes and remembers the history of El Probador.
Although her voice and perspective dominate, she repeatedly
describes herself as a "persona vacante," a human image who
gathers and refracts significance as her record and interpretation of the events progress. By contrast, Simón, who
narrates the final twenty pages, wholly inhabits the
memories and aspirations of the other characters and assumes indirect control of much, if not all, of the action. Given
the apparent univocality of the narrative structure, then, we
might wonder at the possibilities for interruption. In

Tocarnos la cara, however, alterity manifests at the interstices of articulation and imagination.

Sandra commences her narration by writing agency, undoing, and incomprehension into the story of El Probador: "Ésta es la historia de un esfuerzo y una desbandada, pero hay algo que no consigo entender" (11). These three intertwined energies will constantly direct the character relations, as well as the options for a meaningful exchange between others in and through the novel. Not coincidentally, Sandra recalls into the present moment of writing the twin images of an airplane frozen in midair and the momentary pause before the collapse of the iron ceiling of the Madrid Sports Pavilion. Her sense of the correlation between hesitation and inevitable movement, and between effort and stasis, propels her to portray the act of re-telling as therapeutic, "[p]or eso escribo, supongo, para que la escena pueda seguir adelante, para que la historia pueda desplomarse en mi cabeza como ya lo hizo en la realidad" (11-12). She narrates in an attempt to fill in the lacunae from her singular and shared past and because she does not know how to find or embrace the Other in the sequence of convergences that she is about to re-tell.

The interactions staged by the members of El Probador and their patrons would seem a likely place from which to pursue the discursive signals of alterity insofar the former discover confrontations between one desiring subject and another, between the client who seeks a corporeal speaking reflection of her or his fantasy and the actor who desires separation from her or his ego in order to face the Other. While most of Sandra's narrative concerns her personalized exposition of the salient incidents in El Probador's past, in the case of the actual meetings, she purposefully, if paradoxically, remarks on the fidelity of her notes: "[v]oy a reproducir ahora las notas que tomé ese día. Aunque no siempre me daba tiempo a copiar las palabras textualmente, retienen, creo, el sentido de la improvisación" (53). She details a series of four such formal engagements in the short history of the collective, the first of which represents a practice run and occurs between Íñigo Martínez and Pedro Aléxei. As the two men literally face each other, they entangle themselves in a kind of dialogue in which they touch upon absence, memory, and suffering. Pedro, in an uncanny echo of Levinas's ideas, concedes that he has offered himself up to a human mirror because he cannot speak directly to his preferred interlocutor, who may in fact be resisting apprehension. The actors succeed in temporarily inhabiting (and provisionally describing) the position of the Other, but they ultimately cannot respond, in both senses of the word, to the ontological distinction that they supposedly call forth. This failure will be taken up elsewhere and otherwise in the novel.

Not only do the actors betray their quest to create a space for the Other, but they likewise neglect to welcome otherness, although they uniformly realize that they are responsible for such hospitality. After mixing and re-mixing themselves into assorted social, professional, and amorous combinations throughout the novel, the actors terminate their failed experiment by deciding to disband the group and go their separate ways. They realize that they have not established a dialogue with others or with the Other, they have not responded to their shared awareness of responsibility, they have not spoken to, through, or on behalf of others. They have, however, admitted to the charge of alterity because they have become painfully aware that they are insufficient unto themselves, and Sandra constitutes a prototypic case of their recognition.

As she wanders through and discursively rehearses her presumed narrative authority, she approaches and retreats, sometimes repeatedly, from the other characters. She pursues shadows, releases unstable desire onto her companions, and habitually turns away from herself and towards others, only to then occupy any available discursive space herself. The only voice to prevail in disturbing her own is that of Simón, who is even less cognizant of his possessiveness than those for whom he regularly substitutes himself. He relentlessly drives his voice and vision, the other characters, and the action towards familiarity, repetition, and control, as evinced by the fact that his words (and his illusions) conclude the novel. After finally seducing Sandra, an act around which she finalizes her chronicle but the details of which she does not reveal, Simón substitutes his discourse for hers and claims that he is and has been her unacknowledged mirror. If this is true, then his narration perfectly captures the rigors and risks of reducing the Other to versions of the Same insofar as he, like the others, creates rather than reveals alterity. Simón's final words remark upon the need (as opposed to the desire) for a direction in addressing the other but he and the novel do not specify a direction: "No hay estruendo que selle los actos humanos, no hay estrépito sino una historia que se encadena y avanza— esto es un hecho—siempre en alguna dirección" (231). Finally, the novel conclusively marks forward motion towards otherness as obligatory and unattainable, at least from within the limitations offered up by self-reiteration and illusory intimacy.

If *Tocarnos la cara* tracks the fault lines that spring from the fictions of interiority, José Ángel Mañas's *Mensaka* chooses a rather different path in chronicling the necessity and failure of ethical alterity. Like Gopegui's novel, *Mensaka* criticizes egology as a workable ethical position and demonstrates that when the self allows for the possibility of something other than itself, it enters into the ethical. In contrast to *Tocarnos la cara*, however, Mañas's text does so from the definitive detachment generated by the narrative strategies of realism. In keeping with other examples of dirty realism by Spain's new novelists, *Mensaka* relays the trials, tribulations, and subculture of a particular demographic group of Spain's disaffected youth. And like other novels from the same subgroup, the novel makes abundant use of the linguistic and cultural codes that identify the demographic; it foregrounds an oral narrative style; it includes omnipresent references to contemporary music and film; and drugs and sex figure prominently.[12] At the heart of these texts, I would suggest, lies an exploration of the drama of pathologized egos who experience traumatic encounters with the Other, or the metaphysical exteriority of strangers. *Mensaka* is eminently relational, but the relationships do not affirm alterity; as in *Tocarnos la cara*, the characters face

away from themselves but they do not necessarily face
towards one another. Rather, they frantically try to see
themselves reflected in others and projected back to themselves; theirs is a closed world that produces empty rituals,
repetitive action, meaningless dialogue.

Mañas predictably situates the narrative action in
contemporary Madrid, peppering his novel with references to
the contemporary heavy metal music scene in Spain. The text
features a consciously vocal style, and at least seven distinct
voices recount the adventures and misadventures of a trio of
musicians and their extended circle of business associates,
friends, family members, and possible and actual girlfriends.
Mensaka concentrates unequivocally on the objective
viewpoint; the characters report emotions, fears, and hopes
in ways that stress an almost unbreachable remoteness from
their own experience. As if to underscore this distance, the
sixteen separately focalized chapters are framed by two more
obviously objective segments, the first a written version of an
oral interview that is placed at the beginning of the novel and
the second an Epilogue that presents the concluding events
through the eyes of a detached observer. Significantly, the
novel is narrated almost entirely in the present tense, a
stylistic choice that reiterates the overwhelming illusion of
immediacy and access.

The novel opens with a dated extract from an interview
that appeared in a music industry fanzine. Notably, the
reader is informed neither of the fanzine's title nor of the
interviewer's name. Notwithstanding, the three band mates
interviewed are referenced both by first initials (F, D, and J)
and by the corresponding names (Fran, David, and Javi).
From the outset the speech act is characterized as extremely
manipulable in that the interviewer has added to the written
text a mocking parenthetical commentary that presumably
exceeds the oral interview. For example, to Fran's remark
"que es un buen momento para música como ésta" the
interviewer responds *"[o]sea que sois unos oportunistas"* and
then writes but does not say *"Risas tensas. (Nosotros pensamos que SON unos putos oportunistas)"* (11). Hostility is also
evident in the verbal sparring between the three musicians,

as when Javi responds to David *"Por una vez has sido conciso. Estoy alucinado"* (11). The characters, strangers to one another, translate the trauma of familiarity into open conflict which eventually escalates into physical, emotional, verbal and relational violence.

The ensuing sixteen sections are divided and labeled with the first initial of one of eight characters, generally linked to one another by affinity or family ties, whose perspective shapes each unit. The strategy of multiple narrators (each of whom narrates two segments, in a curious gesture towards symmetry) again underlines the illusion of referential access to a particular character; in fact the novel, taken as a whole, settles firmly on the side of estrangement by pitting the chapters, and the characters to whom the chapters correspond, against one another. To return to Levinas, the discourse of the novel insistently disturbs spontaneity, unproblematic subjectivity, and self-referential knowledge by calling into question sameness. But such calling into question does not produce any ethical encounters, or even the possibility for such encounters, between the Same and Other.

The first individually focalized segment sets the stage for all of the ensuing segments. David, the messenger or "mensaka" to whom the title of the novel alludes, reports, with a kind of camera-like vision, his comings and goings as he motors through Madrid on his Vespa, delivering and picking up packages. Into the "factual" report of "Escupo al suelo, me pongo el casco y me meto entre los coches hasta que un taxi me cierra, obligándome a pegar un frenazo" (13), he inserts his own and others' spoken dialogues, as well as several quasi-stream-of-consciousness sequences: "y por el camino todavía le estoy dando vueltas a muchas cosas y pienso que como el tema este salga bien Bea tú dejas tu curro inmediatamente y yo le meto al jefe la moto por el culo aquí lo que pasa es que el que tiene pelas es rey" (20). David records his meetings with numerous people over the course of his movement through Madrid. For the most part, he alienates these strangers by failing to observe the social rituals required by disparities in social class, occupation, gender, and age. By the same token, he ceaselessly voices his mounting sense of isolation and acts out his resulting animosity and possible paranoia. The net effect is one of spiraling relational degradation.

Although there is no clear protagonist, David's fortunes, or lack thereof, would appear to ground the novel. His is the perspective that opens the novel; he is the outsider and the so-called victim who assumes responsibility for the transgressions of others. As a case in point, David's friend Ricardo refuses to compensate drug dealers for goods purchased, sold and consumed, and the dissatisfied merchants physically transfer their frustrations onto David by beating him to the point that he must spend five long months in the hospital recuperating from his injuries. During this time his band mates, without informing him, replace David with another drummer and leave their damaged friend to cast hopelessly about any sign of proximity or confirmation.

The Epilogue reinforces and departs from the rest of the novel. Like the initial interview, the final section affirms supposed objectivity in that it features an observing narrator who focuses on the actions and reactions of David. The anonymous narrator also recuperates the motion of the first chapter, narrated and focalized by David, in that the latter again traverses the streets of Madrid on his motorbike, transferring packages from one locale to another. This time, however, he pauses at a bar to meet Fran, who gives David the news of his forced exile. When faced with the loss of his dream, David does not opt for a confrontational response; instead he feigns optimism:

> —Lo comprendes, ¿verdad?
> David gira la cabeza a medias.
> —Sí, claro. No pasa nada. Por mí no te preocupes, Saldré adelante—fuerza la sonrisa—. Os veré en el próximo concierto.
> David abre la puerta del bar. (165)

Because he can neither face the Other nor reclaim the Same, he literally loses himself in the crowd of strangers, yelling one final curse in order to close off all discourse.

Like *Tocarnos la cara, Mensaka* would seem initially to encourage the face-to-face encounter between the self and the Other. Characters think and speak aloud, usually to someone else or with someone else in mind. Discursive expression is, however, exposed as a cover for an egotism so intense that it leads to a violence of the same, repeated and reinforced almost to the point of parody. If in Gopegui's novel we witness an illustration of the failure of the self to imagine the Other as Other, in Mañas's novel we see the failure of the self to salvage the Same. The two novels share a profound desire for others and for the Other while furthering the aporias of relationship. When all is said and done, the texts push towards alterity while pausing at familiarity. The face of the Other effectively turns away until some future moment, perhaps to be taken up again in other novels by the new generation of Peninsular narrators.

NOTES

*I offer heartfelt thanks to Daryl Palmer and Alan Hart for their critical interventions during the writing of this essay and throughout the larger project of which it is a part. I also dedicate my efforts here to the memory of Leona A. Palmer.

1. José María Izquierdo, in his recent discussion of the new Peninsular narrators, helpfully recalls Pedro Salinas's definition of generation, directed towards the oft-maligned Generation of 1898: "para poder hablar de generación refiriéndonos a un grupo artístico se deberán dar los siguientes hechos: a) coincidencia en nacimiento en años poco distantes; b) homogeneidad de educación recibida; c) relaciones personales entre los miembros del grupo; d) experiencia generacional; e) lenguaje generacional; y f) actitud crítica pasiva o activa hacia los grupos literarios y artísticos anteriores" (293-94). One may find some evidence of all of Salinas's characteristics among the members of Spain's new generation of novelists.

2. As partial corroboration of the critical activity generated by the appearance of the recent cohort of novelists, a number of publications in Spain and the U.S. focused attention during the latter half of the 1990s on the so-called new narrative. Articles by Rafael Conte, Ramón Acín and Santos Alonso were published in the pages of *Leer* between 1995 and 1996. In 1996 *República de las letras*,

Reseña and *El Urogallo* included essays by Santos Sanz Villanueva, Angel Galiano and Andrés Sánchez Magro, and Antonio Ortega, respectively. In that same year *Ínsula* and *Quimera* featured issues, titled "Narrativa española al filo del milenio" and "Narrativa española: Últimas tendencias," devoted in part to writers of the new generation; in 1997 Ediciones Lengua de Trapo published *Páginas amarillas*, a cluster of short stories by thirty-eight Spanish authors born after 1959; and in 1999 DVD Ediciones put out a collection of interviews with twenty "narradores y poetas que se han dado a conocer a lo largo de los últimos veinte años ... o mucho más recientemente" (Montetes Mairal 11). Toni Dorca and Carmen de Urioste published, to my knowledge, the first scholarly discussions in the U.S. of the new generation during 1997 in *Revista de Estudios Hispánicos* and *Letras Peninsulares,* respectively. And finally, Germán Gullón organized two scholarly panels on Spain's Generación X at the 1996 meeting of the Modern Languages Association.

3. In referring to the new novelists, many critics opt for a moniker that combines literary genre, youth and a diachronic marker. The permutations include "[j]oven narrativa en la España de los noventa" (Dorca 309), "la última generación de narradores" (Gullón 31), "la primera generación de escritores de la democracia española" (de Urioste 457), "[n]arradores novísimos de los años noventa" (Izquierdo 293), and Generación JASP o Joven Aunque Sobradamene (*sic*) Preparado (Martín xi-xii).

4. In 1997, for example, Nuria Barrios noted that during the previous year Peninsular writers presented 389 novels for consideration for the Planeta Prize; 530 novels (an increase of 180 texts) competed for the Nadal Prize; and 189 manuscripts were submitted to the second Lengua de Trapo competition (quoted in Martín xiii).

5. Sabas Martín observes that Spanish publishing houses such as Valdemar, Lengua de Trapo, Huerga y Fierro, Libertarias/Prodhufi, Alba and Pre-Textos have made a conscious decision to highlight the work of new novelists, while prestigious presses such as Debate and Plaza & Janés have created particular series directed towards the same group of writers (xiii). Although established members of the new generation, such as Almudena Grandes and Felipe Benítez Reyes, have ongoing contracts with prominent publishers such as Editorial Tusquets, a significant majority of the emerging group of novelists has published at least one novel with the aforementioned editorial companies under the guise of "new narrative."

Martín also refers to four literary prizes designed to promote new writers: Premio Tigre Juan, given by the Fundación de Cultura del

Ayuntamiento de Oviedo for the best *opera prima* published in Spain; the Premio Lengua de Trapo, awarded by the press of the same name; Premio Nuevos Narradores, granted by Editorial Tus-quets; and El Ojo Crítico, given by RNE. As only one indication of the prevalence with which the new narrators have won these prizes, since 1990 the Premio Tigre Juan has been awarded every year to writers who may be included in the new generation of narrators (save two potential exceptions: Imma Monsó in 1998 and Rodrigo Bruniori in 2000).

6. The writers in Spain who both belong to the new narrative generation and have published one or more novels classified as Generación X narrative most often include Juan Bonilla, Gabriela Bustelo, Martín Casariego, Francisco Casavello, Ismael Grasa, Ray Loriga, Pedro Maestre, José Ángel Mañas, Daniel Múgica, and Benjamín Prado. Dorca, Gullón and de Urioste all discuss the characteristics, influences, and variations of Spain's Generación X.

7. Carmen de Urioste's work represents one of the laudable exceptions in both cases. She has written extensively on the female members of the new narrative generation. See, for example, her "Narrative of Spanish Women Writers of the Nineties: An Over-view."

8. While a review of the literary criticism that addresses ethics lies far beyond the scope of my essay, the breadth and depth of the recent work being done in the area of narrative fiction testifies to the intensifying interest in this area. By far the most prevalent "use" of ethics by literary scholars centers on analyses of human behavior and characterization. For a noteworthy example of the decisive theoretical turn towards a consideration of genre and dis-course, see Adam Zachary Newton's *Narrative Ethics* (1995). In the context of the importance of ethics for contemporary Hispanic narrative two books deserve mention: Aníbal González's *Killer Books: Writing, Violence, and Ethics in Modern Spanish American Narrative* (2001) and Ángel G. Loureiro's *The Ethics of Auto-biography: Replacing the Subject in Modern Spain* (2000). Both authors consider Emmanuel Levinas's work on ethics and alterity, although only Loureiro does so in any depth. His initial discussion of Levinas's theories intersects occasionally with my own, but his exploration of Spanish autobiography charts a radically different course than the one that I follow in my subsequent analysis.

9. Both volumes were translated from the original French into English by Alphonso Lingis. All further references to *Totalité et infini: Essai sur l'extériorité*, unless otherwise noted, will be to Lingis's English translation, published in 1969 as *Totality and Infinity*. For a relatively complete list of primary works by Levinas

and secondary works, grouped by topics, on his thought see Stacy Keltner's Bibliography, included in *The Cambridge Companion to Levinas*, edited by Simon Critchley and Robert Bernasconi. Levinas's ideas are extraordinarily complex and far-reaching, and I am indebted to his many commentators for guiding me through the intricacies of his writing and his reasoning. I found particularly helpful the essays included in the aforementioned volume edited by Critchley and Bernasconi, as well as Colin Davis's *Levinas: An Introduction*, Jacques Derrida's *Adieu to Emmanuel Levinas*, and *Feminist Interpretations of Emmanuel Levinas*, edited by Tina Chanter. Any errors of interpretation are of course my own.

10. Scholars of Levinas's philosophy have devoted significant and wide-ranging attention to his distinction between "autrui" and "autre," both of which he sometimes capitalizes. I do not pretend to contribute to that discussion; rather, I follow the English translation, in which the translator notes, in Levinas's preface to *Totality and Infinity*, that "[w]ith the author's permission, we are translating *'autrui'* (the personal Other, the you) by 'Other,' and *'autre'* by 'other.' In doing so, we regrettably sacrifice the possibility of reproducing the author's use of capital or small letters with both these terms in the French text" (24-25).

11. In the preface to *Totalité et infini* Levinas acknowledges that he has continued to use the language of ontology, a practice that he attempts to overturn in his second major volume *Autrement qu'être ou au-delà de l'essence,* which Davis characterizes as "a bewildering and bold exploration of what a post-ontological textuality, a practice of thought which has accepted the linguistic consequences of its theoretical positions, might be" (38). Strangely, Levinas's acknowledgment is not included in the English translation. Three years after the publication of *Totalité et infini*, Jacques Derrida published the first and arguably the most influential critique of Levinas's thought in an essay titled "Violence et métaphysique: Essai sur la pensée d'Emmanuel Levinas," in which Derrida demonstrates how "the transgression of phenomenology and ontology that is effected by Levinas's empirical metaphysics in fact presupposes the very things that it seeks to transgress" (Critchley, *Ethics* 93; quoted in Davis 65). Critics have remarked that in his second text Levinas appears to respond to and dialogue with Derrida's essay. While both of his major works cover similar terrain, in *Autrement qu'être ou au-delà de l'essence* Levinas makes a crucial distinction, both theoretically and formally, between the Saying and the Said, and he dedicates increased attention to the problems inherent in textuality.

12. Elsewhere I suggest that addiction characterizes the ontological experience of the characters and the discourse in Mañas's first novel *Historias del Kronen* (1994). The paradigm that I elaborate in that forum could also be applied to his later novels and perhaps extended to many of the other novels by Spain's Generación X novelists. While I do not specifically analyze alterity in my previous work, the connections between Heidegger's *Dasein* and Levinas's Same have been expansively studied by many scholars of Levinas's philosophy. I intend the present essay as an expansion of and complement to my earlier discussion of Mañas's first novel.

WORKS CITED

Acín, Ramón. "La biblioteca del mañana." *Leer* 83 (1996): 30-35.

Alonso, Santos. "El revuelo de la juventud." *Leer* 83 (1996): 24-29.

Chanter, Tina. *Feminist Interpretations of Emmanuel Levinas.* University Park, PA: The Pennsylvania State UP, 2001.

Conte, Rafael. "En busca de la moral perdida." *Leer* 75 (1995): 48-51.

Critchley, Simon. *The Ethics of Deconstruction: Derrida & Levinas.* Oxford: Blackwell, 1992.

Critchley, Simon and Robert Bernasconi, eds. *The Cambridge Companion to Levinas.* Cambridge: Cambridge UP, 2002.

Davis, Colin. *Levinas: An Introduction.* Notre Dame, IN: U of Notre Dame P, 1996.

Derrida, Jacques. *Adieu to Emmanuel Levinas.* Trans. Pascale-Anne Brault and Michael Naas. Stanford: Stanford UP, 1999.

De Urioste, Carmen. "La narrativa española de los noventa: ¿Existe una 'generación X'?" *Letras Peninsulares* 10.3 (1997-98): 455-76.

_____. "Narrative of Spanish Women Writers of the Nineties: An Overview." *Tulsa Studies in Women's Literature* 20.2 (2001): 279-95.

Dorca, Toni. "Joven narrativa en la España de los noventa: la generación X." *Revista de Estudios Hispánicos* 31.2 (1997): 309-24.

Galiano, Angel and Andrés Sánchez Magro. "Narrativa española de los noventa: La sociedad literaria." *Reseña* 277 (1996): 2-7.

González, Aníbal. *Killer Books: Writing, Violence, and Ethics in Modern Spanish American Narrative.* Austin: U of Texas P, 2001.

Gopegui, Belén. *Tocarnos la cara.* Barcelona: Anagrama, 1995.

Gullón, Germán. "Cómo se lee una novela de la última generación (Apartado X)." *Ínsula* 589-90 (1996): 31-33.

Izquierdo, José María. "Narradores españoles novísimos de los años noventa." *Revista de Estudios Hispánicos* 35 (2001): 293-308.

Levinas, Emmanuel. *Totality and Infinity.* Trans. Alphonso Lingis. Pittsburgh, PA: Duquesne UP, 1969.

Loureiro, Angel G. *The Ethics of Autobiography: Replacing the Subject in Modern Spain.* Nashville, TN: Vanderbilt UP, 2000.

Mañas, José Ángel. *Mensaka.* Barcelona: Destino, 1995.

Martín, Sabas. "Narrativa española tercer milenio (guía para usuarios)." *Páginas amarillas.* Madrid: Ediciones Lengua de Trapo, 1997. ix-xxx.

Molinaro, Nina L. "The 'Real' Story of Drugs, *Dasein* and José Ángel Mañas's *Historias del Kronen.*" *Revista Canadiense de Estudios Hispánicos* 27.2 (2003): 291-306.

Montetes Mairal, Noemí. "En el nombre de hoy." *Qué he hecho yo para publicar esto (XX escritores jóvenes para el siglo XXI).* Ed. Noemí Montetes Mairal. Barcelona: DVD Ediciones, 1999. 11-34.

Newton, Adam Zachary. *Narrative Ethics.* Cambridge, MA: Harvard UP, 1995.

Ortega, Antonio. "Entre el ruido y las nueces. Notas sobre últimas tendencias en la novela española, con un intermedio sobre el cuento y una propuesta final." *El Urogallo* (1996): 28-42.

Sanz Villanueva, Santos. "Así pasaron veinte años." *República de las letras* 50 (1996): 19-24.

EL SIGLO XX.
LITERATURA, TECNOLOGÍA,
APOCALIPSIS

GONZALO NAVAJAS

University of California, Irvine

I. *Las cuatro fases del siglo XX*

Una primera caracterización parece válida para definir el siglo XX de manera comprensiva: ha sido uno de los periodos más condicionados por la interacción conflictiva de posiciones y movimientos extremos y contrapuestos. Se inicia con la ruptura nietzscheana de la confianza positivista en el poder de la ciencia y la técnica para solventar todos los problemas de la humanidad. En el caso español, comienza con la disolución de la última ilusión de grandeza histórica que el país mantenía y, a través de Valle Inclán, la confirmación de la periferización de la idiosincrática evolución cultural del país. Por tanto, el escepticismo o la negación ideológica son los rasgos de la primera fase que se extiende hasta 1918 y que podemos denominar de apasionado cuestionamiento del sistematismo racional y científico con que se identifica el último tercio del siglo XIX (*Crisis of Reason* 53).

Luego, ese primer momento se transforma en un movimiento diferente y progresivamente divergente del anterior, influenciado por varios factores generales, como la destrucción masiva y absurda de la primera guerra mundial, el triunfo de la primera revolución de origen proletario en Rusia y la emergencia del fascismo a un primer plano internacional. En los años veinte del nuevo siglo, se pasa de una situación de escepticismo y antisistematismo ideológicos a una renovada magnificación de los movimientos omnicomprensivos. En el segmento central del siglo XX, se producen enfrentamientos totales y sistemáticos en el campo de las ideologías que se transponen a la praxis política y se realizan en ella de manera apocalíptica, como lo prueban la Guerra Civil española y la segunda conflagración mundial. Esos dos acontecimientos son, en realidad, siguiendo a Clausewitz, la realización—a través de la praxis de la violencia última--de formas de pensamiento que afirman una renovada confianza en la viabilidad de los movimientos comprensivos y totalizantes con el consiguiente imperativo del sacrificio y entrega personales a una causa supraindividual. Frente al subjetivismo y el predominio del yo individual propios de la fase previa (Kierkegaard, Unamuno), este periodo se caracteriza por la emergencia del modelo colectivizante, la prioridad de los programas que aparentemente pueden proporcionarle al yo modos de realización personal que él no puede hallar por sí mismo. Esta segunda fase, que concluye en 1945, con el fin de la segunda guerra mundial, la denomino de inflación ideológica. En literatura y arte, produce textos de gran intensidad dramática y convicción teórica que comprenden desde las diversas tendencias del realismo social (Brecht, Gorki) al Picasso combativo de *Guernica* y la Bauhaus y Mies Van der Rohe en el área de la creatividad arquitectónica.

El período posterior vuelve a ser de progresiva deflación del sistematismo ideológico y de descalificación de las opciones fundacionales: el existencialismo sartreano y la posmodernidad son ejemplos. Esta fase es la de los epígonos de la modernidad. El caso español es anómalo por la influencia del franquismo y, por ello, la plena inserción del país en esta fase no se produce hasta 1975 con la muerte de Franco. Este periodo concluye en los años ochenta con la implantación del nuevo paradigma de la comunicación digital en todo el mundo y el inicio de la fase posnacional y posutópica de la economía y la cultura.

Esta cuarta fase posnacional y global del siglo XX se adentra hasta el siglo XXI y caracteriza también la apertura del nuevo siglo. Es la herencia más reciente de un siglo sobre otro. A través de ella, la omnicomprensividad no se produce en el campo de las ideologías sino en el de la creación de un marco compartido de intercambios culturales. Los lenguajes y códigos que se intercambian en ese espacio compartido son diversos, pero, a diferencia del pasado, en que se producían en los compartimentos cerrados de la nación, ahora se realizan de manera transnacional, abiertos a la comprensión y posesión de todos. Hay que destacar que esta última fase es la única que tiene una validez propiamente universal y no queda restringida, como las fases previas, al ámbito europeo-americano. La fase posnacional en la que nos hallamos y nos constituye de modo definitorio es el primer periodo auténticamente universal de la cultura.

El rasgo central que unifica toda la trayectoria epistémica del siglo XX es, por consiguiente, el movimiento, no lineal pero progresivo, hacia la devaluación ideológica y el debilitamiento del marco nacional como referencia unificante de la creación e interpretación cultural. El caso específico español sigue en líneas generales esta trayectoria, con el prolongado interregno del franquismo, que puede interpretarse como una prolongación tangencial y caricaturesca de la fase de inflación ideológica de mediados de siglo.

II. *Tecnología y arte*

Un rasgo que define todo el siglo es la creciente interrelación del lenguaje y los métodos y procedimientos de la tecnología con la cultura escrita y el arte. La utilización generalizada de la fotografía y las artes visuales es el agente determinante de esta nueva relación. La fotografía provoca la reconsideración radical y definitiva de la naturaleza mimética del arte y abre para las artes plásticas las opciones no-representacionales que habían condicionado previamente la evolución artística. Sin la presión ejercida sobre el paradigma de la estética moderna por la representacionalidad en principio absoluta de la fotografía, Manet, Sisley o Dalí no hubieran sido posibles.

La tecnología determina la literatura y el arte pero lo hace de manera contradictoria y no necesariamente armónica y lineal. Una parte determinante de la evolución de la historia intelectual del siglo XX se hace a partir del intercambio conflictivo del discurso humanístico con la tecnología. Un segmento de ese discurso ve a la tecnología como un invasor destructivo de la naturaleza más constitutiva del pensamiento humanístico. La técnica es ineludible, pero lo es como un destino fatal de la modernidad con el que enfrentarse. Heidegger y Unamuno son figuras emblemáticas en la elucidación de las relaciones del pensamiento humanista con la irrupción masiva de la tecnología. Heidegger por considerar el modo en que la *tecne* condiciona la alternativa exploración ontológica que es su pensamiento. Unamuno para repudiarla de manera contundente y convertirla en la fundamentación de su "quijotismo" antitecnológico y antimoderno. El divorcio y disputas entre las "dos culturas" prosigue hasta que, en las dos últimas décadas, la revolución digital universal convierte esa división en un hecho superado y ya innecesario: el lenguaje informático, las estructuras y códigos de los grandes *media*, íntimamente vinculados a las nuevas tecnologías de la información, están con nosotros de manera flagrante e incontestable. Podemos juzgarlos críticamente y exponer sus insuficiencias y excesos pero son innegables. Lo que empieza, a principios de siglo, como una división entre la visión humanística convencional y los nuevos medios de la tecnología (como se refleja, por ejemplo, en Proust, Kafka, Bertrand Russell, Guillén y Salinas) concluye con la implantación incuestionable del medio tecnológico y con la influencia de ese medio extendida plenamente hacia el resto del discurso humanístico. Si a principios de siglo era todavía posible la evasión de la cultura académica con relación a la tecnología y afirmarse en la separación de dos lenguajes y paradigmas tan divergentes que eran realmente incompatibles entre sí, en la actualidad esa evasión ya no es posible. La tecnología, desde la Internet a los medios informáticos y visuales, forma parte integral de las relaciones humanas y penetra y condiciona todos los aspectos de la comunicación cultural. Las posiciones de distanciamiento frente a su influencia no son, por tanto, ya justificables.

La arquitectura es la referencia paradigmática al respecto. Durante todo el siglo XX, este medio artístico ha debido experimentar un proceso paralelo al de la literatura y la cultura vinculada con la escritura. La arquitectura es una forma que, en sus manifestaciones centrales y más representativas, responde a los signos del pasado, la estética clásica y sus principios canónicos. La arquitectura del siglo XX sigue vinculada de manera más o menos consciente y explícita a los templos grecolatinos de Atenas y Roma como a las catedrales góticas y, aunque no emplee necesariamente sus recursos de manera reconocible, mantiene una conexión vital con ellos. Los ejemplos son abundantes: desde Antonio Gaudí a Michael Graves, Rafael Moneo y James Stirling, los principios del arte canónico clásico viven a través de la cita directa, la parodia o el *pastiche*, en las construcciones arquitectónicas de Barcelona, Florida, Los Angeles o Stuttgart. La arquitectura del siglo XX es el medio que ha sabido encontrar más apropiadamente una convivencia funcional y efectiva entre la historia pasada y el presente, los nuevos materiales e instrumentos de diseño y el pasado preceptivo (Jencks 110). Esta capacidad asimilativa es la que ha permitido que la arquitectura sea una forma artística receptiva tanto a la nueva tecnología como a las pulsiones del pasado que siguen activas y presentes en su orientación. Desde la Catedral de Los Angeles de Rafael Moneo a los diversos museos Guggenheim en varias ciudades de Europa y Estados Unidos, la arquitectura ha sabido conjugar la incitación de la tecnología—los procedimientos y conceptos nuevos, como las maquetas digitalizadas, por ejemplo—con la adecuación a las necesidades y los gustos de un público amplio que demanda la presencia de una conciencia de continuidad histórica en los edificios públicos que forman parte del patrimonio colectivo. La trayectoria no ha sido lineal e ininterrumpida. La ruptura de la *Bauhaus* y los principios antihistóricos del Estilo Internacional, tal como se revelan desde Berlín a Chicago, deben interpretarse como un paréntesis de reflexión y reconsideración de los orígenes históricos y primordiales de la arquitectura (Droste 204).

Tecnología equivale a extensión de la cultura y la información y comunicación en torno a ella a un público más amplio. La Internet es el ejemplo más notorio. Ha permitido que potencialmente todo el mundo, sin distinción de fron-

teras y lenguas, tenga acceso a una misma información. Al
mismo tiempo, la superabundancia indiscriminada de esa
información ha contribuido a disminuir el rigor de los criterios y los principios tradicionales por los que el arte y la
literatura eran juzgados. Lo que para Benjamin significaba
en los años veinte las posibilidades ilimitadas del arte a
través del acceso a obras canónicas hasta ese momento
restringidas a unos pocos conllevaba también su manipulación y, asociada con ella, la devaluación de las jerarquías y
divisiones establecidas. El edificio del saber humanístico clásico parecía resquebrajarse en sus fundamentos y eso pro-
ducía alarma y actitudes autodefesivas. Eugeni d´Ors, en
Tres horas en el museo del Prado y *El valle de Josafat*,
emprende una defensa firme y brillantemente articulada de
ese edificio amenazado. Su posición se corresponde con la
desconfianza de la cultura escrita con relación a la tecnología
que perdura en segmentos de la cultura académica hasta la
actualidad. Su apología del saber y el arte clásicos responde al
imperativo personal de situarse en un marco reconocible y
seguro frente a la incertidumbre de las nuevas manifestaciones de la cultura popular de masas. Ese dilema que d´Ors
investiga y experimenta personalmente se prolonga hasta la
actualidad y determina una porción del debate cultural con
las *Kulturkämpfe* del discurso académico actual, que son la
versión universitaria de los enfrentamientos ideológicos virulentos que ocuparon la mitad del siglo XX. Es curioso notar
que el país donde los enfrentamientos ideológicos de la
primera parte del siglo fueron menos agudos y virulentos,
Estados Unidos, en comparación con su violencia extrema en
el espacio europeo o asiático, sea precisamente en la actualidad el lugar donde esos enfrentamientos son más contun-
dentes. Una contundencia que, por otra parte, de acuerdo con
el modelo americano del *campus* bucólico y arcádico, al
margen de la confusión y desorden urbanos, no trasciende
más que tangencialmente al resto de la sociedad. A mayor
encarnizamiento de las batallas culturales en los campus
entre los partidarios de diferentes tendencias y escuelas más
parece ser la indiferencia del resto de la sociedad hacia ellas

ya que las percibe como elucubraciones abstractas desvinculadas de la dinámica social real.

Se puede afirmar, no obstante, que el siglo XX concluye con el enfrentamiento entre las vías y métodos culturales divergentes que ha ocupado más de dos tercios de su trayectoria histórica, aunque con una particularidad en cuanto a la interrelación de los componentes del enfrentamiento. Durante la mayor parte del siglo, el enfrentamiento asumía una superioridad jerárquica de la vía cultural literaria y estéticamente canónica, favorecida por el lenguaje académico. El Museo simbólico de la historia occidental con sus grandes iconos y muestras representativas de esa historia, que d´Ors valora como la modalidad cultural más legítima, ha prevalecido hasta la actualidad como la opción preferente de la cultura. Para esa vía, los referentes, formas y lenguaje de la cultura elevada precedían a otras posibilidades culturales en una jerarquía del saber que no era meramente una formulación teórica sino que tenía repercusiones concretas ya que determinaba qué textos y obras ganaban el acceso al Museo y cuáles quedaban excluidos. Lo que ha cambiado al final del siglo es la naturaleza de los objetos que quedan incluidos en el Museo ya que sus puertas se han abierto a objetos y referentes que nunca habían sido admitidos previamente. El arte *pop*, la literatura de entretenimiento, el pensamiento *soft*, la estética minimalista son algunos ejemplos de esa expansión del museo de la cultura. En el medio español, la irrupción dominadora del cine de Almodóvar y Amenábar (ambos emplean un repertorio conceptual que pertenece al ámbito de la cultura no académica) y la ficción de Ruiz Zafón, Giménez Barlett o Pérez-Reverte ponen de manifiesto que el repertorio cultural se ha ampliado y se ha abierto a opciones irrealizables antes. Es más. La secuencia jerárquica se ha revertido. La cultura académica precedía a las formas populares. En la actualidad, ocurre precisamente el movimiento contrario. Son las formas de la cultura no académica, vinculadas sobre todo a la tecnología de la nueva comunicación e información, las que ocupan el lugar más visible y preeminente y las que parecen determinar los términos conductores del debate. El siglo XX termina no con la destrucción del museo monumental y preceptivo del arte occidental, como a lo largo del siglo han reclamado formaciones ideológicas y estéticas radicales, desde André Breton y Buñuel a Dario Fo y La Fura dels Baus sino con su reconstrucción a partir de criterios de selección y categorización renovados.

De nuevo la arquitectura es la forma que ha logrado un equilibrio más apropiado de tendencias divergentes. En las muestras arquitectónicas más prominentes de la actualidad conviven armónicamente códigos y formas conceptual e históricamente distintas, en una relación dinámica que ha logrado además la confluencia de objetivos entre los creadores del edificio emblemático y el público que se beneficia de ese edificio. El éxito de público—y no sólo de la crítica especializada—de los grandes iconos de la arquitectura actual es una demostración de que el discurso arquitectónico ha sabido superar las fronteras jerárquicas que han debilitado el desarrollo de la cultura escrita. El nuevo Reichstag de Norman Foster en Berlín, el Guggenheim de Gehry en Bilbao o el renovado museo d´Orsay en París son realmente de todos sin distinción de origen nacional o cultural. Quisiera proponer que la fracturada cultura literaria académica—dividida en una multiplicidad de grupos, sub-grupos y grupúsculos con escasa capacidad real de comunicación y diálogo entre sí— podría inspirarse en el modelo arquitectónico para producir un repertorio más comprensivo e interdialógico entre sus diferentes componentes. La alternativa puede ser la condenación a la irrelevancia e indiferencia colectiva hacia lo que, en última instancia, puede no ser más que una defensa interesada de la propiedad de los territorios ideológicos exclusivos.

III. *La recepción de la textualidad*

Otro concepto que determina transversalmente todo el siglo se relaciona con la recepción del texto. En este aspecto es manifiesta una evolución creciente hacia un desplazamiento de la atención desde el autor al receptor del texto. El siglo que precede al XX y lo condiciona y determina es, en arte y pensamiento, el período de los nombres y figuras excepcionales. El proceso se inicia con el modo estético romántico que potencia la individualidad y distintividad del agente de la obra como el criterio decisivo con el que juzgar y valorar el proceso de creación. Desde perspectivas ideológicas distintas, Byron, Victor Hugo, Nietsche, Marx, Bakunin, Galdós, Zola o Menéndez y Pelayo dominan el horizonte intelectual de todo un siglo y le imprimen un carácter absoluto que no deja demasiado espacio para otras individualidades. El siglo XIX es el siglo de los movimientos colectivos comprensivos estructurados a partir de las ideas de una figura monumental que los inspira y define. Es un siglo de originadores de una discursividad ideológica que tiene unas ramificaciones profundas de manera universal. En el arte, esa magnificación de la agencia del texto, contribuye a la monumentalización de la obra y a que su receptor se vea limitado a un papel ancilar de admiración incontestada hacia lo que se le presenta como un todo completo y cerrado que queda más allá de todo cuestionamiento. El siglo XIX produce un modo estético en el que el autor predomina y abruma al receptor de la obra.

El siglo XX se inicia con similar predominio de la figura autorial. Unamuno es, en el medio en español, el ejemplo más aparente. Su poderosa voz clama en el intercambio de opciones intelectuales de su época afirmando su derecho a establecer una línea de pensamiento específica que lo diferencie de las demás y, a través de esa diferenciación, fundamentar la preservación imperecedera de su yo. Thomas Mann, Neruda, Ortega y Gasset, J-P Sartre y Vargas Llosa son otros ejemplos notables de la perduración hasta la actualidad de un yo autorial magnificado. No obstante, no es ésa la vertiente predominante, en particular en la segunda mitad del siglo. De acuerdo con la deflación ideológica de ese período, el yo sufre una disminución como consecuencia de su incómoda ubicación en el paradigma de las ideas prevalecientes. El yo existencialista, estructuralista o posmoderno es un yo tentativo, debilitado por las múltiples decepciones de las grandes promesas programáticas no cumplidas (el fracaso de la ciencia, la tecnología y una humanidad socializada como panaceas utópicas para toda la humanidad), que no guarda ninguna similitud con el *Übermensch* grandilocuente y afirmativo de las décadas precedentes.

Esta debilitación de la autoría produce como contrapartida un incremento de la visibilidad y funcionalidad del receptor de la textualidad. El artista deja de ser un *daimon* privilegiado poseído de una perceptividad irrepetible e intransferible y se descubre en él una figura que responde a las pulsaciones de una época que crea y organiza un conjunto de principios preexistentes que orientan la textualidad. La muerte del autor en Barthes, Foucault y Lacan es una consecuencia de esta nueva configuración del yo y se realiza de modo máximo en la dispersión del yo estructuralista en el que la identidad individual queda definida por la red de significados múltiples en la que ese yo queda inserto. La importancia de la taxonomía y la ubicación contextual del texto en la metodología estructuralista son la consecuencia de esta disipación del yo en una red de significados que lo superan y condicionan. Un yo menor, una obra menor y un receptor cuyos gustos y juicios—más que criterios elaborados—son cada vez más determinantes.

No sorprende, por tanto, el que el siglo concluya con la absolutización del receptor, el consumidor de la cultura y cómplice en el juego de las leyes del mercado que dictaminan no sólo lo que se lee y consume sino también lo que tiene éxito y se presenta como digno de ser codificado como canónico. El *homo academicus* apropiadamente analizado por Bourdieu como un ser que responde a leyes o ritos reductivos y autosuficientes diseñados por él mismo y la institución a la que pertenece al margen de su viabilidad fuera del reducto académico propio, ha perdido parte de su capacidad para establecer la normativa intelectual y estética y ha cedido una porción de su influencia al receptor anónimo de la obra (Bourdieu 120).

El *shifting* desde el origen de la discursividad creativa al término de esa discursividad es notable. Este cambio puede leerse desde dos posiciones contrapuestas: desde una posición favorable, el cambio señala la última reposesión del arte por el público e implicaría, disipada ya para siempre el aura sacralizante del objeto artístico, la definitiva democratización del arte, convertido en un acto comunitario en el que todos, agentes y receptores comporten el proceso de generación de una obra nunca concluida del todo y abierta a nuevas configuraciones a partir de la colaboración y no de la exclusión y demarcación estricta de territorios. Desde una posición crítica, sin embargo, la nueva ubicación del texto equivale a la última fase de la trivialización del proceso artístico, el final de la larga trayectoria que, desde Platón a Heidegger, ha hecho de la realización artística un camino singular de la conducta humana. El siglo XX ocasionaría de ese modo el declive último de una minimización del artista que conduce desde Miguel Ángel y Calderón a Dan Brown, Lucía Etxebarría, Ruiz Zafón y otros productos imperantes en el mercado.

La novela y el cine—ambas formas narrativas para públicos amplios—proveen casos ejemplares. La ficción cognitiva de la primera parte del siglo, con Proust, Kafka, Unamuno y Borges, aspira a dar una configuración narrativa a los grandes temas del pensamiento y la condición moderna y luego, con resultados más o menos satisfactorios, se prolonga en la novela social a través de la vehiculación del arte en un proyecto utópico y revolucionario. De ese camino inicial ambicioso hemos pasado a la novela de la simplificación de los grandes temas que tiene el propósito de edulcorar y suavizar para el lector las contradicciones y violencia de sus contenidos. *La sombra del viento* de Ruiz Zafón provee una ilustración adecuada. Supone uno de los éxitos más extensos y masivos de la novela española de los últimos años tanto a nivel nacional como internacional. El éxito no se produce, como en el caso de otros casos mediáticos internacionales, como el fenómeno Dan Brown o Stephen King, después de una prolongada trayectoria, un *build-up* publicitario y comercial de creación de un mercado y público leales. Esta novela emerge de manera inesperada y abrupta y capta la atención de una audiencia amplia y diversa que incluye tanto personalidades de la política y cultura internacionales como el lector anónimo. El éxito se consigue, además, a partir de la utilización de materiales que en principio no augurarían ese

desenlace: una textualidad realizada a partir de la reconstrucción de un periodo amplio de la historia de Barcelona
que comprende desde principios del siglo XX hasta los
primeros años de la posguerra. Una recuperación nostálgica
de un tiempo en el que, de manera diferencial a otras reconstrucciones similares de ese periodo señalado inequívocamente por la violencia y la muerte, la orientación
determinante no es la denuncia o la aserción ética sino la
diversión y el entretenimiento. *La sombra del viento* aspira a
corroborar las expectativas del lector convencional en torno a
la novela de masas. Un tema que en principio se centra en la
persecución y la victimización del inocente y el poder
implacable de la represión y la intolerancia se transforma en
un repertorio múltiple de relatos paralelos en los que la
necrofilia, la morbidez y la movilidad incesante captan la
atención del lector en lugar del análisis ético o político. El
texto nutre la expectativa del lector, confortándole y dándole
argumentos que justifican la legitimidad de una postura
complaciente frente a los dramas sangrantes en los que el
siglo XX ha sido pródigo.

La obra clásica incrementa la conciencia del lector
abriéndole a horizontes insospechados antes. *Crimen y
castigo* penetra con profundidad en las motivaciones de la
mente turbulenta de un asesino y *A la recherche du temps
perdu* investiga la configuración de la identidad del yo
moderno. En éstos y otros textos similares, la obra origina un
incremento en el conocimiento del receptor, es un reto a sus
presuposiciones y estereotipos en torno a la dicotomía
yo/otro, una incitación a cuestionarla y situarla en un marco
comprensivo diferente. La relación que se establece entre
texto y receptor es de un intercambio no igual ya que es el
autor del texto quien sigue decidiendo los contenidos y la
orientación de la textualidad. Un intercambio, no obstante,
genuino porque su desenlace está abierto y no resuelto de
antemano por una de las partes.

La intercambiabilidad que se propone en *La sombra del
viento* es muy distinta. El autor conoce las claves que componen y organizan la expectativa del lector contemporáneo, las
acepta y confirma. No hay cuestionamiento del statu quo sino

un asentimiento y coincidencia del texto con el marco estético y axiológico preexistente. La literatura se desplaza así desde un marco cognitivo y crítico al del entretenimiento.

Un segmento particularmente ostensible de la estética contemporánea, como se hace obvio en *La sombra del viento*, está orientado a la simplificación y la confirmación de lo establecido. El medio visual, televisivo y fílmico, provee el modelo de referencia predominante. Crea unos principios aplicables a una audiencia media y luego esa misma audiencia, definida y configurada de antemano, es la que reclama la continuación del statu quo, el que los principios se reproduzcan monótona y rutinariamente por encima de cualquier opción divergente.

No es ésta, sin embargo, la única vía para la receptividad. Hay obras y textos que conectan directamente con la vertiente cognitiva del arte y con su función de proveer alternativas de conocimiento. En otras palabras, textos que afirman el poder de la agencia textual en lugar de su subordinación al imperativo de las urgencias circunstanciales. En algunos casos, la resistencia al statu quo no es incompatible con el éxito mayoritario. Dos casos son mencionables: la novela de Javier Cercas, *Soldados de Salamina*, y la obra de Javier Marías en general con un énfasis específico en *Corazón tan blanco* y *Tu rostro mañana*.

La primera novela incide de nuevo en la Gran Historia del siglo XX y lo hace sin hacer concesiones a la simplificación. Su especificidad, que está en el origen de su éxito, consiste en la variación de la naturaleza de la narración heroica. La novela produce una víctima imprevisible, el ideólogo fascista Sánchez Mazas en declive, y un héroe ambiguo, Miralles, en torno a los cuales se trama una narración antiépica sobre uno de los episodios más propiamente épicos de todo el siglo XX. De ese modo, es la desconfirmación del saber estereotipado en torno a un tema sacralizado la que abre el camino para un éxito sólidamente mayoritario. Por su parte, Javier Marías ha logrado establecer un discurso diferencial a través del cuestionamiento de las convenciones de la facilidad y la transparencia lingüística y conceptual que exige el mercado prevaleciente.

Desde el punto de vista de la receptividad, el siglo XX
concluye, en suma, de manera muy distinta a como se inicia:
a lo largo del siglo, se produce una transmutación desde la
prominencia del autor y la obra como ente autónomo indi-
visible a una dispersión y disminución de la función autorial y
una progresiva potenciación de componentes hasta hace poco
circunstanciales en el proceso de la creatividad.

IV. *Tiempo colectivo y tiempo privado*

Al amparo del *Geist und Zeit* absolutos de Hegel, el siglo
XIX fue la época de la irrupción de la Historia como eje del
pensamiento y el desarrollo de la temporalidad. No hay otra
época que sea comparable a ese siglo como periodo en el que
emerge una mayor confianza en la capacidad de las facultades
humanas—ciencia, técnica, revolución social—para trans-
formar el mundo.

El siglo XX tiene una relación distinta con la temporalidad. La causa principal de esa diferenciación es precisamente que sufre plenamente las consecuencias del concepto
absoluto de la historia que el siglo XIX promueve con
decidida determinación. La mayor parte del siglo XX se
mueve bajo el impulso favorable o negativo de sistemas comprensivos que proponen una versión de la realidad humana
en todos sus aspectos y pretenden imponer esa versión por
encima de todas las otras opciones pasadas o presentes. Desde
las diferentes versiones del fascismo a las utopías sociales y
últimamente, ya de entrada en el siglo XXI, el funda-
mentalismo islámico, el *Diktat* de la Historia como último
criterio para orientar la trayectoria de la colectividad y
regular la conducta del sujeto individual ha producido convul-
siones de gran magnitud y algunos de los acontecimientos
más catastróficos de la historia de la humanidad. El siglo XIX
concibe con ilimitado optimismo y empuje construcciones
abstractas fundamentadas en principios irrevocables. Y el
siglo XX las pone en práctica y experimenta la realidad de su
impacto. Gran parte de los horrores de ese siglo son la
consecuencia del predominio de la Historia sobre el sujeto

individual, de la temporalidad para el Todo sobre la temporalidad para el yo.

El arte ha tenido una función disidente y opuesta a esas versiones absolutizantes y el artista y el escritor han sido las figuras que se han enfrentado a los desmanes de un Tempus totalizante y han afirmado los principios de la historia privada y personal. Nombres como los de Unamuno, Bertrand Russell, George Orwell o Pier Paolo Pasolini proveen una ilustración aparente, aunque a veces parcialmente contradictoria por la implicación ocasional de esos autores con algunos de los sistemas totalizantes.

El caso español es particularmente ilustrativo ya que, a causa de la naturaleza represiva del Estado español durante gran parte del siglo, el artista y el escritor en particular han asumido hasta la actualidad más reciente la función de desenmascadores de las coartadas ideológicas de ese Estado. Desde Valle Inclán, Antonio Machado y García Lorca a los escritores del realismo social del franquismo como Alfonso Sastre, Blas de Otero o Gloria Fuertes, la literatura española del siglo XX ha estado condicionada por el imperativo de la denuncia de los excesos de la historia nacional. A diferencia de otras literaturas europeas, la española ha estado por largo tiempo fijada en la descalificación de las circunstancias en las que operaba. Ha sido, por ello, una literatura combativa, altamente moralizante, pero intelectual y estéticamente limitada.

La ruptura de los límites del imperativo social ha sido, a mi juicio, uno de los acontecimientos más notables de las dos últimas décadas del siglo XX. La literatura precedente se había ubicado en una temporalidad local y había estado determinada por la urgencia de unas circunstancias específicas. El movimiento contrario ha producido como contrapartida la emergencia de la efimeridad y la liviandad intelectual que retroceden con temor ante el lastre de los grandes temas de la historia. Los últimos años del siglo han significado el desplazamiento desde una temporalidad abstracta y despersonalizada, nacional y colectiva, al tiempo minimizado y privado de un yo que se opone a reconocer su identidad en las grandes ideas que motivaron los textos del pasado. El compromiso del escritor ha dejado de hacerse predominantemente con causas externas al texto, una literatura de servicio, para comprometerse con las necesidades de la conciencia individual.

La decepción con relación a las consecuencias de la *Grosse Geschichte* y la progresiva primacía de las relaciones interindividuales—de yo a yo y no de colectividad a colectividad— han sido factores decisivos en esta transformación de los núcleos significativos de la textualidad. Es preciso esperar la evolución futura del paradigma de la historia para decidir cuál de estas orientaciones está destinada a prevalecer o qué modos de combinación son posibles entre las orientaciones contrapuestas. El salto desde Unamuno, Valle Inclán y Blasco Ibáñez a Almudena Grandes, Ray Loriga y Pérez Reverte es demasiado violento para que, por el momento, sea posible hallar un modo de acomodo entre visiones tan contrarias del proceso literario y su inserción en el tiempo paradigmático de la estética moderna.

La opción ética no ha desaparecido, no obstante, por completo del horizonte de expectativas textuales. La militancia previa, justificable cuando el enfrentamiento con una estructura impenetrable lo exigía, ha sido desplazada por una crítica en la que la ironía y la indirección significativa sustituyen al clamor combativo del pasado. Unos casos ilustrativos. En el cine, *Los lunes al sol* de Fernando León de Aranoa y *La mala educación* de Pedro Almodóvar. En la novela, la obra de Enrique Vila-Matas y Antonio Muñoz Molina.

Las dos películas mencionadas tienen un propósito de crítica de contextos colectivos lacerantes. *Los lunes al sol* pone de manifiesto los nuevos parámetros de las relaciones laborales que comporta la economía global. Se revelan las consecuencias de esa nueva economía a partir de un grupo de amigos, carentes de cohesión ideológica y de clase, que hallan en la amistad y solidaridad de grupo el contrapeso para las frustraciones de su problemática situación personal. El final humorístico, en lugar de violentamente radical, es excepcionalmente corrosivo para revelar la despersonalización de un nuevo modelo económico que no resuelve sino agranda las insuficiencias e iniquidad de modelos previos.

Almodóvar, en su última película, se adentra no en un tema nuevo en él—los efectos de la represión sexual y cultural—, que ya había examinado en su filmografía precedente, sino en el modo de aproximación y enjuiciamiento de ese tema. Del modo cómico e intrascendente que propone la resolución de conflictos profundos a través del humor—*Todo sobre mi madre*, por ejemplo—el texto cinematográfico se mueve en *La mala educación* hacia la exacerbación de la tensión entre los principios enfrentados y la irresolución última de ese conflicto. En ambos casos, se produce una nueva aserción ética a partir de los parámetros que establece la sociedad global, ahistórica e ideológicamente indeterminada, y la frágil posición del yo dentro de ella.

Vila Matas emplea la ironía para deconstruir la imposición de las convenciones sociales y culturales. En un tono a la vez sarcástico y comedido, sus figuras *off-key*, insólitas y psicológicamente alambicadas, presentan una afirmación del valor de la disidencia frente a la conformidad y la homogenización colectivas que nos ha impuesto la cultura de la banalización televisiva y visual de masas. Muñoz Molina, por su parte, hace obvio que la textualidad puede hallar en el interés en las figuras más vulnerables y perseguidas de la historia universal el nuevo camino para un compromiso ético. *Sefarad* provee una ilustración adecuada. Ya no es sólo, como en *Beatus Ille* o *Beltenebros*, la exploración de la persecución de la diferencia en el periodo más sombrío del franquismo lo que motiva la discursividad textual. La ambición es ahora más amplia. La violencia indiscriminada del terrorismo y el desplazamiento físico y moral que produce la opresión de unos grupos humanos contra otros son los motivos centrales. En todos estos casos se hace manifiesto que los antiguos objetivos del programa de la modernidad siguen vigentes con formas reconfiguradas en la actualidad y restituyen la dimensión ética de la literatura y el arte que la indeterminación posmoderna cuestionaba.

V. *Balance ante el nuevo siglo. Una literatura reubicada*

El siglo XX ha sido un periodo que se inició bajo el signo de la condición privilegiada del arte y el artista para definir de modo distintivo y particularmente profundo la naturaleza de la conciencia individual en sus relaciones con los contextos suprasubjetivos. El arte como modo de superación de las limitaciones de otras formas del conocimiento como la ciencia y la técnica. Precisamente porque, a diferencia del conocimiento científico y tecnológico, el arte no parcela en segmentos reducidos y limitados el objetivo de su mirada, el arte podía hacer propuestas más generales y comprensivas. Por esa razón, parte del arte de ese siglo ha sido programático y prescriptivo, pero no ha logrado sus objetivos más que de modo ocasional y efímero. Las diversas vanguardias, los realismos sociales, la filosofía del absurdo son algunos ejemplos.

Las dos últimas décadas del siglo en particular han visto cómo ese propósito maximalista se empequeñecía en sus dimensiones y fines. El siglo concluye con una reducción de los objetivos universalistas de la literatura y las humanidades en general. Hacer literatura hoy es una actividad cultural entre otras, diferencial y genuina, pero no especialmente privilegiada. El único reducto donde la cultura escrita y literaria sigue siendo preferente es el medio académico, pero la influencia de ese medio se ha diluido y su influencia sobre la sociedad en general se ha visto reducida significativamente a casos específicos en lugar de la totalidad de la sociedad. En lugar de dictaminar y determinar los parámetros y lenguaje de la discursividad cultural, la cultura escrita deberá adaptarse al espacio más restringido que le han ido cediendo medios más poderosos y efectivos—aunque no más perspicaces o profundos para definir la experiencia humana—como las nuevas técnicas de la comunicación e información. Adaptarse a esta nueva situación y reformular la ubicación del proceso literario dentro de ella puede ser el reto más determinante para la literatura del nuevo siglo.

OBRAS CITADAS

Bourdieu, Pierre. *Language and Symbolic Power*. Cambridge: Harvard UP, 1999.

Burrow, J. W. *Crisis of Reason*. New Haven: Yale UP, 2000.

Cercas, Javier. *Soldados de Salamina*. Barcelona: Tusquets, 2001.

Clausewitz, Carl von. *Vom Kriege*. Bonn: Dümmlers Verlag, 1973.

D'Ors, Eugeni. *El valle de Josafat*. Madrid: Espasa Calpe, 1998.

_____. *Tres horas en el Museo del Prado*. Madrid: Tecnos, 1989.

Droste, Magdalena. *Bauhaus*. Berlín: Taschen, 2002.

Gullón, Germán. *El jardín interior de la burguesía: la novela moderna en España 1885-1902)*. Madrid: Biblioteca Nueva, 2003.

Jencks, Charles. *The New Paradigm in Architecture*. New Haven: Yale UP, 2002.

Marías Javier. *Tu nombre mañana. I. Fiebre y lanza*. Madrid: Alfaguara, 2002.

Muñoz Molina, Antonio. *Sefarad*. Madrid: Santillana, 2002.

Navajas, Gonzalo. *La modernidad como crisis. Los clásicos modernos ante el siglo XXI*. Madrid: Biblioteca Nueva, 2004.

Ruiz Zafón, Carlos. *La sombra del viento*. Barcelona: Planeta, 2002.

IMÁGENES DE MUJER EN LA NARRATIVA DE WENCESLAO FERNÁNDEZ FLÓREZ. (UNA CONTRIBUCIÓN A LA DEFINICIÓN IDEOLÓGICA DEL ESCRITOR)

PILAR NIEVA DE LA PAZ
Consejo Superior de Investigaciones Científicas

Existe ya una nutrida bibliografía en relación con la corriente crítica feminista dedicada al análisis de las imágenes de la mujer y de los arquetipos femeninos presentes en los autores y autoras que forman parte del canon literario, una corriente teórico-crítica que cuenta ya con varias décadas de prolífica producción en el ámbito anglosajón, a partir de ensayos como los de Ellmann, Moers, Chodorow, Gilbert y Gubar y Pratt, entre otras. La citada corriente no es nueva tampoco en el terreno de los estudios literarios peninsulares (Oñate, Miller, Ciplijauskaité, Durán y Temprano, Zavala). Puesto que resulta hoy evidente la trascendencia de la creación cultural en la construcción de la identidad de los géneros sexuales (Bourdieu) parece especialmente oportuno que los estudios literarios se impliquen cada vez más en la tarea de descubrir cómo las obras artísticas han transmitido históricamente—desde una doble perspectiva, especular o crítica—los rasgos esenciales que han definido en cada época dicha identidad.

Aunque se ha emprendido la revisión en este sentido de la obra de algunos autores canónicos (Cervantes, Lope de Vega, Calderón, Pérez Galdós, Leopoldo Alas, Benavente, García Lorca, Casona, etc.),[1] queda un extenso trabajo por hacer en el amplio panorama de la literatura española. Entre los muchos autores todavía no explorados desde este ángulo está

Wenceslao Fernández Flórez (1885-1964), prolífico narrador y reconocido periodista político que alcanzó las máximas cotas de popularidad en los años 20 y 30 del pasado siglo XX, quien ha pasado a la historia de la literatura española por algunos destacados títulos novelescos, como *Volvoreta* (1917), *El secreto de Barba-Azul* (1923), *Las siete columnas* (1925), *El malvado Carabel* (1931) y *El bosque animado* (1943). Su larga dedicación a la crónica parlamentaria consolidó también su integración de pleno derecho en los anales del periodismo político por sus conocidas *Acotaciones de un oyente* (1916-1935), páginas periodísticas marcadas por una crítica inteligente y sagaz de la actualidad en las Cortes. La visión satírica de la realidad nacional que empleó tanto en sus ficciones como en sus artículos de prensa hizo también del autor gallego una figura destacada del género humorístico.

El análisis detenido de sus textos narrativos permitirá comprobar el interés hermenéutico de la anteriormente citada propuesta teórico-crítica, puesto que no sólo contribuye al mejor conocimiento general de la realidad social de la mujer española de preguerra y del esquema de relación vigente entonces entre ambos sexos, sino que permite avanzar también en la clarificación de la compleja y discutida cuestión de la definición ideológica del escritor; una cuestión tanto más relevante por cuanto que Fernández Flórez aparece actualmente incluido en muchas de las programaciones curriculares en educación secundaria y universitaria española. La reflexión sobre las imágenes de mujer que sus textos transmiten parece especialmente recomendable en el contexto de un marco educativo que establece hoy la obligatoriedad de manejar materiales y metodologías que contribuyan a una educación para la igualdad entre hombres y mujeres.

Se ha escrito mucho acerca del perfil ideológico que su vida y su obra reflejan. Algunos críticos lo han presentado como ejemplo del más puro conservadurismo hispano (Chabás, Domingo, Mainer), mientras que otros lo han encuadrado dentro de la tradición liberal finisecular (Nora, Díaz-Plaja). Una revisión distanciada del conjunto de su producción encuentra ejemplos, en efecto, de ambos tipos de actitud, de acuerdo con una evolución personal marcada por el signo de los tiempos. Sus novelas más críticas e iconoclastas coinciden con el período que va desde el inicio de la Primera Guerra Mundial hasta el estallido de la Guerra Civil, incluyendo dos títulos, *Aventuras del caballero Rogelio de Amaral* (1933) y *Los trabajos del detective Ring* (1934), donde puede percibirse ya el comienzo de su giro conservador por su sátira oblicua del sistema político republicano. Con todo, no encontramos en ellas una actitud distinta a la habitual crítica que el autor había dedicado hasta entonces contra el poder político establecido, fuera el que fuese (Nieva 2004). El cambio más importante en su producción se observa, de hecho, en los títulos panfletarios, de combate político contra el "terror" rojo, publicados al acabar la guerra civil española: *Una isla en el mar rojo* (1939) y La *novela número 13* (1941).[2]

El análisis del conjunto de su producción apunta, más bien, a un perfil creativo de un original talante crítico y satírico, que evolucionó hacia un profundo desengaño respecto de la condición esencial de la naturaleza humana, hacia un escepticismo radical poco o nada confiado en la posibilidad de un verdadero progreso favorecedor de cambios políticos y sociales auténticos. En definitiva, una visión desencantada que se vincularía con la generalizada crisis coetánea de la Modernidad (Villanueva). Incluso, algunos estudiosos de su obra (Halcón, Echeverría, Díaz Plaja) han destacado la temprana incomodidad de Fernández Flórez con el régimen franquista, que al parecer vio pronto con sospecha su inclinación crítica, su falta de adhesión a los valores tradicionales y su gusto por la sátira política.

Dada su especial atención a la crónica social de actualidad, las novelas de Fernández Flórez ofrecen un vivo testimonio de algunas de las claves fundamentales en el debate sobre la "cuestión femenina" que se desarrolló en la España de los años 20 y 30, período crucial de nuestra cultura en el que la producción literaria reflejó reiteradamente el enfrentamiento del modelo decimonónico tradicional con el de la emergente "mujer moderna" (Ena, Nieva, *Autoras dramáticas*, Vilches y Dougherty, Johnson, Kirkpatrick). Uno de los aspectos en que se puede observar más fácilmente su heterodoxia respecto de ciertos valores conservadores es, precisamente, en el tratamiento que ofrece en su narrativa de preguerra de la moral social predominante y de la forma en que ésta condicionaba el esquema de relaciones entre los sexos. Es ésta una cuestión, precisamente, de especial incidencia para la definición de la identidad de los roles sexuales en todas las épocas (Verdú y Ferrándiz; De Miguel, *El miedo, Cien años*; Martín Gaite, *Usos amorosos del dieciocho, Usos amorosos de la postguerra*).

El escritor gallego incide una y otra vez en sus textos en la deconstrucción de la moral tradicional, haciendo especial hincapié en desvelar la falsa hipocresía que se escondía tras la defensa a ultranza de la "honra" calderoniana, perpetuada durante siglos en el imaginario español, al ocultar la verdadera naturaleza de los sentimientos y de las motivaciones que aproximan o alejan a hombres y mujeres. El amor se describe en los análisis que llevan a cabo algunos de sus alter-egos literarios como una mera ilusión, basada en buena parte en una larga y engañosa tradición literaria que se limita a enmascarar la fuerza del instinto y las necesidades reproductivas para la pervivencia de nuestra especie. Tal y como argumenta Mauricio Dosart, el protagonista de *El secreto de Barba-Azul*, la moral sexual establecida no es más que una mera convención que obstaculiza el instinto vital. Se defiende así en la novela la manifestación libre de la atracción y la pasión sexual adulta:

> Si existiese Dios y nuestros hechos hubiesen de ser juz-
> gados por Él, ¿qué terrible delito imperdonable hallará
> en que dos cuerpos jóvenes obedezcan a la ley natural
> del amor? ¿Qué sombría divinidad podría contemplar
> con rencor nuestras caricias de esta noche, en las que
> no hubo codicia, ni traición, ni perjurio? ¿Por qué en-
> sombrecer el disfrute de una belleza deseada con tan
> pueriles prejuicios? (Fernández Flórez 2:306)

En ningún momento se aprovecha la potencial polifonía del texto narrativo para introducir otras voces que contra-argu-menten una posición que disonaba claramente respecto de las valoraciones morales más conservadoras generalizadas en-

tonces. Todavía más explícito en su declarada oposición a la
moral social predominante se mostraba otro de los personajes
de su anterior novela *La procesión de los días* (1914 ó 1915)
que se hacía así portavoz de las ideas que el escritor vertió
repetidamente al respecto:

> Los hombres hemos empequeñecido y ridiculizado una
> porción de sentimientos naturales, y en el amor más
> que en cosa alguna. Contra los convencionalismos
> pugna la razón, sobre todo contra los convencionalismos
> de lo que se llama Moral. La Razón hubiese terminado
> por destronar a esa vieja hipócrita; pero bien sabe ella lo
> que hace. (Fernández Flórez 1:101)

Cuando el ya citado Mauricio se casa con su amada Marta,
se inicia un paralelo proceso de "deconstrucción" iconoclasta
de la institución matrimonial. Las familias ven en las bodas
un mero intercambio de intereses económicos.[3] La convivencia descubre pronto al verdadero ser que la irresistible
atracción física ha vedado ante los ojos enamorados y el
protagonista masculino comprende que el amor no es más
que una invención, la de un sujeto de adoración realmente
inexistente. Además, el autor descarta toda posible excepcio-
nalidad. Nuevamente la frustrada aventura adúltera tratada
con el filtro humorístico que protagonizan Mauricio, desen-
cantado de las primeras mieles conyugales, y Assia, una
exótica extranjera de espíritu cultivado y "superior," demuestra el inevitable carácter físico de esta clase de relaciones. El
amor se describe, una vez más, como una mera superestruc-
tura ideológica que encubre un imperativo categórico: la reproducción. Claro que ni la llegada de los hijos ni el disfrute
de la paternidad dotan tampoco de sentido a la existencia,
puesto que dependen en buena parte del azar.[4]

En más de una ocasión denuncia el autor la obsesión
hispana por el honor, ligado por tradición a la castidad femenina. Pero tal vez el episodio más significativo, cargado de
humor e intención satírica, sea el relato de los celos de Florio
por su amada Adriana, actriz frívola y liberal que ha mantenido varias relaciones con anterioridad, en *Las siete colum-*

nas. El amor y la pasión que Florio siente hacia ella se ven empañados por el temor a que el pasado de la dama le haga sufrir en el futuro, porque, tal y como argumenta ante sus amigos, la honra "es la base de todo juicio que haya de formarse acerca de la conducta de la mujer. [...] Ser intacta es la más elevada categoría femenina" (Fernández Flórez 3:264). Para vencer los escrúpulos de Florio, su amigo Massipo le cuenta una jugosa anécdota, protagonizada por una familia que sucumbió entera por proteger la "pureza" de la hija y hermana. La desmitificación del valor social de la virginidad femenina no puede ser más eficaz, puesto que se confía a un logrado recurso cómico. Una vez muerta, la joven responde ante el interrogatorio de su también difunto padre en relación con "su honor," que declara traer intacto a la tumba. Pero hete ahí que los gusanos acaban por dar al traste en una sola noche con tan grave y costosa misión familiar:

> Por velar mi honestidad se mató mi padre; por defenderla murió uno de mis hermanos, y por alimentarla el otro; por conservarla me di muerte yo misma; varios hombres que quisieron adueñarse de ella tuvieron mal fin; no hice en el mundo otra cosa que cuidar incesantemente eso tan precioso y frágil que es la virginidad de una mujer. ¡Y esta noche, señora mía, se la ha comido un gusano, un horrible gusano! ¡Ay, ya no podré presentarme jamás ante mi padre! (Fernández Florez 3:272)

No puede sorprender, por tanto, la preocupación que se observa en la narrativa de este autor por denunciar la terrible situación de ostracismo y marginación social que padecían las mujeres que más claramente manifestaban haber quebrantado la sacrosanta "ley de la honra": las madres solteras; una denuncia que algunos biógrafos han vinculado a su condición de hijo "natural" (Mainer, Fernández Santander). Se observa así de forma recurrente la aparición de jóvenes madres en esta situación, en varios casos a causa de una violación (como en *La familia Gomar* o en *Aventuras del caballero Rogelio de Amaral*). Pero el autor va más allá de la repetida utilización del tipo y del recuento de sus traumáticas experiencias. Encontramos así el desarrollo completo de las diferentes opciones que una mujer en esta situación podía seguir en la novela *Relato inmoral* (1924). Dos "señoritas" que acaban de ser madres eligen aquí unos caminos distintos, pero igualmente terribles. En un caso, la mujer abandona al hijo en la inclusa, ante la dura condena de la gente que conoce su intención. En el otro, decide criarlo, pero madre e hijo pasan años aislados frente a un insorportable rechazo social. Tal es el sufrimiento de esta mujer "marcada" que una noche sueña con matar a su hijo, cometiendo virtualmente ese infanticidio que tantas madres desesperadas llegaban a cumplir. Con el paso del tiempo, una de ellas relata sus sufrimientos de ayer y concluye: "Años después, cuando pude asomarme al mundo, supe que todo puede perdonársele a una mujer, menos su entrega a un hombre" (Fernández Flórez 3:93).[5]

En su denuncia crítica de los valores morales establecidos, Fernández Flórez no duda, incluso, en enfrentarse a temas tan controvertidos como la necesidad implícita del control de natalidad, sobre todo entre las clases más humildes: "Cuando los padres no tienen dinero no deben ser padres, o deben serlo moderadamente [...] Cada padre no debiera tener más descendencia que aquella que pudiese ofrecer a la Humanidad en condiciones de ser útil" (Fernández Flórez, *La familia Gomar* 2:573). El autor llega a cuestionar abiertamente en otros de sus textos la anatemización social del aborto, verdadero tema "tabú" en la época. En *Aventuras del caballero Rogelio de Amaral* (1933) el joven médico protagonista recibe un día en su consulta a una muchacha, soltera y embarazada, que le pide ayuda. Ha sido brutalmente asaltada y, además, se enfrenta a una familia tradicional que no puede aceptar la situación. Los argumentos contrarios que Beatriz y su médico exponen forman parte aún del debate ético-moral sobre esta cuestión:

–He leído... he consultado... La misma Iglesia cree que el alma no se incorpora hasta muchos días después de la fecundación... / –La Iglesia condena el aborto./ –Pero, ¿usted no accedería a él para evitar males mayores?/ –

No./ –¿Males infinitamente más graves, en los que la
sangre y el odio se extendiesen como una mancha
eterna sobre muchas almas?/ –No./ –¿Y si he de morir
por esta causa?/ Amaral respondió heroicamente: –Si
debe morir usted por esta causa, no le resta sino resignarse a morir. (Fernández Flórez 3:884-85)

En efecto, ella y su bebé mueren durante el parto, víctimas,
de facto, de la mentalidad conservadora de unos familiares
que, como tantos otros en la época, consideraban a la madre
soltera como una deshonra inaceptable. Castigan así a la
mujer violada, calificada por su madre de "mártir" en el trágico desenlace de la escena. Ni una gota de humor se desliza
en el tratamiento de esta anécdota argumental, que el narrador esgrime incluso como la única causa de que el "honorable" doctor Amaral no vuelva a querer ejercer más la medicina.

El análisis de los falsos principios en los que se basaba la
tradicional "honra" hispana, que hacía recaer en la pureza
femenina el peso del honor de toda la familia, resulta de
hecho recurrente en esta última novela. Rogelio decide
casarse con Inés Maldonado tras haberse acostado con ella en
consideración al respeto debido a su padre, lo que es considerado como un sacrificio inútil por su lúcido confidente: "¿Alcanza a tanto tu estupidez o tu orgullo que creas haber mer-
mado el respeto que consiguió aquel hombre, la sólida an-
chura de su honor, la santidad de su conducta, por haber
escarabajeado en el cuerpo de su nieta? Eres un tonto pre-
sumido, Rogelio" (Fernández Flórez 3:963). La crítica voz del
autor se desliza de nuevo en el recurrente efecto cómico que
produce el agudo contraste entre los comentarios del narrador, que adopta una firme posición conservadora, y los
censurables hechos que una y otra vez el protagonista lleva a
cabo. Resulta así francamente chistosa la presentación del
insigne "caballero español" como un paradigma de los más
altos valores morales, cuando se nos informa de que "guar-
daba su honor como en una fina ampolla de cristal, a cubierto
de ataques y contaminaciones, como hoy sólo se guardan los
inyectables" (Fernández Flórez 3:988). En la práctica,

Amaral es tan sólo un aprovechado sin escrúpulos, capaz incluso de vender a su esposa para pagar sus trampas en el juego. Tras una larga noche en el Casino, decide apostarla a cambio de cinco mil duros. La mala racha del jugador acaba con su crédito, por lo que este "hombre de honor" se apresura a entregar a su mujer para que el ganador del envite disfrute de ella a su gusto. Claro que no por ello se priva de enseñarle a un amigo alemán, poco después del anterior episodio, las normas básicas que sustentan el honor conyugal, ayudándose para ello de la nutrida "bibliografía" literaria al uso: "Le condujo a la biblioteca, le entregó los dramas de Calderón de la Barca, los de don José de Echegaray, y le señaló una estantería repleta de volúmenes.—Ahí están reunidas las novelas que tratan de infidelidad y engaños conyugales. Obtendrá usted sabrosas enseñanzas de esa lectura" (Fernández Flórez 3:980).

La visión de los hombres casados que se deduce del conjunto de relatos satíricos que componen *¿Por qué te engaña tu marido?* (1925) incide en la universal promiscuidad masculina, en el carácter fundamentalmente frívolo y libidinoso de unos varones prestos a justificar sus infidelidades culpabilizando a las mujeres por ser (y hacer) una cosa o su contraria. Como declara el padrino de la boda que reúne a los contertulios masculinos protagonistas, el matrimonio es siempre un error, pues pretende hacer duradera una pasión sensual por naturaleza efímera. Así inicia el turno de confesiones privadas por parte del círculo masculino presente en la reunión: "Yo engañé a mi mujer por variar, tan solo por variar, y con otras mujeres que no eran guapas, ni tan inteligentes, ni tan amorosas como ella. Y si preguntáis al ochenta por ciento de los maridos: '¿Por qué engaña usted a su esposa?', os tendrán que responder como yo: 'Por variar...'" (Fernández Flórez 3:377). Los maridos adúlteros que en ella se manifiestan plantean una galería de modelos femeninos que acaba por perfilar el retrato de la mujer ideal desde la perspectiva masculina predominante en el momento. La mujer perfecta sería, según se deduce del texto, abnegada, tierna y dulce (3:384), de carácter angelical y sumiso (3:386), dependiente del hombre, dada su "deliciosa" cobardía (3:426).

Siendo en ella incompatibles la belleza y la inteligencia
(3:426), los varones que se manifiestan en la novela se incli-
nan claramente por la primera condición, ya que desean que
suscite la admiración de los otros hombres y, por tanto, la
envidia hacia su pareja (3:387). En el caso de las casadas, se
espera que comprendan y apoyen siempre a sus maridos, y
que con su rendida admiración, no cuestionen nunca su superioridad manifiesta (3:396-97). El autor se muestra así como
testigo del sentir mayoritario de los varones de entonces
respecto de esta cuestión.

Encontramos en la novela una visión crítica de la
propensión masculina al adulterio y de la facilidad de los
varones para exculparse de sus continuas infidelidades. Todas
las razones son válidas para engañar a una mujer: por bonitas o por feas, por ardorosas o por frías, por celosas o por con-
fiadas, por tontas o por excesivamente inteligentes.... Con comicidad, se demuestra que, desde la perspectiva masculina,
"las mujeres casi siempre tienen la culpa de ser engañadas"
(3:416). De hecho, estamos ante un verdadero tratado sobre
la doble moral que regía entonces la conducta de ambos
sexos. Se constata así explícitamente la creencia general en la
raíz biológica del diferente comportamiento amoroso de hombres y mujeres. Así mientras la infidelidad masculina se
considera "natural," la femenina se describe como desviación
excepcional: "la mujer que va de amor en amor es una enferma, y la explicación de sus ansias corre exclusivamente a
cargo de la patología" (3:377). Algo que no debe extrañar si se
considera que, al parecer, la mayor parte de las españolas de
entonces padecían de una "frialdad" sexual incurable.[6] La
consecuencia lógica de la dicotomía planteada no podía ser
otra que la siguiente: las esposas no debían sentirse celosas
puesto que sus maridos no podían en ningún caso evitar sus
promiscuas inclinaciones.

El cómico tratamiento de una desigualdad tan claramente
expuesta da prueba, una vez más, del irónico manejo de su
escalpelo literario por parte de un escritor que no está
dispuesto a dejar títere con cabeza. Se trataba, en definitiva,
de resaltar el natural egoísmo de unos hombres incapaces de
renunciar a ninguno de sus deseos, a ninguno de sus pe-

queños placeres. Paralelamente, encontramos en otra novela coetánea del autor, *Unos pasos de mujer* (1924), uno de los personajes masculinos más negativos de su producción. La distancia con que el autor retrata su cruel conducta se percibe mediante el recurso a los tintes naturalistas empleados. Fausto Ariza, un empleado de contabilidad brutal y misógino, ejerce sin compasión su poder y su fuerza contra la joven prostituta a la que un día decide acoger en su casa, atraído precisamente por su debilidad física y su dependencia anímica, por su total sumisión a él, hasta que un día cualquiera, cansado de ella, decide arrojarla de nuevo a la calle sin motivo aparente, para recuperar su solitaria vida anterior:

> Desde hacía algún tiempo la presencia de Rocío se me antojaba una intrusión y también una ligadura en mi libertad. Mis hábitos no se avienen ni aun a la más dulce sujeción; el hogar tiene para mí no más valor que el de una guarida, y el sentimiento de la familia lo he catalogado como una debilidad, en la que intervienen en parte el instinto animal y en parte el miedo a la soledad de la vida. (Fernández Flórez 4:386)[7]

Fernández Flórez se manifiesta implícitamente consciente en varias de sus obras de la esencial disimetría en el transcurso coetáneo de las relaciones entre los sexos, así como de la enorme extensión de una serie de prejuicios relacionados con la moral sexual que dificultaban su convivencia. Esta inquietud se plasmaba ya en una de sus primeras novelas, *La procesión de los días*, verdadero muestrario de los "usos amorosos" españoles de las primeras décadas del pasado siglo, ofreciendo la clásica visión dicotómica entre la mujer casta y la mujer promiscua, así como un rosario de reglas y costumbres que arbitraban el "honesto" noviazgo hispano. Pero el tema tuvo un contundente desarrollo posterior en la citada *Relato inmoral*, que mostraba la implacable represión sexual del país desde la perspectiva de un español que viene de largas estancias en el extranjero. El atavismo de sus costumbres calderonianas da lugar, según el citado prota-

gonista, a la perpetuación de una idea de la honra masculina
directamente dependiente de la conducta casta de las mujeres
de su familia:

> España sufre colectivamente los trastornos de una larga
> y antigua serie de represiones sexuales. [...] La vio-
> lencia en la pasión, el piropo, los celos, la separación de
> hombres y mujeres, las duras sanciones que suelen im-
> ponerse a las faltas amorosas, el arraigo de [...] supers-
> ticiones eróticas, entre ellas el culto casi exclusivista de
> la virginidad [...] En la mirada que un español fulmina
> contra la mujer que ve pasar a su lado hay el hambre
> sexual de muchas generaciones. (Fernández Flórez
> 4:146-47)

De hecho, el autor no duda en desvelar en varias de sus
narraciones los fundamentos de la doble moral imperante,
que se mantenía gracias a ciertas válvulas de escape socialmente aceptadas como la prostitución. El trabajo de las
prostitutas se presenta así como el pilar en el que se asentaba
la honradez de las mujeres "decentes": "La Juanona no
estaba más que un día cada año en aquellos lugares para
apagar con sus resistentes criaturas el ardor represado de los
mozos solteros. Dejaba una efímera tranquilidad y se llevaba
unas cuantas pesetas. Cuando ellas se iban ya no quedaban
en el pueblo más que faldas de plomo que no podía levantar
ninguna mano pecadora" (Fernández Flórez, *Aventuras del
caballero Rogelio de Amaral* 3:941).

Sin embargo, esta visión progresista de la honra, que
plantea la necesidad de una cierta liberalización de las costumbres amatorias de los españoles, no supuso un paralelo
ataque de la objetualización de la mujer. No se aprecia una
conciencia crítica tan acusada al respecto como la que el
autor demostró en relación con otras cuestiones candentes,
como el patriotismo belicista o la defensa del medio natural
frente a la agresión del ser humano. Fue la suya una visión
más bien "especular" que reflejó la tradicional asociación de
la mujer con el sexo, el amor, el matrimonio y la maternidad.
La imagen física femenina resulta más de una vez cosificada,

asociada a la atracción sexual que su cuerpo despierta, por parte del protagonista, siempre masculino, que focaliza el relato. Las descripciones femeninas revelan esa mirada marcada por la represión que impedía el normal acercamiento entre hombres y mujeres en la España de entonces que el autor denunciara en varios de sus textos. La sensualidad desbordante que impregna el retrato del cuerpo femenino en "Primavera en el pazo," la estancia X de *El bosque animado*, da buena muestra de esta concepción instrumental de la mujer. Gudelia, la legendaria amante de don Pedro D'Abondo, aparece evocada en todo su esplendor erótico:

> Me han contado que era rubia, como la mayor parte de nuestras aldeanas; pero su piel no parecía blanca, sino dorada, como por el calor del infierno. Aun llevando las anchas vestiduras del campo, su cuerpo era una tentación: ágil, esbelta y fuerte a la vez; todo armonía. Pero la gente de aquel tiempo aseguraba que más que en nada de esto, la irresistible seducción de Gudelia residía en el olor de su piel. (Fernández Flórez 5:133)

También el joven Javier, como su difunto tío abuelo don Pedro, siente la fuerza de una irreprimible atracción sexual en la contemplación del cuerpo dormido de su prima Rosina:

> Estaba en la cama, de cara a él, y aún dormía. Sus cabellos tocaban el tablero alto y color de tabaco de la cabecera, en el que había talladas guirnaldas de rosas; un brazo desnudo se extendía hasta dejar que se asomase la mano al borde del lecho; el camisón de encajes—camisón de recién casada—descubría un hombro hasta allí donde el pecho comenzaba a iniciarse; bajo las sábanas, el cuerpo, delatado en el bulto de una cadera, le pareció a Javier distinto al de su prima, desconocido, impresionante como un pecado. (Fernández Flórez 5:131)[8]

Una vez más el autor hace descansar las causas del amor en características puramente físicas, basadas en la belleza de la mujer, que revelan el canon de belleza femenina imperante. Rara vez se unen a la descripción rasgos que aporten datos sobre su psicología y su carácter. Aunque son muchos los ejemplos en este sentido, baste citar aquí la cuidada descripción de la amada por parte de uno de esos caballeros que relataban su vida amorosa en *Por qué te engaña tu marido*:

> Puedo decir que me enamoré de Luisa el día que la conocí. Y era imposible que así no fuese. Nunca hasta entonces había contemplado una belleza tan próxima a la perfección. Todo era en ella armonía y plenitud de obra acabada. Así como, para expresar el preciosismo de algunas flores naturales, las gentes suelen decir: "Parecen pintadas," así se decía de Luisa que "parecía una muñeca." Pero no era, como es de presumir, esa belleza convencional y mofletuda de las muñecas que tal frase quería sugerir, sino la artística ponderación de sus encantos, que semejaban haber sido concedidos para crear el arquetipo. Las largas y curvas pestañas, la corrección impecable de la boca, el recto trazo de la nariz, la elegancia intachable de la figura y hasta esos detalles que casi siempre tienen que crear los artificios de tocador: el tono rosado de los lóbulos de las orejas, el rasgado de los ojos, la suavidad del arco de las cejas, finas y negras... Era, en fin, y sigue siendo, la mujer más bonita (creo que esta es la palabra exacta) de todo Madrid. Sus pretendientes se contaban por docenas, y cuando yo fui distinguido entre todos y me casé, me tenía (puedo asegurarlo) por un hombre feliz. (Fernández Flórez 3:380)

De acuerdo con un extendido tópico de la época, el único efecto positivo que las féminas parecen tener en el hombre es su capacidad de estimular en ellos la ambición de ser y de tener más, para destacar en la carrera por la conquista de la mujer deseada, de forma que ellas acaban siendo uno de los motores fundamentales—aunque indirectos—del progreso social que los varones protagonizan en exclusiva. Así el industrial Florio Oliván y el ingeniero Lawell comparten la misma motivación a la hora de afrontar el trabajo, ganar dinero para seducir, primero, y mantener, después, a las mujeres que quieren: "¿Sabes lo que pienso, amigo mío? Que todos o casi todos los avances que el hombre logra en su camino tienen como impulso secreto la mujer" (Fernández Flórez, *Las siete columnas* 3:190). La mujer, presentada fundamentalmente como objeto de deseo, es el motor de actividades profesionales como la moda, destinada, según esta visión, a que las féminas puedan exacerbar la lujuria masculina y se incentive así la reproducción. De hecho, una vez que desaparecen los siete pecados capitales sobre la tierra, y entre ellos la lujuria, se observa un grave deterioro económico y demográfico en el país: "La mujer no se hermosea, no se adorna. Ya no trabajan para procurar incitaciones a sus encantos las muchedumbres que, desde el cazador de pieles y plumas al modisto, desde el cultivador de gusanos de seda al joyero, se consagraban a servir su afán insaciable de realzarse, de embellecerse, de lucir..." (3:363). Es materia de crítica, en cambio, el que las mujeres promuevan en los hombres conductas violentas con su admiración hacia la fuerza bruta (Fernández Flórez, *El secreto de Barba-Azul* 2:222 y 282). El autor sugiere, incluso, su tendencia a rendirse amorosas ante los hombres que las atemorizan con amenazas, como se afirma, sin ir más lejos, en el relato "Mi mujer," incluido en la serie *Fantasmas* (1930): "Os aconsejo que si aspiráis a que una mujer os ame profundamente y permanezca fiel a vosotros, le hagáis comprender a tiempo que sois capaces de toda violencia y de toda crueldad" (Fernández Flórez 3:782).

La mayor parte de sus personajes masculinos defiende como el modelo femenino ideal a la esposa abnegada, madre de sus hijos y también de su marido, dispuesta en todo momento al sacrificio en favor de los suyos. Así describe César, en el relato "El encuentro," ese modelo de "perfecta casada" que ha creído encontrar en Fidela: "¡El bien de una esposa sencilla y tierna!... ¿Con qué pagarlo?... ¡El cariño sumiso, hondo, todo el tranquilidad, todo miel de dulzura, todo sacrificio!... ¿Cómo encontrar, perdido este bien, otro

bien tan grande?..." (Fernández Flórez, *Tragedias de la vida
vulgar* 1:847).[9] Sin embargo, las expectativas de los protagonistas masculinos de sus novelas respecto de las mujeres se
muestran esencialmente contradictorias. Estos mismos hombres se lamentan de unas relaciones personales incompletas,
frustrantes, con unas mujeres siempre silenciosas y obe-
dientes, que inevitablemente asocian con la escasa lucidez
mental y con el aburrimiento. Así, Luciano, el protagonista
de *La casa de la lluvia* (1925), convive durante años con una
mujer siempre callada, sumisa y abnegada:

> Teresa me contempló admirativamente y me besó. La
> verdad es que me admiraba siempre y que tenía de mi
> superioridad un concepto que excede aún al que tengo
> yo de mí mismo. [...] / Nunca habla de sí misma, y creo
> que tampoco piensa en sí. Tengo la seguridad de que
> nació con propensión al sacrificio y que inconsciente-
> mente lo ama y lo desea; aplica a los dolores ajenos una
> sensibilidad de que carece para los propios. (Fernández
> Flórez 2:417)

Llegado el momento, no duda en abandonarla para fugarse
con una menor. Se percibe, con todo, una solidaria comprensión hacia este hombre, que encarna el clásico modelo
literario del "viejo" seducido por la bella "niña." Las reflexiones del escarmentado amante cierran la novela con un
rendido elogio a la esposa que siempre le cuidó y le quiso,
recibiéndole sin preguntas ni reproches tras su abandono:
"¡Santa mujercita, hermana, y madre, y esposa: acabo de
pensar que tu alma es mansa y arrulladora como la lluvia!
Nunca me has causado una gran alegría ni un gran dolor;
pero el suave río de mi felicidad nace de ti. Juntos enve-
jecemos; pero en tu corazón, como a un buen vino, los años
hacen más generosa la ternura" (2:495).[10] El misterioso
silencio de otra mujer casada, Marta, queda a su vez explicado por su marido, Mauricio Dosart, como fruto de su total
falta de inteligencia en *El secreto de Barba-Azul*. La convivencia entre ambos desvela para él la verdadera naturaleza
del aparente "misterio" femenino:

En verdad, Marta había sido siempre igual. Su mirar un poco ingenuo, eternamente un poco asombrado, era aquel mirar en que Mauricio hallaba la luz de pensamientos sutiles, la sonrisa con que acompañaba su incomprensión era aquella sonrisa que el amante advertía llena de significados trascendentales e ingeniosos. Todo aquel mutismo y aquella vaguedad le hablaban antes elocuentemente. Era él mismo quien ponía inteligencia en los ojos que le miraban e intención en los labios que le sonreían. (Fernández Flórez 2:333)

Pero, al mismo tiempo, se repite en varias de estas obras el prototipo clásico de la *femme fatale*. En la relación sentimental, el hombre aparece a menudo presentado como objeto de sus continuos engaños. No puede extrañar, por ello, el que se incida una y otra vez en la interesada utilización del hombre, visto generalmente por la mujer como único medio de supervivencia, aunque se atisban en algunos casos, de modo incipiente, los cambios en la situación femenina que empezaron a subvertir levemente su tradicional dependencia económica durante los años 20 y 30.[11] Los protagonistas masculinos de estas novelas aparecen así retratados como víctimas frecuentes de la infidelidad femenina y de la insensible manipulación sentimental que las mujeres llevan a cabo. Es el caso de la ya citada Natalia, en *Ha entrado un ladrón*, mujer sin escrúpulos que ha sobrevivido en la ciudad siendo la amante sucesiva de varios jóvenes para conquistar después a un rico heredero que la mantiene durante meses en su piso madrileño (Fernández Flórez 1:502-04). Responde al mismo antiprototipo femenino la figura de la joven criada Federica, protagonista de *Volvoreta*. En esta última novela, la clásica historia de la criadita joven seducida por el señorito acaba convertida en un proceso inverso de victimización masculina, puesto que Sergio deja su casa y la sigue a la ciudad cuando su madre, al enterarse de la consumación de sus amores, la despide. Pero allí resulta engañado por esta mujer sin pudor ni tapujos morales, que acepta vivir secretamente mantenida en un piso por el señor de la nueva familia para la que trabaja. También fue víctima de una mujer fatal el citado

Luciano, en *La casa de la lluvia* (1925), quien resulta manipulado por una joven belleza a la que ingenuamente cree haber conquistado, aun después de haber sido testigo de cómo otro varón maduro perdía por ella la razón y la vida.

La clásica dualidad entre la mujer honesta, ideal para esposa, y la mujer frívola y libertina, que sólo puede ser amante, articula una y otra vez la visión de la identidad genérica femenina que ofrece el escritor en sus obras. Destaca en este sentido la oposición frontal entre María Luz, la novia dulce que siempre espera, y Diana, la mujer dominada por la pasión, en *La procesión de los días*. Ambos términos dicotómicos—la virgen/ la puta—(Etxebarría) se asocian, además, directamente, con la incipiente convivencia en el período de dos modelos de mujer enfrentados: el ángel del hogar (María Luz) frente a la mujer moderna (Diana). El joven protagonista de esta temprana novela de Fernández Flórez, Carlos Herrera, se deja llevar por el instinto y mantiene durante su aburrida estancia en la pequeña población a la que le destinan una intensa relación pasional con Diana, la joven "modernista" y rebelde, que rechaza los convencionalismos y se muestra fría y escéptica respecto del ideal sentimental imperante.[12] Tras unos meses de intensa pasión, Carlos vuelve, sin embargo, al amor tranquilo y romántico de la "virginal" Mari Luz, su novia de siempre que le espera en la ciudad natal. Ella encarna a la perfección el casto ideal de "la esposa dulce [...] un poco madre y un poco hermana de su propio marido" (Fernández Flórez 1:52), con un alma tranquila, "hecha de sacrificios y de resignación" (1:91). Cual fiel Penélope, "esperaba, enferma de esperar, pero callada, en un melancólico y resignado silencio [...] sin las llamadas estridentes de la pasión" (1:145).

El desenlace de esta novela sirve una vez más de ejemplo para entender el discurso aparentemente contradictorio entre la crónica satírica de los "usos amorosos" establecidos que sirve de arranque al planteamiento narrativo de Fernández Flórez y la opción final de su protagonista masculino por el modelo tradicional femenino. Una elección que se opone a la denuncia explícita que el protagonista de *Relato inmoral* llevara a cabo, pocos años después, de la imposibilidad de disfrutar del amor en un país en el que el muro que se alzaba entre ambos sexos se basaba, precisamente, en la citada dicotomía en los modelos femeninos:

> Nadie goza del amor más que los casados o los que lo adquieren a tanto el suspiro. En ambos casos hay que contar con el permiso de la autoridad. La autoridad da a las mujeres su *placet* para casarse y su *placet* para pendonear. A unas y otras las inscribe en dos registros. Ambos pueden refugiarse bajo este título genérico: "Señoras que tienen licencia para fornicar." Y aun esto, naturalmente, dentro de ciertas sabias restricciones. En cuanto la mujer que no está incluida en estas listas se permite hacer una pirueta, caen sobre ella los demonios, la ley, el desprecio, el sarcasmo y hasta los tiros de revólver. (Fernández Flórez 3:55)

El análisis de las imágenes de mujer y la consecuente definición de su identidad genérica en la narrativa de Fernández Flórez ofrece interesantes resultados en relación con la situación social de la mujer española y su reflejo en el imaginario colectivo de la época. Resulta además especialmente útil reflexionar sobre este aspecto en relación con la compleja cuestión de la ideología del escritor gallego. Estamos ante un autor considerado a menudo representativo de una postura ideológica firmemente conservadora. Sin embargo, es posible encontrar abundantes ejemplos de un talante heterodoxo y crítico en su producción de los años 20 y 30. Destaca en este sentido su actitud de denuncia frente a la hipocresía que se escondía, en su opinión, tras muchos de los valores sociales predominantes: el patriotismo, el sentido calderoniano del honor, la honrada eficacia del gran capital, el clericalismo rampante, etc. A esta misma actitud responde su abierta repulsa de una moral sexual represiva que impedía el normal desenvolvimiento de las relaciones entre los sexos y su defensa de las madres solteras, el control de natalidad y el aborto.

Se confirma, sin embargo, la aparente contradicción entre las abundantes y reiteradas muestras de progresismo ideo-

lógico que revela su revisión crítica de la moral nacional y la
reproducción especular del cronista que se limita a reflejar el
predominante esquema tradicional decimonónico en la definición de la identidad femenina. La mujer aparece así retratada
como mero objeto del deseo masculino (la imagen anhelada,
la amante secreta, la mujer que vende sus favores...), cuando
no se ajusta simplemente al modelo de novia/esposa casta y
abnegada. La perspectiva de un omnipresente narrador masculino (en primera o tercera persona), vela siempre su inte-
rioridad, de modo que lo desconocemos casi todo de lo que
ellas mismas piensan y sienten. Semejante ausencia de un
desarrollo psicológico más completo de los personajes femeninos apunta, sin duda, a un fenómeno general de objetualización que aparece a menudo acompañado de ese elogiado silencio en el que permanecían la mayor parte de las féminas en
sus novelas. Recuperar los rostros y las voces de esas figuras
secundarias, generalmente pasivas, que aparecen en su narrativa sólo será posible de manera indirecta. Para ello, los
lectores interesados pueden intentar acceder a la creación
literaria de las escritoras españolas que fueron sus contemporáneas: Carmen de Burgos, Concha Espina, *Halma Angélico*,
María de la O Lejárraga, Mª Teresa León, *Magda Donato*,
Concha Méndez, Pilar Millán, Margarita Nelken, Pilar de
Valderrama, etc., unas creadoras que se interesaron por
llevar a la literatura los problemas de la condición social
femenina y la particular forma de vivirlos de las españolas de
entonces.

NOTAS

1. Véanse los análisis sobre las imágenes femeninas en las
producciones de los autores teatrales actuales (Nieva, "Luces y
sombras") y la revisión del mismo asunto en el teatro de Alejandro
Casona (Nieva, "Imágenes femeninas").
2. Estas novelas no han sido utilizadas en este estudio porque, al
alejarse de la crónica de costumbres y centrarse en la denuncia política en el contexto bélico, no ofrecen información de interés sobre las
cuestiones relacionadas con la imagen e identidad femeninas.

3. Así se manifiesta también el protagonista de otra novela, Federico Saldaña, en *Huella de luz* (1924): "He tenido algunas novias y he conocido bastantes mujeres; pero no me quedó de ellas más que un recuerdo tedioso; eran modistas alocadas o tristes señoritas empobrecidas, cuyas madres parecían mirarme con ojos de súplica, en los que se leía: '¡Cásese usted! Nos hace mucha falta. Son cinco hijos, Mi marido es oficial segundo. Cásese. La niña sabe guisar y coser ropa blanca.'/ Paseábamos melancólicamente por la calle Mayor. Todos los conocidos nos saludaban a cada vuelta, y nosotros saludábamos también. Hablábamos lánguidamente, en un ambiente lánguido. [...] No sé qué rabia secreta sentía yo entonces contra la novia mal vestidita y contra la paciente madre y contra mí por no saber triunfar varonilmente de aquella miseria disimulada que nos envolvía a todos" (Fernández Flórez 4:470).

4. En relación con esta misma cuestión, véase la reflexión más optimista del padre protagonista de la trágica historia relatada en su anterior novela *La familia Gomar* (1922) (Fernández Flórez vol. 2).

5. Véase también el relato "La voz de la sangre" en *Tragedias de la vida vulgar (Cuentos tristes)* (1922), donde se denuncia el egoísmo de un padre que, en el último tramo de la vida, no ayuda ni reconoce legalmente a la hija que tuvo de joven con una mujer soltera (Fernández Flórez 1:799-804).

6. "Interroguen ustedes a un médico y les referirá que la proporción de las mujeres insensibles al amor es enorme, y aun las de aquellas que experimentan con sus prácticas repugnancia o angustia" (Fernández Flórez 3:407).

7. El narrador en primera persona recuerda años después con cierta nostalgia esa breve convivencia, tan violentamente interrumpida por él. Su reflexión codifica, una vez más, las caracterizaciones dicotómicas "fuerza-debilidad" y "poder-dependencia" que han articulado durante siglos la identidad de ambos géneros sexuales: "Fueron, apenas, aquellos episodios unos pasos de mujer, que vino de no sé dónde y no sé adónde se marchó. No he vuelto a verla. Pero en mi corazón, terso y duro, creo que aquellos pasos, tan leves, tienen aún una huella, una débil huella, que yo, tan fuerte, no consigo borrar..." (Fernández Flórez 4:404).

8. Parecida sensualidad desbordada destila la imagen de las bañistas que evoca el protagonista masculino de *La procesión de los días*: " Cuando las jovencitas honestas corrían hacia el mar, ceñidas con los trajes de baño, la idea del cuerpo blanco y tibio y palpitante, fácilmente adivinable bajo aquella única tela del traje, le escalofriaba de voluptuosidad. Se veía la carne femenina en el comienzo de una pierna; casi se veían después, cuando avanzaban hacia la playa, terminado el baño, los pechos y las caderas y las

líneas todas del cuerpo, al que se adhería el liviano traje empapado
en el agua del mar. [...] Carlos sentía nacer a veces en lo íntimo un
vehemente afán de tigre encelado" (Fernández Flórez 1:95-96).

9. De manera similar se manifestaba el maduro caballero que
permaneció muchos años soltero para añorar después el desconocido
calor conyugal: "De toda su vida—una vida frívola de cuartel y
Casino—quedaba ahora un deseo agudo de paz, se sorprendía
muchas veces descubriendo un grato aspecto, una seducción íntima
y conmovedora en la vida del hogar: la mujer sencilla y pulcra,
atenta y fiel, una mujercita vulgar que hiciese *crochet* en las veladas,
que mezclase a un cariño sosegado un callado respeto a la
hegemonía del varón" (Fernández Flórez, "Al declinar la vida,"
Tragedias de la vida vulgar 1:840).

10. Igualmente insignificante, completamente anodina, le resulta
Susana, la antagonista femenina de *La familia Gomar*, a su desen-
cantado marido (Fernández Flórez 2:565). Disfrutadas las primeras
efusiones conyugales, Virgilio comprende que su vulgar matrimonio
le ha atrapado en una red que conduce únicamente a la procreación.
Cuando su esposa plantea la posibilidad de incrementar el humilde
salario que su marido ingresa como portero alquilando habitaciones
en casa, las reflexiones que a él se le ocurren plantean una vez más
un mensaje fundamentalmente misógino, que ridiculiza la iniciativa
laboral femenina (2:568).

11. Frente a la firme oposición de su madre, que rechaza las
modernas y extravagantes ideas de su hija Silvia, la novia de Carabel
decide finalmente ponerse a trabajar como mecanógrafa para no ser
obligada a casarse con el primer pretendiente económicamente sol-
vente que pida su mano (Fernández Flórez, *El malvado Carabel*
2:974).

12. "Los cariños son iguales siempre, amigo mío. Sólo varía lo que
pudiéramos llamar impaciencia amatoria. Una mujer espera tres
años a que regrese el novio que fue a hacer fortuna. La llamamos
fiel, y es, sencillamente, sosegada. En el mismo caso admite un
galanteo: lo creemos traición, y es ansia de amar, que no pudo ser
contenida. Pero, en el fondo, quiere igual y son siempre iguales sus
caricias y hasta sus palabras. Se puede encontrar un temperamento,
pero no un alma distinta, Después, en la calma, en el matrimonio, la
semejanza de los casos resalta con más fuerza. Todos los matrimonios siguen el mismo proceso sentimental. [...] –¡Le estoy asus-
tando!/ Carlos protestó; pero, en realidad, estaba desorientado ante
aquella atrevida filosofía expuesta tan llanamente ante él, casi un
desconocido, por una muchacha pueblerina, forzosamente educada
en un ambiente de hipocresía y de extremado respeto a las con-

veniencias mundanas" (Fernández Flórez, *La procesión de los días*, 1:46).

OBRAS CITADAS

Bourdieu, Pierre. *La dominación masculina*. Barcelona: Anagrama, 2000.

Ciplijauskaité, Biruté. *La novela femenina contemporánea (1970-1985). Hacia una tipología de la narración en primera persona.* Barcelona: Anthropos, 1988.

Chabás, Juan. *Literatura española contemporánea 1898-1950*. Ed. Javier Pérez Bazo y Carmen Valcárcel. Madrid: Verbum, 2001 (1ª ed. 1952).

Chodorow, Nancy. *The Reproduction of Mothering*. Berkeley: University of California Press, 1978.

Díaz-Plaja, Fernando. *Wenceslao Fernández-Flórez. El conservador subversivo*. A Coruña: Fundación "Pedro Barrié de la Maza Conde de Fenosa," 1998.

Domingo, José. "Wenceslao Fernández Flórez: un humorista en soledad." *La novela española del siglo XX. 1-De la Generación del 98 a la Guerra Civil.* Barcelona: Labor, 1973. 121-26.

Durán, Mª Ángeles y José A. Rey, eds. *Literatura y vida cotidiana. Actas de las IV Jornadas de investigación interdisciplinaria.* Zaragoza: Seminario de Estudios de la Mujer de la Universidad Autónoma de Madrid, 1987.

_____ y M.D. Temprano. "Mujeres, misóginos y feministas en la literatura española." *Literatura y vida cotidiana. Actos de las IV Jornadas de investigación interdisciplinaria.* Ed. Mª Ángeles Durán y J.A. Rey. Zorposa: Seminario de Estudios de la Mujer de la UAM, 1987. 415-87.

Echeverría Pazos, Rosa María. *Wenceslao Fernández Flórez. Su vida y su obra*. A Coruña: Diputación Provincial, 1987.

Ena Bordonada, Angelo. *Novelas breves de autoras españolas 1900-1936*. Madrid: Castalia, 1990.

Ellmann, M. *Thinking About Women*. New York: Harcourt Brace Janovich, 1968.

Entrambasaguas, Joaquín de. "Wenceslao Fernández Flórez." *Las mejores novelas contemporáneas. 1940-1944.* 2ª ed. Vol. X. Barcelona: Planeta, 1967. 753-821.

Etxebarría, Lucía. *La Eva futura*. Barcelona: Destino, 2000.

Fernández Flórez, Wenceslao. *Obras Completas.,* 9 vols. Madrid: Aguilar, 1968. (1ª ed. 1945-1964).

Fernández Insuela, Antonio. *Homenaje a Alejandro Casona en su Centenario.* Oviedo: Universidad, 2005 (en prensa).

Fernández Santander, Carlos. *Vida y obra de Wenceslao Fernández Flórez.* A Coruña: Diputación Provincial, 1987.

Floeck, Wilfried y Mª Francisca Vilches de Frutos, eds. *Teatro y Sociedad en la España actual.* Madrid-Frankfurt am Main: Vervuert, 2004.

Gilbert, S. y S. Gubar. *The Madwoman in the Attic: The Woman Writer and the Ninetienth-century Literary Imagination.* New Haven: Yale University Press, 1979.

_____. *No Man's Land: The Place of the Woman Writer in the Twentieth Century.* 3 vols. New Haven: Yale University Press, 1988.

Halcón, Manuel. "D. Wenceslao Fernández Flórez." *BRAE* 44 (1964): 7-16.

Johnson, Roberta. *Gender and Nation in the Spanish Modernist Novel.* Nashville, Tenn.: Vanderbilt University Press, 2003.

Kirkpatrick, Susan. *Mujer, modernismo y vanguardia en España (1898-1931).* Madrid: Cátedra, 2003.

Mainer, José Carlos. *Análisis de una insatisfacción: las novelas de W. Fernández Flórez.* Madrid: Castalia, 1975.

Martín Gaite, Carmen. *Usos amorosos del dieciocho en España.* Barcelona: Lumen, 1981.

_____. *Usos amorosos de la postguerra española.* Barcelona: Anagrama, 1987.

Miguel, Amando de. *El miedo a la igualdad: varones y mujeres en una sociedad machista.* Barcelona: Grijalbo, 1975.

_____. *Cien años de urbanidad: Crítica de costumbres de la vida española.* Barcelona: Planeta, 1995.

Miller, Beth, ed. *Women in Hispanic Literature: Icons and Fallen Idols.* Berkeley: University of California Press, 1983.

Moers, Ellen. *Literary Women.* New York: Anchor Books, 1977.

Nieva de la Paz, Pilar. *Autoras dramáticas españolas entre 1918 y 1936.* Madrid: CSIC, 1993.

_____. "Luces y sombras de la nueva identidad femenina en el teatro español actual." *Teatro y Sociedad en la España actual.* Ed. Wilfried Floeck y Mª Francisca Vilches de Frutos. Madrid-Frankfurt am Main: Vervuert, 2004. 65-86.

_____, introd. y ed. *Wenceslao Fernández Flórez. El bosque animado.* Madrid: Marenostrum, 2005 (en prensa).

_____. "Imágenes femeninas entre la realidad y el deseo: *La sirena varada* y *La dama del alba,* de Alejandro Casona." *Homenaje a Alejandro Casona en su Centenario.* Ed. Antonio Fernández Insuela. Oviedo: Universidad, 2005 (en prensa).

Nora, Eugenio de. "Wenceslao Fernández Flórez." *La novela española contemporánea (1927-1939)*. Madrid: Gredos, 1968. 7-39.

Oñate, Mª del Pilar. *El feminismo en la literatura española*. Madrid: Espasa-Calpe, 1938.

Palomo, Mª del Pilar. "El realismo mágico de *El bosque animado.*" *Wenceslao Fernández Flórez (1885-1985)*. VV.AA. A Coruña: Ayuntamiento, 1985. 27-30.

Pratt, Annis. *Archetypal Patterns in Women's Fiction*. Hemel Hemmpstead: Harverster Wheatsheaf, 1982.

Verdú, Vicente y Alejandra Ferrándiz. *Noviazgo y matrimonio en la burguesía española*. Madrid: Edicusa, 1974.

Vilches de Frutos, Mª Francisca y Dru Dougherty. *La escena madrileña entre 1926 y 1931: Un lustro de transición*. Madrid: Fundamentos, 1997.

Villanueva, Darío. "Fernández Flórez: de Valle Inclán y el Modernismo a la Posmodernidad." VV.AA. A Coruña: Ayuntamiento, 1985. 33-37.

VV.AA. *Wenceslao Fernández Flórez (1885-1985)*. A Coruña: Ayuntamiento, 1985.

Zavala, Iris, dir. Breve historia feminista de la literatura española (en lengua castellana). Vols. II y III: La mujer en la literatura española. Barcelona: Anthropos, 1995 y 1996.

FILIACIONES VALLEINCLANESCAS EN *DIVINAS PALABRAS*

JOSÉ MANUEL PEREIRO-OTERO
University of Texas at Austin

The World, the Text and the Critic, la colección de ensayos publicada en 1983 por el reciente y lamentablemente desaparecido Edward Said, explora las intersecciones entre la crítica literaria y el mundo socio-cultural entre finales del siglo XIX y principios del XX. Uno de los argumentos que centran la discusión del autor se relaciona con la crisis de los procesos de filiación que se presentan en el arte de ese período y que son sustituidos por relaciones afiliativas que dependen más de factores culturales que de relaciones naturales (20). Así, se dice:

> Relationships of filiation and affiliation are plentiful in modern cultural history. One very strong three-part pattern, for example, originates in a large group of late-nineteenth and early-twentieth century writers, in which the failure of the generative impulse—the failure of the capacity to produce or generate children—is portrayed in such a way as to stand for a general condition afflicting society and culture together, to say nothing of individual men and women. (16)

La lista de escritores que se ven afectados por dicha temática relacionada con la problemática capacidad de generar y estabilizar unas relaciones filiativas es sustancial: Mallarmé, Oscar Wilde, James Joyce, Thomas Mann, T. S. Eliot, Samuel Butler, Thomas Hardy, Marcel Proust, Joseph Conrad, etc.

Ya sea porque son vistos como precursores, ya sea porque
pertenecen al mundo de esa época o estética, todos ellos han
sido relacionados o bien con lo que en el hispanismo conocemos con el nombre de vanguardias, o bien con lo que en el
mundo anglosajón se denomina *Modernism*.

A estos nombres, vamos a añadir en este trabajo el de don
Ramón del Valle-Inclán, otro "autor moderno" (Iglesias
Feijoo, "Valle-Inclán e o mundo" 121), ya que la problemática
de la filiación en la obra de Valle es una de las verdaderas
constantes que se repite en la mayoría de sus obras.[1] En
unas, forma parte explícita del conflicto dramático porque lo
genera, como sucede en las *Comedias bárbaras* (1907, 1908,
1922). En otras, el conflicto no ocupa el centro de la acción,
pero siempre está presente de una forma u otra: madres con
hijas y sin marido, padres con hijos y sin esposa, madres o
maridos ausentes, padres o esposas ausentes, hijos sin padres
y viceversa. Estas son algunas de las formas específicas con
las que la cuestión filiativa se expresa en su obra desde el
cuento "¡Vía Crucis!" (1888) hasta *Tirano Banderas* (1926,
1927), pasando, entre otras, por las *Sonatas* (1902-1905),
Jardín Umbrío (1903, 1914 y 1920), *Flor de santidad* (1904,
1913, 1920), *El embrujado* (1913), *Luces de Bohemia* (1920,
1924), etc. En este sentido, convendría matizar que la tesis
explicada por José Antonio Maravall acerca de las características del mundo arcaico valleinclaniano no aluden a esta circunstancia, motivo por el cual quizá se debería reconsiderar
si realmente los valores de esta sociedad son, efectivamente,
los que se proponen como modélicos. Dada la complejidad y la
extensión de dicho tema, este trabajo se limita a *Divinas
palabras* (1920),[2] obra en la que, como vamos a ver, dicho
núcleo temático alcanza una elaboración y un desarrollo especialmente significativo. En la subtitulada *Tragicomedia*, la
problemática de la filiación se extiende de la familia a toda la
sociedad, marcando una crisis total del tejido social que se ve,
a su vez, reflejada en la textualidad de este "modernist work"
(Bretz 203) y en la constitución de todo su entramado
semántico.

Un mundo en el que no se ha podido dar la "comunión en
la misa" (527) porque "No había partículas en el copón"

(527), tal y como se afirma en la primera escena de la tragicomedia, parece un mundo en el que los hilos que tejen el tapiz divino han desaparecido o se han roto. Parece, entonces, que, por una parte, "Dios no está en el sagrario" (Escribano 559) porque no se ha podido comulgar y, por otra, que la divinidad le ha dado la espalda a sus hijos, tal y como Lucero afirma—"Dios no mira lo que hacemos: Tiene la cara vuelta" (526). Así, el insulto "¡Descomulgado!" (526) que Pedro Gailo dirige al farandul es, en realidad, una característica de todo el pueblo que no ha podido comulgar aunque hayan asistido a la misa. No obstante, la comunión no es el único sacramento que se ve problematizado en este mundo. Según Pedro Gailo, el santo matrimonio es la base de esta organización social y en éste, según la doctrina de la iglesia que él defiende y representa de una forma indirecta, "La mujer se debe al marido, y el marido a la mujer. Los dos usan de sus cuerpos por el Santo Sacramento" (562). Sin embargo, en la práctica, lo que sucede es precisamente lo contrario, es decir, "¡La mujer se desgarra de su casa!" (562). En este contexto concreto, el peligro que puede romper y hacer peligrar la estabilidad de la unión matrimonial no es otro que el adulterio.[3]

Como sabemos, en la primera escena del primer acto es donde se introduce la posibilidad del adulterio de Mari-Gaila cuando Lucero le pregunta a su perrita, "¿*Coímbra*, tendrías ciencia para conocer si este amigo está llamado a ser de la Cofradía de los Coronados?" (528). Este es el conflicto central en el que se ha fijado la exégesis de la obra porque gira alrededor de los Gailo, pero, la disolución de los vínculos que supone la sombra del adulterio, significativamente, no se limita al matrimonio del sacristán. En esa misma escena, Poca Pena, la coima de Lucero, reacciona de la siguiente forma ante la insinuación de que quizás él no sea el padre del niño: "Tú mismo eres a titularte de cabra" (526). Significativamente, algo que se ha olvidado o pasado por alto, es que la posilibilidad del adulterio no solamente pesa sobre Lucero y Pedro Gailo, sino también se explicita como parte inherente de esta sociedad. El extraordinario intercambio entre Milón de la Arnoya y Mari-Gaila en la última escena de la obra, muestra con indiscutible maestría, el control que puede ejercer el lenguaje como un medio de defensa y ofensa. Al aludir indirectamente a la posibilidad de que Milón sea otro de los muchos cornudos que aparecen en la obra, la sacristana consigue con sus palabras lo que no puede lograr por la fuerza:

> MARI-GAILA. –¡Suelta, Milón! Si calladamente me lo pides, te lo concedo, ¡Suelta!
> MILÓN DE LA ARNOYA. –No suelto
> MARI-GAILA. –¡Eres bárbaro, y no temes que en otra ocasión sea tu mujer la puesta en vergüenza!
> MILÓN DE LA ARNOYA. –Mi mujer no es tentada de tu idea.
> MARI-GAILA. –¡Mal sabes tú a quién tienes en casa!
> MILÓN DE LA ARNOYA. –¡Calla, malvada!
> MARI-GAILA. –Suéltame, y otra hora, donde me señales, te daré un aviso de provecho. ¡Suéltame!
> MILÓN DE LA ARNOYA. –¡Vete y confúndete, que ya me dejas la condenación! (590)

Tal y como ha dicho Sumner Greenfield, Mari-Gaila "Aquí más que nunca sigue fiel a sí misma … y con su labia se salva de ser violada" ("*Divinas palabras* 580). Ella, como no puede competir en fuerza física con el "*gigante rojo*" (589), usa la fuerza de la palabra como la única vía de defensa. La simple sugerencia del engaño deja sin fuerza al hombre y sin ganas de seguir persiguiéndola, solamente con haber plantado la semilla de la duda en su conciencia.

El problema principal es que en esta sociedad no está permitido que dicha unión se deshaga. Incluso Poca Pena, la que no parece estar casada con Lucero, tiene problemas para romper los lazos que la ligan a su compañero. Si su intención al final se lleva a término no lo sabemos porque, a pesar de que ella afirma "Romperé la esclavitud de esta vida. Me desapartaré de ti" (528), no vuelve a aparecer en la obra y los datos que luego Séptimo Miau ofrece son, o contradictorios, o poco concretos. Por su parte, cuando Pedro Gailo se plantea al hablar con su hermana, Marica del Reino, la separación, lo hace en los siguientes términos:

PEDRO GAILO. –Para alcanzar alguna cosa tendría que matarla. Las tundas no bastan, porque se me vuelve. ¡Considera!

MARICA DEL REINO. –Pues desuníos.

PEDRO GAILO. –Nada se remedia.

MARICA DEL REINO. –Esa mala mujer te tiene avasallado.

PEDRO GAILO. –Si un día la mato me espera la cadena. (557)

En palabras de Adelaida López de Martínez, aquí "Pedro Gailo se queja de que no puede hacer nada porque su mujer es físicamente más fuerte que él, y que además, está enfermo y no quiere correr el riesgo de terminar sus días en la cárcel" (22). De esta manera, se ve cómo el conflicto matrimonial no tiene solución, además de porque no se pueden separar, porque Mari-Gaila no se subordina a la autoridad del hombre. Incluso, a diferencia de lo que pasa con Milón de la Arnoya, ni siquiera el uso de la violencia física es un recurso que puede adoptar el marido porque ella puede responderle de la misma forma y, según el sacristán, no sería la primera vez que lo hiciera.

En este sentido, es importante recordar que la voz de las acotaciones se refiere al *"matrimonio de los Gailos"* (538) o *"La casa de los Gailos"* (577), mientras que la Tatula afirma que "Pedro Gailo el sacristán, en sus papeles es Pedro del Reino" (535). Este dato es significativo porque el orden patriarcal aparece invertido desde el momento en que el marido ha asumido el apellido o mote—esto nunca se clarifica—de su esposa y no viceversa. Es más, el gallo del corral, Pedro, y la gallina, o mejor dicho, Mari-"Galla" son sucesivamente ponderados por sus similares atributos, los que, además de equipararlos, los enfrenta.[4] El Compadre Miau valora admirativamente a Mari-Gaila "¡Y el pico!" (554; también en Maier 196) que tiene jugando con la significación literal y la metafórica de la palabra. El caso es que si ella es quien tiene pico en el gallinero, trata a los otros como las "gallinas" y, debido a esto, Marica del Reino pude provocar a su hermano diciéndole "¡Ay, hermano mío, otro tiempo tan gallo, y ahora te dejas así picar la cresta!" (556). Jugando con las acepciones de la palabra "picar," Mari-Gaila también por su parte exclama acerca de las intenciones de su marido tras regresar a la casa: "¡Hasta habló de picarme el cuello!" (578). Y esto no parece ser sino el pico del iceberg porque incluso Simoniña, en el momento en el que le impide a Marica del Reino el paso con el carretón, su tía le responde que se empeña "En pasar y en picarte la cresta" (579) tal y como hacen los gallos con las gallinas. Parece que en la casa de los Gailos, donde "*las galllinas se acogen bajo la piedra morna de las llares*" (561), hay demasiados "gallitos" para un solo corral. Es decir, las relaciones de poder no siguen ni un criterio ni un orden pre-establecido ni una jerarquía explícita, sino que se encuentran en una constante fluctuación o renegociación.

Por estos y otros motivos las relaciones de filiación entre los personajes de *Divinas palabras* se ven fragmentadas al máximo. Este es un mundo en el que hay sacristán, pero no existe padre. Ni siquiera se menciona que exista un párroco que represente a Dios y que oficie la misa lo que parece ser uno de los motivos que podría explicar el estado de flujo constante y la inestabilidad en los que aparece la sociedad de la obra. El mundo natural no parece replicar el mundo humano, en el que tenemos muchos niños que no parecen tener padres a diferencia de otras gallinas y polluelos: "*Pica en el umbral una clueca con pollos, y tres críos, sucios, que enseñan las carnes, se desayunan sobre una higuera*" (547). De hecho, los únicos padres literales que tenemos son Pedro Gailo y Lucero, aunque tanto el uno como el otro tienen una idea un poco peculiar de lo que significa serlo.[5]

El primero lo es por partida doble, ya que lo es de Simoniña y, tras la muerte de su hermana Juana, así se declara junto a su sobrino: "¡Por padre tuyo putativo me ofrezco!" (538). Con respecto a su hija, no debemos olvidar que Pedro Gailo intenta cometer incesto con ella, Simoniña, bajo el efecto de una intoxicación etílica. Greenfield disculpa el acto con las siguientes palabras: "Pedro Gailo no es esencialmente un hombre malo. El aguardiente incita un deseo sexual que es natural en sí mismo, así como natural desde el punto de vista de la necesidad de afirmar su masculinidad. Todo esto a pesar de lo incestuoso de sus acciones" (*Valle-Inclán* 160). A pesar de la "naturalidad" del deseo, las consecuencias que la

cultura humana describe para los efectos del incesto en la
sociedad son múltiples y, en esencia, negativas:

> A traditional answer would be that were the incest
> allowed, disaster would ensue. Folktales, for example,
> claim that the earth would shake or darkness fall. Psy-
> chologists say that kin roles would become so confused
> no one would know who he or she "was." Political
> theorists argue that incest would upset authority and
> property relations within society. From a biological
> point of view, it has been argued that genetically those
> who breed in will die out. And so on. (Shell 3)

El segundo, Lucero, por su parte, expone otra de las
formas con las que pueden romperse los vínculos filiativos:
simplemente, abandonando a las criaturas. Así lo declara en
la primera escena del primer acto al sugerirle a Poca Pena
que "Tocante al crío, pasando de noche por alguna villa convendría soltarlo" (525).

Complementando a todos estos problemáticos "padres"
tenemos a los también problemáticos "compadres." Aunque,
tal y como todavía recoge la última edición del *DRAE*, en
algunas regiones de España esta palabra sea un sinónimo de
"amigo," en el contexto de *Divinas palabras*, en donde las relaciones de filiación se encuentran en una franca y evidente
crisis, resulta importante no dejar de señalar la ambivalencia
semántica de los términos. Incluso ese segundo significado de
"amigo" tendría que ser interpretado irónicamente dadas las
circunstancias en las que se utiliza. Por ejemplo, "Satanás"
(526, 527) es uno de ellos y otro, el "Compadre Miau" (531), a
quien se dirige por primera vez con ese nombre Miguelín el
padronés. No sabemos de ningún hijo de Miguelín cuyo
padrino de bautizo sea Miau y, por razones obvias, dudamos
de la existencia verídica de tal niño. Tampoco se menciona
que el hijo de Poca Pena sea ahijado de Miguelín, aunque
también éste se dirige a aquel con el mismo tratamiento
"Compadre" (533) e, incluso, intentando afrentarlo o provo-
carlo, al aludir a su orientación sexual, como "Comadre Mari-
cuela" (533, 553). A este respecto, también es extremada-

mente significativo que Miau se dirija a Pedro Gailo en una
ocasión como "compadre" (587) haciendo que estos tres personajes compartan una misma línea semántica.

Por parte de las madres, la situación no es muy diferente,
excepto en la intensidad de su uso porque la extensión
tropológica de la figura materna es mucho mayor. Por ejemplo, tenemos personajes que, paradójicamente, no parecen
tener madre. Así lo declara la jocosa respuesta que el padronés le ofrece a la Tatula cuando ésta le pide que se acerque a
ayudar a Juana "por el alma de quien te trajo al mundo"
(531), o sea, por su madre. A dicha petición, él responde "Me
parió mi suegra" (531) subrayando la inutilidad pragmática
de los términos de parentesco. La gran diferencia entre lo que
sucede con las figuras paternas y las figuras maternas reside
en la relativa ausencia de las primeras y la omnipresencia de
las segundas. Después de Poca Pena, la siguiente madre que
conocemos no es otra que Juana del Reino. Ella, como ya
sabemos, muere en la escena segunda del primer acto a causa
de un ataque relacionado con el aparato reproductor o, en sus
palabras, "el propio lugar del pecado" (530) llamado, significativamente, "madre" (527). Resulta adecuado recordar que
ha sido ella la que, al reproducirse, ha gestado al baldadiño,
sin que nosotros sepamos, una vez más, de padre alguno. Esa
primera vez que Juana aparece tirando de su carretón, Pedro
Gailo se indigna ante sus palabras que llaman a la tierra,
significativamente, madre: "¡Madre llamas a la tierra! ¡Madre
es de todos los pecadores!" (527). No parece casual que el
sacristán haya proclamado momentos antes ante Lucero la
gloria de "Nuestra Santa Madre la Iglesia" (526)
contextualizando y anticipando su reacción ante las palabras
de la Reina. Más tarde, otro personaje todavía incidirá en otro
de los posibles significados religiosos de la palabra al recordar
la figura virginal de María en su exclamación de horror:
"¡Madre de Dios! ¡Madre de Dios!" (575). Tanto estas últimas
palabras como las que siguen pertenecen, no casualmente, a
otra de las madres de *Divinas palabras*, la que, no sin cierta
paradoja, resulta ser *"Una mujer encinta ... rodeada de críos
... con expresión triste y resignada de muerte lenta."* Esta otra
madre, la que, según las palabras con las que se la describe,

parece ahogada y agonizante entre tantos niños, justifica la muerte de Laureaniño como una versión del amor materno que, de una extraña manera, justifica y sitúa dentro de unas coordenadas lógicas el fallecimiento del baldadiño: "¡Su madre estaba a llamar por él!" (575).

Dada toda esta situación, cabe explorar, entonces, cuáles son las causas establecidas para este proceso de degeneración del entramado social. Por una parte, no sería lógico que *Divinas palabras* estuviera juzgando moralmente a los personajes porque, de hecho, si existe una tesis en la obra no es otra que la comprensión hacia la situación de los otros. Por lo tanto no coincidimos ni con la opinión de Pilar Cabañas— "Valle no construye un universo ni moral ni antimoral, sino simplemente amoral" (187)— ni con la opinion de John Lyon:

> The play poses difficult problems of interpretation, owing mainly to the apparent lack of an intellectual viewpoint. It would be difficult to encapsulate the action in any kind of moral or philosophical statement. It is a play which does not readily lend itself to analysis and the penciled line in the margin marking the "significant" passages. Critics have also been disconcerted by its moral ambiguity. (92)

En cambio, una de las ideas principales que la obra expone y defiende es el "contenido ético del cristianismo" (Umpierre 49; y, siguiéndolo a él Rodríguez 83). Es decir, se plantea y defiende la idea de que todos los seres humanos son pecadores, así que, antes de acusar, juzgar y condenar a alguien, conviene auto-examinarse. El resultado no es otro que la identificación con el pecador y, finalmente, la comprensión y el perdón. Por otra parte, es necesario incidir en que el lector/ espectador sí es testigo directo de que algunas de las causas de esta descomposición están directamente relacionadas con la avaricia y, literalmente, con el deseo de obtener beneficios puramente económicos de todas las situaciones y personas y, especialmente, de aquellos unidos por los lazos filiativos que se han descrito.

En ningún personaje se ve de forma más clara que en Laureano la relación entre sus características de "bien" inter- cambiable, como consecuencia de sus vínculos familiares.[6] Su representación en la obra es uno de los casos más significa- tivos de ese flujo semántico que intenta fijarse y estabilizarse pero que no puede hacerlo. La reducción a un mero objeto que se traspasa en herencia, que se puede alquilar (538) y que carece de características humanas es complementada con las imágenes metonímicas y metafóricas utilizadas para nom- brarlo. No sólo "El baldadiño es una magnífica fuente de ingresos" (Segura 299), sino que cuando se habla de él se suele utilizar el carromato como referente metonímico (ya señalado por Marrast 48 y Bermejo 163): "¡Mal sabéis lo que se gana con un carretón!" (534) dice la Tatula, "he de hacerme cargo del carretón" (536) perjura Mari-Gaila e, incluso, cuando el baldadiño muere, Serenín de Bretal observa "El carretón finó de muerte propia" (576). En este caso el proceso de deshumanización se ve contrarrestado o suplementado por el proceso de humanización del modo de transporte: lo cierto es que ambos pasan a formar una unidad semántica indisoluble en la que nombrar al uno es nombrar al otro.

Quizá todavía más significativo que el funcionamiento de la metonimia, puede ser el uso de la metáfora mediante la cual Laureano pasa a significar para los personajes los medios básicos de producción de riqueza en una sociedad rural y arcaica como la que estamos viendo. En el momento del reparto de la herencia se lo compara con una vaca o un molino (540-41), riquezas que, irónicamente y, según señalan los personajes, podrían repartirse mejor que el baldadiño. Además, no sólo "vale un horno de pan" (529; señalado por Marrast 48), sino, cuando vuelve a salir la comparación, no es cualquier tipo de horno, sino uno "¡De pan de trigo!" (536). Éste parece el motivo por el que, en el momento de su muerte, Mari-Gaila clama al cielo diciendo "no me llenarás el horno de panes, Jesús Nazareno!" (568). Otra de las signi- ficativas comparaciones la establece Miguelín, un poco antes de morir, al equipararlo con "un premio de la lotería" (565).

Mediante el uso de ambas figuras retóricas, Laureano se vacía de un contenido esencial en su parentesco con otros personajes pasando a ser visto potencialmente como un generador de capital: ahora más que nunca es una cosa definida por equivalencias semánticas y pecuniarias que lo han desprovisto de sustancia y lo han transformado en un "bien" (583). Incluso, a pesar de estos datos, Torrente Ballester opina que "Lo usan como medio de ganancia, pero también lo aman a su manera. Si le dan de beber es porque saben que le gusta, es porque el anisete escarchado lo hace, a su manera, feliz" (5). En este sentido, el único que lo llama "sobrino" es Pedro Gailo al decir cómo lo va a enterrar, a pesar de no tener el dinero para hacerlo: "Hay que muy bien lavarle la cara, rabecharle las barbas que le nacían, y ponerle su corona de azucenas. Como era inocente, le cumple rezo de ángel" (580). Este acto es uno de los que salva a Pedro Gailo a los ojos de algunos críticos porque define su "actitud ... serena y religiosa" (Dagum 214) y causa que "the grotesque tone recedes and a more human and generous portrait emerges" (Bretz 213). Lo cierto es que aquí se puede ver el único momento en el que se le concede una cierta humanidad al baldadiño, aunque, irónicamente, ya esté muerto y, definitivamente, se haya transformado en un objeto. Mejor dicho, éste es el único momento en el que otro ser humano reacciona ante él como frente a un igual. Una valoración idéntica en forma y fondo se verá replicada por la visión de Mari-Gaila al final de la obra en la que "For a brief moment, the laws of time and space are suspended, the veil is draw aside, revealing the eternal norms beyond" (Lyon 103). Es en ese momento mágico y epifánico que "*la enorme cabeza del IDIOTA, coronada de camelias, se le aparece como una cabeza de ángel*" (594), coincidiendo con las palabras que su marido había pronunciado anteriormente.

Gran parte de los conflictos que subyacen en *Divinas palabras*, entonces, son de origen filiativo y, como parte indisoluble, económico. Por un lado, Miguelín, tras dudar si repartir o no el dinero que le acaba de robar a Juana con Miau dice: "¡Cochinos ochavos! ¡Los aborrezco! ¡A pique estuvimos de reñir, compadre! Riña de enamorados" (533). No es

casual que el rifirrafe que los enfrenta a los dos traiga
recuerdos y rivalidades enquistadas desde hace tiempo
porque no olvidemos que uno de los motores que mueven la
acción en la obra es dicha confrontación entre los dos
"compadres." En el primer acto se pelean por el dinero que
Miguelín ha robado del carromato y que no quiere repartir
(532-34), buscando la venganza pasional o económica él será
el principal causante de la intoxicación y posterior muerte de
Laureano (564-67).[7] Esto llevará a Miau a desnudarlo y
humillarlo en la taberna—según nos enteramos por boca de
la Tatula en el acto tercero (581)—, acción que a su vez pro-
vocará que el padronés descubra a los habitantes de la aldea
la presencia de Mari-Gaila y Séptimo haciendo el amor (588),
lo que finalmente genera el desenlace del conflicto dramático.

No es fortuito, entonces, que desde este punto de vista, en
el mundo de *Divinas palabras* las palabras reflejen, como
hemos visto, no sólo las relaciones humanas, sino también un
intercambio pecuniario. Por eso o todo tiene un precio o está
relacionado de una manera u otra con el provecho, desde el
sobrino de Pedro Gailo hasta las relaciones ilícitas sexuales,
pasando por la ayuda que el Trasgo Cabrío ofrece a Mari-
Gaila—"¿Por qué precio me la otorgas?" (570)—o por la
relación entre ella y el Compadre Miau. Primero él le dice a la
sacristana que "Usted no puede apreciar" (559) el mérito de
su propia cara y, devolviéndole sus mismas palabras, ella se
queja un poco más tarde diciendo "Séptimo, ¡no me aprecias!"
(560). Los vínculos entre los personajes y las familias se
conciben, de este modo, como un simple intercambio de
monedas, de compra y venta que enfatiza paralelamente la
pérdida de valores que subrayen la identidad de las cosas por
lo que son en sí mismas; el significado de éstas depende ahora
de una red de relaciones sujetas a leyes de equivalencia
económica. En este sentido, la obra parece no defender una
interpretación marxista de la realidad, la que subrayaría que
"kinship is part of the economy" (Gregory 14), sino que cuestiona y reflexiona sobre esa relación entre ambas ya que la
equiparación es una de las causas de que el mundo representado se encuentre al borde del colapso.

Toda esta problematización del significado denotativo de las palabras que representan los lazos filiativos tiene que ver con el hecho de que, cuando éstas se utilizan en la tragicomedia de aldea, hay un objetivo diferente que desvía su significado. En este sentido, la observación puede argumentarse al ver el problema de quién se debe quedar con el baldadiño porque éste forma parte de un proceso biunívoco y simultáneo: los vínculos de parentesco tejen tramas hereditarias que representan una ganancia económica. En este momento, la obra representa dos acciones que obedecen al móvil de la repartición de la ganancia porque "Just as Miguelín and Compadre Miau agree to share the sack of money, Mari-Gaila and Marica del Reino agree to share the idiot" (Ling 331). En la escena que precede a la salomónica repartición del baldadiño, las dos mujeres lloran por Juana y los plantos que tradicionalmente expresan el dolor ante la pérdida del ser querido se van a utilizar de una manera oblicua con la intención, precisamente, de afirmar y enfatizar los derechos hereditarios y de sucesión en el usufructo del sobrino común. Tal y como lo expresa Warner, "The *plantos* of Mari-Gaila and Marica del Reino ... are public assertions of ties of kinship with the deceased, and thus, of claims to their property" (346) que revelan, usando las palabras de Elio Alba, "la avaricia que mueve a todos los personajes" (134). Así intentan legitimizar la posesión del carromato: una gritando sucesivas veces "¡Hermana!" y la otra "¡Cuñada!" en una competición por enfatizar las palabras de parentesco, cuya expresión y énfasis exterioricen un mayor dolor y que, consecuentemente, defiendan sus derechos de herencia. Entre ambas, el sacristán también exclama "hermana mía" (538) en varias ocasiones subrayando, igualmente, sus derechos de usufructo y afianzando la posición de Mari-Gaila, la que sale victoriosa de la contienda.

La gran ironía de toda la situación mana de que tan importantes son las fuerzas que mantienen el tejido social cosido, como las que tienden a separarlo. Dada esta situación, no resulta extraño, entonces, que los personajes sean conscientes de lo volátiles que son sus relaciones y que, como hace Pedro Gailo, reflexionen al respecto "Hay que evitar pleitos entre familias" (573) para no acelerar el estado de descomposición de los vínculos sociales y familiares.

Por otra parte, se debe tener en cuenta el hecho de que otros parentescos, no directamente filiativos pero sí familiares, se encuentran también en un precario equilibrio semántivo. A pesar de que Pedro Gailo amonesta a su hija diciéndole "¡Calla, mal enseñada! ¡Es tu tía y no has de alzarte contra ella!" (573), Simoniña no le tiene ni respeto, ni cariño a Marica del Reino. De hecho, esa palabra de parentesco es también plurisignificativa ya que una moza se dirige a la hermana de Pedro diciéndole "¡Conformidad, tía Marica!" (537) de acuerdo a una costumbre coloquial de dirigirse a personas mayores que se mantiene todavía en algunos lugares y que se repite al tratar una vecina al sacristán como "Tío Pedro" (546).

Dicha versión de la familia que se extiende a los vecinos y a toda la comunidad, sin embargo no consigue borrar una crisis de la que son plenamente conscientes los personajes:

> LA TATULA. –Las familias, si no es que son padres para hijos, hay que tenerlas como ajenas.
> UNA MUJERUCA. –La ley de sangre siempre da su dictado.
> LA TATULA. –Por veces también se niega.
> MARI-GAILA. –¡No en mi pecho, Tatula! (536)

La posibilidad de la confrontación familiar con Marica del Reino, la hermana del sacristán, a causa de los derechos de explotación del carretón y su carga humana se zanja en referencia a un orden legal que puede evitar cierto tipo de "pleitos:" "¡Pleito! ¿Por qué ha de haber pleito? Yo hago esta caridad porque tengo conciencia. ¿Quién puede disputarle el cargo al hermano varón? Si van a justicias, el varón gana el pleito o no hay ley derecha" (536). Este orden androcéntrico y patriarcal en el que se da un valor intrínseco al varón sobre la hembra, sin embargo, parece hallarse en tensión con otro tipo de orden, o quizá mejor desorden, con el que no se complementa.

El problema principal que atenaza la sociedad de *Divinas palabras* es, tal y como hemos visto, la ausencia de una significación estable para las palabras que expresan y denotan la filiación. O expresado de otra manera, la falta de un vínculo definido y definitivo entre uso y significado. Las palabras no parecen encarnar una verdad objetiva, contrastable y compartida por la comunidad. La crisis social es la crisis de la representación del *logos* en cuanto garante de una estabilidad referencial. Así, como habíamos observado al principio, es comprensible que Dios, el *Logos*, no se halle presente y que los creyentes no puedan comulgar para renovar la alianza cristiana. No solamente los mecanismos filiativos se han licuado, sino que todos los procesos que dan un significado y lo fijan se encuentran en un constante estado de flujo debido a las transferencias continuas que se establecen y que cuestionan relaciones e identidades.

Así, otro de los síntomas complementarios de este proceso es el hecho de que no se sepa cómo se llaman algunos personajes porque "El nombre se cambia más pronto que la pelleja" (550) lo que, según Mary Bretz, es "a clear sign of the instability of the referential function of language." (205). Por eso, de algunos personajes se desconoce su verdadero nombre—"*A esta mujer la conocen con diversos nombres, y, según cambian las tierras, es Julia, Rosina, Matilde, Pepa la Morena*" (525)—, otros cambian de nombre—como sabemos "Lucero," "Compadre Miau" y "Séptimo Miau" son la misma entidad aludiendo la acotación a que "*El nombre del farandul es otro enigma*" (525)—y otros finalmente se disfrazan y aparentan ser lo que no son—"¡Qué engañada! ¡Ése es el Conde Polaco!... ¡Ése!... Por tal tuve a Séptimo" (583).

No es extraño, entonces, que en esta total confusión la sociedad de *Divinas palabras* esté seriamente amenazada no solamente a través de la posibilidad de colapso de las estructuras de significación y filiación, sino mediante la amenaza escatológica a todo el universo. Dicha interpretación apocalíptica la realizan los mismos personajes, al menos, en dos ocasiones. Al final del acto segundo, Serenín de Bretal al descubrirse el cadáver de Laureano medio devorado por los cerdos, señala "Está el mundo desgobernado. Ya las bestias se vuelven sin miramiento para comerse a los cristianos" (575). Por otro lado y al principio del acto tercero, el sacristán exclama al ver a su hermana, "¡El fin de los tiempos, mi hermana Marica!" (578) porque su mujer, como ya hemos visto, se rebela en contra de la autoridad patriarcal. Estas referencias explícitas al apocalipsis, no son más que otro de los síntomas del colapso de todo un tapiz social y significativo que la obra explora.

Edward Said, en la obra ya citada al comienzo de este trabajo, explica que el mundo cultural del Modernismo se articula a través de la sustitución de relaciones filiativas por unas afiliativas que contextualizan el sujeto en relación a unas coordenadas culturales específicas:

> What I am describing is the transition from a failed idea or possibility of filiation to a kind of compensatory order that, whether it is a party, an institution, a culture, a set of beliefs, or even a world-vision, provides men and women with a new form of relationship, which I have been calling affiliation but which is also a new system. (19)

Siguiendo estas palabras, puede comprobarse que no todas las imágenes que se presentan en *Divinas palabras* aluden a la clausura del orden de la sociedad. Al contrario, también se halla espacio en los márgenes del texto para señalar la presencia de un modelo que podría calificarse de alternativo, aunque, como vamos a concluir, representa un modelo fallido, porque, en el fondo revela la existencia de idénticas tensiones a las que acabamos de ver en la sociedad en general.

Este significado idealizado se itera a través de la presencia de una familia de labradores que trae ecos del quietismo estético proclamado en *La lámpara maravillosa* mediante la evocación que sugieren los términos asociados con ellos.[8] Esta familia aparece en dos ocasiones, la primera de ellas, en la escena segunda del segundo acto, se menciona a través de una acotación: "*Por la carretera, una niña con hábito nazareno, conduce un cordero encintado, sonriendo extática entre la pareja de sus padres, dos aldeanos viejos*" (548); la segunda, en la escena de la muerte de Laureano, siendo la niña la única que da un poco de caridad—la virtud que se opone al pecado de la avaricia—al ofrecerle comida cuando los otros sólo le ofrecen bebida (también en Marrast 48, Risco 186 y Greenfield, *Valle-Inclán* 167). En esta segunda ocasión, no sólo se recalca la apariencia de la niña: *"extática, parece una figura de cera entre aquellos dos viejos de retablo, con las arrugas bien dibujadas y los rostros de un ocre caliente y melado, como los pastores de una Adoración"* (566); sino que se insiste en que *"parece una virgen mártir entre dos viejas figuras de retablo"* (566). En este contexto, la familia situada tras "una cortina de fuego" (Umpierre 37), ya que se encuentran *"recogidos tras la llama del hogar,"* se ve separada de una acción en la que participan más como espectadores que como verdaderos agentes. Las únicas intervenciones que tenemos de una forma completamente equilibrada, son, en primer lugar la madre, y en segundo, el padre: "LA MADRE.— Ludovina, no consientas que tanto le den a beber, ¡A pique de que lo maten!" (566); un poco más tarde, "EL PADRE DE LA NIÑA EXTÁTICA" le dice a Mari-Gaila "Cumple en conciencia, y pon al hijo bajo la cruz de la madre" (568). Tanto la niña, como sus padres parecen ser portadores "de valores auténticamente humanos" (Jerez Farrán 401) en este contexto degradado, no obstante incluso las posibilidades de que este modelo se reproduzca son clausuradas por la misma ficción valleinclanesca. Tal y como dice la lista de *dramatis personae*, la niña está "enferma" (523) y, además, su apariencia constantemente virginal, no implica un posible modelo social de reproducción. Por otra parte es extraordinariamente significativo que los padres parezcan demasiado viejos para tener a una niña tan joven y, en todo caso, sus posibilidades de seguir dando hijos han desaparecido. Este es el único modelo positivo de filiación que nos ofrece *Divinas palabras* y, como todos los otros, se dirige al mismo fin: la esterilidad. Ése es uno de los precios que se pagan en el modernismo, tal y como Edward Said expresaba.

NOTAS

1. Darío Villanueva en su artículo "1902: Valle, Guide, Yeats" hace un breve repaso de la articulación de términos que existe en el hispanismo hoy en día (7-9) poniendo a Valle-Inclán en relación al

Modernismo occidental. Su pieza viene a sumarse a las que él mismo ya ha escrito anteriormente analizando las relaciones vitales entre Valle y Joyce, como: "Valle-Inclán e James Joyce." Véase también el artículo de Marisol Morales Ladrón al respecto.

Para las relaciones entre la obra de Valle-Inclán y la Modernidad, véanse los artículos de nuestro maestro, Luis González del Valle, y, sobre todo, su último libro, *La canonización del diablo* en donde se relaciona con esta estética no solamente a Valle-Inclán, sino a otros autores hispanos.

2. Se ha ocupado de la gestación y la recepción de la obra Luis Iglesias Feijoo en su edición del texto para la colección de Clásicos Castellanos, y en sus artículos "La recepción crítica de *Divinas palabras*" y "Una nueva reseña del estreno de *Divinas palabras*."

3. Este es el tema de la obra que ha recibido más atención ya por el cuestionamiento del honor calderoniano, ya por las fuentes parodiadas que pudieron inspirar a Valle-Inclán. En relación con el primer tema véanse los trabajos de Varela Jácome, Torrente Ballester, Sánchez Arnosi y López de Martínez. Para el segundo, Emilio González López ha rastreado la inspiración de la obra en "El tetrarca de la aldea" de Emilia Pardo Bazán y Alfred Rodríguez en *La adúltera penitente* de Martínez Sierra. También Gustavo Umpierre dedica el segundo capítulo de su libro al estudio de las fuentes (21-30). Por su parte Alonso Montero ha estudiado la presencia del latín en la cultura gallega, relacionando el desenlace de la obra con pasajes que se pueden encontrar en la obra de Castelao, Otero Pedrayo y Cunqueiro.

4. Esta homofonía le sirve a Escribano para realizar la siguiente observación: "Gailo podría asociarse con *gallego*, empeñados en la imagen de Galicia, pero viendo esa imagen del *gallo* ... no puede uno menos que asociar Pedro Gailo con aquel otro Pedro, que negó a Cristo tres veces antes que cantase el gallo" (557). Las llaves del sacristán y su nombre de pila se han utilizado para verlo como trasunto del Apóstol, lo que ha llevado a interpretaciones maniqueas de la línea argumental, como la que realiza Patrocinio Ríos.

5. Manuel Bermejo ha descrito a ambos personajes como alegoría de las figuras políticas de Cánovas y Sagasta. Sin embargo, las posturas más comunes son descripciones o en términos prosaicos: "Por una parte, el siniestro y fúnebre sacristán, que desprecia a los nómadas, y, por otra, el vagabundo soberbio y libre, que no concede ningún valor a lo que Pedro Gailo defiende y sostiene en función de su categoría social" (Marrast 43); o en términos cósmicos como un 'conflicto' entre ... la Luz (Pedro Gailo) y ... las Tinieblas (Séptimo Miau)" (Ríos 159). Por su parte, Míguez Vilas ve al sacristán negativamente mientras Greenfield observa que "el sacristán no es

tan moralmente indiferente como sus semejantes" (*Valle-Inclán* 157). Han visto a Séptimo como trasunto del diablo o como figura demoníaca Vila (115), Lima (*Dramatic* 126), Ruibal (40) y Lyon (93), quien sigue a Umpierre en la sugerencia de la "naturaleza satánica del farandul" (14).

Otro grupo de críticos ven la situación de otra forma o bien, como Escribano, quien opina que el sacristán y el farandul "acabarán confundidos" (559) o afirman: "the apparent opposition of antagonistic principles is strictly ironic; it is undermined at the same time that it is stated" (Crispin 190-91; Jeréz Farrán está de acuerdo con él, "Séptimo" 102). En palabras de Pilar Cabañas:

> Si la dimensión diabólica de Séptimo queda atenuada por el prosaísmo de su conducta, la dimensión sacra de Gailo—fundamentada en su carácter de hombre de la Iglesia y en las connotaciones contenidas en su nombre—es asímismo sometida a un proceso de degradación mediante la aplicación a la construcción de su figura de técnicas de estilización—cercanas al esperpento—que acentúan su extravagancia fantochesca y socavan la posible grandeza de su potencialidad alegórica. (176)

6. Josette Blanquete ve a Laureano de la siguiente forma: "Par sa difformité, par l'action déclenchée à cause de lui, le monstre offre l'image du péché du munde. Il est le miroir où chacun s'attendrit de voir reflétées à l'etát d'inconscience, de quasi-innocence, l'impudeur et l'ivrognerie qui sont l'apanage de tous" (156). En el extremo opuesto puede situarse la opinión de Gonzalo Torrente Ballester: "En medio de lo terrible, Valle encuentra ternura y comicidad, y no las excluye; al monstruo se le llama "Laureaniño," "El baldadiño" y otras cosas igualmente tiernas" (5).

7. Solamente Marrast ha visto la muerte de Laureano como la venganza de Miguelín sobre Séptimo Miau (48). En oposición a él, Jerez Farrán ve su muerte como una "despiadada broma" que termina mal; ("Una posible" 490), Risco como una escena de crueldad (186), Podol como un abuso (196) y Greenfield como una muestra de sadismo (*Valle-Inclán* 167).

8. Carlos Jerez Farrán ha dicho que esta familia y, en especial la niña, son "un injerto iconográfico basado en uno de los muchos cuadros inspirados en Santa Inés" ("Una posible" 486), mientras Gustavo Umpierre lo ve en relación a la iconografía de la Natividad (36). Para Arnold Penuel la inclusión de esta familia es un "ironic intent" (89).

OBRAS CITADAS

Aguilera Sastre, Juan. "De *La reina castiza* a *Divinas palabras*: Rivas Cherif ante el teatro de Valle-Inclán." *Valle-Inclán (1898-1998): Escenarios*. Actas Seminario Internacional, Santiago, noviembre-diciembre 1998. Ed. Margarita Santos Zas, Luis Iglesias Feijoo, Javier Serrano Alonso y Amparo de Juan Bolufer. Santiago de Compostela: U de Santiago de Compostela, 2000. 449-97.

_____. "La version escénica de *Divinas palabras* en el estreno de 1933." *Valle-Inclán y su obra*. Actas del Primer Congreso Internacional sobre Valle-Inclán: Bellaterra, del 16 al 20 de noviembre de 1992. Ed. Manuel Aznar Soler y Juan Rodríguez. San Cugat del Vallès: Cop d'Idees-Taller d'Investigacions Valleinclanianes, 1995. 553-63.

Alba Bufill, Elio. "Diferencias de perspectivas y afinidades temáticas en *Divinas palabras* y *San Manuel Bueno, mártir*." *1898: entre el desencanto y la esperanza*. Ed. Rafael Corbalán, Gerardo Peña y Nicolás Toscano. New York: ALDEEU, 1998. 131-40.

Alonso Montero, Xesús. "Álvaro Cunqueiro y las 'divinas palabras.'" *Ínsula* 536 (1991): 1-2.

Bermejo Marcos, Manuel. "El doble fondo de *Divinas palabras*: su contenido político." *Actas del cuarto congreso internacional de hispanistas celebrado en Salamanca, agosto de 1971*. Ed. Eugenio de Bustos Tovar. Salamanca: Consejo General de Castilla y León, Universidad de Salamanca, 1982. 157-171.

_____. *Valle-Inclán: Introducción a su obra*. Madrid: Anaya, 1971.

Blanquat, Josette. "Symbolisme et esperpento dans *Divinas palabras*." *Mélanges à la mémorie de Jean Sarrailh*. Vol. I. Paris: Centre de Recherches de l'Institut d'Études Hispaniques, 1966. 145-65.

Bretz, Mary Lee. "Title as clue to Valle-Inclán's *Divinas palabras*." *Hispanic Journal* 15 (1994): 203-17.

Buero Vallejo, Antonio. "De rodillas, de pie, en el aire." *Tres maestros ante el público: Valle-Inclán, Velázquez, Lorca*. Madrid: Alianza, 1973. 29-54.

Cabañas, Pilar. "Genología/Género: claves codificadoras/tipos y arquetipos femeninos en el teatro de Valle-Inclán." *Valle-Inclán (1898-1998): Escenarios*. Actas Seminario Internacional, Santiago, noviembre-diciembre 1998. Ed. Margarita Santos Zas, Luis Iglesias Feijoo, Javier Serrano Alonso y Amparo de Juan Bolufer.

Santiago de Compostela: U de Santiago de Compostela, 2000. 413-47.

_____. "Valle-Inclán y la tragicomedia." *Homenatge a Amelia García-Valdecasas*. Ed. F. Carbó. Vol. I. Valencia: U de Valencia, 1995. 173-89.

Cao Martínez, Ramón. "Hagiografía bernardiana y estética: 'Fin de siglo' en una página de Ramón María del Valle-Inclán." Tomo IV. *Actas del II Congreso Internacional sobre el Císter en Galicia y Portugal*. Ed. Miguel Ángel González García. Galicia: s.e., 1999. 1673-97.

Crispin, John. "The Ironic Manichean Battle in *Divinas palabras*." *Anales de la literatura española contemporánea* 7 (1982): 189-200.

Dagum, Delia Esther. "Una incursión: 'Divinas palabras' de Valle-Inclán." *Cuadernos americanos* 170 (1970): 205-23.

Escribano, J.G. "Estudio sobre *Divinas palabras*." *Cuadernos Hispanoamericanos* 273 (1973): 556-69.

González del Valle, Luis T. "Aspectos de la modernidad en la ficción breve de Valle-Inclán." *Valle-Inclán y el Fin de Siglo. Congreso internacional*. Ed. Luis Iglesias Feijoo et al. Santiago de Compostela: U de Santiago de Compostela, 1997. 133-64.

_____. "*Augusta* y la estética de lo imperecedero." *El teatro de Federico García Lorca y otros ensayos sobre literatura española e hispanoamericana*. Lincoln: Society of Spanish and Spanish-American Studies, 1980. 139-57.

_____. *La canonización del diablo: Baudelaire y la estética moderna en España*. Madrid: Verbum, 2002.

_____. "*El embrujado* ante la modernidad, tradición e innovación en un texto dramático de Valle-Inclán." *Anales de la literatura española contemporánea* 19.3 (1994): 273-304.

_____. "La prolepsis disonante de *Tirano Banderas*." *Hispanic Review* 61 (1993): 501-18.

González López, Emilio. "Valle-Inclán y la Pardo Bazán: *Divinas palabras* y "El tetrarca de la aldea." *Grial* 20 (1968): 212-16.

Greenfield, Sumner. "*Divinas palabras* y la nueva faz de Galicia." *Ramón del Valle-Inclán: An Appraisal of His Life and Works*. Ed. Anthony N. Zahareas, Rodolfo Cardona y Sumner Greenfield. Nueva York: Las Américas, 1968. 577-83.

_____. *Valle-Inclán: anatomía de un teatro problemático*. Madrid: Taurus, 1990.

Gregory, C.A. "The economy and kinship: a critical examination of some of the ideas of Marx and Lévi-Strauss." *Marxist Perspectives in Archeology*. Ed. Matthew Spriggs. Cambridge: Cambridge UP, 1984.

Holloway, Vance. "Monstruos paganos y populares en el teatro de Ramón del Valle-Inclán." *Hecho teatral* 1 (2001): 77-94.

Ibáñez, Juan. "Programa de mano de *Divinas palabras*." "Especial Divinas palabras." Ed. Josefa Bauló. www.elpasajero.com/divinas02.html.

Iglesias Feijoo, Luis. "El concepto de tragicomedia en Valle-Inclán." *Ínsula* 531 (Marzo 1991): 18-20.

_____. "La recepción crítica de *Divinas palabras*." *Anales de la literatura española contemporánea* 18 (1993): 639-91.

_____. "Una nueva reseña sobre del estreno de *Divinas palabras*." *Anales de la literatura española contemporánea* 19 (1994): 505-06.

_____. "Valle-Inclán e o mundo moderno." *Congreso Galicia nos tempos do 98*. Santiago de Compostela: Xunta de Galicia, 1997. 121-31.

_____. "Valle-Inclán, entre teatro y novela." *Diálogos Hispánicos de Amsterdam* 7 (1988): 65-79.

Jérez Farrán, Carlos. "Mari-Gaila y la espiritualización de la materia: Una revaloración de *Divinas palabras* de Valle-Inclán." *Romanic Review* 82 (1991): 485-99.

_____. "Una posible fuente pictórica de la escena de 'retablo' en *Divinas palabras* de Valle-Inclán." *Romanic Review* 82 (1991): 485-99.

_____. "Séptimo Miau y Ginés de Pasamonte: un caso de duplicidad biográfica cervantina en *Divinas palabras* de Valle-Inclán." *Revista Hispánica Moderna* 41 (1988): 91-104.

Lima, Robert. *Dark Prisms: Occultism in Hispanic Drama*. Lexington: U of Kentucky, 1995.

_____. *The Dramatic World of Valle-Inclán*. Wiltshire: Woodbridge, Suffolk: Tamesis, 2003.

Ling, David. "Greed, Lust and Death in Valle-Inclan's *Divinas palabras*." *Modern Language Review* 67 (1972): 328-339.

López de Martínez, Adelaida. "El tema del honor: de la comedia al esperpento." *Rocky Mountain Review of Language and Literature* 39 (1985): 19-31.

Lyon, John. *The Theatre of Valle-Inclán*. Cambridge: Cambridge UP, 1983.

Maier, Carol. "From Words to Divinity?: Questions of Language and Gender in *Divinas palabras*." *Ramón María del Valle-Inclán: Questions of Gender*. Ed. Carol Maier y Roberta L. Salper. Lewisburg: Bucknell UP, 1994. 191-221.

Marrast, Robert. "Algunas llaves para *Divinas palabras*." *Primer Acto* (1963): 42-49.

Míguez Vilas, Catalina. "Funcionalidad de las acotaciones valleinclanianas en *Divinas palabras.*" *Anales de la literatura española contemporánea* 27 (2002): 205-28.

Morales Ladrón, Marisol. "El Demiurgo como base para las teorías estéticas de James Joyce y Ramón del Valle-Inclán." *Joyce en España.* Ed. Francisco García Tortosa y Antonio Raúl de Toro Santos. Tomo I. A Coruña: U de A Coruña, 1994-97. 73-81.

Penuel, Arnold M. "Archetypal patterns in Valle-Inclán's *Divinas palabras.*" *Revista de Estudios Hispánicos* 8 (1974): 83-94.

Podol, Peter L. "The Grotesque Mode in Contemporary Spanish Theater and Film." *Modern Language Studies* 15 (1985): 194-207.

Ràfols, Wifredo de. "Nonworded Words and Unmentionabla *Pharmaka* in O'Neill and Valle-Inclán." *Comparative Drama* 31 (1997): 193-212.

Ríos Sánchez, Patrocinio. "Valle-Inclán: mistificación de textos bíblicos en *Divinas palabras.*" *Revista de Literatura* 63 (2001): 157-83.

Risco, Antonio. *El Demiurgo y su mundo: hacia un nuevo enfoque de la obra de Valle-Inclán.* Madrid: Gredos, 1977.

Rodríguez, Alfred. "Un posible modelo paródico de *Divinas palabras.*" *Explicación de textos literarios* 14 (1985): 83-87.

Ruibal, Euloxio R. "Mito e símbolo en *Divinas palabras.*" *Congreso Galicia nos tempos do 98.* Santiago de Compostela: Xunta de Galicia, 1997. 39-44.

Said, Edward W. *The World, the Text and the Critic.* Cambridge, Massachusetts: Harvard UP, 1983.

Sánchez Arnosi, Milagros. "Valle Inclán. Un teatro en libertad." *Arbor* 97 (1977): 99-102.

Santoro, Patricia. "Valle-Inclán on the large screen: *Divinas palabras* and *Luces de Bohemia.*" *Anales de la literatura española contemporánea* 27 (2002): 159-73.

Segura, Florencia. "*Divinas palabras.*" *Razón y Fe* 175 (Marzo 1977): 299-306.

Shell, Marc. *The End of Kinship. 'Measure for Measure,' Incest, and the Ideal of Universal Siblinghood.* Stanford, California: Stanford UP, 1988.

Torrente Ballester, Gonzalo. "Introducción a *Divinas palabras.*" *Primer Acto* 28 (1961): 3-5.

Umpierre, Gustavo. *Divinas palabras: alusión y alegoría.* Estudios de Hispanófila. Madrid: Department of Romance Languages U of North Carolina, 1971.

Valle-Inclán, Ramón del. *Obra completa.* Madrid: Espasa Calpe, 2002.

Varela Jácome, Benito. "Análisis de un texto teatral: *Divinas pala-bras.*" *Métodos de estudio de la obra literaria.* Ed. J. M. Borque. Madrid: Taurus 1985.

Vila, Xavier. *Valle-Inclán and the Theatre.* Lewisburg: Bucknell UP, 1994.

Villanueva, Darío. "Valle-Inclán e James Joyce." *Revista Galega de Cultura* 29 (1991): 505-22.

_____. "1902: Valle, Guide, Yeats." *Anales de la literatura española contemporánea* 28 (2003): 7-29.

Warner, Robin. "Words of Power: Dialogue and Dominance in Valle-Inclán's *Divinas palabras.*" *Modern Language Review* 88 (1993): 343-353.

EL TEATRO EN EL CINE MUDO. ANÁLISIS DE DOS EJEMPLOS DE LA PRODUCCIÓN ESPAÑOLA

JOSÉ ANTONIO PÉREZ BOWIE
Universidad de Salamanca

El cine acudió muy tempranamente a los textos teatrales en busca de argumentos con que alimentar la insaciable demanda de sus públicos, aunque también, sin duda, buscando la repetición del éxito que algunos obras dramáticas había obtenido sobre el escenario.

Pero, como es sabido y salvo contadas excepciones, la historia proporcionada por el texto teatral es sometida por el cine a una organización narrativa en la que, entre otras cosas, se eliminan las restricciones espaciales de la pieza originaria y se dispone de una mayor libertad en el tratamiento de la temporalidad. No cabe hablar de teatro filmado puesto que éste, en realidad, no existe, dado que el proceso de filmación supone la aplicación de los códigos narrativos fílmicos que fragmentan el *continuum* espacio-temporal de la realidad creando bajo sus propias leyes un nuevo *continuum*, el narrativo-fílmico; por el contrario, en el teatro, la puesta en escena no es una fragmentación sino una reducción, una selección parcial de la realidad y de los elementos que en ella participan. Por ello, Virginia Guarinos opone la reducción y mímesis teatral a la fragmentación y diégesis fílmica, porque mientras "el teatro posee un discurso no narrativo en el que la acción predomina el relato," el discurso fílmico es fundamentalmente, "una disposición sobre de planos, como unidades contextuales, que se articulan para alcanzar una coherencia narrativa" (69). Como señala en otro lugar, la puesta en escena profílmica puede ser igual a la del teatro, pero no así la puesta en escena fílmica; la filmación puede convertir un decorado en algo totalmente diferente, aun siendo el mismo utilizado en la representación: un espacio creado por la composición de planos y la sintaxis del montaje (46).

Señalemos también como el cine, cuando se ha acercado a las fuentes teatrales, ha apostado por reforzar el naturalismo, incluso en los casos en que la pieza originaria se caracterizase por su "teatralidad" explícita o por su insistencia en la reflexividad (Pérez Bowie 2004). Recuérdese a este propósito la observación de Susan Sontag sobre la naturalidad que consigue el cine con la mostración de detalles intrascendentes o desprovistos de funcionalidad (lo que se denomina en pintura salida de foco), en contra del teatro que exige una coherencia lineal de los detalles que lleva al espectador a dotar de significación a todo lo mostrado sobre el escenario (166-67).

En definitiva, no hay un texto escénico autónomo integrado en otro fílmico que lo engloba. Como apunta Virginia Guarinos siguiendo a Pavis, "el teatro no existe como evento escénico filmado, sino como temática o como escenario para una historia escrita o recompuesta para la pantalla (...) El que dice adaptación dice, en efecto, reescritura, replanteamiento de la intriga, del hecho dramático o escénico" (65).

Estas páginas parten del interrogante sobre las condiciones en que se llevaba a cabo ese proceso de narrativización del texto teatral en la pantalla, y de los mecanismos que se ponen en juego para ello, en la etapa en que el nuevo medio aún no contaba con el sonido. Me refiero, lógicamente a los años finales del periodo mudo, cuando el cine había superado ya el llamado Modo de Representación Primitivo y la estética teatral inherente a éste había dado paso a unos planteamientos narrativos que consolidarán el lenguaje del nuevo medio como un arte totalmente independiente del arte escénico.[1] A partir de los hallazgos expresivos de Griffith puede decirse que el cine conquista un lenguaje propio potenciando la diégesis frente a la mímesis con la incorporación de elementos de escritura (los intertítulos), el desarrollo de la tecnología que va introduciendo la narración como alternativa a la mostración y, derivada de ella, la presencia de un narrador implícito.

Téngase en cuenta que en el cine primitivo resultaba posible distinguir al menos tres niveles de narración ya que en él coexistían el *narrador oral* (el explicador en la sala), el *narrador escritural* (a través de los intertítulos) y el *narrador interno*, si bien este último aún en estado embrionario por ausencia de un montaje auténticamente narrativo ya que el montaje se basaba todavía en una estética de atracción en lugar de estética de narración[2] (Serceau 38).

En el caso de la adaptación de obras teatrales que es el que nos ocupa, resulta interesante interrogarse sobre los mecanismos a los que el cine, aún no dotado de la palabra, recurre para transferir unas historias cuya acción, como sucede en todo texto teatral, se sustenta fundamentalmente sobre los diálogos. Hay que tener en cuenta, no obstante, que el cine no fue nunca completamente mudo, pues desde un principio contó con la figura del "explicador" situado en la sala cuyos comentarios iban aclarando para los espectadores el sentido de las imágenes; y muy tempranamente (1903) incorporó los intertítulos que ofrecían la posibilidad de incorporar diálogos y permitían la intervención explícita de la instancia narradora, la cual podía influir en la recepción del filme de un modo controlado y unívoco (Gaudreault-Jost, 76). Tales rótulos producen a la vez efectos que son a la vez efectos lingüísticos y efectos narrativos[3]; entre los primeros estarían guiar al espectador entre los distintos significados posibles de una acción representada visualmente, dar un sentido ideológico permitiendo lo que la imagen no puede representar de un modo asertivo, nombrar lo que la imagen no puede mostrar (lugares, tiempos, personajes) y añadir a la narración la posibilidad de un estilo directo mediante la transmisión de las réplicas del personaje. Los efectos narrativos, contribuyentes a la construcción de la historia serían las informaciones que permiten configurar el universo diegético (situar las imágenes en el tiempo y en el espacio, construir los caracteres de los personajes), resumir las acciones que no vemos, modificar el orden temporal de la banda visual anticipándola sobre la continuación del filme e interrumpir la progresión del relato visual (Gaudreault-Jost, 78-79).

Para estudiar el uso de todos estos mecanismos que se ponen en juego en la transposición de un texto teatral a la pantalla muda vamos a centrarnos en dos adaptaciones que el cine español lleva a cabo sobre dos obras dramáticas representativas de dos géneros enormemente populares.

La presencia del teatro en el cine español

La industria cinematográfica española, al igual que la de otros países, recurre desde muy tempranamente a los arguementos teatrales, práctica que se incrementará con la implantación del sonoro y que marcará decisivamente la producción nacional incluso después de la guerra civil. La razón principal era, sin duda, el intento de repetir el éxito comercial de los escenarios, lo que llevaba a elegir piezas ancladas en un modelo teatral obsoleto, caracterizado por la trivialidad de sus argumentos, por la pobreza de su pensamiento, por su conservadurismo ideológico y por la absoluta falta de originalidad de sus planteamientos escénicos. Pero ese era el teatro al que durante la primera mitad del siglo XX acudía de forma masiva el público pequeño-burgués que constituía su principal soporte y al que se intenta captar para el cinematógrafo. La posición de los intelectuales, en cambio, era de total rechazo a ese modelo teatral, como se puede comprobar en los unánimes comentarios críticos que les suscitaban los productos que subían a los escenarios y en la intensa campaña de diginificación y renovación de la escena que suscribieron, sin excepción, todos ellos.

Los cinéfilos, por su parte, denunciaron desde el principio los peligros que la excesiva servidumbre de esos modelos teatrales obsoletos implicaban para el cine español y se opusieron con fuerza a la producción de películas que no hacían sino repetir las propuestas estéticas e ideológicas triunfantes en los escenarios. La campaña adquirió una especial virulencia en los años en que comienza a afianzarse el sonoro, pues los cinéfilos temían, con razón, que la adquisición de la palabra acabase por consolidar la dictadura que los autores teatrales de éxito ejercían sobre la producción cinematográfica española. Pero el cine, guiado por sus intereses esencialmente económicos, optó por adaptar el teatro en sus facetas más populares y atraer a aquel público sin educación o semi-ilustrado que encontraba en las representaciones "un producto agradable y ameno, sentimental y sensacionalista, evasivo y vulgar, vendible y aferrado a fórmulas confirmadas y fácilmente reconocibles" (Díez Puertas, 327), mientras que el llamado "film d´art" quedó para el disfrute de minorías selectas.

Vamos a detenernos exclusivamente en la época del cine mudo porque, como he señalado, el objetivo de estas páginas es comprobar qué mecanismos son puestos en juego para trasladar a la pantalla todavía silente un teatro esencialmente verbal y hasta qué punto tales mecanismos permitían conservar la fidelidad al texto original para garantizar el interés de los espectadores quienes, sin duda, acudían a las salas de cine atraídos por el reclamo de la pieza adaptada.

He elegido para ello las adaptaciones de dos piezas teatrales llevadas a cabo por sendos directores del cine español en la etapa previa al sonoro. Se trata de dos textos enormemente populares en su época y que son, a la vez, representativos de los dos géneros que suscitaban la mayoritaria adhesión de los públicos: el sainete lírico y la farsa grotesca. Al propio tiempo he procurado que dichos textos respondiesen cada uno a un tratamiento dialogal distinto,[4] dado que la necesidad de tener que llevar a cabo una reducción drástica de los diálogos en la pantalla se tenía que traducir necesariamente en unas estrategias de "narrativización" diferentes. El análisis se centrará, así, en poner de manifiesto, cómo la estructura dramática de cada pieza, sustentada como en todo texto teatral sobre el diálogo, sufre una transformación diferente en cada caso por la necesidad de narrar la acción prescindiendo casi totalmente de los parlamentos pronunciados por los personajes.

La Revoltosa (Florián Rey, 1925)

1. Desarrollo de la acción dramática

La trama del sainete presenta, como se recordará, una unidad sin acciones secundarias, que se desarrolla en dos planos íntimamente relacionados: el amor entre Felipe y Mari Pepa, oculto bajo una capa de desdenes, y los coqueteos de Mari Pepa con los cuatro hombres de la casa, que no es más que una estrategia para atraer a Felipe. La relación entre los dos protagonistas se desarrolla en tres escenas (XI, XVI y XXI), distribuidas en los tres cuadros de la obra, y lo que en principio parecía accesorio se convierte en el tema principal, dejando a un lado lo que se configuraba como tal: los coqueteos de Mari Pepa con los vecinos; esta acción, sin embargo no se cierra hasta la apoteosis final en donde coinciden todos los personajes y las tramas (Doménech Rico, 1998: 51-52).

Las 26 escenas repartidas en los tres cuadros desarrollan dos acciones simultáneas: por una parte, la seducción que Mari Pepa provoca, conscientemente, en sus vecinos Cándido, Tiberio y Atenedoro y la trama urdida por Gorgonia, Encarna (esposas de los dos primeros) y Soledad (prometida del tercero) para escarmentarlos haciéndoles creer a cada uno de ellos y al viejo rijoso Candelas (quien pese a sus protestas de moralidad ha caído también en las redes de la moza), que Mari Pepa lo ha elegido a él y lo ha citado en su cuarto. Esta acción que aparece como principal se revelará como secundaria en cuanto se pone de manifiesto que el coqueteo de Mari Pepa con sus vecinos es un ardid para despertar el interés de Felipe, el único hombre de la vecindad que no parece sentirse atraído por ella. La conflictiva relación entre ambos con su complejo juego de seducción y celos, constituye, así, la acción principal de la obra que finaliza con la afirmación del amor de ambos protagonistas y el escarmiento de los vecinos que vuelven sumisos junto a sus respectivas mujeres. Todo ello se resuelve con una gran economía espacial en un decorado que representa el patio de la casa de vecinos (cuadros I y III) complementado por otro espacio que acoge las tres escenas del cuadro II, las cuales tienen lugar ante un telón de calle que representa la entrada a una buñolería. La temporalidad se halla igualmente sometida a una considerable concentración dado que la acción se desarrolla en un día correspondiendo cada uno de los tres cuadros a la mañana, la tarde y la noche respectivamente.

2. La versión cinematográfica muda

Veamos como aborda Florián Rey en su adaptación de 1925 la tarea de trasladar a la pantalla silente la historia que presenta el sainete a lo largo de sus 1313 versos, gran parte de los cuales forman parte de números cantables.

2.1. La ordenación narrativa del contenido

La propuesta de Florián Rey parte de la ruptura de la estructura teatral originaria (con la consiguiente renuncia a la concentración espacio-temporal descrita) y el sometimiento de los materiales de la historia a una ordenación narrativa. Esta ordenación es común a todas las adaptaciones de textos teatrales que lleva a cabo el cine durante su etapa muda desde que se supera el MRP (modo de representación primitivo), pues la imposibilidad de reproducir los diálogos en su totalidad obligaba a una reordenación del contenido que permitiese al espectador seguir, a través de informaciones exclusivamente visuales, el desarrollo de la historia presentada. Esa exigencia se ponía especialmente de manifiesto en obras en las que el diálogo era fundamentalmente discursivo, esto es, desligado de la acción, la cual no tiene lugar sobre la escena más que en una mínima parte sino que es conocida por el espectador a través de la narración de los personajes.[5]

2.2. La amplificación de la historia original

Por otra parte, la eliminación de los diálogos originarios obligaba en muchas de las adaptaciones realizadas por el cine durante su etapa silente, a una amplificación de los elementos de la historia para conseguir el metraje estándar, especialmente, en el caso de zarzuelas como *La Revoltosa*, en las que gran parte del texto estaba destinado a ser cantado; tal ampliación no se limitaba sólo a la inserción de episodios, de personajes y de espacios implícitos en la trama sino a la invención de otros debidos totalmente a la imaginación de los adaptadores.

No obstante, en la adaptación de *La Revoltosa*, por tratarse de un texto sobradamente conocido por los espectadores, el único elemento amplificador de la historia lo constituye un amplio "Prólogo" cuya duración alcanza casi un 20% del metraje total del filme. En él se presenta a Mari Pepa como una joven desgreñada que vive entregada a la lectura de novelones y bajo la vigilancia implacable de su madre, "el ogro de la vecindad"; su relación con Felipe, un jovencillo repartidor de periódicos, se inicia cuando éste la libera de las bromas de unos chiquillos que patean una caja de madera en la que ella se ha escondido para comerse tranquilamente una manzana fuera de la vista de su madre; al ser liberada, piensa que Felipe es uno de los bromistas y le golpea con una piedra haciéndole un chichón en la frente pero luego se compadece de él y lo cura atándole una moneda con un pañuelo. Al día siguiente, mientras Mari Pepa lee a la puerta de su casa, Felipe llega a devolverle la moneda y se inicia una relación que determina que el joven tenga "abandonada su industria"; ambos leen, enfrascados, novelones o pasean desocupados por las afueras. A instancias de Mari Pepa, a quien no le gusta que Felipe sea "periodista," éste entra a trabajar en una ebanistería.

Tras el intertítulo que anuncia "Fin del Prólogo" se ofrecen nuevos datos que contribuyen a ultimar la presenthatción de los protagonistas de la historia, aunque algunos de ellos no proceden del texto teatral. Así, la regeneración que Felipe ha experimentado a consecuencia de su amor por Mari Pepa y de la que se informa en un intertítulo narrativo que abre la historia propiamente dicha:

> Dos figuras, como hemos visto, destacan en el sainete: Felipe y Mari Pepa. Él, sinceramente sentimemental, se ha enamorado de ella y hace lo que antes hubiese parecido imposible: trabajar en la ebanistería como un hombre cabal.

Este intertítulo es seguido por una serie de planos que presentan a Felipe en el taller, del reloj que marca las 12 y de Felipe disponiéndose a salir. A estos planos suceden otros que informan de un idéntico proceso de regeneración experimentado por Mari Pepa, ya que la jovencita astrosa y desocupada del prólogo aparece como una hacendosa operaria de un taller de plancha. Un reloj marca de nuevo las 12 y las trabajadoras recogen. Mari Pepa se queda sola, se mira al espejo, se coloca el mantón y se dirige hacia la puerta.

Dentro de la amplificación de la historia original habría que citar la introducción de algunos personajes que no figuran en aquella: el señor Matías, un zapatero remendón de quien se informa que "se encargó de la muchacha" a la muerte de la madre (la cual aparece, como he señalado, fugazmente en el prólogo) y un elegante y maduro caballero que pretende a Mari Pepa y que da lugar a una subtrama al servir como excusa para que Soledad, celosa del interés que su novio Atenedoro muestra por Mari Pepa, urda contra ésta una acusación calumniosa.[6] Por el contrario, el papel de las tres parejas secundarias Cándido-Gorgonia, Tiberio-Encarna y Atenedoro-Soledad y el del viejo gruñón y rijoso, el señor Candelas, sufren un considerable recorte, debido a la supresión del diálogo que constituía el elemento caracterizador de los mismos en su calidad de figuras arquetípicas del mundillo popular madrileño en el que se sitúa la historia.

2.3. El lenguaje cinematográfico

Pese a que el cine ha alcanzado en esa fecha una considerable madurez en sus medios expresivos, la labor de Florián Rey al adaptar la anécdota de la zarzuela de López Silva y Fernández Shaw tiene mucho de artesanal y rutinaria, muy dependiente todavía de las servidumbres del M.R.P.; se limita, así, a poner en imágenes un guión que resume, ateniéndose a las limitaciones derivadas de la imposibilidad de reproducir los diálogos y con las inserciones amplificadoras descritas, la elemental trama de la pieza. Las diversas secuencias están constituidas por una sucesión de planos generalmente estáticos (salvo algunos breves movimientos laterales de la cámara para ampliar el campo visual) entre los que predominan el plano medio (para escenas de grupo) y el primer plano (para los supuestos diálogos entre los personajes, que, de acuerdo con las convenciones del cine mudo, son apoyados por una exagerada gesticulación sometida, además, a una fuerte convecionalización como ocurría en toda la etapa silente). Esta alternancia entre ambas posibilidades de la escala sólo se rompe con algunas breves panorámicas de exteriores o del ambiente de la verbena, pero el predominio de planos cortos impone una agobiante sensación de falta de perspectiva que se agudiza con el estatismo de los personajes. No obstante, en determinados planos de grupo, el realizador consigue una cierta profundidad de campo que permite ofrecer una acción en primer término y, simultáneamente, otra paralela en segundo, como sucede en las secuencias que transcurren en el patio o en la verbena; por ejemplo, aquella en que Felipe sentado en la mesa de los jugadores de cartas escucha los comentarios maledicientes que las vecinas, situadas en segundo término, están haciendo sobre Mari Pepa. La duración de los planos suele ser corta, pero la excesiva inserción de intertítulos impide el ritmo fluido exigible por la trama de la obra teatral.

2.4. La función de los intertítulos

Los rótulos insertos entre los diversos planos son, como se ha señalado, los que en el cine silente garantizaban la comprensión de la historia al espectador. En el caso de las obras teatrales como las que nos ocupa, la narrativización impuesta por la puesta en escena cinematográfica determina una drástica eliminación del texto dialogado y su sustitución por imágenes y por intertítulos de carácter narrativo que permitieran el seguimiento de la trama; la transcripción de los parlamentos de los personajes queda, así, reducida al mínimo indispensable.

Pero *La Revoltosa* era un sainete lírico de enorme popularidad, cuyos versos, cantables o recitados, debían de ser conocidos por los espectadores, quienes podían sentirse defraudados si en los intertítulos de la pantalla no reconocían los diálogos del texto original; por ello, la versión fílmica de la zarzuela incluye un número que pudiera parecer excesivo de fragmentos del texto original en comparación con lo que insertaban otras adaptaciones de obras escrita en prosa.

Aun así, esa presencia es escasamente representativa, ya que de los 1313 versos de la pieza teatral sólo se reproducen en los intertítulos 165 (un 12,5%), y, salvo aquellos que corresponden a fragmentos cantables muy conocidos, no se respeta la disposición métrica de los mismos.[7] Los fragmentos reproducidos tienen una extensión mínima de un verso (y a veces de menos, en los casos en que el verso se distribuye en dos o más réplicas) y una máxima de ocho; es el caso del parlamento que el señor Candelas dirige a los vecinos recriminándolos por andar soliviantados tras de Mari Pepa, que corresponde a los versos 393-400 de la obra y que en la película se ofrece fragmentado en dos planos sucesivos.[8]

A la reproducción de palabras pronunciadas por los personajes se destina, lógicamente, la mayor proporción de los intertítulos: 125 de los 156 totales insertan diálogos o soliloquios, mientras sólo 31 resultan atribuibles a la instancia narradora distribuyéndose entre los narrativos propiamente dichos (23) y los comentativos (8).

La función de los intertitulos narrativos corresponde a los cometidos que la instancia narradora desempeña en el relato litegrario[9]; entre ellos pueden señalarse:

- Informaciones temporales, como señalar el tiempo transcurrido entre un plano y otro: "Al día siguiente," "Un día"; o el momento en que tiene lugar la acción: "Y a la salida del trabajo," "Se acercaba la hora de la cita."

- Resumen del desarrollo de la acción: "Desde que Felipe conoció a Mari Pepa tiene abandonada su 'industria' "; "Entre Mari Pepa y Felipe ha germinado una gran simpatía"; "Él, sinceramente sentimental, se ha enamorado de ella y hace lo que antes hubiera parecido imposible: trabajar en la ebanistería como un hombre cabal."

- Explicación de la acción que se presenta a contimenuación para deshacer la posible ambigüedad de las imágenes: "El señor Candelas cumple la palabra que dio a las vecinas," "Impacientes por la hora de la cita, los cándidos tenorios abandonan la verbena."

ALEC 30.1-2 (2005)

- Ubicación del lugar de la acción: "Mientras en el barrio todo es alegría y jarana... / ... en el patio de vecindad...."
- Descripción del ambiente: "Alegría en el patio. Se festeja el bautizo del hijo de un vecino."
- Información sobre los pensamientos y sentimientos de los personajes, que implica una visión omnisciente: "La señá Gorgonia, harta de las veleidades de su marido, concibe un proyecto para hacerlo escarmentar... / ... que hará extensivo a todos los tenorios de la vecindad."
- Traducción (en imágenes) del contenido de los actos de palabra; así, ante rótulos como "Lo que Sole contó a Encarna," el espectador sabe que las imágenes que siguen no transcriben un fielmente un hecho sino la versión oral que del mismo hace un personaje.

Es posible que en un mismo intertítulo se superpongan varias funciones narrativas; así sucede en el siguiente, en el que además de señalar la temporalidad y de ofrecer un resumen de la acción transcurrida, se informa sobre los sentimientos del personaje: "Han pasado unos días. Mari Pepa, libre ya de su compromiso con Felipe, trae revuelto el cotarro; hace cara al primero que le dice 'por ahí te pudras.' Juega con su cariño porque sabe que, con el desdén, él ha de quererla más."

Una menor presencia tienen los intertítulos con función comentativa, ya que, como se ha señalado su número total es de 7 y su función suele reducirse a la presentación de los personajes ("La madre de Mari Pepa, el ogro de la vecindad," "Tiberio, padre de la criatura," "El padrino del chico, guardia urbano, administrador de la finca y jefe superior de la casa," "Una víctima del coqueteo de Mari Pepa).[10]

En la versión de *La Revoltosa* que filmó Florián Rey hay que destacar, asimismo, la importancia de lo que podría denominarse intertítulos paratextuales, en los que se incluirían no sólo los títulos de crédito sino otra serie de rótulos que forman parte de una introducción "promocional" que precede a la película y que intenta situarla como un producto artístico y no únicamente evasivo. La proyección se abre, así, con la siguiente leyenda repartida en dos planos sucesivos:

> El Madrid de los barrios bajos ha pasado a la literatura y al teatro a través de escritores enamorados de las pintorescas costumbres y del peculiar modo de expresarse del pueblo; Don Ramón de la Cruz, primero, Don Ricardo de la Vega después y otros ilustres escritores más tarde, supie—// ron sorprender el alma popular. José López Silva y Carlos Fernández Shaw acompañados por la imperecedera partitura que escribió para su obra el maestro Ruperto Chapí, trazaron las escenas de LA REVOLTOSA dotándolas de vida y de luz.

A continuación se suceden algunos planos de Madrid (el puente de Segovia con la ciudad al fondo, la Puerta de Alcalá, diversas calles madrileñas, la ermita de San Antonio de la Florida) y, tras ellos, nuevos intertítulos presentando a los autores de la zarzuela y a los intérpretes principales del filme: "Don José López Silva y don Carlos Fernández Shaw, autores del libro," seguido de un plano que incluye las fotografías enfrentadas de ambos; "Don Ruperto Chapí, autor de la música," seguido de una fotografía enmarcada en un círculo que ocupa toda la pantalla. Suceden otros planos con informaciones sobre el equipo técnico "Adaptación cinematográfica y realización artística: Florián Rey," "Fotografía de Luis R. Alonso," "Intérpretes: Josefina Tapias, José Moncayo, Juan de Orduña" y a continuación fotografía de Josefina Tapias, acompañada de la leyenda "Mari Pepa, flor lozana de los barrios bajos madrileños. JOSEFINA TAPIA, primera actriz del Teatro Fontalba de Madrid", otra fotografía de Juan de Orduña junto a la que se lee "Felipe, el 'periodista.' JUAN DE ORDUÑA, del Teatro Fontalba de Madrid." Tras ellos, un plano con el rótulo de "Prólogo" abre la diégesis.

En resumen, la versión cinematográfica muda que Florián Rey filma de *La Revoltosa*, somete a un tratamiento narrativo la acción teatral, aunque manteniéndose fiel a la trama de la misma. La única infidelidad posible a un texto sobradamente

conocido por los espectadores, es la incorporación del prólogo
en el que se proporciona información (previa al inicio de la
acción teatral) sobre los dos protagonistas principales, aunque la inserción de dicho prólogo está determinada, sin duda,
por la necesidad de adecuar el metraje de la película a la
duración estándar, cosa difícil de conseguir con la mera
transcripción de la acción teatral si se suprimían los
cantables y la mayor parte de los diálogos. Dicha transcripción, es por otra parte, enormemente rutinaria, ya que el lenguaje cinematográfico es de una pobreza y de una falta de
imaginación considerables. Por lo que respecta a los intertítulos hemos visto como en las adaptaciones de textos teatrales a la pantalla cumplían una función indispensable no sólo
transcribiendo lo esencial de los diálogos (que nunca reproducen con fidelidad los originales) sino proporcionando informaciones de la instancia narradora que permite un seguimiento sin dificultades de la trama. Por otra parte hay que
señalar la presencia de algunos intertítulos que cumplen una
función promocional y a la vez sublimadora del producto, al
subrayar la dimensión artística que posee la película por su
intento de poner al alcance de los espectadores un texto
reconocido como clásico. Es de destacar como en la copia
analizada, la que se conserva en la Filmoteca Nacional de
Madrid, se ha incorporado un fondo sonoro (fragmentos a
piano de los números más populares de la zarzuela y algunos
breves fragmentos cantados) que reproduce las condiciones
en las que tenía lugar la proyección la cual, en el caso de estas
películas basadas en obras musicales, debió de contar habi-
tualmente con el auxilio de un acompañamiento musical
mínimo.

Es mi hombre (Carlos Fernández Cuenca, 1926)

1. Desarrollo de la acción dramática

Calificada por su autor como "tragedia grotesca en tres
actos," supone junto con otras obras mayores de Arniches
como *La señorita de Trevélez, Los caciques* o *La heroica villa*,
un progreso en la superación de la trama elemental del
sainete donde se había movido en sus primeras obras; aunque

en ésta, como he demostrado en otro lugar (Pérez Bowie, 1994), se produzca una regresión que repercute en la debilidad de la estructura de la pieza. En su primer acto presenta la desesperada situación en que viven don Antonio y su hija Leonor; amenazados de desahucio, aquél intenta sin éxito los más variados y degradantes trabajos mientras la inhabilidad de la hija como costurera aleja a las pocas clientas que se le acercan. La visita de un amigo, padrino a la vez de la hija, prometiéndole un empleo, cierra con expectativas felices el primer acto, aunque a la vez siembra la incertidumbre, pues el trabajo propuesto—vigilante en un garito nocturno—no parece el adecuado para el pusilánime don Antonio. En el segundo acto vemos al personaje llevar a cabo con éxito su tarea, pues aparentando un valor y una frialdad de las que carece (y que disimula mediante infusiones de tila que ingiere a escondidas) pone en fuga a diversos matones que tenían dominado el local. Paralelamente se desarrolla una acción secundaria en la que don Antonio es víctima de una timadora, la Sole, de la que se ha enamorado perdidamente y a la que entrega todo lo que gana. El tercer acto supone un abandono de esta segunda acción (el proceso de degradación del "héroe") que culmina precipitadamente en las primeras escenas cuando Leonor se enfrenta a la Sole y la obliga a romper con su padre; se vuelve entonces a reincidir en la primera cuyo programa narrativo estaba ya culminado, por lo que la unidad de la obra se resiente dando la impresión de que este tercer acto es una pieza encajada a la fuerza en la estructura de la misma. Se retoma, pues, la primera acción con el anuncio de la llegada de un matón famoso, el Quemarropa, que ha llegado a Madrid deseoso de enfrentarse a don Antonio; éste no se atreve a salir de su casa y cuando el matón llama a la puerta Leonor urde un plan para quitárselo de encima: esconde a su padre y a Marquitos, el novio, en una habitación contigua y les pide que simulen dar gritos y porrazos; con ello hace creer al Quemarropa que don Antonio está "atendiendo" a otro matón y que en seguida se ocupará de él. El Quemarropa huye entonces despavorido.

El diálogo es un elemento primordial, en su calidad de factor determinante de la acción dramática, al igual que suce-

día en *La Revoltosa*, aunque aquí predominen los diálogos de
situación (se crea la participación de los personajes, con sus
acciones y reacciones en escena, que se traducen en palabras)
más que los que desarrollan segmentadamente un tema como
sucedía en aquel texto. Por otra parte, como en todas las
obras de Arniches, los diálogos constituyen uno de los principales ingredientes de comicidad ya que el autor manipula
los parlamentos de sus personajes logrando una acumulación
de chistes basados en alusiones, deformaciones lingüísticas y
dobles sentidos. La renuncia a ese importante elemento al
trasladar la obra a la pantalla muda exigirá, como veremos,
una drástica reelaboración de la historia.

2. La versión cinematográfica muda

2.1. La ordenación narrativa del contenido

Al igual que hemos visto en *La Revoltosa*, la imposibilidad
de reproducir los diálogos originales sobre los que se sus-
tentaba en gran medida el desarrollo de la acción lleva a una
presentación "narrativizada" de la historia, común por otra
parte a la mayoría de los filmes desde que se supera el MRP;
se abandona, pues, la estructura teatral y con ella sus
limitaciones espacio-temporales a la vez que el progreso de la
trama se independiza de las informaciones aportadas por los
diálogos. Éstos sufrirán, entonces, una drástica reducción y la
historia será manejada por narrador "interno" apoyado, en
este caso mucho más discretamente que en *La Revoltosa*, por
el narrador "escritural" a través de los intertítulos de carácter narrativo.

Las dimensiones del texto de partida, de mayor entidad
por tratarse de una pieza en tres actos frente al breve sainete
en uno en el que se basaba la película de Florián Rey, no ha
requerido en este caso la inserción de elementos amplificadores de la historia básica para alargar el metraje, como
era el "Prólogo" de aquélla. En cambio, aun respetando los
elementos de la historia original, se ha procedido a una nueva
ordenación de los mismos que rompe el férreo diseño de la
pieza de Arniches cuya trama se organizaba sobre una
estudiada sucesión de situaciones de expectación / desilusión

en sus dos primeros actos aunque en el tercero, totalmente gratuito como he señalado, se rompía el equilibrio compositivo.

La historia se expone, pues, mediante la intervención del narrador "interno" que organiza los materiales del contenido a través de la "mirada interpuesta" imponiendo su propia visión del espacio que se fragmenta y multiplica liberando la acción de las limitaciones del marco originario y permitiendo un encadenamiento menos mecánico de los acontecimientos. Se suprimen, así, situaciones de relleno que en el texto de Arniches servían exclusivamente para eliminar los tiempos muertos en la acción, determinadas apariciones "providenciales" de un personaje en el momento clave, etc. Por otra parte, se desarrollan visualmente algunos de los elementos apenas sugeridos en el texto de partida; por ejemplo, el atropello de don Antonio cuando paseaba como hombre anuncio, mencionado en una frase del texto da lugar a una amplia secuencia del filme que sirve para explicar el origen del noviazgo entre Leonor y Marquitos, ya que este es el pasajero del taxi que atropella a don Antonio y quien lo conduce hasta su casa.

2.2. Modificaciones en la historia original

Aunque, como he señalado, la versión de Fernández Cuenca no recurra a elementos amplificadores de la historia original, si se permite una mayor libertad en el tratamiento de sus materiales, ya que, al contrario de lo que sucedía en *La Revoltosa*, no se trataba de una obra "clásica" conocida a la perfección por todos los espectadores, sino de un texto que había sido estrenado tan sólo cinco años antes y carente por ello de la condición de "intocable" que tendría el libreto de López Silva y Fernández Shaw. Las modificaciones introducidas en la historia tienden a subrayar la ridiculización de los personajes y a restarles el evidente grado de ternura que les confería Arniches; ello se pone especialmente de manifiesto en el caso de Leonor a quien el filme presenta como una joven absorbida por la lectura de novelones en lugar de la muchacha hacendosa, pero escasa de habilidad, que trata de sacar adelante la maltrecha economía de la familia con su trabajo

de costurera; o en la potenciación de los rasgos negativos del
personaje de Sole convirtiéndola en amante de "El Botines,"
uno de los matones a los que se enfrentará don Antonio en su
trabajo. Se introducen, por otra parte, nuevos personajes,
como Atanasio, el vigilante del garito despedido por no saber
enfrentarse a los extorsionadores y cuyo puesto será el que
ocupe don Antonio. En lo que respecta a la reordenación del
contenido, resulta especialmente significativa la ubicación de
una escena culminante—la de la única actuación valiente de
don Antonio, cuando su hija está siendo acosada por uno de
los matones—como cierre de la historia desplazando la escena
que en el texto teatral ocupaba ese lugar—la puesta en fuga
de "El Quemarropa" por la argucia de Leonor—a una
posición menos relevante en el interior de la historia.

2.3. El lenguaje cinematográfico

Aunque, como en el caso de *La Revoltosa*, nos encontramos con una filmación bastante rutinaria y artesanal, muy
alejada de la melodía visual que conseguían con su montaje
de atracciones los grandes maestros del cine mudo, en *Es mi
hombre*, se observa un manejo más dinámico de la planificación, en cuanto que, por una parte, se recurre en ocasiones
a los planos panorámicos y, por otra, la función del primer
plano no se limita a la presentación alternante de los interlo-
cutores de un diálogo, sino que, a veces se emplea para llevar
a cabo una fragmentación del espacio, bien con carácter des-
criptivo (la presentación de la vivienda de don Antonio en la
segunda secuencia, la presentación del salón de juegos y de
baile donde entra a trabajar don Antonio) o informativo (titulares de periódico), bien con carácter irónico subrayando el
significado de ciertos gestos u objetos (plano de los pies
calzados con botines en la primera aparición del personaje
que responde a ese alias, planos de las numerosas cerillas que
el Quemarropa, totalmente borracho, ha consumido en vano
intentando encender un cigarrillo) o como sinécdoque (las
piernas temblorosas de don Antonio mientras escucha las
amenazas del portero). En algunas secuencias en que no se
requiere la inserción de intertítulos, la narración llega a

alcanzar un dinamismo considerable mediante la acumulación de planos cortos como sucede en la secuencia en que don Antonio disfrazado de hombre anuncio es atropellado por un taxis, o aquella en que don Antonio se enfrenta a los matones cuando uno de ellos quiere abusar de su hija. Por otra parte, el cierre (y en algunos casos la apertura) en círculo de numerosas secuencias confiere la narración un efecto distanciador introduciendo un subrayado irónico.

Por lo demás, y al igual en *La Revoltosa*, la cámara permanece generalmente estática, salvo algunos desplazamientos laterales o verticales (para presentar totalmente a un personaje del que se ha comenzado mostrando los pies, por ejemplo), por lo que la narración está organizada fundamentalmente sobre la sucesión de planos breves. No obstante, como sucedía en gran parte de los filmes mudos, la inserción de intertítulos ralentiza considerablemente el ritmo.

2.4. La función de los intertítulos

Los intertítulos se reparten en su doble función narrativa y dialogal. Por lo que respecta a los segundos, los más abundantes ya que su número es de 94 de entre los 112 que utiliza el filme, suponen una reducción considerable del texto de partida. De las 85 páginas de que consta la tragedia arnichesca en la edición manejada, tan sólo se reproducen 52 fragmentos de diálogo, la mayor parte de una extensión no superior a una línea y muchos de ellos reelaborados o con modificaciones con relación al original. Véanse por ejemplo, unas frases del señor Társilo, el portero, en la escena en que exige a don Antonio el pago del alquiler de la vivienda:

> **Texto teatral**: ¿Cómo unos días?...¡Ni un minuto, ni náa!... Que a usté ya le he tañao yo, don Antonio; que usté lo que s´ha propuesto con sus mansedumbres y sus hipocriterías es vivir de guagua.
> **Intertítulo**: ¿Cómo unos días? ¡Ni un minuto ni nada! ¡Usté es un hipócrita que se ha propuesto vivir de guagua!

Otro ejemplo del diálogo de Leonor con "El Quemarropa" cuando éste llega a buscar a don Antonio a su casa:

Texto Teatral:
L.—Y todos los días lo mismo. ¡Se entretiene en unas cosas! Ayer fue una risa; metió a uno en ese cuarto y a los cinco minutos salía el pobre con todas las muelas en un papelito.
Q.—Pero, ¿toas?
L.—Sí, señor; las llevaba en un cucuruchito, como si se hubiera comprao piñones. ¡Me dio una risa!
Intertítulo: Ayer fue una risa. Metió a uno en ese cuarto y a los cinco minutos salió el pobre hombre con todas las muelas en un cucuruchito como si hubiese comprado piñones.

La alteración de las situaciones de la pieza original lleva por otra parte a atribuir fragmentos del diálogo a personajes distintos; por ejemplo, quien proporciona al matón "Quemarropa" la dirección de don Antonio es Maluenda, el dueño de la sala de juegos y no la Sole, como sucede en la obra teatral al estar interesada en que don Antonio cobre las 10.000 pesetas que Maluenda le había ofrecido si conseguía alejar al matón. Asimismo, se incorpora un número considerable de frases que no figuraba en la pieza original: de los 94 intertítulos dialogales 37 no se corresponden con ninguna frase del texto de Arniches.

Por lo que se refiere a los intertítulos que cabe considerar como producidos por la instancia narradora su frecuencia es notablemente menor, al igual que sucedía en la versión fílmica de *La Revoltosa* (un 16% del total frente a un 18% en aquélla), aunque aquí no resultan tan manifiestas las funciones encauzadoras del relato que allí describíamos. La voz del narrador parece dejar que la acción fluya por sí misma y sus intervenciones se limitan a la presentación de los personajes y a algunos comentarios irónicos que subrayan el tono de farsa del texto de partida.[11] Así, en el primer intertítulo, que sigue a los planos iniciales del protagonista sentado en un banco de un parque, se lee "En el hogar de don

Antonio había un automóvil pero era difícil ponerlo en marcha" y a continuación se muestra en primer plano el dibujo de un coche colgado de la pared; este plano irá seguido por otros (altarcito situado bajo el cuadro del coche, reloj, mesa con restos de comida, jaula con un canario, etc.) que informan sobre la penuria económica de los habitantes de la casa. Los siguientes intertítulos narrativos están dedicados en su mayor parte a la presentación de los personajes, incluyendo a veces comentarios irónicos: "Leonor, hija de don Antonio, pasa su vida entre la alegría, las novelas por entregas y la anemia," "D. Mariano, administrador del Kursaal Andorra y antiguo amigo de don Antonio," "Atanasio, inspector del Kursaal Andorra está allí para mantener el orden y es un matón, pero no mantiene más que a su familia y no mata más que el tiempo," "La Sole, una de las *cocottes* más guapas y más populares," "El pollo Botines. Una de las grandes pasiones de la Sole. Él asegura ser muy elegante, pero eso no le priva de ser muy chulo," etc. En otros casos, el intertítulo resume la acción transcurrida, como "Leonor y Marquitos se 'elegantizaron' rápidamente... //... Pero esta elegancia costaba a don Antonio muchos disgustos," "La Sole, que amaba todo lo extraordinario, no tardó en enamorarse de don Antonio"; o aclara del significado de las imágenes que se muestran a continuación para deshacer posibles ambigüedades de las imágenes "El Quemarropa no toleraba valentías de nadie" se explica antes de mostrar un plano de éste empujando a don Paco, el dueño del garito. Por lo que respecta a indicaciones temporales sólo aparece una, "Meses después," inmediatamente antes de la secuencia de cierre y tras la intervención heroica del protagonista en defensa de su hija.

En resumen, puede decirse que el texto de Arniches ha sido sometido a un proceso de narrativización en el que desaparece por completo (y de una manera más drástica que en la versión fílmica de *La Revoltosa*) su estructura teatral narrativización de la acción teatral. Los materiales de la historia han sido, además, sometidos a una reordenación, posible en este caso por no tratarse de una obra clásica que estaba, sin duda, en la memoria de todos los espectadores sino de una pieza estrenada pocos años antes de llevarse a la pantalla.

Hay que señalar, por otra parte, cómo la nueva ordenación
narrativa suple algunos fallos estructurales observables en la
acción del texto dramático, como ocurre, por ejemplo, al
situar la acción heroica de don Antonio en la secuencia culminante previa al cierre, tras la que se resuelve también la
acción secundaria de la explotación del protagonista por parte
de la Sole. Por lo que respecta a los medios expresivos nos
encontramos con un lenguaje cinematográfico que, pese a su
elementalidad, es menos rudimentario que el de utilizado por
Florián Rey en su adaptación de *La Revoltosa*: se observa una
mayor agilidad en la planificación que no se limita exclusivamente al primer plano y al plano medio; se recurre a la presentación fragmentada de espacios y personajes con intención
ironizadora; y también, a veces, como subrayado irónico, al
cierre de determinadas secuencias en círculo. Asimismo,
existe una mayor presencia de exteriores que en *La Revoltosa*
al no estar limitada la acción al estricto marco espacial de
aquélla. Con relación a los intertítulos cabe señalar una
profusión menor tanto en los dialogales como en los narrativos: el narrador implícito gana en protagonismo frente al
narrador escritural, cuya presencia es mínima; y el relativo
grado de independencia de los diálogos originales respecto de
la acción permite prescindir de muchos de ellos.

* * *

El análisis de dos adaptaciones filmadas con apenas un
año de diferencia entre una y otra, aunque llevadas a cabo
sobre textos muy diferentes entre sí, nos permite comprobar
los mecanismos utilizados por el cine en su etapa muda para
la trasposición a la pantalla de obras teatrales.

La elección de tales obras estaba determinada (al menos
en la industria cinematográfica española) por razones primor-
dialmente económicas, en función del tirón que podían ejercer los filmes resultantes sobre los públicos que habían
acudido de forma masiva a contemplarlas sobre los escenarios.

Aunque la adaptación de un texto teatral a la pantalla
implica de modo necesario un proceso de narrativización, las
transformaciones operadas durante éste sobre dicho texto
dependen por una parte del carácter de "canónico" que tenga

para los espectadores y, por otra, del grado de perfección de su estructura. En el caso de *La Revoltosa*, al tratarse de un texto clásico sobradamente conocido por los espectadores y cuyas representaciones adquirirían un carácter casi litúrgico, la capacidad de intervención del realizador estaba enormemente limitada; a ello se suma la perfecta organización de la trama (en cuyo desarrollo los diálogos desempeñan un papel fundamental), que ofrecía escasas posibilidades de insertar elementos amplificativos. Por ello, la única modificación sobre el texto original consiste en la adición un prólogo que se sitúa fuera del estricto marco cronológico acotado para la historia por el texto teatral y que remite a un tiempo anterior al comienzo de la acción proporcionando al espectador información sobre los antecedentes de la misma. Por el contrario, en el caso de *Es mi hombre*, la estricta contemporaneidad del texto teatral con su versión fílmica, el porcentaje de diálogos de situación y las debilidades estructurales de la trama permitían un mayor grado de intervención al responsable de la adaptación; de ahí las modificaciones que experimenta en la pantalla la obra de Arniches mediante la reordenación de los elementos de la trama, la introducción de nuevos personajes y de episodios que no figuraban en aquélla.

La función de los intertítulos en ambas adaptaciones se reparte entre la narrativa y la dialogal; la primera está exigida por el proceso de narrativización a que es sometido el texto de partida y actúa proporcionando a los espectadores (a través de la voz de un sujeto de la enunciación extradiegético) las informaciones básicas que les permitan seguir la historia o dilucidar el significado de algunas imágenes; por otra parte, los intertítulos dialogados reproducen fragmentos del texto original, aunque sólo en una mínima proporción (sólo los que resultan determinantes para comprender el progreso de la trama) y sin que exista un respeto estricto a la literalidad de los mismos. En este aspecto no difieren mucho ambas versiones, si bien hay que señalar, por los motivos apuntados (canonicidad del texto, estrecha vinculación entre los diálogos y el desarrollo de la trama) una cantidad más notable de intertítulos dialogales y una mayor fidelidad de los mismos en la versión fílmica de *La Revoltosa* que en la de *Es mi hombre*.

Por lo que respecta al lenguaje cinematográfico, el de ambas versiones presenta un considerable grado de elementalidad, y se detecta aún la rémora de las dependencias teatrales del Modo de Representación Primitivo (planitud, frontalidad, uso casi exclusivo del plano medio, gesticulación estereotipada de los actores, etc). No obstante, cabe establecer diferencias ya que en la adaptación de la obra de Arniches se observa un mayor dinamismo perceptible en el uso de una escala más amplia en la planificación, en la acumulación de planos breves para acelerar el ritmo narrativo, en la fragmentación del espacio como subrayado irónico, etc.

El análisis cotejado de ambas versiones nos ha permitido profundizar en el fenómeno de la adaptación de obras teatrales a una pantalla todavía silente y poner de manifiesto la complejidad de los problemas implicados en ella, así como la necesidad de remontarse, para explicarlos, al estudio del contexto en que tenían lugar tales prácticas. En el caso del cine mudo resultaba ineludible preguntarse por las motivaciones que determinaban el interés por llevar a la pantalla un determinado texto teatral, por las opciones de adaptación posibles en función del tipo de texto elegido, por las herramientas con que una industria cinematográfica aún escasamente desarrollada contaba para soslayar las dificultades que tal operación implicase y por los resultados de la misma. Quedarían otras cuestiones por plantear, como las relativas a la recepción de tales versiones y al grado de satisfacción con que cumplirían las expectativas del público; pero éstas han debido quedar fuera de estas páginas cuyo objetivo era sólo suscitar el interés hacia algunas de las posibles perspectivas metodológicas desde las que habría que abordar el estudio de las relaciones entre la producción cinematográfica española en su etapa pre-sonora y el teatro.

NOTAS

1. Noël Burch señala las características plenamente teatrales del que él denomina "Modo de Representación Primitivo" y cuya pervevencia se mantiene, más o menos hasta 1915: el espacio plano, más relacionado con el espacio medieval que con el renacentista, que

presenta está basado en cinco elementos: 1) la iluminación más o menos vertical que baña con perfecta igualdad el conjunto del campo que abarca el objetivo, 2) el carácter fijo de este último; 3) su colocación horizontal y frontal a la vez; 4) la utilización muy generalizada del telón de fondo pintado; 5) la colocación de los actores siempre lejos de la cámara, desplegados casi siempre como cuadros vivientes, sin escorzo, sin movimiento axial de ningún tipo (173).

2. La narración centrípeta en el interior del plano en lugar de la comunicación entre planos del montaje narrativo.

3. Los rótulos podían cumplir también una función expresiva, como recuerda Bela Balázs al referirse a los últimos años del cine mudo, aprovechando los hallazgos de los filmes "abstractos": "Los directores se dieron cuenta de que el efecto emocional de las *palabras habladas* se obtiene por la *entonación*; en las escrituras por la tipografía. En la época del cine mudo se desarrolló una especialidad muy apreciada y bien retribuida: los creadores de rótulos. Eran importantes colaboradores y con su pincel efectuaban una labor similar a la de un buen recitador. Uno de los procedimientos más empleados fue escribir los rótulos que anunciaban peligro en grandes letras que se abalanzan sobre el espectador creciendo a gran velocidad. Las letras eran los agresores que se precipitaban sobre nosotros, del mismo modo que un grito penetra en nuestro oído. En cambio, un rótulo que se desvanecía lentamente nos hacía evocar pensamientos sombríos, una pausa significativa, comparable a los puntos suspensivos al final de una frase. En los últimos años del film mudo ya no se toleraban letras neutras y frías, impresas o caligrafiadas (151-52).

4. Sobre esta cuestión véase la clasificación de los tipos de diálogos teatrales que propone Carmen Bobes, quien distingue entre diálogo de situación, diálogo desarrollo de un tema, diálogo previamente orientado, diálogo independiente de la acción, diálogo narrativo, diálogo comentario de situaciones, diálogo desvinculado totalmente de la situación y diálogo indiferente a la situación que crea (158-59).

5. Es el caso, por ejemplo, de *Malvaloca*, de los hermanos Álvarez Quintero (llevada al cine por Benito Perojo en 1926) en donde la información sobre los antecedentes de la protagonista inserta en los diálogos (imprescindible para comprender el desarrollo ulterior de la trama) se traduce un amplio prólogo explicativo. En cambio, en *La Revoltosa* el diálogo está perfectamente integrado en la acción dramática y marcando su desarrollo, por lo que el añadido del prólogo sólo resulta explicable por la necesidad de adecuar el metraje del filme a la duración estándar.

6. Esta subtrama se narra mediante la inserción de imágenes que presentan acciones (Mari Pepa amartelada con el maduro preten-

diente) que no han tenido lugar sino en la imaginación de Soledad y que se volverán a repetir con variantes cuando la calumnia sea repetida por otras vecinas y por el propio Felipe cuando pide a su enamorada explicaciones.

7. Esa reprodución en muchos casos resultaba bastante complicada ya que gran parte de los versos aparecen fragmentados en las réplicas de varios personajes, lo que constituye uno de los elementos que garantizan el dinamismo y el ritmo de la representación

8. ¡Bueno! Pues ya que [vosotros] / sois unos niños de teta, / sin juicio, que sus dejáis/ llevar de una cual[es]quiera,/ yo, Candelas Aspitarte, / pondré las cosas en regla / pa que sepan ciertas prójimas / que conmigo nadie juega. Como se ve por los fragmentos eliminados, marcados entre corchetes, no se respeta la métrica, así como tampoco la disposición de la línea versal. Tras un plano en el que vemos al personaje hacer un gesto de juramento se insertan los tres versos siguientes: Conque, lo dicho, que no haiga / voces ni desavenencias / y ca mochuelo a su olivo.

9. Hay que señalar en esta adaptación de *La Revoltosa* la inexistencia de rótulos con explicaciones gratuitas que, como señala Burch, abundaban en las primeras etapas del cine y que suponían un obstáculo para la linealización narrativa (146).

10. En el caso de los personajes principales el intertítulo incluye entre paréntesis el nombre del actor que encarna al personaje), cuya fotografía aparece en el plano siguiente.

11. Respecto a los intertítulos con informaciones de carácter gratuito, se detecta la misma ausencia que en la adaptación de *La Revoltosa*; en este caso, dicha ausencia resultaba más esperable dada la escasa intervención de la instancia narradora.

OBRAS CITADAS

Arniches, Carlos. *Es mi hombre* (precedido de *El santo de la Isidra*). Madrid: Espasa-Calpe (Colección Austral), 1989. 57-147.

Balázs, Bela. *Evolución y esencia de un arte nuevo*. Barcelona: Gustavo Gili, 1978.

Bobes Naves, Carmen. *Semiología de la obra dramática*. Madrid: Taurus, 1987.

Burch, Noël. *El tragaluz del infinito (Contribución a la genealogía del lenguaje cinematográfico)*. Madrid: Cátedra, 1991.

Díez Puertas, Emeterio. *Historia social del cine en España*. Madrid: Fundamentos, 2003.

Doménech Rico, Fernando. *Introducción a La zarzuela chica madrileña: La Gran Vía, La verbena de la Paloma, Agua, azucarillos y aguardiente, La revoltosa.* Madrid: Castalia y Comunidad de Madrid, 1998.

Gaudreault, André y Jost, François. *El relato cinematográfico. Cine y narratología.* Barcelona: Paidós, 1995.

Guarinos, Virginia. *Teatro y cine.* Sevilla: Padilla Libros, 1996.

Helbo, André, *L´adaptation. Du théâtre au cinéma.* Paris: Armand Colin, 1997.

Pérez Bowie, José A. "La estructura de la acción dramática en Arniches. Análisis de *Es mi hombre.*" *Estudios sobre Carlos Arniches.* Ed. J.A. Ríos Carratalá. Alicante: Instituto de Cultura Juan Gil Albert, 1994. 103-17.

Pérez Bowie, José A. "Las servidumbres naturalistas del cine (Sobre algunas adaptaciones cinematográficas recientes de textos teatrales 'problemáticos')." *Teatro y Sociedad en la España actual.* Ed. W. Floeck y Mª Francisca Vilches. Frankfurt am Main: Vervuert, 2004. 283-302.

Serceau, Michel. *L´adaptation cinématographique des textes littéraires.* Liège: Éditions du Céfal, 1999.

APÉNDICE

FRAGMENTACIÓN EN SECUENCIAS
DE LOS DOS FILMES ANALIZADOS

La Revoltosa (Florián Rey, 1925)

Sec. 1. Calle. Niños jugando a pídola. Mari Pepa, sentada en la acera muerde con fruición una manzana. La madre de Mari Pepa la llama asomada a la ventana. Mari Pepa se sobresalta, se guarda el resto de la manzana en el escote; ve una gran caja de madera y se dirige a ella, se esconde dentro y sigue comiendo la manzana. La madre continúa llamándola. Los niños vuelcan la caja y se suben sobre ella pateándola mientras Mari Pepa permanece asustada debajo. Llega Felipe, espanta a los niños y libera a Mari Pepa, Ésta cree que Felipe ha sido el autor de la broma, lo golpea y le tira una piedra. ante los gestos de dolor de Felipe, lo acaricia, se saca una moneda del escote, coge un pañuelo del bolsillo de él y se lo ata a la cabeza colocando la moneda sobre el chichón.

Sec. 2. Calle. A la puerta de la casa y sentada en la acera, Mari Pepa lee enfrascada un novelón; su madre dormita junto a ella en una silla. Llega Felipe y se sonríen; él le guiña un ojo invitándola a salir. Mari Pepa se va con él sin que su madre se percate. Felipe, que lleva un montón de periódicos bajo el brazo, le devuelve la moneda. La madre se da cuenta de que Mari Pepa no está y la llama a gritos. Mari Pepa deja a Felipe y vuelve corriendo.

Sec. 3. Calle. Felipe y Mari Pepa están sentados en la acera; ella le lee un novelón. Una vecina barre el balcón y les cae en polvo encima. Se sacuden sin alterarse y siguen leyendo.

Sec. 4. Descampado. Mari Pepa y Felipe pasean. Luego hablan apoyados en una pared. Felipe lleva el montón de periódicos. Mari Pepa le dice que debería buscarse otro oficio. Continúan paseando. Pasan ante un portón donde cuelga un cartel que dice "Se necesita un aprendiz." Lo leen y discuten. Mari Pepa empuja a Felipe a hablar con el dueño que está sentado a la puerta. Éste lo contrata; entra en el taller tras entregar los periódicos a Mari Pepa que se aleja pregonándolos. Un intertítulo señala "Fin del prólogo."

Sec. 5. Interior del taller de ebanistería. Felipe y otros operarios trabajando. Un reloj marca las 12. Felipe se dispone a salir.

Sec. 6. Interior de un taller de planchado. Mari Pepa plancha junto a otras cuatro mujeres. Un reloj marca las 12. Las mujeres recogen. Mari Pepa queda sola; se mira al espejo y se pone el mantón. La vemos desde fuera, salir a la calle.

Sec. 7. Calle. Una mujer joven caminando. Se cruza con Felipe y se detienen a hablar; coquetean. Aparece Mari Pepa y los observa. Felipe se despide de la mujer y al volverse descubre a Mari Pepa. Ante su gesto de enfado, Felipe le da excusas, que ella parece aceptar.

Sec. 8. Patio de vecindad. El señor Matías sentado ante su banco de zapatero a la puerta de su vivienda. Chupito, su aprendiz aparece arrastrando un par de grandes botas; se cae; se levanta y con gran esfuerzo pone las botas sobre la mesa. El señor. Matías observa las botas destrozadas con asombro. Chupitos se seca el sudor. Por la acera vienen Felipe y Mari Pepa charlando y deteniéndose a cada poco. Se despiden. Mari Pepa llega hasta el puesto del zapatero y charlan.

Sec. 9. Patio de vecindad. Baile al son de un organillo para celebrar el bautizo del hijo de Tiberio. Presentación de varios personajes: Tiberio con el niño en brazos rodeado de vecinas que se lo quitan; el señor Candelas; Cándido el sastre y Gorgonia, su mujer. Estos y Candelas charlan sentados ante una mesa. Cándido saca a bailar a su mujer. Mari Pepa sentada entre un grupo de mujeres. Se acerca otra y le pide permiso para bailar con Felipe. Acepta con gesto de resignación y los observa bailar. Se levanta y se va. Interior de la vivienda de Mari Pepa. Ésta entra y se sienta apesadumbrada en la mesa camilla y llora con la cabeza apoyada sobre un brazo.

Patio: continúa el baile. Felipe sentado a una mesa con un grupo de jugadores. Una joven le pide que la saque a bailar y se va con ella. Candelas ocupa su sitio en la mesa. Felipe deja de bailar y comienza a buscar a Mari Pepa. Se acerca al grupo de mujeres donde ésta se encontraba. Interior de la vivienda. Entra Felipe; parece pedirle excusas pero ella lo rechaza. Patio. Gran corro en torno al organillo jugando a la gallina ciega; altercado entre los vecinos porque el de los ojos tapado se ha propasado tocando a una mujer.

Sec. 10. Calle. Un día después. Mari Pepa parece esperar impaciente. Aparece Felipe y ella echa a andar contoneándose y lo deja atrás. Él la sigue pero Mari Pepa le dice que han terminado para siempre. Interior de la vivienda. Mari Pepa entre y se echa a llorar en brazos del señor Matías.

Sec. 11. Calle. Varios días después. Mari Pepa camina por la calle; pasa ante un pintor que está subido en un andamio y se detiene a hablar con él. Coquetean y el pintor derrama un poco de pintura que mancha el tobillo de Mari Pepa.

Sec. 12. Puesto del señor Matías. Éste habla con el aprendiz y con Candelas, que lee el periódico y lo comenta. Al lado, Felipe y otros vecinos juegan a las cartas sobre una mesa. Aparece Mari Pepa y saluda. Cándido la requiebra ante el gesto hosco de Felipe. Mari Pepa parece insinuarse a Cándido y éste la sigue cuando se marcha. Ella entre en su vivienda. Cándido mira por la cerradura y observa a Mari Pepa limpiándose la mancha de pintura de su pierna. La señora Gorgonia, que está barriendo arriba lo ve, baja y le sacude con la escoba. Cándido huye y se refugia entre los jugadores; Gorgonia llega y reparte golpes entre estos. Candelas intenta poner orden y recibe un escobazo. El señor Matías y su aprendiz ríen. Candelas enarbola una silla y Felipe se enfrenta con Gorgonia.

Sec. 13. Calle. El señor Candelas pasea. Se detiene ante una puerta. Interior del taller de plancha. Candelas entra y coquetea con las jóvenes. Sin darse cuenta pone una mano sobre una plancha y se quema; las jóvenes lo acarician y Mari Pepa parece insinuársele.

Sec. 14. Calle. Un caballero maduro y elegante pasea. Interior del taller de plancha: las chicas lo observan desde la ventana; le indican a Mari Pepa la presencia del pretendiente y ella sonríe. Calle: el caballero continua paseando la acera. Mari Pepa sale y éste la sigue de cerca; ella lo despide con gesto despectivo y se aleja caminando. Soledad, la novia de Atenedoro ha observado al escena.

Sec. 15. Patio de vecindad. Encarna, mujer de Tiberio, tiende la ropa subida a una silla. Llega Encarna y hablan. Se superponen imágenes de Mari Pepa cogida del brazo del pretendiente maduro y muy amartelada con él. Soledad se marcha. Encarna se dirige a Gorgonia, que está sentada a su puerta y habla con ella gesticulando

mucho. Cerca, en la mesa de los jugadores, Felipe parece escuchar lo
que dicen. Se superponen las imágenes de Mari Pepa con el
pretendiente maduro, ahora abrazados cariñosamente y entrando en
una casa. Las dos vecinas continúan hablando. Felipe no atiende al
juego. Se levanta y se va.

Sec. 16. Calle. Felipe camina; ve venir a Mari Pepa y se dirige a
ella. Discuten. Se repiten las imágenes de Mari Pepa con el
pretendiente maduro. Gesto de asombro y luego de dolor de Mari
Pepa. La pareja parece reconciliarse.

Sec. 17. Calle. Mari Pepa pasa ante el pintor subido al andamio;
hablan. Cuando se marcha él la sigue; entran el patio de vecindad.
Patio: varios vecinos coquetean con ella; salen las mujeres y les
riñen. Candelas interviene para poner orden. Mari Pepa sonríe
asomada a su ventana mientras sigue la discusión. Candelas
promete poner orden en el patio.

Sec. 18. Exterior de la vivienda de Mari Pepa. Candelas llega a la
puerta y llama con el bastón. Ella sale y comienza a coquetear con
él; va perdiendo su furia inicial y queda prendado de ella. Gorgonia
los observa desde arriba; baja y le pasa un pañuelo por la boca a
Candelas limpiándole la baba. Dice a las demás vecinas que Mari
Pepa también ha seducido a Candelas. Aparece Felipe.

Sec. 19. Verbena: Baile. Interior de la vivienda de Mari Pepa:
ésta se arregla observada por el señor Matías; se pone el mantón y
salen. Patio: mientras Mari Pepa y Matías van por el patio,
Gorgonia y Cándido discuten; entran en la casa. Interior de la
vivienda: Gorgonia golpea a su marido. Verbena: baile; Mari Pepa y
el señor Matías sentados a una mesa

Sec. 20. Interior de la vivienda de Cándido y Gorgonia: ésta
habla con otras vecinas y traman un plan para poner fin a las
veleidades de sus respectivos maridos; cuentan para ello con
Chupitos, también presente, quien jura mantener el secreto.

Sec. 20. Verbena: Baile; Mari Pepa y el señor Matías en una
mesa. Se acerca Felipe; Matías hace un gesto de complicidad y se
retira. Mari Pepa y Felipe, solos en la mesa, hablan (La conversación
corresponde a la escena XVI de la obra de cuyos 133 versos se
transcriben unos 30 que permiten seguir el contenido del diálogo).
Felipe se levanta y se aleja.

Sec. 21. Vivienda de Cándido: éste plancha un traje. Entra
Chupitos y hablan. Cándido se emociona ante lo que oye; le da una
moneda al chico y lo despide reclamándole silencio.

Sec. 22. Puerta de la vivienda de Mari Pepa: el señor Candela
parece montar guardia. Se acerca Chupitos y le habla al oído; lo coge
en brazos para oírlo mejor. El chico se va y Candelas queda emocionado; se aleja orgulloso.

Sec. 23. Verbena: Chupitos se mueve entre las parejas que bailan; tira de la chaqueta a Atenedoro. El señor Candelas habla con Cándido y Gorgonia que están sentados en un banco. Chupitos se acerca y habla al oído a Atenedoro.; se aleja. Mari Pepa, sentada junto al señor Matías, apoya la cabeza en la mesa y llora. Las parejas bailan.

Sec. 24. Verbena: Felipe está sentado solo en una silla; parece reconcomerse. Aparece Mari Pepa; charlan, se abrazan y reconcilian. Pasa el señor Matías y sonríe al verlos abrazados. Mari Pepa sonríe también y cuando Felipe se da cuenta inician una nueva discusión. Ella se aleja enfadada.

Sec. 24. Verbena: sigue el baile. Tiberio se retira aduciendo un dolor de estómago; Candelas, se desprende de varias mozas que lo acosan y se retira también; Cándido se despide asimismo de Gorgonia con el pretexto de que ha de terminar un traje. Las mujeres se avisan una a otras y salen tras los hombres.

Sec. 25. Patio de vecindad: Candelas se acerca sigiloso a la puerta de Mari Pepa arrimado a la pared; Cándido camina igualmente sigiloso y se tropieza con un poste; las mujeres observan escondidas. Se aproxima Atenedoro. Tras él aparece Felipe quien, tanteando la pared, se acerca a la puerta de Mari Pepa. Felipe tropieza con Atenedoro; se encuentran todos a la puerta. Interior de la vivienda de Mari Pepa: se asoma a la ventana y ve a Felipe y al resto de los hombres. Sale e interroga a Felipe; éste la mira con desprecio, saca la navaja y desafía a los demás. Los otros se disponen a sacar sus navajas. La señora Gorgonia interviene y explica que todo ha sido una broma para escarmentar a los maridos. Felipe y Mari Pepa se reconcilian y se abrazan.

Es mi hombre (Carlos Fernández Cuenca, 1926)

Sec. 1. Parque. Don Antonio sentado en un banco con aspecto cansado. Saca un cigarrillo y lo enciende. Coches que circulan.

Sec. 2. Plano de un dibujo de un coche enmarcado; debajo un altarcito; plano de un reloj; planos de una mesa con restos de comida; otros planos muestran cacharros de cocina y una jaula con un canario. Leonor leyendo enfrascada sobre una mesa camilla; primer plano de sus pies que se agitan; un primer plano de las páginas del libro que lee muestra un grabado romántico. Leonor levanta la vista. Un caballero elegante vestido a la moda romántica aparece de pronto observándola. Leonor lo mira arrobada.

Sec. 3. Parque. Don Mariano, vestido elegantemente, se acerca a don Antonio y lo saluda. Hablan. Se intercala un plano de Leonor leyendo. Don Antonio parece pedir algo a don Mariano. Se despiden.

Don Antonio se mete dentro de una enorme botella de cartón que pasea como hombre anuncio. Casa de don Antonio. Plano de un reloj. Leonor lee ensimismada.

Sec. 4. Sala de fiestas Kursaal Andorra. Atanasio discute con Paco Maluenda, el propietario, y con don Mariano. Enciende un cigarro y apaga el fósforo metiéndoselo en la boca. Se aleja enfadado mientras los otros dos se ríen.

Sec. 5. Coche descapotable aparcado en la calle; en su interior, Paquita lee un periódico. Plano de los titulares: "En un círculo de recreo. ¿Suceso o fantasía? ¿Qué pasó anoche en el Kursaal Andorra?" Dormitorio de la Sole: ésta dormita en una cama lujosa. Remolonea, se abraza a un muñeco de peluche. Una doncella entra acompañando a Paquita; ésta enseña el periódico a Sole; nuevo plano con los titulares. Sole descuelga el teléfono para llamar. Plano del don Mariano respondiendo a la llamada. Diálogo en que se simultanean planos de ambos. Sole cuelga. Las dos mujeres hablan sentadas sobre la cama.

Sec. 6. Ascensor subiendo. Plano de los pies un hombre calzado con botines que sale del ascensor. Plano de un bastón llamando al timbre de la puerta. La cámara presenta al personaje (El Botines) de pies a cabeza mientras espera. Abre la puerta la doncella de Sole. Dormitorio de ésta: Sole acicalándose. La doncella entra acompañando al Botines. Éste abraza a Paquita mientras Sole los observa por el espejo. Plano de los pies de Paquita y el Botines; los de ella se alzan mientras recibe el abrazo. Sole continua acicalándose. El Botines enciende un cigarrillo. Luego abre la ventana y se asoma a la calle. Plano en picado de un hombre que pasea por la calle (El Jarritas) y mira hacia arriba. Sonríe al ver al Botines. El Botines cierra la ventana. Entra el Jarritas en el dormitorio de Sole. Conversación animada entre los cuatro: alternan planos de los rostros de cada uno.

Sec. 7. Patio de vecindad. La botella-anuncio entra caminando. Se ve la cara de don Antonio por una ventanilla de la misma. Llega a la puerta de su casa; no cabe por ella. Leonor abre la puerta, le ayuda a salir de la botella, se besan y meten la botella dentro. Interior de la casa. Don Antonio se desploma agotado sobre una silla. Leonor lo consuela. Se arrodilla a su lado llorosa. Cierre en círculo.

Sec.8. Calle. Primero planos de coches que pasan raudos ante la cámara. Planos frontales de la riada de tráfico. Don Antonio, metido en la botella-anuncio se dispone a cruzar. Primer plano de su rostro angustiado tras la ventanilla. Cae ante un taxi, descapotable, que frena tras golpearlo levemente. Se bajan el conductor y el pasajero (Marcos); lo auxilian; lo rodea un grupo numeroso de viandantes, algunos de los cuales se dan aire con los sombreros. Lo suben al taxi; se aposenta desmadejado junto a Marcos en el asiento de atrás. Hablan ambos. El coche para ante el portal de la vivienda de don Antonio. Marcos y el chófer lo ayudan a bajar. Marcos lo sube hasta la casa. Interior de la vivienda: don Antonio entra acompañado de Marcos y se sienta en un sillón. Puerta exterior: llega Leonor. Interior de la vivienda: Leonor abraza a su padre. Éste le presenta a Marcos. Cierre en círculo.

Sec. 9. Calle. Ante el portal de la vivienda un hombre vestido elegantemente (el casero) habla con el portero y le exige que cobre a don Antonio los recibos atrasados. Se va. Interior de la casa de don Antonio. Éste y Leonor a la mesa. Plano del timbre repiqueteando. Leonor se levanta a abrir. Don Antonio espera. Vuelve Leonor y don Antonio va hacia la puerta. El portero lo increpa mostrando un manojo de recibos. Primer plano de éstos. Rostro angustiado de don Antonio. Rostro angustiado de Leonor. Rostro furibundo del portero. Éste coge a don Antonio por las solapas, lo sacude y le grita. Don Antonio cae desmayado. El portero continua gritando con rostro amenazador. Leonor abrazada a su padre que continua en el suelo. El portero se marcha y Leonor abraza y besa a su padre. Cierre en círculo.

Sec. 10. Kursaal Andorra. Primer plano de la ruleta. Planos de las mesas de juego. Atanasio se pasea entre ellas con actitud chulesca. Mesa con un montón de botellas vacías; un grupo de borrachos sentado ante ella. Primer plano de una botella escanciando sobre un vaso. Primer plano de los pies de una pareja bailando. Plano de la orquesta. Un borracho solitario en una mesa. El grupo de borrachos de la otra mesa continua bebiendo y armando escándalo. El borracho solitario saca un paquete de cigarrillos y se lo ofrece a un interlocutor imaginario. Intenta encender en vano un cigarrillo. Plano de la orquesta. Plano de un hombre maduro con una jovencita en otra mesa. El borracho sigue intentando encender el cigarrillo. Primer plano del suelo lleno de fósforos usados y de cajas de ellos. Plano general de la sala con parejas bailando; Atanasio se pasea entre ellas fumando con aires de matón. Planos de parejas bailando el tango. Atanasio se dirige al público en una pausa de la orquesta; todos le aplauden y dejan la pista libre. Primer plano de los pies de una bailarina con ritmo frenético; la cámara va mostrando todo el cuerpo; planos diversos de los instrumentos de la orquesta. Plano de la bailarina. Plano de la puerta del local por la que entran la Sole, Paquita, el Jarritas y el Botines. Se acercan a la barra. El borracho solitario (el Quemarropa) se incorpora tambaleándose y se acerca al grupo. Se sientan todos a una mesa. El Quemarropa parece pedir dinero a el Botines; éste le dice que espere y confíe en él. Paquita se retoca los labios ante un espejito. El Jarritas se mira en él tras su hombro y le hace muecas. Ambos se levantan y se van. Atanasio pasea entre las mesas desafiante. Intertítulo: *"Es mi hombre. Segunda parte."*

Sec. 11. Kursaal Andorra. Un hombre vestido de esmoking llega ante el guardarropa; recoge su abrigo y el botones le ayuda a ponérselo; le da de propina la flor que lleva en la solapa. Despacho de don Paco, dueño del local; éste está sentado a su mesa. Llega don Mariano lo saluda y se sienta ante la mesa. Sala de fiestas: el Botines se levanta de la mesa donde está con Sole y el Quemarropa. Despacho de don Paco. Don Mariano mira a través de una ventana y comenta algo asombrado a Don Paco; éste toca un timbre adosado a la mesa. Campanilla repicando. Ante la puerta del despacho Atanasio intenta impedir la entrada a El Botines. Éste lo aparta y entra amenazador seguido de Atanasio amedrentado. El Botines le echa el humo del cigarro y le dice que pida a don Paco el dinero que le ha pedido. Atanasio amedrentado pide los billetes a don Paco y éste se los entrega. Plano de las manos de Botines contando los billetes. Se despide con aire chulesco. Don Paco increpa a Atanasio por no saber enfrentarse al matón y lo despide. Atanasio se quita la chaqueta del esmoking y sale humillado.

Sec. 12. Casa de don Antonio; éste se encuentra sentado a la mesa camilla. Llegan Leonor y Marcos, se saludan y hablan. Plano de la calle con niños jugando. Interior de la casa: repica la campanilla del timbre. Leonor abre la puerta; entra don Mariano; se saludan y Leonor le presenta a Marcos. Don Mariano se sienta junto a don Antonio, le entrega un cigarro puro y le comunica que le ha encontrado una colocación. Le explica la peligrosidad del empleo y también el sueldo: 1000 pts. Mensuales. Rostro pensativo del don Antonio. Primer plano del puro que tiene entre las manos y que se transforma en un billete. Don Antonio lo mira extasiado. Decide aceptar. Don Mariano lo anima. Leonor, acongojada se niega a que acepte. Don Mariano se despide; don Antonio y Leonor lo acompañan hasta la puerta; cierran y se abrazan.

Sec. 13. Repiquetea la campanilla del timbre. Rostro de Leonor angustiada adivinando que es el portero. Rostro angustiado de don Antonio. Éste decide enfrentarse al portero. Marcos, con temor, le pide que no se enfrente. Don Antonio empuja a Leonor y a Marcos para que se oculten tras la cortina que separa la cocina. Enciende el puro tembloroso, va hacia la puerta y la abre. Entra el portero blandiendo una estaca. Primer plano de la estaca; plano de las piernas temblorosas de don Antonio; rostro iracundo del portero. Exige el dinero. Rostro de don Antonio tragando saliva. Alternan planos de ambos con varios intertítulos que resumen la conversación a través de la cual don Antonio, envalentonado, se impone al portero, le arrebata la estaca, le obliga quitarse la gorra y hace que se vaya amedrentado. Cuando el portero sale, don Antonio arroja la estaca tras él y cierra la puerta. Queda tembloroso y casi desmayado; se seca el sudor. Salen Leonor y Marcos y lo abrazan. Don Antonio proclama que sirve para el empleo. Cierre en círculo sobre la imagen de los tres abrazados.

Sec. 14. Parque. Leonor y Marcos, vestidos muy elegantemente, están sentados en un banco en actitud cariñosa. Interior del Kursaal Andorra. Don Antonio se pasea con aires de matón entre las mesas de juego. Entre el Botines. Primer plano de su pie pisando deliberadamente del de don Antonio. Mirada chulesca de el Botines y rostro angustiado de don Antonio. Tres mujeres y un hombre sentados a una mesa; una de las mujeres (Luisa) mira con arrobo a don Antonio; comentan la valentía de éste. Entra don Mariano y saluda a don Antonio. Las mujeres y el hombre de la mesa se levantan ante un tumulto; cruzan la pista; unos borrachos vuelcan botellas sobre una mesa. El Botines discute en una de las mesas de juego; lo sujetan para impedir que se lleve las fichas. Llega don Antonio; se impone con serenidad; lo amenaza fríamente con una pistola y el matón se aleja a regañadientes. Luisa se pega a don Antonio; felicitaciones de los clientes; don Paco le estrecha la mano. Luisa lo abraza y él consigue quitársela de encima; un borracho lo invita a beber y él lo aparta. Consigue retirarse, se sienta en una silla y bebe de un frasquito que saca del bolsillo; primer plano del frasquito en cuya etiqueta se lee "tila." Don Paco le toca por detrás en el hombro y se sobresalta. Don Antonio le comenta que el contenido del frasco es aguardiente y don Paco se aleja sonriendo.

Sec. 15. Kursaal Andorra. Entra el Quemarropa y empuja a don Paco; le dice que quiere cortarle una oreja a don Antonio. Don Paco le dice que éste está deseoso de enfrentarse con él y le da la dirección de la casa. El Quemarropa se aleja. Don Paco se acerca a Don Antonio, le comenta las intenciones del matón y le promete 10.000 pesetas. si consigue alejarlo de Madrid. Don Antonio se atraganta pero hace gestos de estar dispuesto a cumplir.

Sec. 16. Casa de don Antonio. Éste habla con Marcos. Repiquetea la campanilla de la puerta. Marcos se asoma por la mirilla. El Quemarropa ante la puerta; rostro angustiado de Marcos. Se lo comunica a don Antonio, quien se asusta. Sale Leonor; don Antonio le coge las manos y le pide ayuda. Leonor va hacia una cómoda y saca dos pistolas; hace que su padre y Marcos se oculten tras la cortina que separa la cocina. Vuelve a repiquetear la campanilla del timbre. Leonor mete las dos pistolas en los bolsillos de una chaqueta y con ella en la mano abra la puerta. Entra el Quemarropa; Leonor le dice que espere y el matón se sienta sobre la mesa camilla; Leonor saca una pistola de la chaqueta y la deja sobre la mesa. En la cocina Marcos simula gritar. El Quemarropa se extraña; Leonor saca la otra pistola y la coloca sobre la mesa. Nuevo plano de la cara de Marcos gritando. Leonor, mientras limpia la pistola explica al Matón que su padre está matando a un señor. El Quemarropa comienza a ponerse nervios. En la cocina Don Antonio y Marcos apalean una silla y Marcos grita. El Quemarropa intenta alcanzar la pistola que está sobre la mesa y Leonor lo amenaza con la otra. En la cocina, don Antonio alcanza un frasco de tinta roja y vierte su contenido en el suelo, cerca de la cortina. El matón hace intención de marcharse; la tinta roja se desliza bajo la cortina; rostro desencajado de aquél mientras Leonor lo contempla con tranquilidad y le dice que su padre lo atenderá en seguida. Don Antonio parece tras la cortina con las manos teñidas de rojo; se ven los pies de Marcos tendido en el suelo. Se dirige a Quemarropa, quien levanta las manos, se despide apresuradamente y huye. Plano de la calle: el matón sale despavorido por la puerta. Interior: Don Antonio y Leonor se abrazan; sale Marcos y se une al abrazo. Cierre en círculo.

Sec. 17. Kursaal Andorra. Don Paco saluda a los jugadores. Sole y un grupo de amigos sentados a una mesa comentan la hazaña de don Antonio con El Quemarropa.

Sec. 18. Gabinete de la Sole. Retrato de don Antonio enmarcado en un círculo que se abre para mostrar la habitación completa. Sole coge el retrato, lo mira con arrobo, lo besa y después lo coloca sobre la mesita y se sienta a leer. Llega El Botines, rompe el retrato, golpea a Sole y se marcha amenazando. Sole coge los restos del retrato y los besa; luego se acerca a la mesita del teléfono y lo descuelga. Don Antonio, con los ojos en blanco, responde al otro lado. Alternan planos de ambos durante la conversación. Sole le dice que lo espera en su casa para cenar.

Sec. 19. Casa de don Antonio. Leonor cose; repiquetea la campanilla del timbre y se levanta para abrir. Entra una amiga ("Felisa, oficiala de sombreros y amiga de Leonor"), se besan y pasan al interior abrazadas. Charlan; Felisa comunica a Leonor que la han admitido en el taller donde ella trabaja. Leonor sonríe; continúan charlando de pie. Leonor coge un bolso y salen ambas. Calle. Las dos amigas pasean cogidas del brazo; cruzan la calle y entran en una tienda.

Sec. 20. Casa de Sole; ésta y don Antonio cenan servidos por una doncella. Alternan planos de los rostros de ambos. Plano del retrato de don Antonio; plano del rostro de El Botines. Sole dice que ha amenazado a éste con que don Antonio le va a ajustar las cuentas. Rostro asustado de don Antonio, quien promete que irá a buscar al matón. Se suceden planos de los rostros de ambos conversando. Sole comenta la envidia que despierta entre sus amigas su relación con don Antonio. Se besan. Cierre en círculo.

Sec. 21. Calle. Leonor y su amiga caminando; entran en una tienda. Marcos saluda a un amigo; le comenta que Leonor y él van a poder casarse gracias a las 10.000 pesetas. que cobró don Antonio por alejar a El Quemarropa del salón de juego. El amigo lo felicita. Se despiden dándose la mano.

Sec. 22. Plano del reloj de la Puerta del Sol, que marca las 12; cae la bola. Plano de un edificio en construcción; planos de obreros que salen.

Sec. 23. Casa de don Antonio; entra Marcos y ve a aquél dormido con la cabeza apoyada sobre la mesa camilla y con una botella vacía ante sí. Lo despierta y hablan; don Antonio dice que la Sole se ha quedado con todo el dinero. Continúan charlando. Gesto de impotencia de don Antonio. Oscuro.

Sec. 24. Kursaal Andorra. Don Antonio charla con don Mariano; éste le dice que El Botines y El Jarritas han amenazado con venir a matarlo. Gesto de don Mariano cortándose el cuello; rostro angustiado de don Antonio. Don Mariano dice a don Antonio que el dueño del local le dará otras 10.000 pesetas. si se deshace de los matones, pero le aconseja que huya si no quiere dejar huérfana a su hija. Don Mariano acompaña a don Antonio hasta la puerta del despacho de don Paco.

Sec. 25. Despacho de don Paco. Don Antonio le pide permiso para ausentarse durante unos días; don Paco parece acceder. Cuando don Antonio comienza a quitarse el esmoking entran El Jarritas y El Botines. Don Antonio se sienta en una silla y se oculta tras un periódico (al revés) que finge leer. El Botines se acerca, lo observa, le quita el periódico, lo dobla cuidadosamente y lo mete en el bolsillo interior de la chaqueta de don Antonio. Éste se levanta, saca un pañuelo y finge limpiar una mancha de la solapa del matón. Don Paco los observa sin saber qué hacer. Los matones lo amenazan y don Paco sale del despacho mientras aquellos se sientan sobre la mesa con los pies puestos sobre la silla.

Sec. 26. Salón de juegos. Entran Leonor y Marcos. Plano de la mesa de la ruleta. Leonor y Marcos se acercan a ella.

Sec. 27. Despacho de don Paco. Los matones fuman despreocupadamente. Hablan con don Antonio y, sacando una pistola, lo conminan a que vaya a buscar el dinero. Don Antonio sale amedrentado mientras El Botines se ríe. Don Antonio se desploma en una silla en una habitación contigua; descuelga un telefonillo; rostro del conserje contestando al otro lado. Don Antonio le dice que le pida un auto.

Sec. 28. Salón de juegos; mesa de la ruleta. Leonor deja a Marcos apostando y se aleja.

Sec. 29. Despacho de don Paco. Los matones esperan. Entra Leonor; El Botines la mira con deseo y se acerca a ella. Leonor retrocede asustada pero el matón la coge por un brazo e intenta forzarla. Plano de don Antonio en la habitación contigua cambiándose de chaqueta. Leonor intenta desasirse del matón y grita. Rostro de don Antonio que escucha los gritos. Continua el forcejeo; nuevos gritos de auxilio de Leonor. Don Antonio irrumpe en el despacho, coge una silla y golpea a El Botines; El Jarritas lanza un cuchillo que se clava en la pared; don Antonio coge una pistola del cajón de la mesa y comienza a disparar. Los dos matones huyen atropelladamente. Plano de la puerta de la calle por donde salen despavoridos los dos matones. En el despacho don Antonio y Leonor se abrazan. Plano de la calle por la que corren los dos matones. Entran en el despacho don Paco, don Mariano y varios clientes, entre ellos la Sole. Felicitan todos a don Antonio y don Paco le entrega un fajo de billetes. La Sole besa a don Antonio. Intertítulo: "¡Es mi hombre!." La imagen se cierra en círculo sobre el beso de Sole y don Antonio.

Sec. 30. Tras el intertítulo "Meses después," la casa de don Antonio; éste charla con Marcos y con Leonor, que lo acaricia. Le dice que se olvide de Sole y don Antonio parece asentir. Se levantan los tres y se disponen a salir.

Sec. 31. Calle. Los tres salen del portal. Se encuentran con Sole y hablan; Sole comenta que ya no le interesa don Antonio pues ya no tiene un céntimo. Leonor la despide airada y abraza a su padre. Marchan los tres por la calle cogidos del brazo; atraviesan unos jardines; llegan a la puerta de un bar y se detienen ante ella. Se suceden planos de los rostros de los tres, el de don Antonio asintiendo. Don Antonio penetra en el bar mientras Leonor y Marcos quedan en la puerta. Primer plano de don Antonio bebiendo directamente de una botella mientras Leonor y Marcos se abrazan en segundo término. FIN.

LA MIRADA RETROSPECTIVA: NOSTALGIA Y UTOPÍA EN EL CINE HISPÁNICO CONTEMPORÁNEO. *LAS HUELLAS BORRADAS* (1999) DE ENRIQUE GABRIEL

JOSÉ M. DEL PINO
Dartmouth College

El sujeto contemporáneo siente nostalgia. Dominado por el desencanto ante su realidad presente echa de menos formas de vida pasadas que considera, real o imaginariamente, más genuinas y plenas. Desde la conciencia de una existencia insatisfactoria actual siente con intensidad la atracción de una dimensión pretérita que se ofrece a su mirada como un ámbito firme y protector. Este individuo puede llegar a compartir los síntomas del exiliado que, expulsado de su tierra, nunca llega a integrarse afectivamente al país de acogida. Sintiendo la atracción por la vida que dejó atrás, tiende a idealizarla. La nostalgia contemporánea se materializa para muchos habitantes de las grandes metrópolis y de sus prolongaciones urbanas en la añoranza de una comunidad orgánica característica de un mundo rural en proceso de desaparición así como de los modos de producción artesanal.

A diferencia de otros momentos históricos—marcados por sus propias circunstancias y añoranzas—, la nostalgia posmoderna deriva de las nuevas condiciones socioeconómicas del capitalismo tardío en una sociedad post-industrial.[1] Como estrategia de resistencia ante los procesos colonizadores de la globalización, el sujeto contemporáneo refuerza los lazos hacia lo local y lo regional y abraza los restos de un espacio/

tiempo más amable, más "auténtico." Gianni Vattimo afirma
que el plano de lo real está en nuestra época condicionado por
el mundo de las mercancías y de los medios de comunicación,
y explica cómo éstos son incapaces de inducir o estimular en
el individuo, sometido implacablemente a sus leyes, una
sugestión de realidad plena. Para George Steiner el declive de
los grandes sistemas y el vacío dejado por el agotamiento de
la teología y de las utopías políticas liberadoras provocan una
particular *nostalgia del absoluto*, entendida como ansia de
totalidad y de estabilidad ontológica.

> Esa nostalgia tan profunda, yo creo, en la mayor parte
> de nosotros, fue directamente provocada por la decaden-
> cia del hombre y la sociedad occidental, por la decaden-
> cia de la antigua y magnífica arquitectura de la certeza
> religiosa. Como nunca anteriormente, hoy, en este mo-
> mento del siglo XX, tenemos hambre de mitos, de expli-
> caciones totales, y anhelamos profundamente una pro-
> fecía con garantías.[2] (22)

Steiner interpretaba a mediados de los setenta los movimientos de vuelta a la naturaleza, tan comunes en las sociedades
occidentales hoy día, como consecuencia del trauma que
supuso el arrancamiento del medio natural, así como de la
necesidad de sustituir las grandes ideologías y sus despres-
tigiados discursos por movimientos alternativos de resultados
más inmediatos y cercanos a los individuos.

El desengaño ante la fase final de una modernidad incapaz
de seducir con sus promesas de liberación económica y
espiritual ha traído consigo una actitud general marcada por
una *mirada retrospectiva* que, erigida sobre una nueva sentimentalidad, valora altamente las etapas premodernas y sus
manifestaciones.[3] El ocaso de los afectos, en términos de
Fredric Jameson, que emana de las condiciones de vida en las
metrópolis exacerba el deseo por un espacio más natural y
por un tiempo menos mercantilizado. Durante sus recurrentes crisis de nostalgia el desilusionado individuo contemporáneo vuelve los ojos al lugar y al tiempo en donde todavía
persisten las huellas de la vida comunitaria. Esta nostalgia

por una comunidad arraigada a la tierra originaria puede llegar a alcanzar en nuestro tiempo la dimensión de utopía.

Para que se genere la actitud nostálgica es esencial el establecimiento de una conciencia de distancia entre el momento presente, desde el que se practica la reflexión, y un pasado sometido a procesos de idealización. Sobre esa brecha insalvable entre la realidad y lo que ya quedó atrás se construyen puentes afectivos que están sostenidos por las huellas y manifestaciones de un pasado perdido sobre el que el individuo proyecta sus deseos y sueños. La nostalgia del tiempo pretérito conduce a la creación imaginaria de un ambiente protector en donde los conflictos parecían hallar sus soluciones dentro de un ámbito amable de solidaridad humana. David Lowenthal define en este sentido la nostalgia como memoria desprovista de dolor ("Nostalgia is memory with the pain removed," Lowenthal 8). En este hondo impulso rememorativo coinciden unas nociones muy específicas de temporalidad (la infancia individual) y de espacio (un medio natural apenas alterado por la mecanización). Claramente este fenómeno entra en el terreno del mito; el mito de un pasado más feliz y más natural que Steiner identifica con la infancia de la humanidad. Raymond Williams, por su lado, estudió la función de ese mito arcádico en el caso concreto de la literatura inglesa moderna, en la cual y ante el fenómeno de la industrialización creciente se desarrolló una narrativa idealizadora de la vida rural.[4] En los países altamente industrializados dicha idealización ha llegado a poseer un poder de seducción extraordinario. En España y en algunos países de Hispanoamérica, que salvo excepciones experimentaron los procesos transformadores de industrialización y desarrollo urbano tardíamente, la influencia del discurso nostálgico en la producción cultural es más reciente, y por ello, sus efectos son todavía muy visibles.

La nostalgia posmoderna se distingue de otros fenómenos pasados de añoranza (cada época ha creado sus propias nostalgias) por generarse plenamente desde una conciencia urbana que deriva de una realidad social y económica en donde el campo, con sus particulares formas de producción y con su cultura propia, ha perdido casi por completo todo

poder de influencia real sobre la sociedad. En los países desarrollados, el campo y los pueblos dejaron ya hace tiempo de
ser un factor determinante en la vida pública. En el caso
español, el pueblo tradicional castizo se halla hoy bien lejos
de representar el lugar amenazante o la tumba del intelectual, según la caracterización y denuncia de Pío Baroja y José
Martínez Ruiz en sus novelas inaugurales de la modernidad
española, *Camino de perfección* y *La voluntad*, ambas de
1902. Al contrario, en la actualidad el campo y el pueblo
pequeño suelen atraer al ciudadano por su encanto como
lugar de reposo y por proveer un rústico entretenimiento
transitorio. Según David Lowenthal, el fenómeno de la nostalgia hacia formas de existencia más simples y tradicionales,
causada por el desencanto con la vida de la urbe, reviste la
gravedad de una epidemia (Lowenthal 4). Svetlana Boym en
The Future of Nostalgia hablará asimismo de una *malaise*
incurable establecida sobre la añoranza de una comunidad—
ya casi extinta—que dotada de memoria colectiva funciona
como antídoto frente a la fragmentación vital del presente.
Para Boym la nostalgia es principalmente el anhelo por un
tiempo desaparecido, el tiempo de la niñez; de ello deriva el
impulso por recrear un hogar ideal. Así, frente a la experiencia plena con que se identifica el pasado añorado, la experiencia inmediata se menosprecia por su precariedad y
pobreza. Para el individuo aquejado de nostalgia, su realidad
vital presente no puede competir en poder de encantamiento
y atracción con una realidad recordada y embellecida por los
procesos de la memoria selectiva.

   Los procedimientos de recuperación del pasado y de la
experiencia pretérita son esenciales para poner en marcha el
proceso nostálgico. La memoria evocadora suele estar estimu-
lada por la presencia de un objeto sobre el que recae la
responsabilidad de establecer el lazo afectivo con el pasado;
dicho objeto, como señala Lowenthal, tiene el poder sugestivo
de las reliquias. El objeto-reliquia produce en el sujeto nostálgico una impresión tan vívida que hace imposible la desco-
nexión entre presente y pasado. La conciencia del paso del
tiempo y de la pérdida se contrarresta con la presencia de ese
objeto, el cual apela a una dimensión temporal que estuvo (o

así se la recuerda) cargada de vitalidad. Es en este sentido en el que el objeto-reliquia funciona como testigo y prueba. Dicho objeto, concebido como tal, guarda en sí la huella y la marca de un pasado que se revive ahora con la capacidad persuasiva de lo real.[5] Fotografías, muebles antiguos, juguetes y toda pieza con la marca del tiempo inscrita en su materia sirven para conectar al nostálgico con un pasado familiar y comunitario que se echa de menos dolorosamente. Por ello, Boym considera que el pasado recuperado mediante los procesos de la nostalgia siempre aparece codificado por medio de un resto, un detalle o una sinécdoque sugestiva (Boym 54).[6]

Pero, ¿qué es exactamente lo que se echa de menos? ¿Y cómo se relaciona lo perdido con el hogar ideal que intenta recuperarse mediante los procesos de la evocación nostálgica? Raymond Williams señalaba que en la literatura idealizadora de la vida rural inglesa (y en sus antecedentes en la poesía bucólica latina) lo que se añoraba no era tanto el campo y el mundo natural en abstracto sino unos espacios privilegiados conectados con ellos: la casa de campo y el retiro amable en la costa o en una isla. (Williams 47). Estos lugares alimentan el mito urbano del reposo campestre que por considerarse regenerador y proveedor de experiencia auténtica combate el estado de alienación intrínseco a la vida en la ciudad.

Algo semejante sucede en el caso del cine hispánico contemporáneo en su vertiente de relato nostálgico: lo que echa en falta el individuo de la urbe en estado de crisis será el pueblo pequeño, definido como espacio humano en donde habita una comunidad protectora, y una estructura familiar que existió, real o imaginariamente, como unidad de intereses sustentada sobre sentimientos de afecto mutuo. Y muy especialmente se añora la infancia. En general, la evocación de todos ellos responde a la añoranza de un tiempo más feliz y estable, ya sea real o tenido como tal. No es infrecuente, por otro lado, que a lo largo de la narración vayan surgiendo aspectos menos amables del pasado en la memoria de los personajes, los cuales al evocarlo hallan también recuerdos de circunstancias o eventos dolorosos y traumáticos que les llevaron en muchos casos a apartarse de su comunidad originaria. La novela y el cine de la nostalgia—que han adquirido

en los últimos años una importancia muy considerable dentro
del panorama cultural hispánico—se organizan temática y
estructuralmente en torno a narrativas de filiación. El
personaje protagonista de muchos de estos textos se esfuerza
por reconstituir una nueva familia con ciertos vestigios del
pasado que la rememoración actualiza. Irónicamente, el
esfuerzo restaurador puede llevar a un modelo familiar
bastante diferente del añorado, pero es un modelo que en las
circunstancias presentes del personaje se acepta como
solución tras un difícil proceso de negociación con la realidad.
El desencadenante de la acción suele ser un suceso concreto
que, por su poder de conmoción y por lo que desvela de la
situación de crisis en la que se halla sumido el personaje,
reactiva los procesos de la memoria selectiva e impulsa al
cambio vital.

En las narrativas de la nostalgia el proceso de la añoranza
sigue un esquema bastante repetido y predecible. En unas
ocasiones, un personaje conectado al mundo pretérito
irrumpe en la vida del protagonista y desencadena la crisis;
en otras, un suceso particularmente relevante hace que el
sujeto protagonista adquiera conciencia de su estado presente
y de un sentido de pérdida. En ambos casos, el protagonista
vuelve su mirada al pasado. Este tipo de mirada retrospectiva
le muestra con cierto dramatismo la distancia insalvable
entre sus circunstancias actuales y un pasado que se recuerda
como más dichoso. Se constata el paso del tiempo y el
desgaste de ilusiones y proyectos planeados en momentos de
altas expectativas; se toma conciencia, en suma, de la separación entre lo que se es y lo que se quiso ser. Ello conduce a
la actitud evocadora propia del nostálgico: traer al presente
aquellos momentos del pasado que se perciben como particularmente significativos para la situación actual. El sentimiento de añoranza y la conciencia de la pérdida conceden al
pasado un carácter de mayor plenitud vital y de dicha. La
recuperación de ese pasado perdido, o de las circunstancias
que lo caracterizaron, se suele revelar como una imposibilidad; no obstante, es en ese mismo esfuerzo invertido por
revivirlo en donde reside el efecto regenerador. Cuando la
evocación nostálgica contribuye a una revitalización de tipo

físico o anímico se evita la caída en la melancolía, que al ser una añoranza sin objeto concreto, se complace en el desprecio del presente y en una actitud contemplativa reacia a la acción.[7]

La nostalgia regeneradora se suele manifestar en un fortalecimiento de los lazos con el origen y la comunidad añorada, así como en la puesta en marcha de acciones que mejoran las condiciones reales de vida del sujeto en crisis. No importa necesariamente que esa comunidad o familia sea recuperable; en general no lo es, o al menos no con los perfiles que de ella se tenía en el recuerdo. Lo relevante es que su búsqueda ayuda a recobrar un sentido de pertenencia y a conectar al sujeto con sus raíces. Un motivo repetido es el viaje de retorno. Un viaje que se inicia con intención de recuperar o al menos comprobar la existencia de lo que ya no pertenece a uno, pero que puede llevar al nostálgico a aceptar su realidad presente. Todo este proceso funciona como antídoto ante la crisis existencial del sujeto urbano contemporáneo. En ocasiones la nostalgia, ya cargada de sentido y de vitalidad, se proyecta en impulsos creativos de tipo artístico que dan sentido al presente y ayudan al individuo a proyectarse hacia el futuro.

Boym interpreta el aumento actual de las narrativas de la nostalgia y del fortalecimiento de los lazos hacia lo local como el contrapunto a la fascinación contemporánea por el ciberespacio y la aldea virtual global. Ello lleva a una crisis generalizada de añoranza por una comunidad con memoria colectiva así como a un anhelo de continuidad, tanto espacial como temporal, en un mundo en que la experiencia vital es cada vez más fragmentada y compleja (Boym XIV). La economía de una globalización sin freno nivela las ricas diferencias culturales, empobrece la experiencia individual y acaba con los restos de la vida rural. Andreas Huyssens ha situado el origen del estado de crisis en la imposibilidad para el sujeto contemporáneo de hallar lo utópico en el ciberespacio, y considera que en una etapa de ilimitada proliferación de imágenes, discursos y simulacros, la búsqueda de lo real ha llegado a convertirse en utópica. Al ser cada vez más difícil encontrar espacios de estabilidad vital en la realidad inme-

diata tal y como se experimenta en nuestra época, su búsqueda se define pues como un deseo de temporalidad.
Huyssens concluye afirmando que las obsesiones con la
memoria y la historia observables en la literatura y el arte
contemporáneos no son una forma de escapismo sino una
manifestación del deseo por lo utópico, que reacciona ante un
cínico nihilismo posmoderno y ante una visión neoconser-
vadora del mundo que aspira a lo que ya no puede tener:
historias estables, un canon estable y una realidad estable
(Huyssens 101). Se podría añadir que ese "deseo de temporalidad," que espolea la búsqueda de refugio en un espacio
protector, es el principal mecanismo estimulador del proceso
nostálgico, entendido desde este punto de vista como el
impulso utópico más característico de nuestra era.

Sobre la naturaleza de los diversos procesos nostálgicos,
establece Boym una diferenciación muy sugerente y productiva; distingue entre una nostalgia restauradora (*restorative*)
y una reflexiva (*reflective*). La primera tiende a concentrarse
en la añoranza de un hogar perdido, emoción que se manifiesta en la reconstrucción total de los monumentos del
pasado (Boym 41) y en la restauración, generalmente acrítica,
de los orígenes. Boym señala que éste es el tipo de nostalgia
que se presenta en muchos exiliados, los cuales adjudican a la
patria perdida el estatus de hogar ideal mientras sueñan con
un regreso casi siempre imposible. La nostalgia reflexiva, por
el contrario, se preocupa por el tiempo histórico e individual,
y está más orientada hacia una narrativa personal que
disfruta de los detalles y de los signos conmemorativos,
postergando indefinidamente el regreso real a casa. Frente a
la nostalgia restauradora que aspira a reconstruir un lugar
mítico llamado hogar y que se toma a sí misma con gran
seriedad, la nostalgia reflexiva puede ser irónica y humo-
rística (Boym 49). Si la nostalgia restauradora pretende
reconstruir dicho lugar mítico del hogar, la reflexiva suele
conformarse con el anhelo de la propia infancia.

> Restorative nostalgia evokes national past and
> future; reflective nostalgia is more about individual and
> cultural memory. The two might overlap in their frames

of reference, but they do not coincide in their narratives and plots of identity. In other words, they can use the same triggers of memory and symbols, the same Proustian madeleine pastry, but tell different stories about it.

Nostalgia of the first type gravitates toward collective pictorial symbols and oral culture. Nostalgia of the second type is more oriented toward an individual narrative that savors details and memorial signs, perpetually deferring the homecoming itself. If restorative nostalgia ends up reconstructing emblems and rituals of home and homeland in an attempt to conquer and spatialize time, reflective nostalgia cherishes shattered fragments of memory and temporalizes space. Restorative nostalgia takes itself dead seriously. Reflective nostalgia, on the other hand, can be ironic and humorous. It reveals that longing and critical thinking are not opposed to one another, as affective memories do not absolve one from compassion, judgment or critical reflection. (Boym 49-50)

Sobre esta caracterización general de la nostalgia, articuladora de una parte considerable de la narrativa y el cine hispánico contemporáneo, establezco las bases de análisis de una película concreta que reproduce en gran medida el paradigma del relato nostálgico y, en particular, del tipo de nostalgia reflexiva. La co-producción hispano-argentina *Las huellas borradas* del director argentino Enrique Gabriel, con guión de él mismo y de Lucía Lipschutz, examina el tema del desencanto del habitante de la gran urbe y el intento de recuperación del tiempo perdido en el marco del viaje de retorno al pueblo natal español ante la inminencia de su desaparición. El film ofrece diversas propuestas para contrarrestar la destrucción de la cultura rural, que aunque rayanas en lo utópico no olvidan los problemas reales. Como vengo señalando, la construcción de la nostalgia posmoderna se genera desde la conciencia urbana de desplazamiento temporal y espacial. A la primera corresponde la añoranza de la niñez y juventud, y a la segunda la del pueblo perdido. Para que el

sentido de pérdida sea considerado como crisis es fundamental que el presente se interprete como estado de desa-
rraigo . En *Las huellas borradas* dicha conciencia está enfati-
zada por la condición de emigrante del protagonista. Manuel
Perea (interpretado por el actor Federico Luppi) es un hombre maduro que regresa a su pueblo natal castellano-leonés
después de vivir muchos años en Buenos Aires. La historia no
especifica los motivos de la partida de Manuel a Argentina,
con lo cual el espectador podría deducir que se debió a una
combinación de circunstancias socio-económicas, políticas y
personales. La caracterización de Manuel, sin embargo, no
responde exactamente a la del exiliado o emigrante obsesio-
nado con la vuelta a casa. Manuel no parece tener la más
mínima intención de quedarse ni en su pueblo ni en su país
natal. Más bien ha venido a despedirse definitivamente del
hogar de su infancia y a intentar llevarse con él lo que le es
más preciado.

Las primeras tomas de la película muestran unas panorámicas de altas montañas y paisaje escabroso, vistas de naturaleza no alterada por la acción humana. A ellas sucede la
toma de una cigüeña que vuela hacia su nido y la torre de una
iglesia que se refleja en un lago o embalse de aguas tran-
quilas. Una música suave y un tanto melancólica enfatiza la
belleza de las imágenes. Dichas primeras tomas, dotadas de
fuerte significado simbólico, preludian el tema del regreso a
un espacio más natural y acogedor. Inmediatamente la
cámara sigue con tomas en picado el recorrido de un automóvil por una carretera de montaña y su llegada final al
pueblo. Se observa el nombre de éste en una señal de tráfico,
Higueras; el automóvil se para en la plaza del pueblo y de él
desciende un hombre maduro de buen porte y con aire incon-
fundiblemente urbano. A su llegada la gente del pueblo, que
no le presta atención alguna, está en pleno proceso de
mudanza colectiva; hay gran trasiego de muebles y enseres
que se van colocando sobre vehículos. Desde el principio de la
película se resalta ese tema fundamental; todo el desarrollo
argumental girará posteriormente en torno al abandono progresivo del pueblo por sus habitantes y a los efectos emocio-
nales y vitales que esto trae consigo. En varias escenas de

transición se repetirá dicha visión de mudanza. El hombre mira la acción de los habitantes con aire de sorpresa y tristeza. En la siguiente escena aparece ante una hermosa casa de campo que se halla vacía en ese momento; entra en ella y comienza a recorrer sus habitaciones con la parsimonia y emoción del que regresa a un espacio familiar. El recorrido transmite al espectador la impresión de una evocación cargada de sentimentalidad. En los diferentes cuartos Manuel toca o acaricia con reverencia algunos objetos, que por reconocerlos parecen conectarlo a su pasado. En el sótano, por ejemplo, halla llenos de polvo un montón de libros de la colección Austral (Manuel, sabremos más tarde, es poeta y escritor, aunque de poco éxito) y unas fotos. La evocación del pasado está así singularizada mediante la alta valoración de objetos que aún conservan las marcas de una etapa anterior. Sobre dichos objetos está depositada una huella afectiva y el sello de la experiencia pretérita. Raymond Williams explicó que el fenómeno de la nostalgia también encuentra su explicación en el mito de un pasado más feliz y natural. En dicho mito confluyen la evocación idealizadora de la infancia y juventud perdidas así como la de la morada familiar dentro de una comunidad tradicional. Es obvio que este individuo está restableciendo con la casa un vínculo que permanecía vivo pero que se hallaba escondido en el fondo de la memoria. Sus objetos funcionan aquí como reliquias de su infancia y juventud, y como tales se constituyen en los mecanismos claves para el desencadenamiento de la evocación nostálgica. El valor del tiempo lento y reposado del campo resalta más desde la mirada del hombre de la ciudad, pues éste vive en un mundo en el que el tiempo está mercantilizado. Como ocurre en otros casos del cine hispánico contemporáneo—por ejemplo en la película de Pilar Miró *El pájaro de la felicidad* (España 1993) o en *La vida según Muriel* (Argentina 1997) de Eduardo Milewicz—el viaje o retorno adquiere el carácter de búsqueda de una experiencia más auténtica y de un concepto del yo integrado y vitalista.[8] El ser urbano en crisis siente un impulso de regeneración que lo lleva a querer restablecer lazos con una comunidad o familia perdida en un medio natural alejado de la ciudad. La narrativa de la filiación, ya mencionada anteriormente, es fundamental en este sentido.

En su recorrido por la antigua casa, el hombre entra después en un dormitorio decorado con carteles, (en lugar preferente destaca uno del Che Guevara) y otros objetos claramente juveniles y femeninos. Mediante una sinécdoque visual, se relaciona el dormitorio con la persona que acaba de llegar a la casa en una moto, una chica joven a la que acompaña un muchacho. Tras despedirse del joven con un beso, ella entra en la casa. La siguiente escena es la del reconocimiento mutuo: la joven es Rosa (interpretada por Elena Anaya), sobrina del recién llegado. No se habían visto desde que Rosa era una niña, lo que sugiere que Manuel no había visitado su pueblo natal desde hacía unos veinte años. Con la entrada de Rosa, que está caracterizada por su forma de vestir como joven moderna y poco pueblerina, se frena el ejercicio de evocación nostálgica para dar paso a la dramática realidad que se vive en el pueblo en ese momento. Gracias a un afectuoso diálogo, no exento de cierto tono de reproche por parte de Rosa y de desilusión acomodaticia en el caso de Manuel, el espectador descubre el motivo del abandono del pueblo por parte de sus habitantes: la aldea ha sido expropiada y desahuciada pues va a quedar inundada por las aguas de un pantano en construcción. Rosa, como tantos otros vecinos de Higueras, ha luchado en vano tanto en Madrid como en Bruselas para salvar el pueblo de las aguas.[9] Recrimina afectuosamente al tío el no haber venido antes a ayudarles, y al observar su indolencia exclama la joven: "al menos lo intentamos, resignarse es de cobardes." A lo que él responde con evasivas de hombre decepcionado con la acción y el activismo social. Rosa ha actuado siguiendo los ideales encarnados por ese líder político que preside su cuarto y que, convertido en los últimos años en icono juvenil, predicó cuando vivía la idea de que las utopías sociales son posibles y que se alcanzan con la acción, violenta si es necesario.[10]

En este choque generacional contrasta la posición más nostálgica del tío con la actitud de compromiso de la sobrina, la cual aspira a alcanzar ciertos ideales utópicos pero sin perder de vista las circunstancias concretas, y poco favorables, a las que está sometida. De este modo, el planteamiento argumental del film se esfuerza por separarse de una nostalgia melancólica (en la línea de la nostalgia restauradora) y por acercarse a un tipo de cine de evidente preocupación social. Como se observa en otra relevante película coetánea, *Flores de otro mundo* (España 1999) de Icíar Bollain, *Las huellas borradas* tiene el propósito de superar una convencional visión idílica del mundo rural (la que propugna la emergente industria del turismo rural, por ejemplo) para mostrar las difíciles condiciones de vida a las que se enfrentan aquellos que deciden no abandonar el campo y vivir de actividades relacionadas con él. [11] Tanto la prístina belleza de una naturaleza amenazada, expuesta en las tomas panorámicas del entorno natural del valle de Higueras y de las montañas que lo rodean, como el idealismo de Rosa y de su novio contrastan con la obsesión por el dinero y la visión mercantilista de la tierra que domina en los habitantes del pueblo. Angustiados por el futuro incierto que les espera, éstos se saben condenados a la dispersión y a la precariedad. Por medio de la centralidad argumental de esta problemática se subvierte una visión convencional de idilio rural y se inserta el film dentro de un tipo de nostalgia reflexiva que no desdeña ni el juicio ni la visión crítica.

El pueblo al que retorna Manuel está lejos de mostrar los perfiles de una comunidad orgánica ideal. Ni lo es ahora ante la inminencia de su desaparición, ni lo fue en el pasado. Es un grupo humano en el que junto a sentimientos de solidaridad y afecto mutuo conviven la sospecha, el prejuicio de clase y la envidia. Las expropiaciones forzosas y las escasas indemnizaciones han agudizado la rivalidad y la codicia de los vecinos. En este sentido la película comparte la visión pesimista de la vida del campo que exponían los noventayochistas españoles, en particular el Antonio Machado de *Campos de Castilla*. Lo que encuentra Manuel en la casa familiar, ocupada ahora por su cuñada Virginia y sus sobrinos, en el bar del pueblo y en la mercería de sus viejas amigas Leoní (interpretada por Asunción Balaguer) y Felisa es un sentimiento de incertidumbre y profundo desánimo ante la desaparición del pueblo y la disolución de la comunidad ancestral. La película va expo-

niendo en las sucesivas escenas (la trama tiene cierta estructura teatral) los efectos negativos de la situación en los diferentes habitantes del pueblo. Después de la emotiva escena
del reencuentro, los antiguos amigos de Manuel, agricultores
y pequeños propietarios que se reúnen regularmente en el
bar, le transmiten a éste sus inquietudes económicas y su
preocupación por la desigualdad en el reparto de las indemnizaciones. De manera significativa y tras cantar en honor de
Manuel la canción-himno que celebra la comunidad de
Higueras, se sumen en una violenta discusión sobre el dinero
que aún no han cobrado olvidándose completamente de él.
Las reñidoras hermanas Leoní y Felisa le expresan su tristeza y su miedo ante el futuro incierto y su desesperación por
la pérdida de la casa y de los muebles antiguos de la familia,
que por su tamaño no podrán ser trasladados a la nueva
vivienda del pueblo cercano de Sobredo, a donde se mudarán
la mayoría de los vecinos. "Las casas se han vuelto pequeñas,
igual que los corazones" sentencia Felisa rencorosamente.
Estas hermanas, sobre todo la amargada Felisa, encarnan un
tipo de nostalgia restauradora que monumentaliza el pasado
y desvitaliza el presente. En la primera visita de Manuel a la
vieja mercería, establecimiento comercial en claro retroceso,
acuden al pasado común como único lazo. Lo que comparten
es únicamente el recuerdo de un tiempo anterior. Manuel y
Leoní rememoran frente a un álbum de fotos de artistas de
cine de Hollywood (Carole Lombard, Gary Cooper, Gene
Thierney, Joan Crawford, Bette Davis) sus sueños de
juventud. Manolo, como le llaman cariñosamente, califica
este álbum de auténtica "reliquia," reliquias sobre las que
Leoní proyecta afectivamente la añoranza de la juventud y de
los amores perdidos. Mediante su inagotable letanía de la-
mentos, Leoní, pero principalmente Felisa, cultivan una
retórica de menosprecio del presente: ya no hay casas ni
corazones como los de antes, ya no quedan artistas de cine de
verdad. Frente a una Leoní más vitalista que conserva
todavía una tímida esperanza en el futuro, Felisa encarna la
implacable ley casticista de la tradición más reaccionaria.
Vive ya sólo para el recuerdo y la severa exaltación de la
norma heredada, que proviene de una figura matriarcal ince-

santemente invocada: "Mamaíta." El tema machadiano del
cainismo en el medio rural—expuesto en la película tanto en
la agria rivalidad de las hermanas, que se insultan sin pudor
cuando discuten, como en el odio de unos vecinos, el Zayas y
el Ponciano, cuyas rencillas por unos metros de tierra llevan
al primero a matar a cuchilladas al otro—funciona como
antídoto ante una posible visión demasiado utópica de la vida
rural. Durante una de las numerosas discusiones entre las
hermanas, Leoní muere de un colapso y Felisa es obligada a
abandonar su casa. Irónicamente el destino de Leoní parece
menos dramático que el de su hermana, pues la primera
puede ver cumplido, aun sin buscarlo, su deseo de no
abandonar su tierra; reposará en el cementerio de Higueras.
Mientras que Felisa aparece condenada a la soledad y a la
residencia de ancianos. Con estos conflictos Gabriel sitúa el
film dentro de una discusión sobre el drama de los pueblos
abandonados y del sombrío destino de muchos de sus habitantes.

Unido secretamente al destino de Leoní existe otro
personaje dominado por la nostalgia, aunque por un tipo
distinto de nostalgia. Es don José (interpretado por Héctor
Alterio), un culto propietario de origen aristocrático, estudioso de las cigüeñas y defensor de un sentido vital de la tradición.[12] Su vida está dedicada al estudio de las aves, al cuidado de su casa y de su magnífica biblioteca y a la preservación de la agricultura en su finca.[13] En uno de sus encuentros con Manuel, y tras la muerte de Leoní, don José le
desvela que ésta fue madre de un hijo al que se vio obligada a
abandonar por presión de su hermana; que es Delfín, el novio
de Rosa. Don José insinúa con suficiente claridad que él es su
padre y que por cobardía nunca reconoció al hijo; éste desconoce su origen pues fue criado en un orfanato. Delfín, un
joven ebanista y artista, se gana difícilmente la vida con sus
actividades de restauración. Personifica al artesano popular
que, renunciando a una beca para estudiar en Madrid, decide
pese a todos los inconvenientes quedarse en el pueblo
viviendo en una vaqueriza desde donde se domina todo el
valle de Higueras. Delfín, en una de sus pocas intervenciones,
afirma que le gusta trabajar con madera y no con piedra o

metal porque "la madera está viva; uno siente cómo respira."
Este personaje se construye como un ser que resiste el
empuje de una civilización urbana que altera y a veces
destruye el medio natural para su continua expansión, y en
defensor anacrónico aunque sincero de formas de vida preindustriales y artísticas en los umbrales del siglo veintiuno.
Manuel recibe de don José el encargo de dar a Delfín unas
herramientas y unas fotos en donde se aclara el origen del
joven. A Manuel regala una primera edición de la versión
bilingüe de la *Divina Comedia* con ilustraciones de Gustave
Doré. El leitmotiv del viaje y de estar a mitad del camino de
la vida reproduce en parte la situación del propio Manuel,
situación que el astuto don José parece haber percibido. El
viejo terrateniente descreído y volteriano ha escogido el
suicidio como defensa ante la destrucción de su mundo y
frente a la nostalgia que lo embargará cuando éste desapa-
rezca. Lo lleva a cabo mientras limpia su escopeta y ésta se
dispara "accidentalmente"; ello sólo se sabe por lo que cuentan varios personajes pues la acción no tiene lugar en la
pantalla. Con el reparto de sus bienes, don José reafirma su
conexión con la tierra y el rechazo de la vida urbana elegida
por sus hijos legítimos. En un testamento hecho pocos días
antes de morir, deja la mayor parte de sus propiedades a su
fiel criada, una mujer discapacitada, y su biblioteca a una
institución pública. A sus hijos sólo deja los muebles y
contenido de la casa. Será Manuel el que descubra, al tiempo
que recibe la noticia de la muerte de don José, que las "herramientas" de la mochila son en realidad todo el dinero de la
expropiación, que éste deja como herencia al único hijo suyo
que comparte el amor a la tierra con la esperanza de que
mantenga, como su simbólico nombre indica, su legado. La
filiación y la línea de continuidad de la tradición viva no se
prolonga en el linaje legítimo sino en el natural, el que junta
sangre y apego al lar familiar. Como castigo por haber abandonado el solar ancestral deshereda a los hijos legítimos. Así
pues, por voluntad propia don José consigue reposar en el
cementerio del pueblo junto a sus antepasados y a Leoní. A
ello se refiere su amigo el cura del pueblo en el elogio fúnebre: "Al paso que va el mundo son contados aquellos a los que

les es dado recibir sepultura en el mismo suelo que les vio
nacer. A José le fue concedido ese privilegio."

Frente a los personajes más nostálgicos, los que son
conscientes de su incapacidad de adaptarse a las nuevas circunstancias, están los que adoptan una postura práctica
menos sentimental, como son los paisanos del bar y la propia
Virginia. Ni ella ni Manuel caen en la melancolía paralizante
sino que, aceptando sus destinos y sus derrotas (matrimonios
infelices en ambos casos), continúan con sus vidas. A pesar de
lo que creen sus paisanos e incluso sus familiares, Manuel no
ha regresado para reclamar la mitad de la indemnización que
le corresponde por la expropiación de su casa natal sino a
recuperar el amor de Virginia, pues fueron amantes en su
juventud y siguieron enamorados aun después de la boda de
ella con su hermano. Manuel intenta con poemas y conversaciones evocativas hacer revivir en ella el recuerdo del antiguo
amor, y parece lograrlo por momentos. En una importante
escena en el pajar de la casa familiar y ante los amigos del
pueblo, Manuel expone sus sentimientos aludiendo velada-
mente a su afecto por Virginia y a los motivos de su visita:

> Nos hemos reunido aquí en este viejo pajar de la casa en
> que nací para despedir juntos a Higueras. Cuando uno
> vuelve a su lugar natal lo hace con la secreta esperanza
> de recobrar cosas: olores, rostros aparentemente esfu-
> mados, pero que están ahí esperándonos. En mi caso
> debo decirles que he vuelto a este lugar para recuperar
> lo más importante que hay en la vida: los afectos. Sen-
> timientos que, a pesar del tiempo y la distancia, nunca
> han de morir, nunca.

Pero su oratoria no logrará convencer a Virginia, que frente a
las emotivas palabras expondrá más tarde en la acción la
lógica incontestable de sus razones de madre. Virginia repli-
cará al ofrecimiento matrimonial de Manuel desvelándole que
es demasiado tarde y comunicándole que ha gastado la parte
del dinero que le correspondía en un nuevo piso y en ayudar a
su hijo en un negocio de informática. Ella, que ha luchado con
los sentimientos suscitados por la aparición de su antiguo

amor, elige la cercanía de los hijos y la seguridad económica por encima del amor otoñal. Afirma que está cansada, que no quiere seguir caminando y que sólo desea "un rincón cerca de los hijos, paz y seguridad económica. Para mí el dinero es importante." Ante esto la poesía de Manuel pierde toda efectividad. Para contrarrestar esta dramática resolución al conflicto de la desaparición del pueblo y del amor imposible de los cuñados con un final más esperanzador se deja la continuidad de la memoria de Higueras en manos de Rosa y Delfín, personajes que miran claramente al futuro. Rosa además desvela a su tío que está esperando un hijo y que ha decidido no acompañar a su madre a Sobredo sino quedarse a vivir con su novio en la vaqueriza. A su tío Manuel le explica que ambos vivirán cerca del pueblo:

> ¿Has visto que hermoso se pone el valle en otoño? Delfín dice que si nos quedamos aquí juntos el pueblo no va a desaparecer. Que por las noches cuando ya esté el pantano, vendremos a ver las estrellas que se reflejan en el agua. Nos imaginaremos que son las luces de Higueras y así estaremos menos tristes. Una persona que sabe decir esas cosas, no puedes no quererla ¿verdad?

Rosa y Delfín se establecerán en la modesta vivienda campesina situada en las faldas de las montañas de Higueras desde donde podrán contemplar las aguas que lo cubrirán. Ellos serán los guardianes simbólicos de la memoria del pueblo y los únicos habitantes originarios que quedarán a sus orillas. Sobre ellos y sobre el hijo que esperan recae la responsabilidad de mantener los lazos con la tierra natal. Se sugiere que el dinero de don José es el legado práctico que les ayudará a tener más posibilidades de éxito en la complicada tarea de sobrevivir en una zona rural aislada.

La película, de estructura circular (llegada del protagonista a su valle natal y posterior partida) resalta el tema del viaje y del camino de la vida. Ello se enfatiza por medio de la cita literaria de la Divina Comedia, el famoso primer verso que Manuel lee en voz alta, por la cita visual de las cigüeñas volando sobre sus nidos, y sobre todo por el poema que Manuel entrega a Virginia a modo de carta de despedida. Éste era un antiguo poema inconcluso que él había escrito inspirado por sus relaciones. Todos estos temas convergen en la escena epílogo del film en donde finalmente se contempla el pueblo abandonado y un río que arrastra las fotos de las estrellas de cine del álbum de Leoní. En el poema de despedida de Manuel, concluido finalmente antes de su partida y que Virginia lee ya en su nueva vivienda mientras mira por la ventana, Manuel expresa su destino de viajero y su rechazo de una nostalgia restauradora que le impida seguir el camino de su vida. En la voz en off de Virginia se oyen los versos compuestos por Manuel y cuya estrofa final dice:

> Peregrino del recuerdo
> que por la senda escarchada
> hollando niebla y rocío
> caminas, lloras y cantas,
> y sueñas que reconoces
> las huellas de unas pisadas…
> Las huellas ya están borradas.[14]

El recitado de los versos va acompañado de la imagen de una carretera que acaba en las aguas de un pantano. Así concluye esta película que se estructura en torno al tema de la nostalgia por el tiempo ido y del regreso imposible al lugar de origen. *Las huellas borradas*, como el título y el verso final del poema parecen indicar, sugiere la superación de una nostalgia que impide avanzar por el camino de la vida y de un discurso acrítico sobre la añoranza del pasado. Frente a la destrucción de la cultural rural llevada a cabo por el desarrollo de la economía urbana bajo los imperativos del progreso y de la globalización, se propone la solución individual de Rosa y Delfín, que cargados de ilusiones desean mantener vivo el nexo con una cultura ancestral. Pero los guionistas, conscientes de que las utopías necesitan de recursos materiales para tener unas mínimas posibilidades de éxito, ofrecen en el cierre del film además del idealismo de la joven pareja que espera el nacimiento del nuevo delfín la recompensa del dinero de la tierra. El solar de los antepasados, que reposará bajo las aguas, hace entrega simbólica del poder afectivo de las raíces y de los bienes; ambos son necesarios para la supervivencia de la comunidad. En una relevante escena anterior el hermano de Rosa se burlaba de ella y de su novio llamándoles María y San José. Efectivamente, ellos funcionan a nivel simbólico como una nueva "sagrada familia" sobre la que recae la responsabilidad de la persistencia de la cultura rural.

Manuel regresa a su ciudad americana y a su trabajo como periodista tras haber finalmente concluido el poema del peregrino, y también dejado atrás los sueños de rehacer su vida junto a Virginia. No consigue convencer a su cuñada ni recuperar el amor de la juventud pero acepta los afectos y sentimientos auténticos que ella provocaba en él. Aunque el agua borre la realidad del pueblo (y la vida de varios de sus habitantes incapaces de aceptar su pérdida), la película sugiere que las huellas afectivas perduran en la memoria y en la actividad artística, en los poemas de Manuel y en las esculturas de Delfín. Manuel y Virginia aceptan que las circunstancias les han cambiado pero que sus vidas continúan sin que la nostalgia les paralice. El sentimiento de la nostalgia, tal y como expone la película, permanecerá arraigado dentro de ellos pero sin tentarlos con el desprecio del presente ni impedirles mirar hacia el futuro.

NOTAS

1. Con "nostalgia posmoderna" me refiero, a grandes rasgos, a los fenómenos contemporáneos de añoranza de "grandes relatos" (Lyotard) y de aquellas ideologías totalizadoras que dominaron la psique individual y colectiva en la etapa inicial de la modernidad, desde las religiones hasta el marxismo y el psicoanálisis (Steiner).

2. Las charlas publicadas en el volumen, *Nostalgia del absoluto*, fueron ofrecidas inicialmente como emisiones de radio en 1974. Ver Nota 9 en el libro.

3. En nuestra época, la narrativa nostálgica comparte los territorios afectivos del discurso de la descreencia y del cinismo, que renuncia a cualquier movimiento hacia la plenitud por saberlo de antemano imposible. Éste se materializa en unas narrativas sobre

un presente que intenta vivirse intensamente, para lo que se le desconecta de sus lazos con el pasado y de su responsabilidad hacia el futuro. Las narrativas de la llamada *Generación X* podrían servir, en algunos casos, de ejemplo de esta vivencia sin nostalgia.

4. Desde los postulados marxistas que articulan *The country and the city*, Williams demanda la necesidad de historizar los procesos de recuperación del pasado perdido como un antídoto frente a una idealización que oculta y falsifica las condiciones reales de existencia en el medio rural.

5. Las narrativas de la memoria y de la recuperación del tiempo perdido funcionan como "ficciones fundacionales" de la modernidad europea, como ya demostró la obra de Marcel Proust. En nuestro presente, la novela del infortunado W.G. Sebald, *Austerlitz*, ofrece al lector contemporáneo su propia versión de los procesos de recuperación del pasado mediante la revisión de sus huellas en un presente en el que perdura la memoria del trauma y de una historia personal y colectiva violentada. El proceso nostálgico es en este caso un paso necesario para la superación del trauma y la entrada definitiva en el presente. Las fotografías (trascendentales en esta novela) alcanzan la categoría no sólo de reliquia sino también de prueba y de testigo de lugares y vidas desaparecidas (en el caso de esta novela de Sebald a consecuencia de la segunda guerra mundial y del holocausto judío).

6. Partiendo de la referencia a una obra fundamental para la narrativa de la nostalgia como es la de Marcel Proust, Boym afirma: "Only false memories can be totally recalled. From Greek mnemonic art to Proust, memory has always been encoded through a trace, a detail, a suggestive sinecdoque" (54).

7. Para la caracterización de los dos principales tipos de nostalgia, *restorative* y *reflective*, Boym acude a la distinción freudiana entre duelo (*mourning*) y melancolía (*melancholia*), partiendo de lo que denomina "collective frameworks of memory." "One becomes aware of collective frameworks of memories when one distances oneself from one´s community or when that community itself enters the moment of twilight. Collective frameworks of memory are rediscovered in mourning. Freud made a distinction between mourning and melancholia. Mourning is connected to the loss of a loved one and the loss of some abstraction, such as homeland, liberty or an ideal. Mourning passes with the elapsing of time needed for the 'work of grief'... In melancholia the loss in not clearly defined and is more unconscious. Melancholia doesn't pass with the labor of grief and has less connection to the outside world. It can lead to self-knowledge or to continuous narcissistic self-flagellation.... Reflective nostalgia has element of both mourning and melancholia. While its loss is never completely recalled, it has some connection to the

loss of collective frameworks of memory. Reflective nostalgia is a form of deep mourning that performs a labor of grief both through pondering pain and through play that points to the future" (Boym 55). Con lo que respecta a *Las huellas borradas*, el tipo de nostalgia dominante corresponde a esta caracterización de la nostalgia reflexiva, al menos en relación al modo en que los personajes de Manuel y Virginia llevan a cabo su ejercicio de duelo. Negándose a enfrentarse con el duelo inminente ante la pérdida irreversible de su forma de vida, de su comunidad, de su tierra y de su casa, don José, el rico terrateniente, opta por una solución más trágica.

8. El hecho de que la actriz Mercedes Sampietro aparezca en la película de Miró y en *Las huellas borradas* invita a establecer cierto paralelismo entre ambos filmes. En *El pájaro de la felicidad* el personaje de Sampietro se acerca más al de Manuel que al de Virginia; aquélla, como Manuel, necesita encontrar repuestas para su vida insatisfactoria (desencanto de la vida urbana, vida familiar deshecha por el divorcio, etc.) en el ámbito del pueblo natal o adoptivo. La solución es, sin embargo, diferente. Mientras Manuel regresará a Buenos Aires sin lo que ha venido a buscar, la protagonista de Miró se queda a vivir en el pequeño pueblo adoptivo almeriense con su reconstituida familia.

9. La responsabilidad de la desaparición de muchos pueblos pequeños en todos los países industrializados, principalmente en los más desarrollados, también recae con esta alusión sobre la capital administrativa de la Unión Europea, parcialmente responsable junto con las administraciones regionales y nacionales del destino de la cultura rural en todo el continente.

10. Del renovado interés que la vida y el mensaje del argentino Ernesto Guevara de la Serna, más tarde Che Guevara, todavía suscita entre la población joven es prueba la reciente película del director brasileño Walter Salles sobre el viaje del joven Guevara por Latinoamérica, *Diarios de motocicleta* (2004), que fue uno de los filmes ganadores del prestigioso Festival de Sundance. Significativamente para lo que vengo argumentando, *Diarios de motocicleta* ha sido galardona en el último Festival de San Sebastián con el Premio de la Juventud. En declaraciones a Beatrice Sartori para la sección semanal "El Cultural" afirma Salles: "El mito de Guevara persiste aún hoy y a los 37 años de su muerte porque su odisea no ha finalizado. Su deseo y lucha por descubrir lo que desconocía estuvo presente hasta el último momento de su vida. Cuando inició este viaje a los 23 años, sus colegas y gente de su entorno preferían conocer Europa. Vivimos un tipo de ceguera, paranoia y cinismo, y Che sigue siendo la quintaesencia del genuino idealista. Tras el anuncio de la muerte de las ideologías, quizá esta película pueda provocar

que muchos volvamos a creer en algo nuevo" (45). Es claro que el personaje de Rosa comparte esa visión sobre el líder revolucionario como la de alguien con fe en la posibilidad de cambiar y mejorar la realidad mediante la acción directa. La película de Gabriel no entra en ningún tipo de valoración sobre acciones violentas del líder; aparece sólo como un detalle, como un elemento decorativo nada accidental en la habitación de Rosa. Es obvio que para ella ha alcanzado el estatus de mito vivo.

11. Este tema no es exclusivo del cine hispánico. Varias películas francesas de notable éxito critican la visión idealizadora del campo que domina en los habitantes de las urbes, los cuales lo consideran poco más que un decorado para sus breves excursiones campestres. *Le bonheur est dans le pré* (1995) de Etienne Chatiliez y *Une hirondelle a fait le printemps* (2001) de Christian Carion—traducida caprichosa pero significativamente en España como *La chica de París*—exponen la dureza de las actividades agropecuarias a la vez que ensalzan la "autenticidad" de la vida en el campo y su carácter de alternativa real al mundo urbano.

12. Resulta interesante examinar el juego de identidades cambiadas que se produce en el reparto de actores de la película. Aún desconociendo las posibles circunstancias extraartísticas de la producción, el hecho de que dos de los actores argentinos más reconocidos del cine hispánico, Federico Luppi y Héctor Alterio, hagan el papel de personajes españoles abre unas posibilidades muy interesantes de estudio sobre una identidad transatlántica. El tema de la emigración y el flujo de habitantes entre España y Argentina, con un cambio en el flujo en el país receptor de emigrantes dependiendo de los avatares políticos y económicos de ambas naciones durante el siglo veinte y veintiuno, está presente en el film como un relevante sustrato temático.

13. En el primer encuentro de ambos, Don José le pregunta a Manuel con sorna: "Oye, ¿y tú a qué has venido aquí, a llorar sobre las piedras que te vieron nacer?," a lo que éste responde en el mismo tono: "A hacer turismo rural." Y el primero replica: "Tú sí que lo tienes claro." Obviamente Don José no encuentra la respuesta que espera, pero resulta obvio con este intercambio de frases que ambos tienen un distanciamiento irónico sobre sus propios sentimientos, deseos y frustraciones. La nostalgia que pueda embargar a ambos tiene ese toque humorístico con que Boym caracterizaba la nostalgia reflexiva.

14. El poema completo, de la guionista Lucía Lipschutz, tal como aparece en los créditos finales dice así: "Caminante de las brumas / que llegas de madrugada / al caserío dormido / por ver si la fuente guarda / la incierta imagen de un rostro / que en sus aguas se miraba... / Las fuentes no guardan nada // Pasajero de caminos / que

en el alba aletargada / te internas entre pinares / a ver si los pinos
traen / entre sus ramas el eco / de una voz tal vez soñada... / El
viento se lo ha llevado // Peregrino del recuerdo / que por la senda
escarchada / hollando niebla y rocío / caminas, lloras y cantas, / y
sueñas que reconoces / las huellas de unas pisadas... / las huellas ya
están borradas."

OBRAS CITADAS

Boym, Svetlana. *The Future of Nostalgia*. New York: Basic Books,
    2001.
Huyssens, Andreas. "Memories of Utopia." *Twilight Memories.
    Marking Time in a Culture of Amnesia*. New York-London:
    Routledge, 1995. 85-101.
Lowenthal, David. *The Past is a Foreign Country*. Cambridge-New
    York: Cambridge UP, 1985
Sartori, Beatrice. "Walter Salles: 'La Odisea de El Che no ha
    finalizado.'" "El Cultural." *El Mundo*. 7 de octubre 2004: 44-45.
Sebald, W.G. *Austerlitz*. Trad. Miguel Sáenz. Barcelona: Anagrama,
    2002.
Steiner, George. *Nostalgia del absoluto*. Trad. María Tabuyo y
    Agustín López. Madrid: Siruela, 2001.
Vattimo, Gianni. "Posmodernidad: ¿una sociedad transparente?" *En
    torno a la posmodernidad*. Barcelona: Anthropos, 1994. 9-19.
Williams, Raymond. *The country and the city*. New York: Oxford
    UP, 1975.

EDUARDO MARQUINA
Y EL *MODERNISMO CASTIZO*
EN EL TEATRO

JESÚS RUBIO JIMÉNEZ
Universidad de Zaragoza

A primera vista modernismo y casticismo son dos conceptos opuestos. El primero mira hacia el futuro y la modernidad mientras el segundo vuelve sus ojos hacia el pasado y la tradición. Los he juntado, sin embargo, en este ensayo para proponer algunas claves de lectura de la breve serie de dramas de Marquina formada por *Las hijas del Cid* (1908), *Doña María la Brava* (1909) y *En Flandes se ha puesto el sol* (1910). Arropados, además, por algunos textos publicados en la prensa donde Marquina se explayó acerca de sus ideas dramáticas. Y sin olvidar que los años en que se produjeron estos estrenos fueron años de intenso debate sobre el *teatro poético*, un debate en el que Marquina ocupó un lugar notable, que le llevaría a encabezar una de las tendencias más importantes, justamente la que se impuso en los escenarios de la mano de la compañía de María Guerrero y Fernando Díaz de Mendoza (Hübner). Se trata, por tanto, de piezas que fueron representadas, de unos dramas que completaron el ciclo que va desde su escritura a su representación y recepción por un público, que lo hizo suyos.

Averiguar las razones del éxito de la fórmula de *teatro poético* ensayada por Marquina se constituye en la tarea de mi búsqueda, limitada a aquel momento y a los dramas mencionados y sin pretender proyectar más allá de lo razonable nuestras conclusiones en su teatro posterior, que abunda en algunos de los logros de estos años, pero tantea también otros caminos.

Entre los años 1907 y 1910 se produjo un intenso debate acerca del *teatro poético* en España. El detonante fueron algunos artículos de Enrique Gómez Carrillo en *Los Lunes de El Imparcial* (1907) y el llamamiento que Benavente hizo a los poetas para que escribieran para la escena en "El teatro de los poetas" publicado en el *Heraldo de Madrid* el 13 de julio de1907. Se hacía eco en él Benavente de las noticias que llegaban de Europa sobre la vuelta de los poetas a la escritura dramática, en particular en los artículos de Gómez Carrillo corresponsal de *El Imparcial* en París, y fue una invitación a los poetas españoles para que se sumaran a lo que consideraba una campaña de dignificación literaria y artística del teatro.

Eduardo Marquina figura entre los escritores que respondieron a la llamada y que fueron más activos en la creación de ese posible *teatro poético* y acompañó sus estrenos con algunas reflexiones donde expuso su concepto de teatro y la función social que le atribuía. Me refiero sobre todo al artículo "Sobre el teatro popular" (1908), a la pequeña serie "El teatro poético" (1910) y a su posicionamiento respecto a la *ópera nacional* en "Excitación a los artistas. De la ópera nacional. Una esperanza patriótica" (1910).

Al recuperar en 1993 estos ensayos y declaraciones dentro de un análisis de la reformulación del modernismo en clave castiza que se produjo en los años diez, tuve ocasión ya de señalar concluyendo mi ensayo que el programa teatral de Marquina entonces

> era ya un verdadero programa de teatro poético nacionalista, la evocación de una supuesta España eterna, que contrapone a la presente donde "todo es mezquino, pusilánime, trivial, prudente, cominero, asqueroso." Si no estuviéramos en 1909, sus palabras nos parecerían pronunciadas acaso en los años treinta en pleno fervor nacionalista, pero es que acaso haya que volver al menos a los aledaños de 1910 para encontrar ciertas raíces de ese lenguaje apocalíptico. A la sombra del regeneracionismo germinaban plantas cuyos frutos iban

> a ser absolutamente diversos. (Rubio Jiménez, *Teatro poético...* 51)

Hasta aquí mi ensayo de 1993. Retomo mi discurso donde lo dejé entonces y tras releer al Marquina de aquellos años, voy a mostrar en qué fundamentaba mis afirmaciones que pueden parecer desmesuradas a primera vista.

Marquina planteó su ensayo "Sobre el teatro popular" como la exposición de toda su "fe teatral", asegurando que "Dentro de mi vida no hay más credo" y por tanto "Mi vida entera para él; y si hubiera ocasión—¡ojalá así!,—mi sangre." (7) Con estas palabras cerraba su profesión de fe teatral, expuesta en once puntos. No era fácil ofrecer un credo estético con mayor énfasis y mayor compromiso. Un credo que se irisa de términos religiosos traspuestos al dominio de la creación artística, concibiendo ésta como una religión de la que el artista es sacerdote y por tanto mediador entre el Pueblo—mantengo las mayúsculas tal como aparecen en su ensayo—y lo numinoso, lo esencial de su Raza.

La representación teatral es el acto litúrgico de esta religión que tiene lugar en un templo donde se congrega el pueblo para escuchar los mensajes y vibrar emocionado rodeado de seres afines. Nada tiene de extraño que Marquina, siempre dentro de esta retórica sacralizada sostenga lo siguiente: "Teatro: casa de Dios. Lo que allí pasa es divino: viene sancionado de antemano." (6)

De este modo cierra el círculo. Lo que el espectador contempla en el teatro pretendido "viene sancionado de antemano", tiene una existencia anterior, que se actualiza haciéndose visible por la mediación del artista que tiene primeras intuiciones de las cosas, y con estas intuiciones o *fantasmas* hace su obra (4-5).

Estas intuiciones son las de su Pueblo y "los pueblos tienen también, en momentos culminantes, cuando los agitan, los combaten o los levantan las huracanadas del Destino, verdaderas intuiciones colectivas de su propia vida y de la realidad. Y esas intuiciones cuajan a veces en tipos representativos, a veces en estados de conciencia social, contradictorios y complejos, que no llegan a encontrar el *fan-*

tasma que los ensamble. Para mí, este y no otro, es el mundo grandioso de las operaciones teatrales." (5)

El credo estético de Marquina se articula alrededor de unas pocas y comunes ideas de progenie romántica: en primer lugar, una mitificación del pasado y de la tradición. De otra parte, una visión del artista—en nuestro caso el dramaturgo—como un ser especial capaz de evocar los *fantasmas* de su Pueblo sobre el escenario. Y, en fin, la función teatral concebida como una celebración litúrgica en la que los espectadores participan emocionalmente en el espíritu de su Pueblo o Raza.

Tomás Borrás, Ernesto Giménez Caballero, Gonzalo Torrente Ballester y otros teóricos del teatro fascista español no iban a ir mucho más lejos en sus reflexiones de los años treinta y cuarenta acerca de la misión del teatro en la sociedad. Escribía, por ejemplo, Torrente Ballester en "Razón y ser de la dramática futura"

> Un teatro de plenitud no puede seguir nutriendo su repertorio temático de pequeños líos burgueses; se impone la vuelta a lo heroico y pedir prestados sus nombres a la épica (...) Mito, Mágica, Misterio. Y también épica nacional, hazaña. Ahí laten, reclamando insistentes su expresión poética, los temas de la nueva tragedia.
> (...) Procuraremos hacer del Teatro de mañana la Liturgia del Imperio. Claro que no es necesario, como no es necesaria la ceremonia pontifical para el Sacrificio de la Misa (...) Y no es nada nuevo este carácter litúrgico del teatro. Piénsese en Calderón, en sus Autos y en el Corpus Christi; piénsese en la Edad Media y en sus Misterios y Moralidades.

Toda cultura tiene su liturgia y sus sacerdotes. Y no es nada inocente concederle al teatro un carácter "religioso" lo que supone una actitud fideísta por parte de todos aquellos que participen en su elaboración y recepción, una disposición a adoctrinar y ser adoctrinados. Pero volvamos a las palabras de Marquina, que exponen con suma claridad en sus puntos tercero y cuarto esta manera sacralizada de entender el arte escénico:

> ¿Tiempos? ¿Edades? ¿Épocas?... ¿Qué valor tienen todas estas falsas y artificiales clasificaciones frente a la perenne continuidad del espíritu de un Pueblo, de una Raza? Y hay que decirlo definitivamente: o el Pueblo, la Raza, constituyen el personaje descomunal y constante de todo nuestro Teatro, o no tenemos el derecho de convocar para triviales farsanterías a la multitud.
>
> El Teatro libra al pueblo de las tiranías del tiempo y del espacio. Entre el autor dramático y su público hay siempre un sobreentendido tácito, que da una especie de gravedad ritual y religiosa a los espectáculos teatrales. El pueblo mismo es quien ha proporcionado al poeta los elementos de su obra. El dramaturgo, como un sacerdote, dice las palabras de la consagración, que dan carne y sangre al pan sin levadura. El pueblo se mira a sí mismo en la operación tremenda y milagrosa. Es él con él. Nadie puede predecir a qué momentos de exaltación, de furia, de sintética información popular podemos llegar por este culto... Cada vez que se levanta la cortina de este templo, cuando el gran silencio de la curiosidad pone su plomo sagrado sobre la Multitud, pensad que la Raza va a proseguir consigo misma una conversación que interrumpió hace siglos; pensad que va a pronunciar, al final del espectáculo, la palabra de imponderable virtud que durante siglos correrá virtual por sus entrañas y a la que responderán en lo futuro, los futuros sacerdotes. (5)

Nada más natural que desde esta actitud desdeñe *la actualidad* en la escena, salvo en lo que pueda ayudar a detectar los avatares y la catástrofe de la Raza como ocurría según él en dramaturgos como Ibsen. En ese momento, Marquina estaba interesado en transmitir al público español unas ideas que había intuido en sus lecturas y reflexiones sobre el pasado español, y se proponía que estas le permitieran al público escapar de la banalidad de un mezquino presente falto de energía y de espíritu. Se veía ejerciendo el ministerio de administrar la tradición, manteniéndola viva y contribuyendo a regenerarla.

La tradición de un Pueblo no es algo abstracto y universal sino que acaba concretándose en su historia, que no es sino la sucesión de relatos que va acumulando el paso del tiempo y cada nuevo "sacerdote"/*fantasma* ensambla con su intuición, si dejamos ahora fuera a los "historiadores," cuyos relatos del pasado pretenden ofrecer una imagen objetiva de lo sucedido, apoyándose en documentos, aunque no están menos libres de procesos de ficcionalización.

El teatro histórico se funda en la voluntad y en la pretensión de presentar sobre el escenario el pasado, pero se olvida con frecuencia el modo de presentación elegido, la mediación del dramaturgo. Y así no es de extrañar que con excesiva precipitación se haya juzgado el teatro de temas históricos escrito por Marquina como una dramatización arqueologista de algunos episodios o momentos históricos sin tener en cuenta su manera de proceder al escribirlo, que poco tiene que ver con la de los historiadores y se pretende mucho más cercana a la de los sacerdotes destinados a preservar vivas las esencias de la comunidad.

Era este un asunto que le preocupaba. En los tres artículos que dedicó al *teatro poético* y que arropan su escritura en aquellos años, si algún tema destaca sobremanera, es justamente su interés por diferenciar entre *teatro histórico* y *teatro poético,* que es el que defiende, sumándose al llamamiento de Benavente a los poetas para que escribieran teatro.

Partiendo de su idea de que "La poesía, efectivamente parece reducirse a una eternización ("monumentalización" ha dicho Goethe) de las cosas," sostenía la imposibilidad del *teatro histórico* tanto como la del *teatro realista* en sentido estricto. Ni uno ni otro podían reproducir sobre la escena la realidad profunda. Dirá:

> Los que quieren hacer del "drama histórico" una reproducción científicamente exacta de un hecho pasado cualquiera, están tan alejados del verdadero teatro

poético como los cultivadores del teatro moderno en su acepción verista, realista, naturalista o francesa, como yo acostumbro a llamarla, con un apelativo inexacto, pero que evoca el género de una manera más amplia y comprensiva. Lo primero que resultaría anacrónico en un teatro histórico con pujos de realidad científica, es el verso. Consta que en época alguna han tenido los hombres por costumbre metrificar ni rimar la expresión de sus propios sentimientos en el diálogo ordinario de la vida. Y suprimido el verso que lleva consigo una "tónica" general en todo el drama, caen con él muchos de los artificios, adornos, licencias y libertades que son otras tantas necesidades de la expresión y que, en el drama histórico, por su consentimiento tácito y usual, se vienen permitiendo.

Aun cabría sutilizar las exigencias y no consentir en cada drama histórico el empleo de giros, palabras y locuciones que no constaran en el léxico conocido de las épocas respectivas. Así resultaría un drama, escrito en castellano del siglo XII o XIII, perfectamente incomprensible para los espectadores de hoy.

Extended a los accesorios, a la indumentaria, suntuario, arquitectura, etc..., las mismas exigencias que se tienen con el idioma y su forma: mostraos tan implacables en estas exigencias como os permite y os enseña a serlo la verdad que preconizan las obras del día y habréis hecho el teatro histórico, o inadmisible por faltar a estas reglas o por atenerse a ellas, pedante, insustancial y fatigoso.

Cogido entre estos dos extremos, al teatro histórico no le queda otro remedio que desaparecer por anacrónico o arrostrar, por incomprensible, la fría desatención de los espectadores. (*Lunes Imparcial* 14-II-1910)

La *salvación* del teatro—de nuevo su reflexión estética se tiñe de conceptos religiosos—para Marquina se encontraba en el *teatro poético*, que permitía superar el momento presente en que

Hemos hecho imposible el drama histórico por empe-
ñarnos que sea un drama "moderno"... de ayer. Y estamos acabado de matar el drama moderno por empeñar-
nos que sea un drama histórico... de hoy. Es decir, que,
en ambos casos, lo que mata al Teatro no es el género de
la producción, sino el modo de concebirla y la forma
correlativa de la concepción en que la encerramos.
Quitarle al pasado su "misterio" y quitarle al presente
su transcendencia, parece que sea procedimiento more-
derno de verdadera ciencia y servicio meritorio a la
verdad. Pero es, en realidad, un crimen de biología
universal y una superchería odiosa y falsísima.
La pretendida verdad histórica es tan relativa y accidental y cambiante y dudosa como la pretendida verdad
naturalista de ciertas obras exactamente, cuando lo que
hacen es detenerla para marcar, sobre un fondo, su
silueta de un momento. (*Lunes Imparcial* 14-II-1910)

Salvaba la situación insistiendo en que "en el teatro no se
trata de verdad, sino de poesía. Poesía siempre: poesía tratándose de asuntos históricos y de conflictos modernos; poesía
con versos o sin ellos; poesía con máscaras conocidas o con
máscaras recién improvisadas... Quiere decirse que en la uni-
versalidad de asuntos, de ambientes, de personas y de ideas,
la única teatralidad de las obras la dará su propia poesía."
(*Lunes Imparcial* 21-III-1910)

De este modo retornamos al comienzo de nuestra exposición de la concepción del poeta y de la poesía que Marquina
sostenía; al poeta sacerdote, que revela y transmite a su
comunidad los misterios de la existencia:

El "teatro poético" no tiene más condición que la que ya
dijimos tratando de la poesía. Revelar la vida "en lo que
constituye su esencia." La poesía es como una luz
intensa que brota de las cosas, iluminándolas y hacién-
dolas iluminadoras, "en el momento crítico e hipotético
de su transformación vital." La vida es un río que mana
del pasado con tendencia al porvenir. Se trata de ir
fijando y delineando las ondas de ese río. Cómo se re-

pliega el pasado, queriendo tomar aliento para entrar en lo futuro; qué onda forma entonces; qué elegante silueta llena de vibraciones anteriores y transcendentes es esta onda: no aspira a más la poesía. La poesía es un arte del tiempo. El tiempo es su forma y su fondo. (...) Las cosas oscuras y flotantes en la línea líquida del tiempo aguardan la poesía para salir a expresión en ella y eternizarse concretándose. (*Lunes Imparcial* 21-III-1910)

Para él la poesía acababa expresando los temas y preocupaciones más hondos del ser humano, no era un mero adorno o un pasatiempo:

En el teatro verdaderamente poético hay un fondo sombrío como el muro impenetrable, rígido y permanente, que cerraba las escenas griegas. Por delante de ese muro juegan sus tragedias infinitas, bajo todas las formas posibles, dos personajes únicos: el alma y el tiempo; es decir: la Humanidad y la Muerte. El muro del fondo puede ser la eternidad. Lo puramente humano (la fábula), como lo puramente temporal (color local, "tipismo") no tienen valor en sí mismos, sino en sus contrastes y accidencias.

El "teatro poético" no evoca los hechos como el teatro histórico; tampoco hace copias de la realidad como el teatro moderno. En uno y otro caso restablece la noción de tiempo (presente, pasado y futuro) para dar una significación eterna a los momentos de la vida.

Por este motivo el teatro poético, cuando se trata de hechos pasados, puede decirse que en realidad no galvaniza un cadáver, sino que muestra a lo vivo anteriores estilos de conciencia, no como fueron para los contemporáneos del hecho evocado sino "como han venido a ser y con la realidad espiritual" que tienen en la consciencia contemporánea. No es el pasado, sino "el pasado visto desde hoy y luchando en el campo neutral del alma del poeta, con "el hoy," lo que éste llevará a las tablas cuando poéticamente quiera teatralizar asuntos históricos. (*Lunes Imparcial* 21-III-1910)

Las reflexiones de Marquina alcanzaban así una complejidad
y profundidad que después se ha ignorado, presentando su
teatro como ingenuas reconstrucciones arqueológicas del
pasado, aspecto éste al que no daba mayor importancia y
hasta lo negaba como se ha visto. La acusación de haber
instaurado un *neozorrillismo* en la escena española que ya
entonces fue lanzada contra él por *Andrenio* y otros habría
según esto que matizarla (Rubio Jiménez, *Teatro poético*... 43
y ss.). Su *neozorrillismo* no responde tanto a un ar-
queologismo exterior—los temas y su ambientación, el
lenguaje de los personajes y su aspecto de época—sino al uso
del pasado que se hace desde el presente, a cómo ha venido a
ser en la consciencia contemporánea del poeta. Como Zorrilla,
Marquina se alinea dentro de una consideración mitificadora
del pasado español, en el que veía una reserva de valores
vigentes para la sociedad española presente y aun futura.

El teatro poético de temas históricos de Marquina es un
instrumento de predicación de sus ideas desde el escenario,
utilizando como pretexto el pasado. Esto le aproxima al
tiempo de mediación en el drama histórico que ha sido
aplicado a Buero Vallejo aunque con diferencias evidentes en
sus mensajes y en la selección de los momentos y personajes
dramatizados. La construcción de sus dramas es menos
inocente de lo que a veces se ha dicho y su adaptabilidad
consciente por creencia ideológica o por interés pecuniario. Se
alineaba de hecho entre quienes trataban de contrarrestar la
influencia del teatro nórdico, con los escritores mediterráneos
que iban realizando una serie de propuestas dramáticas en
las que la claridad meridional se contraponía a la nebulosidad
nórdica.[1]

Cuando hablo del *modernismo castizo* de Marquina me
refiero a este uso interesado de la tradición, situándolo
dentro de la reacción castiza contra el modernismo cosmopolita que se produjo en España en los años diez a la que me
he referido al principio y que ha sido después estudiada con
mayor detalle por Juan Carlos Ara en su libro *Del
modernismo castizo. Fama y alcance de Ricardo León*, dentro
del capítulo segundo, "Los fundamentos del modernismo
castizo" y en especial los apartados *"Fiat Hispania. Pastiche*

e historia" y "El "Arte Español" y el Modernismo castizo"
(193-227). En el fondo de esta actitud latía una ensoñación
del pasado en el que se buscaban ideas que legitimaran la
intensa reacción política conservadora que se estaba produciendo en aquellos años comandada por Antonio Maura,
paladín de valores "eternos" de la Nación y de la Raza.

Un nutrido grupo de artistas de toda índole se aplicaron a
la creación de obras en las que el uso de heterogéneos
materiales sacados de la tradición nacional servía de soporte
a los mensajes conservadores que se pretendían difundir. En
mi libro *El teatro poético en España* (1993) expliqué cómo se
aplicó al arte escénico esta corriente nacionalista castiza, que
contó con decidido e interesado apoyo desde los gobiernos
conservadores y desde la monarquía.

Los tres dramas de Marquina que he citado al comienzo
ilustran lo dicho hasta aquí y matizan cómo se realizó en su
caso esta "ensoñación" / "evocación" del pasado español,
puesto que ante y sobre todo se trata de "visiones" poéticas
de los personajes y de los momentos llevados a las tablas.

Los tres dramas fueron estrenados en España por la
Compañía de María Guerrero y Fernando Díaz de Mendoza
en el teatro de la Princesa. Era su propio teatro y allí
continuaban con su manera de hacer teatro dirigida a un
abono burgués y aristocrático una vez que dejaron el teatro
Español tras romper con el Ayuntamiento, que no se plegó a
sus exigencias por la fuerte oposición de los concejales
republicanos y socialistas. Las fechas de estreno fueron
respectivamente: *Las hijas del Cid, leyenda trágica en cinco
actos*, el 5 de marzo de 1908; *Doña María la Brava*, el 27 de
noviembre de 1909; y *En Flandes se ha puesto el sol*, el 18 de
diciembre de 1910, aunque había tenido ya un primer estreno
en Montevideo unos meses antes.

Los tres dramas llevan dobles dedicatorias, una a los
directores de la Compañía; la segunda, bellamente dispuesta
en las ediciones de Renacimiento—por las que cito—como si
de frases lapidarias se tratara, aluden a intereses relacionados con su manera de entender el drama poético. Rezan
así las primeras dedicatorias:

A María Guerrero, a Fernando Díaz de Mendoza; por
cuanto han hecho ustedes, y con cuanto puedan hacer
en favor del Teatro Nacional (*Las hijas del Cid*)

A María Guerrero, a Fernando Díaz de Mendoza, que de
los intentos saben sacar obras, profundamente agra-
decido, y levantando la lira a las alturas de su generosidad, dedica y entrega este libro, El autor (*Doña
María la Brava*)

A María Guerrero y Fernando Díaz de Mendoza, con
todo cariño, E. Marquina (*En Flandes ser ha puesto el
sol*)

Además de su agradecimiento y afecto, se atisba su interés
en enaltecer la labor que estaban llevando a cabo en pro del
Teatro Nacional concebido naturalmente en las coordenadas
ideológicas y estéticas que he perfilado en las páginas
anteriores.[2] Las segundas dedicatorias son mucho más nítidas
en la revelación de estas intenciones. Ya en su disposición
tipográfica son verdaderas placas conmemorativas. La
respeto en su transcripción porque destaca todos sus términos. En *Las hijas del Cid*:

A la nueva
vida de los héroes
muertos
con amor y dolor
para conmoción y salud
de la vieja Castilla
y a la intención de la patria futura
dedico
este canto

El poeta asume su condición de cantor de la vida de los
héroes muertos de la vieja Castilla. Su sacrificio no fue inútil
y en su ejemplo, atisba un modelo para la patria futura. No es
muy diferente el sentido último de la dedicatoria de *Doña*

María la Brava, aunque ahora el cantor se centra más en algunas de las virtudes de la raza castellana:

A
la vieja idea
de justicia,
exaltación,
pasión y blasón
de nuestros nobles y de nuestros plebeyos
que ha engendrado, engrandecido,
fijado y perpetuará
la raza castellana,
dedico
estos cantos

Y, por fin, *En Flandes se ha puesto el sol* es un nuevo canto ritual donde se va a evocar a los muertos generosos sobre los que se asienta la gloria de la Nación y de la Raza española:

A
la memoria
de todos los muertos generosos
que lejos de la patria España
tienen sepulcros
de frío y de olvido
para renovar en ellos
un tributo consciente
de honor y piedad
escribo este canto
E. M.

Se advierte fácilmente el horizonte ideológico al que remite Marquina en estos breves frontispicios saturados de términos clave, no es nada diferente al que por aquellos días iba exponiendo en el *Heraldo de Madrid* en sus *Canciones del momento*, una serie de poemas que editó después precedidos de estos versos:

Sobre tu cuna de tablas antiguas,
que me serán sepultura si miento,
hijo nacido en las noches ambiguas
de los desastres y del vencimiento,
por estas fiebres que tú me apaciguas,
te quiero hacer el fatal juramento:
Tú que obrarás con las manos tu suerte,
tú que ya recio te plantas al verte
bajo aquel arco triunfal de la plaza,
¡maldíceme si llego a la muerte
sin entonar un canto de raza! (6)

"Cantos de raza" son los tres dramas citados, de la "raza castellana" y de la "vieja Castilla." Es llamativa la idea de muerte que se reitera ya que también en *Las Hijas del Cid* se habla de los "héroes muertos" y *En Flandes se ha puesto el sol* "de todos los muertos generosos que lejos de la patria España tienen sepulcros de frío y de olvido."

Pero son cantos—no lamentaciones—"para renovar en ellos un tributo consciente de honor y piedad" (*En Flandes se ha puesto el sol*); o en el caso de *Las hijas del Cid* se canta en realidad "a la nueva vida de los héroes muertos para conmoción y salud de la vieja Castilla y a la intención de la patria futura." En *Doña María la Brava*, "a la vieja idea de justicia" que la raza castellana engendró, engrandeció, fijó y perpetuará. Estoy repitiendo—para recalcarlos—algunos de los términos clave troquelados en las dedicatorias. Supuestos valores raciales del pasado son actualizados y puestos en pie sobre el escenario.

Algo parecido había dicho en su artículo "Sobre el teatro popular" de *Teatralia* ya analizado, comprometiendo su vida en el intento. Compromiso nada diferente del expresado en los últimos versos del poema citado: "¡maldíceme si llego a la muerte / sin entonar un canto de raza!"

Investido de una misión sagrada, el poeta se aplica a realizarla con tesón. El credo estético de Marquina se sustenta en un dolorido patriotismo: contempla la nación hundida y se aplica a contraponerle otra nación soñada, compendio de virtudes y que personifica en Castilla. En lugar de analizar las causas de esta decadencia, se dispone a soñar, a evocar los *fantasmas* de la tradición sobre el escenario, para una celebración litúrgica en la que gracias a su intuición los espectadores participarán emocionalmente en el espíritu de su Raza.

La documentación histórica es adjetiva. A través de la documentación no se busca cómo fue ese pasado, sino su intuición desde el presente (y por tanto con las preocupaciones y dolores del presente). Marquina tiene una concepción hugoliana del poeta: canta como él la "leyenda de los siglos" de su nación, contemplando su doloroso peregrinar a lo largo del tiempo movida por su Destino, con unos momentos de esplendor y otros de decadencia. El momento en que escribía Marquina era un tiempo de agudizada conciencia de decadencia. Son dramas escritos y estrenados en un contexto saturado de literatura regeneracionista. Son los tres dramas ejemplos de esta literatura regeneracionista llevada a los escenarios y Marquina se empeña en dotar de unas virtudes al pueblo español, que se manifiestan encarnadas en personajes genuinos de su pasado, que debieran convertirse en modelos para el presente.

Por aquellos años, Ramón Menéndez Pidal y otros configuraron una visión modélica del Cid, convirtiéndolo en modelo de castellanía. Se editó el *Poema del Cid* con un rigor desconocido hasta entonces.[3] Marquina lo leyó y partiendo de su lectura, evocó su figura y su entorno, dando "nueva vida" a "los héroes muertos con amor y dolor para conmoción y salud de la vieja Castilla" y pensando también en la "patria futura" según la dedicatoria ya citada. Una serie fragmentos del *Poema* preceden de hecho al texto dramático al editarlo y a partir de ellos, elabora su "leyenda trágica," leyenda con la multiplicidad de sentidos que la palabra evoca: con su lejanía, sus límites difusos, su carácter sugeridor. Una lectura correcta de *Las hijas del Cid* debe tener en cuenta este carácter legendario con que ha sido concebida, resonando en ella otros relatos del pasado, pero para nada intentando una hipotética reconstrucción histórica.

Sus cinco actos ofrecerán dramatizados los episodios referidos al mundo familiar del Cid y al desgraciado matri-

monio de sus hijas con los Infantes de Carrión. No es una
obra de acción, sino que esta se paraliza dando cabida a
relaciones narradas o a momentos de efusión lírica. Ya en su
primer acto, en el alcázar moro de Valencia, se rompe la
representación arqueológica a favor de la evocación lírica.
Doña Jimena hila en una rueca, mientras Doña Sol ríe con su
primo Téllez Muñoz y Doña Elvira ensoñadora contempla el
poniente. Le pide a Doña Jimena que le cuente "viejas
historias" que sabe y "que me hacen bien y me duermen el
alma" (18). Doña Jimena le contará—en romance, naturalmente—la historia de una joven que muere antes de que
vuelva el padre guerrero para hacerla reina (22-23),
prefigurando en cierto modo la tragedia de las hijas del Cid
en esta leyenda: su desdichado matrimonio, la muerte de
Doña Elvira tras vengar su deshonra y el decaimiento de
Doña Sol dispuesta a renunciar a la corona real que se le
ofrece con el nuevo matrimonio.

No mucho después, tras ofrecerse información de los
Infantes de Carrión, Doña Jimena manifestará de nuevo sus
temores, que se convierten en una nueva premonición de las
desdichas de sus hijas (30-31). Contrastan con los deseos
expresados por el Cid en las escenas siguientes de ver a sus
hijas reinas mientras se dispone a dispensar justicia, lo que
hará después con equidad, para comentar finalmente que
aceptará el mandado del rey de que sus hijas casen con los
Infantes de Carrión.

Cuando acaba el acto primero, se ha producido ya la
presentación del Cid como personaje modélico, pero también—y quizás esto pasa más desapercibido-, la premonición
de la tragedia expresada por Doña Jimena quien con su rueca
es más de lo que parece el personaje: la encarnación de la
vieja hilandera que "cuenta" historias sin edad y vaticina el
futuro. La vieja hilandera es una de las figuras más
importantes de la tradición simbolista y su presencia en este
drama transfundida en Doña Jimena da cuenta de cómo
Marquina había optado por modelos ajenos a la tradición
romántica.

El segundo acto continúa la evocación de la generosidad
cidiana y los suyos: dispensan bienes a los necesitados de

Valencia, en particular su hija Doña Sol, que se mueve entre una muchedumbre de hambrientos repartiendo bienes y componiendo una imagen de santa o virgen prerrafaélica (62-ss); la comparación no es abusiva, sino que hasta tal punto es así que Muño Gustioz dirá:

> A cada instante la miro en el halda:
> pienso que el pan y las joyas se tornan
> entre sus manos montones de flores,
> como pasó a aquella virgen romana. (67)

Es otra forma de anular, para ensancharlo, el valor anecdótico del personaje. Comparada con la virgen romana trasciende el tiempo y adquiere un valor mítico. En contraste, la maldad de los Infantes se va perfilando con información de sus tratos y orgías con los rebeldes almorávides, que continúan en los cuadros del acto tercero—bastante estúpido—sin más función que seguir creando contrastes.

Al acto cuarto corresponde la dramatización de la afrenta del robledal de Corpes, precedida de la despedida de los suyos y de un encadenamiento de premoniciones que crean un clima de tensión: narración de las orgías de don Fernando por doña Elvira; encuentro con un viejo agorero de desgracias, que resulta ser el Cid disfrazado (132-135); para finalmente ir a dar en unas escenas de estética *bárbara*—tan de moda entonces—en las que los lascivos Infantes en mitad de una borrachera intentan poseer a las Infantas. Un segundo cuadro mostrará a las jóvenes maltratadas y malheridas, cuando son descubiertas por los hombres del Cid y él mismo despojado de su disfraz de anciano; naturalmente la escena es cruel—"¡Tantas heridas en tanta hermosura!" (153) dirá Téllez Muñoz—y se promete venganza mientras concluye el acto.

El acto quinto repite la decoración del primero. Doña Jimena y Doña Sol comentan la situación desesperada en que se encuentra el Cid encerrado en su cuarto (167-169); la ausencia de Doña Elvira desde el día de la deshonra; en la conversación se intercala el relato de una moza gallega que salió al campo "armada de todas las armas, / a vengar unos

agravios" (171), que hace mudar el color a Doña Jimena,
convertida de nuevo en mujer *sabia* que ve, que intuye lo que
ocurre: Doña Elvira disfrazada marchó a vengar la honra
familiar. Una frase de Doña Elvira—"¡sangre del Cid ella
misma se guarda!" (134)—se torna así premonitoria de lo que
ocurrirá. Y no mucho después llegarán los participantes en el
juicio de Dios originado por la afrenta, que confirmarán su
sospecha... Narrarán lo sucedido: la valiente intervención de
un caballero—Doña Elvira—que ocultaba el rostro con una
celada y que aparecerá al final del acto malherido para
expirar en brazos de su padre, tras largas peroratas del Cid
sobre la fatalidad de su destino, que le llevó fuera de su
tierra, a combatir incesantemente. Su destino le lleva a emparentar con reyes pero mezclados felicidad (Doña Sol casará
con reyes) y dolor (la muerte Doña Elvira). La vida se revela
cruel y llena de frustraciones; la muerte—en un final
maeterlinckiano—se hace presente en la escena con el
fallecimiento de Doña Elvira y la alusión del Cid a su propia
muerte. Todo ello reforzado por una acotación: "Aparecen los
reyes en la puerta, vestidos de hierro, caladas las celadas; im-
penetrables como el destino fatal. El trágico cuadro les
impide avanzar." (199) Había escrito Marquina—y lo he
citado más arriba—que

> En el teatro verdaderamente poético hay un fondo
> sombrío como el muro impenetrable, rígido y perma-
> nente, que cerraba las escenas griegas. Por delante de
> ese muro juegan sus tragedias infinitas, bajo todas las
> formas posibles, dos personajes únicos: el alma y el
> tiempo; es decir: la Humanidad y la Muerte. El muro
> del fondo puede ser la eternidad. Lo puramente humano
> (la fábula), como lo puramente temporal (color local,
> "tipismo") no tienen valor en sí mismos, sino en sus
> contrastes y accidencias.

Sostener como se ha hecho que *Las hijas del Cid* son una
mera dramatización de los correspondientes pasajes del
Poema, es como se ve, no solo inexacto sino falso. No es
necesario entrar aquí en una discusión sobre la soltura con

que ha procedido Marquina, inventando situaciones y episodios con tanta libertad que se resiente seriamente la propia estructuración del drama. Devuelve a la vida a "aquellos héroes muertos," pero su manera de hacerlo no es la del teatro histórico decimonónico, sino más sutil y evocadora, trascendiendo lo histórico para darle una vaguedad de leyenda, de "caso" del fatal destino de la Humanidad.

Esto no obsta para que conlleve toda una apología de las virtudes "castellanas" del Cid—y sus seres cercanos—con su valentía, su sentido de la justicia, su fidelidad al rey, su amor... y su angustia existencial. Todo un ejemplo para la soñada "patria nueva" cuyos ciudadanos deberán ser capaces de sobreponerse a los inevitables dolores que acompañan el discurrir de la Humanidad.

Las hijas del Cid resulta así un pastiche. Si por un lado, Marquina trataba de alejarse del teatro histórico de prosapia romántica, introduciendo elementos dramáticos mucho más cercanos a la estética simbolista, por otro, la insistencia en la ejemplaridad del Cid y una versificación demasiado tradicional—acaba por imponerse el octosílabo al endecasílabo libre—certifican que no acababa de desligarse de los modelos románticos. El hibridismo es quizás el mayor reparo que cabe hacer a Marquina en estos dramas.

En su siguiente drama, *Doña María La Brava*, Marquina se centra en los últimos años del turbulento reinado de Juan II. Alonso Pérez de Vivero, en ayuda de su príncipe Don Enrique—el futuro Enrique IV—ha asesinado a Don Alonso, hijo de la viuda doña María. Esta reclamará justicia en medio de las intrigas, convirtiéndose en "a symbol of Castile, representing the spirit of justice and patriotism cited in the dedication" (Nuez 42). Espíritu fuerte—como Doña Elvira en *Las hijas del Cid*—se funda en Doña María de Pacheco, viuda del comunero Juan de Padilla y dirigiendo la defensa de Toledo.

En medio de las adversidades y con una compleja relación con otros personajes—sobre todo su romance amoroso con Don Álvaro de Luna—no perderá nunca el norte de la justicia. Para ella "¡No hay pactos con el honor!" (96) y encarna el viejo espíritu de los nobles castellanos: "En otro tiempo los nobles / castellanos escogieron, / antes que vivir sin honra, / servir al honor muriendo." (159) No podrá evitar la muerte de Don Álvaro, pero no se priva de lanzar un alegato, cerrando el drama, contra los nobles injustos, de quienes se vengará el pueblo castellano.

Doña María La Brava da la impresión de ser un drama escrito a la medida de Doña María Guerrero, para su lucimiento de actriz célebre y enérgica que desde el escenario transmite a la sala mensajes de fortaleza que lo son tanto del personaje histórico como de la actriz que le presta su cuerpo para comparecer ante un público predispuesto a dejarse halagar los oídos con apelaciones a la justicia y a la honra. Marquina daba así un paso más en su asentamiento como proveedor de la compañía, lucrándose él mismo de su prestigio y de sus ingresos.

En Flandes se ha puesto el sol supuso la consagración definitiva de Marquina como dramaturgo. Sus cuatro actos componen un retablo grandioso de gran plasticidad, adelantada en sus títulos: "España y Flandes," "La represión," "La guerra" y "La paz."

La plasticidad es sugerida mediante referencias pictóricas: en el acto primero es una hacienda campesina en el Brabante con el "aspecto general de los *cabarets* de Teniers." Y resuena mucho más en todo el drama el recuerdo del cuadro de Velázquez conocido como "La rendición de Breda" o "Las lanzas." Cuando el drama fue editado artísticamente dio lugar de hecho a una edición ilustrada con aguafuertes de Ramón Pichot, que son sobre todo variaciones de este cuadro. Escenas con soldados de los tercios españoles con lanzas sobre un fondo crepuscular (Rubio Jiménez, "Ediciones ilustradas"... 110-112).[4]

Los cuatro actos son como grandes pinturas que tratan de expresar lo adelantado en los títulos. Pinturas donde se contrastan dos mundos. El trecho recorrido va desde la conquista de Flandes por los tercios españoles a su derrota y expulsión. España y Flandes representan dos mundos diferentes: la primera el mundo feudal y guerrero; Flandes un mundo nuevo con sensibilidad por la cultura y el arte que se objetiva en la prensa de libros de Martin Frobel: "pobre, humilde y viejo, con tu prensa, / ¡tú eres la libertad y ellos, España!" (25); o en la preocupación por salvar ocultándolo un cuadro del Sr. Juan Pablo (¿Rubens?) ante la inminente llegada de los soldados españoles (21).

La cultura es arrasada por los soldados españoles que destrozan la prensa y siembran la destrucción allí por donde pasan. Se contraponen relatos de sus fechorías con el tenaz esfuerzo por preservar un mundo idílico que se afirma con cada ternerillo que nace: "Ya lo ves, no nos pasa ningún daño; / no es todo muerte el mundo; ¡aún queda vida!" (19)

Es un nuevo ejemplo de estética *bárbara*, correspondiendo a los españoles la encarnación de lo fiero y primitivo avanzando conquistadores:

> Cuando el sol en sus lanzas se quiebra,
> si de lejos les miras andar,
> te parece que flota sobre ellos,
> como un manto, la lumbre solar.
> Traen ardiendo, en sus plumas bermejas,
> los rescoldos de un bárbaro hogar
> que no cabe en un reino, aunque es grande
> y da unos calores que es dulce gustar. (21)

Marcada la pauta se irá modulando después con variaciones componiendo un nuevo pastiche que alcanza su momento más llamativo en la serrana *bárbara* que recita Magdalena y que presenta la relación amorosa entre un capitán de los tercios y una pastora (35-38), constituyendo una premonición de su relación con Don Diego. Su intensa pasión se resume en un verso que denota el registro bárbaro al que estamos aludiendo y que conjuga fascinación por el invasor a la vez que odio: "El amor también es crueldad." (38)

La relación entre Magdalena y Don Diego no hace sino ejemplificar esta afirmación. El drama girará en torno a los avatares de esta pareja de personajes escindidos entre su pasión amorosa y sus deberes patrióticos. La tensión entre drama doméstico y tragedia épica es constante. Basta recorrer brevemente el argumento de la pieza: Don Diego de Acuña y Carvajal ha sido herido en combate y sus compa-

ñeros lo dejan al cuidado de Magdalena en su casa. La mutua
atracción no tarda en producirse y al final del acto primero se
intuyen ya su enamoramiento y las paradojas a que dará
lugar.

Se reprime con violencia la oposición a España y la familia
formada por Don Diego, Magdalena y su hijo Albertino se
verá sumergida en el conflicto político mientras recorra Flandes en los sucesivos destinos de Don Diego, testigos de la
represión violenta de la resistencia flamenca y tratando de
introducir valores que superen la oposición entre invasores e
invadidos. Conforman Don Diego y Magdalena una pareja de
personajes-concepto al estilo de las parejas galdosianas con
las que Don Benito realizaba sus propuestas armonizadoras
socialmente. Su hijo Albertino es ofrecido como una promesa
de síntesis armónica de opuestos y los sucesivos episodios
ilustran las contradicciones a que dan lugar su diferente
origen y los sucesos que tienen que vivir.

Don Diego no dudará en enfrentarse a quienes van a
prender al padre de Magdalena y denunciará los abusos de los
invasores. Esto le sitúa en un terreno comprometido: incom-
prendido por los suyos y suscitando recelos entre los
flamencos. Arrastrado por tanto a un dolorido vivir, que le
hace luchar con los suyos porque la fatalidad lo quiere y es
español (170) aunque presiente la derrota. El desenlace dejó
al público y a la crítica divididos: Don Diego, una vez derro-
tados los tercios españoles, vuelve a casa de Magdalena.
Celebra la paz con aquellos con quienes luchó en el campo de
batalla y ensueña un futuro diferente, encarnado en su hijo.
Pero, con todo, no puede eludir un fondo de fatal amargura.

El destino de Don Diego es en realidad el destino misterioso del Imperio español a cuyo desmoronamiento asiste.
Se aferra a los viejos valores que lo hicieron posible, pero que
a la postre se hallan periclitados. Su impetuoso carácter, su
capacidad de fascinación y su valentía resultan a la postre
inútiles. Y de aquí el sentido nostálgico y crepuscular que impregna el drama. Marquina introducía así para su debate un
final que no se compadece con lo que pudiera ser una visión
estrictamente nacionalista y la desazón del personaje se
transmitió a una parte del público y de la crítica poco dis-

puesta a rebajar el tono patriotero en aquellas funciones.[5] Asumir la derrota y el ocaso del Imperio continuaba siendo difícil para la sociedad española. Y el canto del poeta, su celebración ritual del pasado, no podía eludirlo.

Con el correr de los años, el drama de Don Diego, sus contradicciones quedaron reducidas a un feliz verso en el que justificaba los vaivenes de su comportamiento: "¡España y yo somos así, señora!" (109) Sacado de contexto, este verso acabó siendo una muletilla que expresaba poco más que un desplante entre arrogante y fullero. Demasiado poco para un drama que trataba de establecer una reflexión regeneracionista sobre el ocaso imperial español. Quijotesco y donjuanesco, ponía sobre las tablas Don Diego un personaje más teatral que dramático. Un ser más literario que humano. Dirá Valdés:

> Capitán y español, no está avezado
> a curarse de herida que ha dejado
> intacto el corazón dentro del pecho. (52)

O en sus propias palabras:

> No os preguntarán por mí
> que en estos tiempos a nadie
> le da lustre haber nacido
> segundón de casa grande;
> pero, si pregunta alguno,
> bueno será contestarle
> que, español, a toda vena,
> amé, reñí, di mi sangre,
> pensé poco, recé mucho,
> jugué bien, perdí bastante,
> y, porque era empresa loca
> que nunca debió tentarme,
> que perdiendo, ofende a todos,
> que, triunfando, alcanza a nadie,
> no quise salir del mundo
> sin poner mi pica en Flandes. (56-57)

Versos quizás valiosos para un escenario dichos por un actor
adecuado, pero escasamente útiles para un análisis del ocaso
español o de la sociedad española, que luchaba por salir del
marasmo del desánimo que provocó la pérdida de sus últimas
colonias. Don Diego se nos antoja un personaje donde se
intenta una síntesis entre Cyrano y Don Juan. Sus excesos
verbales lo colocaban al borde de la parodia y, en efecto, no
tardarían en hacer verdaderos estragos con estos dramas los
autores del *astracán* con su bufonesco ingenio verbal. Aquellas *comedias de retruécano*, como las calificó certeramente
Ramón Pérez de Ayala, acabaron por ser el mejor antídoto de
este teatro nacionalista, de un nacionalismo huero y
patriotero.

La historia literaria española, hasta donde se me alcanza,
no ha sido capaz después de encajar en su mosaico teselas
como estas. El teatro y la obra de Eduardo Marquina en su
conjunto esperan todavía su historiador. A un brillo social a
todas luces excesivo le ha sucedido un ocaso igualmente injusto. Acaso sea ya tiempo de que se intente con la producción
de Marquina un análisis equidistante de estos dos extremos,
del que saldrá sin duda beneficiado. Fue el suyo un teatro
poético *adaptable* a los gustos de la burguesía española—tal
como lo calificó Rogerio Sánchez (1914)—, pero con más
registros estéticos de los que después se le han reconocido y
en cualquier caso, de consideración indispensable para reconstruir lo sucedido en el teatro español de la primera mitad
del siglo XX.

NOTAS

1. Señaló como hitos: "En estos dos años, Benavente logra dos
éxitos excepcionales con *Los intereses creados* y *El príncipe que todo
lo aprendió en los libros*, dos obras francamente poéticas; en
Francia, Rivoire, con *El buen rey Dagoberto*, resucita las grandes
noches de la Comedie Française; Rostand halla modo de entretener
la curiosidad mundial durante algunas semanas con su *Chantecler*;
en Italia, D´Annunzio convierte en solemnidad nacional el estreno
de *La nave*; desde Bélgica logra Maeterlinck con su *Pájaro azul* un
éxito europeo." (*Los Lunes de El Imparcial*, 14-II-1910) El modelo

teatral de Rostand era quizás el de mayor peso (Rubio Jiménez, "Edmond Rostand...") El repaso de los artículos de Gómez Carrillo (1907) permite completar este posible repertorio: Mendès (*La Virgen de Ávila*), Zamacois (*Los bufones*).

2. Sobre el Teatro Nacional, véanse sus reflexiones aplicadas a la ópera (Marquina 1910) y ahora la minuciosa reconstrucción de los debates que suscitó realizada por Aguilera Sastre (2002).

3. Algunos hitos: Marcelino Menéndez Pelayo, *La epopeya castellana en la Edad Media. El Cid* (1906). Ramón Menéndez Pidal, *Cantar de Mio Cid. Texto, gramática y vocabulario* (1908-1911). Y su ensayo "La epopeya castellana" (1910).

4. Se realizó una edición de lujo de 200 ejemplares, al ser premiado el drama por la Real Academia de la Lengua y una vez agotada la edición en rústica. En su colofón reza: "Este libro se acabó de imprimir en los talleres de la Imprenta Artística Española el día XX de mayo de MCMXII. Dibujó las ilustraciones Ramón Pichot. Lo publica la Biblioteca Renacimiento."

Ensayaban por primera vez una edición artística con cuatro aguafuertes fuera del texto, elaborados al margen de todo procedimiento industrial; cada copia fue realizada a mano, conservando el "sentimiento de la mano" según la expresión de Ruskin a quien citan. Además, intercalaron en el texto otras ilustraciones, portadas y motivos decorativos grabados al boj.

5. Una selección de reseñas puede verse en la "Introducción" de Beatriz Hernanz Angulo a su edición del drama (1996, 28-35).

OBRAS CITADAS

Aguilera Sastre, Juan. *El debate sobre el Teatro Nacional en España (1900-1939): Ideología y estética*. Madrid: Centro de Documentación Teatral (Ministerio de Cultura), 2002.

Ara Torralba, Juan Carlos. *Del modernismo castizo. Fama y alcance de Ricardo León*. Zaragoza: Prensas Universitarias de Zaragoza, 1996.

Benavente, Jacinto. "El teatro de los poetas." *Heraldo de Madrid* (13-VII-1907). Y en Jesús Rubio Jiménez, *La renovación teatral española*: 101-03.

_____. *El Teatro del Pueblo*. Madrid: Librería de Fernando Fe, 1909.

Gómez Carrillo, Enrique. "El Teatro en París. Comedias en verso." *Los Lunes de El Imparcial* (10-VI-1907).

_____. "El teatro en París. El renacimiento poético." *Los Lunes de El Imparcial* (29-VII-1907).

_____. "El teatro en París. Mon Ami Pierrot." *Los Lunes de El Imparcial* (5-VIII-1907).

_____. "El teatro en París. Pierrot continúa." *Los Lunes de El Imparcial* (12-VIII-1907).

_____. "El teatro en París. Un profesor de gestos." *Los Lunes de El Imparcial* (19-VIII-1907). Y en Jesús Rubio Jiménez, *La renovación teatral española*: 288-291.

_____. "El Teatro en París. La gramática del gesto." *Los Lunes de El Imparcial* (26-VIII-1907). Y en Jesús Rubio Jiménez, *La renovación teatral española*: 292-95.

_____. "El teatro en París. La retórica de Pierrot." *Los Lunes de El Imparcial* (9-XI-1907).

_____. "El teatro en París. El culto del ritmo." *Los Lunes de El Imparcial* (28-XI-1907).

Hübner, Daniel F. *El drama lírico español (1900-1916)*. Zaragoza: Universidad de Zaragoza, 1999. Tesis doctoral inédita.

Marquina, Eduardo. "Habla el poeta." *Renacimiento* 8 (1907): 446-48.

_____. "Sobre el teatro popular." *Teatralia* (15-IX-1908): 4-7. Y en Rubio Jiménez, *La renovación teatral española*: 104-106.

_____. "El teatro poético. La poesía y el teatro realista." *Los Lunes de El Imparcial* (7-II-1910).

_____. "El teatro poético. El fondo del problema." *Los Lunes de El Imparcial* (14-II-1910).

_____. "El teatro poético. Síntesis del nuevo teatro." *Los Lunes de El Imparcial* (21-III-1910).

_____. "Excitación a los artistas. De la ópera nacional. Una esperanza patriótica." *El Mundo* (19-I-1910).

_____. *Las hijas del Cid. Leyenda trágica en cinco actos*. Madrid: Sociedad de Autores Españoles, 1908.

_____. *Canciones del momento*. Madrid, 1910.

_____. *En Flandes se ha puesto el sol*. Madrid: Biblioteca Renacimiento, V. Prieto y Comp.ª Editores, 1911.

_____. *En Flandes se ha puesto el sol*. Madrid: Renacimiento, MCMXII. Con ilustraciones de Ramón Pichot.

_____. *Doña María la Brava*. Madrid: Biblioteca Renacimiento, V. Prieto y Comp.ª Editores, 1911.

_____. *Las hijas del Cid, Madrid. Leyenda trágica en cinco actos*. Madrid: Renacimiento Sociedad Anónima Editorial, 1912.

_____. *En Flandes se ha puesto el sol. La ermita, la fuente y el río*. Ed. Beatriz Hernanz Angulo. Madrid: Castalia-Comunidad de Madrid, 1996.

Menéndez Pelayo, Marcelino. *La epopeya castellana en la Edad Media. El Cid.* Madrid: Tipografía de la Revista de Archivos, 1906.

Menéndez Pidal, Ramón. *Cantar de Mio Cid. Texto, gramática y vocabulario.* Madrid: Imp. y Edit. Bailly-Baillière e Hijos, 1908-1911. 3 vols.

_____. "La epopeya castellana." *Europa* 13 (22-V-1910): 102-03.

Montero Alonso, José. *Vida de Eduardo Marquina.* Madrid: Editora Nacional, 1965.

Nuez, Manuel de la. *Eduardo Marquina.* Boston: Twayne, 1976.

Rogerio Sánchez, José. *El teatro poético: Valle-Inclán, Marquina.* Madrid: Sucesores de Hernando, 1914.

Rubio Jiménez, Jesús. "Ediciones teatrales modernistas y puesta en escena." *Revista de Literatura* 105 (1991): 103-50.

_____. "Edmond Rostand en España. Ensayo de aproximación." *Investigación Franco-Española* 5 (1991): 59-72.

_____. *El teatro poético en España. Del modernismo a las vanguardias.* Murcia: Universidad de Murcia, 1993.

_____. *La renovación teatral española de 1900: Manifiestos y otros ensayos.* Madrid: Asociación de Directores de Escena de España, 1998.

Torrente Ballester, Gonzalo. "Razón y ser de la dramática futura." *Jerarquía* 2 (octubre de 1937).

DEPOLARIZATION AND THE NEW SPANISH FICTION AT THE MILLENNIUM

ROBERT C. SPIRES
University of Kansas

The change of a century, let alone a millennium, tends to inspire retrospective views in literary studies with the implication that something new must have just emerged, or is about to do so. Of course as often as not critics rather than writers are responsible for creating the new aesthetic. We need our labels and we tend to define them with temporal parameters, whether they are millenniums, centuries, decades, or generations. So now that we are firmly in the 2000s, collectively we feel the need to address the question of how to assign a rubric to the new Spanish fiction as opposed to what prevailed up to the political transition.

Imitating the generational term that Neil Howe and William Strauss borrowed from the Douglas Coupland novel *Generation X: Tales of an Accelerated Culture*, and which the two critics applied to a group of North American novelists born in the 1960s and 1970s, several Hispanists, imposing the same parameters, have christened the new Spanish aesthetic "Generación X."[1] Of course all shibboleths are in essence arbitrary and to one degree or the other distort what they pretend to clarify, but literary generations may qualify as one of the more pernicious offenders since they tend to be simultaneously all-exclusive and all-inclusive.[2]

In reference to the first characterization, once the initial membership has been determined, the tendency is to create closed societies; a given writer either is or is not considered a member, new constituents are almost never admitted, and old ones are seldom ejected. Once the designation is assigned, the category usually becomes all-exclusive.

Paradoxically, however, literary generations have a tendency to encompass everything. The word itself connotes uniformity. That is to say, since literary-generation labels are easy to remember and almost always reductive, designating a corps tends to homogenize all those assigned to the category. The themes and styles of works identified with the cachet are assumed to be identical. In a word, read one of the works and presumably you have read them all. But whereas José Ángel Mañas (1971), Ray Loriga (1967), and Lucía Etxebarria (1966)—the recognized pillars of the Generation X category— all write about drugs, sex, and rock-and-roll, their styles and messages are far from identical. For example, the gender themes projected by Etxebarria clash with the blatantly sexist discourses found in the works of Mañas and Loriga. In addition, often people assume that everything published by any writer within a given age range, during the temporal parameters indicated, must conform to the generational group's aesthetics. That assumption is perhaps the most insidious and it concerns me in reference to Spanish novelists born in the 1960s and 1970s. Those identified with the generation convey ethical attitudes and narrative styles that are both similar to and in conflict with not only those of other designated members, but also those of several writers born within the same decades but not generally recognized as charter members of the category.[3] In short, the label "generation" has a polarizing effect of all-inclusiveness or all-exclusiveness that works against the depolarization episteme of post-Franco Spain.

Rather than reinforce the stratification inherent in assigning designations, I propose to analyze the benchmark work of the unoffical leader of each group, Mañas and Cercas respectively, in an attempt to demonstrate some structural and discursive similarities as well as basic differences. That is to say, I propose to depolarize them critically as I address how both novels participate in the discourse of political depolarization that characterized the transition to democracy in Spain.[4] My goal, therefore, involves illuminating the diversity inherent in the style of these two celebrated novels without pigeonholing them in the process. In short, my critical approach responds to the belief that perhaps today as much as anytime in human history, Spain as well as other societies need to accept and indeed celebrate diversity as an alternative to the politic homogeneity inherent in globalization.

By consensus, José Ángel Mañas's *Historias del Kronen* (1994), represents the point of departure for defining what so many critics refer to as the Spanish Generation X, and indeed the influence of that work is so strong that some even designate the X group as "Generación Kronen." It is somewhat of an understatement to say that the novel (and the film version appearing also in 1994) inspired controversy.[5] Those who discredit the written version tend to deny it significant artistic or thematic complexity. I am going to argue that the narrative structure is more sophisticated than many admit, and although the novel does challenge the very assumption of moral or ethical values, that rejection certainly qualifies as one of the major discursive themes emerging from political and social globalization.

Historias del Kronen is a fragmented and repetitious story about a group of young Spaniards who gather nightly at the bar Kronen (the name of a popular imported beer). The first-person narrator, Carlos, is a university student on summer vacation. He spends his days sleeping until about 1:00 p.m., eating with his family in front of the TV set, watching violent and/or pornographic videos, masturbating, occasionally meeting his girlfriends for consensual or forced sex, and making arrangements to buy drugs. Sometime between about 9:00 and 11:00 each night he meets his friends at the Kronen, and they drink, ingest drugs, visit discos, sometimes play "chicken" on the highways, and search for hetero- or homosexual partners until 7:00 or 8:00 in the morning. Each chapter offers a narration of the activities listed above with only minor variations. The formula is broken only in the final two chapters in which several from the Kronen attend a party at the home of a marginalized member of the group who is celebrating his birthday. Carlos, with the somewhat reluctant assistance of Roberto and Manolo, uses a funnel to force a bottle of scotch down the host, Fierro, who cannot drink alcohol because he is diabetic. The young man goes into shock and dies before medics can arrive. In the epilogue Carlos leaves for Santander a few hours after the death where he vacations with his family. Some days later he receives a letter from his best friend Roberto, apparently in reference to Fierro's death but also possibly more intimate. After glancing at the contents, Carlos throws the letter away and then proposes to his new companion that they go somewhere for a drink. The second half of the conclusion is a dialog between Roberto and a psychiatrist. Roberto confesses to the physician his guilt in the death of Fierro, and also his homosexual attraction to Carlos. Yet this display of ethical consciousness and psychological candor is short lived, for in spite of the psychiatrist's admonitions to avoid further contact with Carlos, the patient says that his friend is returning from Santander the following Monday, and Roberto confesses he plans to go to the Kronen that evening. He promises to tell the doctor all about his inevitable reunion with Carlos.

The apologists for the novel inevitably cite its authentic portrayal of Spanish urban youths as its most noteworthy virtue. One critic even suggests that it qualifies as an end-of-the-century version of the 1956 classic, *El Jarama* (Gavela). That analogy not only reflects Mañas's participation in current Spanish political discourse, but it also has a certain structural validity, particularly in reference to the paratactic style of each novel. In contemporary versions of the epic, both the 1950s and the 1990s narratives project scenes that have only a minimal sense of connection. Each episode seems to stand alone, and as a result the reader experiences a cessation of temporal flow and tends to fixate on a particular static image. This anti-syntactic technique (see Staiger for more on paratactic versus syntactic style) creates a very similar and therefore paradoxical experience for the reader of each novel: *El Jarama* participates in a discourse concerning the socioeconomic stagnation created by the dictatorship of the 1950s, while *Historias del Kronen* conveys a very comparable effect inspired by the democracy of the 1990s.

Whether Mañas was conscious or not of such an analogy, it suggests unsuspected links between the former totalitarian and the present capitalistic systems. Francoism ossified a society by means of its authoritarianism and forced autarky, while the PSOE/PP combination has achieved the same paralyzing effect by virtue of, some argue, excessive civil liberties and a submission to European Union policies. Caught up in the throes of one of the highest unemployment rates in Europe,[6] young Spaniards of the last decade have faced a very uncertain future made all the more painful in light of their parents' prosperity. For these reasons, Mañas's paratactic style and its resulting sensation of stasis resembles the discursive effect conveyed by his predecessor Sánchez Ferlosio. As noted, the sociopolitical contexts in which the two works appeared could not be more different, yet the psyches of the two groups represented are strikingly similar. In effect and drawing on a metaphor from another novel of the 1950s, Camilo José Cela's *La colmena*, the Kronen gang also acts like bees in a hive; in spite of frenetic activity at the homonymous bar and at surrounding locals, Mañas's 20s-something crowd always returns to the same sanctuary-hive (the bar Kronen), just as Cela's 40s- or 50s-something customers always returned to theirs (Doña Rosa's cafe). In effect the oxymoron "static movement" seems best to define the plight of the predominately older generation in *La colmena,* of the juxtaposed younger and older generations in *El Jarama*, and of the youth generation in *Historias del Kronen*. Yet notwithstanding the sensation of disconnectedness in all three, Mañas's novel, in a similar if less intricate manner than Cela's and Sánchez Ferlosio's, reveals an underlying web of relationships.

The anchor for the connecting web in *Historias del Kronen* is cast in the first chapter. The action takes place inside the tavern as the group has gathered there as is its custom prior to its ritual wanderings to other bars and discos. The section consists almost exclusively of seemingly pointless dialog. Yet this chapter serves to define the hierarchy of the group, and thereby it identifies those who form the core and those who exist on the margins. As Judith

Butler argues (see especially 1-33) the marginalized serve both to define the center and to create dynamism as they constantly struggle to gain access to it. Chapter 1, therefore, establishes the dynamic interplay of those in the nucleus striving to maintain their positions and those on the outside intent on displacing the in-group and thereby redefining the center and periphery.[7]

Carlos and Roberto represent the very focal point of the Kronen clique. Yet Roberto himself could easily be a marginalized member if it were not for the influence of Carlos. For example, in the opening scene that takes place in the bar, the group is seated at a table and when Roberto leaves to go to the restroom, Pedro says: "–Carlos, coño, tenemos que hacer algo con Roberto. –¿Qué le pasa? –Es la movida de las tías, ya sabes. –¿Qué pasa con las tías? –Pues que no puede seguir así. Si no le echamos una mano, es tan tímido que no va a conseguir salir nunca con una piba. Tú lo sabes bien, eres su mejor amigo" (10). Carlos dismisses his companion's concern and opines that Roberto will get a woman when he decides to do so. Pedro seems to represent the typical young male attitude that sexual conquests affirm one's manhood. Indeed, he may well be concerned that Roberto's lack of seductive activity will somehow compromise his, Pedro's, own manhood since they are members of the same unofficial clan. Whereas on the surface Carlos conveys a more mature attitude and opposes forcing the masculine issue on Roberto, later events reveal that Carlos's defense of Roberto was self-serving. In defending his insecure companion against the attacks of his own colleagues, Carlos strengthened his power over Roberto as well as the detractors. It does not stretch the imagination excessively to see a parallel here between this fictional leader and certain national and regional politicians who in the 80s and early 90s gained or enhanced their power by means of seductive manipulation of their own colleagues.[8] At any rate, Carlos does what he needs to do to control Roberto.

Roberto's perilous status is evident as the first day of action draws to a close (actually about 7:00 a.m. the second day) and he, Carlos, Manolo, and Pedro cruise the city looking for sexual partners. They stop to proposition some female prostitutes only to discover that they cannot afford the price. Then Roberto suggests: "–Podríamos buscarnos un travelo" (25). When someone, apparently Carlos who is almost incoherent from the cocain he has taken, voices the rebuff to that proposition, that person implies that it was an insult to their collective manhood. Roberto feels chastised and threatened, not by Carlos who spoke but rather by Pedro and Manolo who did not. After all, Carlos always safeguards Roberto's position in the center, whereas the others express a need to make him a pariah. Indeed, on another day when the others are not with them Roberto makes the same proposal to Carlos, and they hire a male prostitute to service the two of them. Sometime after that episode they get high in a disco and Carlos grabs Roberto to dance and kisses him on the mouth. On that occasion Roberto pushes away his friend in embarrassment. Finally, at Fierro's party the two slip out to the garden, and hidden from the view of the others and at Carlos's suggestion, masturbate one another. All this culminates with Roberto's confession to the psychiatrist that he is in love with Carlos, and that he plans to go to the Kronen to be with his friend. By now the action of the novel indicates that Carlos does not harbor any amorous feelings toward Roberto, and is only intent on maintaining power over him by manipulation. In effect, Roberto's vulnerability results from his emotional dependence on Carlos and from his social need to belong to the group. Obviously he is terrified by the prospect of losing either of these pillars to his sense of being. Again, this threat to communal membership and personal attachment seems to echo the discourse of the time. In addition to the loss of national identity, by 1992 Spaniards were only too acutely aware of the *personalismo* defining their government. It was common knowledge that high ranking officials of the new democratic order manipulated and betrayed their friends to gain power and money. If power indeed corrupts, in Carlos's case it led to a pathological need to destroy another human being, Fierro, and for that project he needed the support of Roberto and at least the acquiescence of the others.

Finally, however, Carlos's attitude toward Fierro forces Roberto to question his until-then unwavering commitment to his hero. As they chat one day, Roberto recounts a night when he followed Fierro in his car with the lights out because the diabetic was high on drugs and wandering aimlessly. When Fierro began to run Roberto had to accelerate and almost ran him down. Carlos then asks: "–¿No sentiste ganas de atropellarle de verdad?" (157). Roberto is confused by the question and answers that it did not occur to him because Fierro is a friend, to which Carlos responds: "–Nadie tiene amigos, Roberto. La amistad es cosa de débiles. El que es fuerte no tiene necesidad de amigos. Beitman te lo demuestra" (158). In this case Carlos almost overplays his hand by this reference to the protagonist of *American Psycho* and the message in that work of fiction concerning friendship. The remark has serious implications for Roberto, who feels much more than mere friendship toward Carlos. As a result the former demands an explanation. But at that moment the ex-boyfriend of Carlos's sister enters the bar and Carlos avoids answering. Were it not for the former boyfriend arriving at this inopportune moment, the episode could have had a pivotal effect on the subsequent violent episode with Fierro. But Mañas's textual strategy involves creating and then subverting the possibility of a solution, and that strategy serves as his primary thematic and discursive statement in *Historias del Kronen*. And so events continue toward their tragic denouement.

Carlos's hatred of and need to destroy Fierro indicates the extent of his personal amorality. For example, in the opening chapter Carlos expresses his irritation when Fierro refuses to drink even one beer. Carlos uses this refusal as evidence that Fierro is not really one of them. As he says to Roberto: "–Es un tío muy raro. Es masoca, y yo creo que es también homosexual ..." (157). Such an accusation explains the fear Roberto feels when his own sexual orientation is questioned by the others. Some homosexual acts are acceptable, and others can lead to marginalization. This shifting code helps explain Roberto's insecurity, and his dependence on Carlos as arbitrator of the system. Roberto has reason for concern, because Carlos continually mocks Fierro, on one occasion he says the diabetic is "amariconado" (231), which he cites as proof that Fierro does not deserve to be a member of the group. Carlos's strategy culminates at the birthday party when he enlists the aid of Roberto and Manolo to force the bottle of scotch down Fierro. This murderous act was possible thanks to Carlos's success in subjugating Roberto, in convincing him that his membership in the Kronen clan depends on being in his, Carlos's, good graces. The homosexual episode in the garden obviously increased Roberto's insecurity and his emotional dependence on Carlos. Roberto, in addition to being compromised with Carlos, possibly finds it expedient to persecute Fierro as a means of keeping the spotlight off himself. He apparently hopes that the group will be satisfied with the presence of only one abject being in its constant need to reinforce the center at the expense of someone on the periphery. In spite of his recent reasons to doubt the trustworthiness of Carlos, his self-serving motives overcome any ethical concerns. Again, it is difficult to ignore extratextual political echoes in all this.

The motive for Manolo's participation in the murderous act is quite different from that of Roberto. Manolo is barman at the Kronen and serves as middleman in keeping the group supplied with drugs. The afternoon of the fateful party Manolo is in a foul mood because his American girlfriend that morning announced that she was going to Paris to live with her fiancee. After explaining to Carlos what happened, he announces: "–Hoy, ya te digo, va a terminar mal alguien ... Con esta movida, esta noche tengo unas ganas de desparramar que no te cuento, tronco" (245-46). When that night Carlos proposes that they force liquor down Fierro, Manolo participates not only because Carlos has succeeded in ostracizing and in effect dehumanizing the host, but also because this act of violence apparently offers Manolo a means of venting his anger at his fickle girlfriend. Needless to say, many politicians of the 80s and 90s thrived by knowing how to channel personal motives into party policies (the 1980s scandal of GAL, PSOE's secret counterterrorist organization, provides a dramatic example of how the socialist party tried to manipulate national fears and anger as justification for creating this organization of assassins to counteract ETA's assassins).

At the birthday party, dialogue gives way to Carlos's monologue, with parentheses indicating where someone else speaks, although that person's words do not appear on the page. Strung out on drugs and alcohol, Carlos raves in barely coherent statements, but the leif motiv of his discourse concerns Fierro. First he laments not having time to buy the host a vibrator, which he is sure Fierro would have loved, then he explains to the others why there are so few women at the party: "Esto es un complot del Fierro, que sólo quiere tener pollas para que le demos todos por el culo" (249). When they all wish him happy birthday, Carlos says: "No te pongas rojo, Fierro, que sólo las mujeres enrojecen. Hala, dame dos besitos a mí también. Así, así. Pero no seas tímido" (250). To the jilted Manolo he jokes: "Si te pones cachondo pues coges y le das por el culo a Fierro. Y ya está. ¿Verdad, Fierro, que a ti te encantaría que te sodomizasen hoy?" And also to Miguel, whose girlfriend could not attend, he says: "Una putada que no esté tu novia, pero ya lo sabes: ahí tienes al Fierro, en caso de necesidad" (251). Although Carlos pretends to project a playful tone, in effect he characterizes the host as an other, as someone not only outside the Kronen group, but outside the human race. His words convey a fascist intolerance and hatred of those who are different and physically inferior. In effect, beginning in the 80s and extending into the present century there has been a resurrection of this type of fascist discourse throughout not only Spain but all of western Europe.

As the night progresses, Carlos's words and actions concerning Fierro become more explicitly intolerant and aggressive. He chides Fierro for not wanting to dance with him and then says in mock apology: "Huy, perdona, Fierro. No quería tirarte el vaso encima, te lo juro" (252). After their sexual episode, Carlos pointedly directs Roberto's attention to the host: "Me cago en la puta. Fierro está completamente sobrio ... Coño. Esto no puede ser, y menos el día de su cumpleaños ... Venga, Roberto. Vamos a solucionarlo... Estás con nosotros, ¿no, Manolo?" (255). After they have begun pouring alcohol down him Carlos orders: "Roberto, tú continúas con la botella, que yo desabrocho el pantalón para que veamos qué hombre es Fierro" (256). This sadistic game ends when the host goes into a coma. Only then do the others seem to realize that Fierro is a human rather than merely an abject being, a realization that comes too late for the victim. And that moment of illumination occurs thanks to another member who challenges the very premises of the group.

Miguel is the only one of the Kronen gang capable of defying Carlos and his central position. The day before the party Miguel even dares to tease Carlos about his haircut and says he looks like "un puto inglés" (235). Miguel then voices his opinion about 1992 Spain:

> –Si es que esto es Europa: el cinturón de seguridad, prohibido fumar porros, prohibido sacar litros a la calle ... Al final, ya veréis, vamos a acabar bebiendo horchata pasteurizada y comiendo jamón serrano cocido. Yo es que alucino. Encima, todos los españoles contentísimos con ser europeos, encantados con que la Seat, la única marca de coches española, la compre Volksvaguen, encantados con que los ganaderos tengan que matar vacas para que no den más leche ... Así estamos todos con los socialistas: bajándonos los pantalones para que nos den bien por el culo los europeos, uno detrás del otro ... (235-36)

Roberto, who has assumed the role for the group of censoring political discussions, reacts (in the first chapter he also tells Raúl, who voices opinions on regionalism, to stop discussing politics)[9]: "–Venga, Miguel. No des la charla política hoy" (236). When Miguel asks him what topics they can talk about, Roberto says: "De sexo, de drogas y de rocanrol" (236). On the subject of sex Miguel declares that he and his girlfriend cannot find a place to engage in it because each has to live with his and her respective parents, a situation that a better job would remedy: "Pero de esto, claro, no se puede hablar con el señor Carlos" (237). Then on the topic of drugs he adds: "pero resulta que para eso tengo que tener dinero, y mi dinero no se lo pido a papá, como el señor Carlos, sino que tengo que ganármelo en el trabajo" (237). By their silence Roberto and Manolo seem to recognize the validity of what Miguel says, and for the first time in the novel a potential rival to Carlos's position emerges. Later, when Fierro goes into his coma, Miguel assumes command and Carlos protests: "Pero no, Miguel. ¿Para qué vas a llamar a una ambulancia" (257). Then later he announces: "Has sido tú, Miguel, el que la ha llamado, ¿no? Pues ahora te entiendes tú solito con ellos. Yo no quiero saber nada del tema" (258). Of course this is an abdication of responsibility as well as leadership. Carlos is more than willing to step aside now that being the leader of the Kronen group involves something more than a commitment to sex, drugs, and rock music. But whereas at this point Miguel seems to have replaced Carlos and in so doing redefined the center, he is totally absent from the epilogue. As noted, the novel ends with Roberto declaring his intention to go to the Kronen to see Carlos. That intention foreshadows a return to the old center. With the obvious exception of Fierro, the bees apparently are all going to return to the hive.

Miguel, in criticizing the effects of the European Union, and *señoritos* like Carlos, appears to act as spokesperson for the thematics of the novel. These statements, along with the initiative he takes when Fierro goes into shock, seem to position him as a polarity to Carlos. Yet the novel points to apathy rather than opposition. Before these two moments Miguel plays a very minor role, and he never really emerges as a viable counterforce to Carlos. As a result, his voice lacks authority. Presumably Mañas crafted such a textual strategy to minimize the implication of a solution to the problem represented by Carlos and his amorality. Little wonder that many have expressed dismay at the implications of *Historias del Kronen*. According to the message implicit in the paratactic structure, evil triumphs. Since the underlying syntactic system is hidden beneath the surface of stasis, Mañas creates a sensation of static chaos, of a society stagnated by its frenetic but futile search for values. Thanks to these structural characteristics, *Historias del Kronen* enters directly into the discourse of a depolarized Spain with its political apathy, which in turn can be traced at least in part to the government's commitment to Eurocentrism.

Depolarization is one of the underlying discursive themes also for Javier Cerca's *Soldados de Salamina* (2001), yet the in this work by a novelist born within the so-called generation X parameters, the message involves ethnical commitment rather than moral detachment. The nihilistic, amoral attitude implicit in Mañas's novel contrasts dramatically with the emphasis on traditional humanist values in Cerca's. From the title, with echoes of ancient heroic battles, to the repetitions of Spengler's "a última hora siempre ha sido un pelotón de soldados que ha salvado la civilización" (38 passim), this novel points to righteous duty on a national as well as individual level.

Polarization implies a belief in absolute values such as true/false, fact/fabrication, good/evil, and reality/fiction. Mañas, in rejecting such absolutes, seems to reject any compromise also, and in his novel he points to nihilism as, if not the solution, the inevitable outcome. In *Soldados de Salamina* Cercas, on the other hand, posits a counter-discourse to the polarizing effects of our cybernetic present with its disembodying emphasis on technology and absolutes (see McDonough et al on technology as it relates to Spain, 92). He questions the accuracy of information and history, the univocal definition of morality, and above all any definitive interpretations of reality. For him depolarization leads to polymorphism, to more tolerance for conflicting approaches to these concepts, and ultimately to both individual and communal commitments to ethical behavior. To follow him along the circuitous path he plots, I find some of Gianni Vattimo's concepts provide a useful road map.

The Italian philosopher argues in *Beyond Interpretations* that "there are no facts, merely interpretations" (2). As Jon R. Snyder notes in *The End of Modernity*, Vattimo also understands "truth and Being as events—as, in other words, what is constantly being reinterpreted, rewritten, and remade—rather than as objects endowed with permanence and

stability" ("Introduction" xx). In a radical challenge to the
absolutes of cybernetics and our posthuman condition,[10]
Cercas questions in his fiction the fixedness of truth and
history by combining documentation with invention. As his
other narratives also indicate, present as well as past truth is
not a question merely of verifiable facts, but also of experienced fantasies.[11] In effect, and again echoing Vattimo's
thesis, his fiction suggests that the supposed facts often are
as erroneous and deceiving as any subjective interpretation.
In other words, truth depends to an important degree on an
appellation to the senses, and each listener or reader deter-
mines the effectiveness of that enticement. In *Soldados de
Salamina* specifically and in his poetics in general Cercas
seems to echo Vattimo's ideas when the novelist suggests
that history should not be understood exclusively as verifiable truths, but additionally as ephemeral sensations
created by unreal, indeed ghostly forces.[12] Thus in this novel
Cercas offers an alternative not only to the apathy and
amorality implicit in *Historias del Kronen*, but also to the
disembodying discourse of the Information/Cybernetic Age.

   Soldados de Salamina concerns the transformation of a
historical episode into an invented fable, a metamorphosis
that elevates the event from an intriguing story to a moral
parable. If on the one hand the work seems to be primarily a
documented history of a fascist party leader who survived a
republican firing squad near the end of the Spanish Civil
War, in reality the "story" centers on the speaker's investi-
gation that allowed him to reconstruct, and invent where
necessary, the multiple incidents of this seemingly inconse-
quential and almost forgotten historical episode, and how he
molded the combination into a cohesive narrative with
important, and although the term has fallen from favor in
recent times, what I would define as transcendent implications.

   The historical dimension concerns the real-life politician,
Rafael Sánchez Mazas, father of the novelist Rafael Sánchez
Ferlosio and a close friend and ideological comrade of José
Antonio Primo de Rivera—they were co-founders of the
Falange. After spending the first part of the war as a political

refugee in the Chilean Embassy of Madrid, in late 1937 Sánchez Mazas left the sanctuary hidden in a truck with the goal of escaping to France. He was arrested in Barcelona by the republicans, however, and imprisoned there. With the advance of the nationalist army on the Catalan capital in 1939, the republicans abandoned the city and headed toward the French border, taking with them their prisoners. Near Banyoles—just northwest of Gerona—the decision was made to execute the important political captives, and of course Sánchez Mazas was included in that group. It was raining when the prisoners were marched to the execution site, and with the initial volley Sánchez Mazas bolted to the nearby woods and hid in a crevice. One of the soldiers searching for the escapee found him there, but did not reveal the fugitive's presence to his fellow pursuers. Later Sánchez Mazas encountered three republican deserters who helped him find food and shelter until the nationalist army arrived. After his rescue he served for a period in the government in largely ceremonial positions. He died in 1966.

The anecdote and its presentation seem designed to change polarized views of the two sides in the Spanish civil war. By choosing to tell a story in which the role of villains and victims is reversed from conventional liberal views of the war, the readers, who marketing devices assume to be overwhelmingly pro-republican,[13] are encouraged to feel empathy with the fascist Sánchez Mazas. In addition, Sánchez Mazas's eyes serve as the focalizing point, and that textual strategy allows the reader to share the terror and desperation of a man about to be murdered, the recklessness of his bolt to freedom, and his total helplessness when the militiaman discovers him in his hiding place. The effect, I submit, is a type of depolarization that forces readers to reassess their views of the two sides of the conflict. Of course such a reassessment places the novel squarely within the discursive currents of the new Spain.

But again in the case of Cercas's novel, depolarization points to a message very different from that conveyed by *Historias del Kronen*. The essence of that message emerges from the beginning of the novel as the anonymous militia-

man who spared Sánchez Mazas consumes the speaker's
attention. As the narrator explains, if he can solve the
mystery of that soldier, "quizá rozaríamos también un
secreto mucho más esencial" (26). The effort to unveil that
primordial, and by implication ethical, secret drives the
narrative. As a result, after finishing the written summary of
Sánchez Maza's story, the narrator is not satisfied, for he has
been unable to determine the moral implications of the
episode. Then one day his newspaper asks him to interview
the Chilean writer living in Spain, Roberto Bolaño (a real-life
figure who died in 2003). By pure chance Bolaño begins to
talk of an Antoni Miralles whom he knew in the 1970s at a
camping site near Castelldefells. From what the Chilean says
the protagonist becomes convinced that Miralles is the until
now anonymous militiaman for whom he has been searching.
In short, he is the missing link necessary to provide the story
with structure and meaning. As he explains to his companion, Conchi: "Miralles (o alguien como Miralles) era justamente la pieza que faltaba para que el mecanismo del libro
funcionara" (167). His statement challenges prevailing
cybernetic assumptions about the absolute nature of information, and in so doing reemphasizes the human element.
The speaker suggests that historical accuracy is less important than artistic cohesion. Indeed, at the very beginning of
the novel when he narrates his frustrating interview with
Rafael Sánchez Ferlosio (from whom he first heard the story
of the escape), he concludes the summary of that episode by
confessing: "En cuanto a la entrevista con Ferlosio, conseguí
finalmente salvarla, o quizás es que me la inventé" (21). His
statement constitutes a radical counterdiscourse to our
Information/Cybernetic Age. Although he set out to write a
documented history very much in harmony with current discursive practices, he discovered very early in the process that
artistic manipulation is necessary for any narrative to
transcend mere anecdotal gratification. If mechanical information devices indeed do disembody humans, Cercas suggests artistic invention as a means to restore the human
element to what we call knowledge. This may be what Hayles
has in mind when she states: "With its chronological thrust,

polymorphous digressions, located actions, and personified agents, narrative is a more *embodied* form of discourse than is analytically driven systems theory" (*Posthuman* 22)

Knowledge itself creates a paradox. As he investigates the incident involving Sánchez Mazas, he has to recognize that, "cuantas más cosas sabía de él, menos lo entendía; cuanto menos lo entendía, más me intrigaba; cuanto más me intrigaba, más cosas quería saber de él" (50-51). Prior to the discoveries he managed to chronicle, he realized that documented history itself involves a degree of inaccuracy. Even though father (in a 1939 filmed interview) and son narrate essentially the same story about the escape, the narrator is forced to question the validity of their accounts: "tuve la certidumbre sin fisuras de que lo que Sánchez Mazas le había contado a su hijo (y lo que éste me contó a mí) no era lo que recordaba que ocurrió, sino lo que recordaba haber contado otras veces" (42-43). The narrator in effect is telling us that the narrated story supplants the *true* history; one tends to be more faithful to the telling than to the told, if for no other reason than anyone who was not present at the event has only the narrated version on which to rely. In the case of Rafael Sánchez Ferlosio and the rendition of the escape that launched the writing project, the speaker has to confess: "su veracidad ni siquiera pendía de un recuerdo (el suyo), sino del recuerdo de un recuerdo (el de su padre)" (62). But as we know things are even more complicated. Humans convert every reality into language. Even when one is participant in or witness to an event, he or she must recreate with language what was experienced directly, and once that is done the *real* event is replaced by its linguistic expression, which to one degree or another distorts the referent. No matter how sophisticated, no mechanical device can displace totally the human element in communication. That implicit message seems to form the basis for Cercas's counterdiscursive project.

The human element works against the very concept of absolutes in communication. For example, when the narrator anticipated his interviews with the three deserters who happened upon and aided Sánchez Mazas after his escape, the speaker prepared himself to listen to their accounts with a certain skepticism: "lo que acaso me contarían que ocurrió no sería lo que de verdad ocurrió y ni siquiera lo que recordaban que ocurrió, sino sólo lo que recordaran haber contado otras veces" (62). Vattimo claims that what we call truth is only a consensus interpretation at a given historical moment. And truth, therefore, changes when what occurred is reinterpreted and the hermeneutic gains acceptance by a new historical community, a process capable of being repeated indefinitely. To accomplish this dynamic reinterpretation professional and amateur historians alike try to document not so much what happened but what has been narrated about it. A concrete fact, therefore, inspires a linguistic invention, and it yet another ad infinitum until what happened is totally supplanted by what has been said or written about it. In effect, each narrative act takes us one step further away from what we customarily refer to as the *truth*. Only by recognizing how humans influence information can one hope to factor them into the equation and thereby redefine the very definition of *truth*.

Since all narration involves a narrator, the human factor is fundamental notwithstanding the advances of cybernetics. He or she who narrates cannot exclude him- or herself from the linguistic representation. As Hayles notes in reference to scientific experiments, the person conducting the experiment influences the results because there is no point of observation that is not a part of the interconnected whole being observed, or as she says: "Thus we can never know how our representations mesh with reality, for we can never achieve a standpoint outside them" (*Chaos* 223). The narrator of *Soldados de Salamina,* perhaps for that reason, includes himself in the representation of his novel. At the beginning he refers to his previous publications, all of which were written by Javier Cercas, and to other personal data of the real-life author. In short, at first the work has all the earmarks of an autobiographical account. Yet the Javier Cercas of *Soldados de Salamina* is a linguistic construct also, and the characters created by the fictitious author help create that author.[14] For example, in the initial interview between the narrator and

Bolaño the Chilean asks if the reporter is the author of *El móvil* and *El inquilino*, the titles of Cercas's first two novels. But because he appears in this work, the real person becomes unreal, in effect a phantom. Indeed, the film version of *Soldados de Salamina* underscores this personage's carnal unreality because in the movie the protagonist is a woman, who of course does not call herself Javier Cercas, and the person who advises the protagonist is a lesbian, more intent on seducing the leading lady than offering her hints on how to write the story. The sexual identity of the characters is sacrificed in the film for artistic motives. What better way to demonstrate that representation in a work of art always involves transforming mortal bodies into immortal spirits?

The description of the protagonist's return from Dijon also suggests the distinction between a flesh-and-blood person and an image, visual or verbal. Sitting in the diner with a drink he stares out the window and it acts as a mirror: "Ahora el ventanal duplicaba el vagón restaurante. Me duplicaba: me vi gordo y envejecido, un poco triste" (205). The reflected image seems to serve as a metaphor of how every narrator is a simulacrum. It is not the author of course, but rather a linguistic rendering of a visual representation of the real-life creator. But though it is a linguistic sign (and here a true paradox), it calls attention to the absent presence of an embodied being. It reminds us that novels are written by humans, not cyborgs. Cercas seems intent on helping to create an embodied discourse to counteract the force of our current posthuman episteme.

What we label *the human* of course includes the super-natural realm of the dead. Indeed, we can never free ourselves from those no longer living. Their absent presence creates an aura that in effect haunts us and allows us to experience more deeply what is means to be human. The narrator of *Soldados de Salamina* expresses this or at least a similar concept when remembering his father: "Pensé que, aunque hacía más de seis años que había fallecido, mi padre todavía no estaba muerto, porque todavía había alguien que se acordaba de él. Luego pensé que no era yo quien recordaba a mi padre, sino él quien se aferraba a mi recuerdo para no morir del todo" (187). He makes an almost identical comment in reference to Bolaño and his memories of his dead Latin American friends and comrads: "O quizás no es él quien se acuerda de ellos, sino ellos los que se aferran a él, para no estar del todo muertos" (201). In both cases he underscores that the dead persons are now living phantasms. The human spirit prevails even beyond the tomb.

Contrary to their connotation in popular parlance of threatening supernatural forces, ghosts and haunting can serve as signs affirming human values. Literature performs the same function. It enables us to feel the forces that link us with the human community, including with those members of it who are dead. Being haunted can convey the sensation of a communal connection beyond documented history and cybernetic inventions. Art creates its own immortal phantoms and thanks to them we readers are afforded the opportunity to recognize ourselves in others.

The connecting forces are implicit in the title itself of the novel, *Soldados de Salamina*. As historians note, Salamis, the ancient Cyprus city, was where the outnumbered Greeks defeated the Persians. After Darius ascended to the Persian throne, "all the signs were that he meant to extend Persia's sphere of control into Europe" (Peter Green 13). The Greeks stood between this "Barbarian" and the west, and their opposition led to the Greco-Persian Wars. The defeat of the Persian forces at Salamis for all practical purposes marked the end to that conflict, and it played a key role in shifting the balance of power from the east to the west. Green characterizes the battle of Salamis as a display of "selfless idealism" and adds: "The ultimate achievement of such a victory is hard to measure in appreciable terms. So funda-mental and lasting a debt almost defies our understanding" (13). Perhaps the historian can be accused of resorting to hyperbole, but his discourse helps contextualize that we find in Cercas's novel lauding individual and communal sacrifice and commitment.

When, for example, the character Cercas meets the brother of one of the deserters who befriended Sánchez Mazas, the speaker admits to feeling "[i]ncrédulo, como si acabaran de anunciarme la resurreción de un soldado de Salamina" (56). In addition, as already noted, we read repeatedly in the text the Spengler statement on the small number of heroes who throughout history have saved civilization. Included among them are all those people mentioned by Bolaño and Miralles who died fighting for freedom, but above all in this episode of Spanish history it seems to have consisted primarily of a single militiaman who, in a key moment, opted to conduct himself in a humanitarian rather than a military way. By doing so, the insignificant soldier transformed himself into a non-polarized heroic icon that Cercas in turn molded into an artistic symbol.

From the beginning Miralles, for the narrator as well as the reader, seems larger than life, in effect a phantom-like hero. When they talk and the narrator calls him a hero, Miralles rejects the label: "Los héroes sólo son héroes cuando se mueren o los matan. Y los héroes de verdad nacen en la guerra y mueren en la guerra. No hay héroes vivos, joven. Todos están muertos. Muertos, muertos, muertos" (199).[15] The historical Miralles, the one who fought in the war, no longer exists. The heroic war hero of the past was and is an invention, and the only reality now is the embodied old man there before him in the rest home. Indeed, shortly before the mid-point of the novel the speaker confesses that just prior to and during the war years: "no ofrezco hechos probabados, sino conjeturas razonables" (89). In fact, although the existence of the militiaman who discovered but did not reveal the presence of Sánchez Mazas in the crevice apparently is historically true, Miralles himself seems to be an invention, a fictitious character created to represent a real-life person whose identity is probably lost forever.

Miralles, as a historical person and as an artistic invention is essential for the speaker. The character Cercas, therefore, in his obsession to verify the identity and the motives of the militiaman, tries to lead Miralles into a confession that he was the one who saved Sánchz Mazas. But the old man subverts the strategy when he states that "si alguien mereció que lo fusilaran entonces, ése fue Sánchez Mazas: si lo hubieran liquidado a tiempo, a él y a unos cuantos como él,

quizá nos hubiéramos ahorrado la guerra" (192). Certainly
not the type of statement one would expect from the person
who saved the Falangist's life. But the words, "a tiempo"
create a certain ambiguity. Since the time when the war
could have been prevented had long since passed, perhaps
Miralles realized how useless it would be to sacrifice another
life, even if the life in question was that of a person
responsible to some degree for the blood bath just then drawing to a close. In desperation the narrator blurts out as the
two men are about to separate, "–Era Usted, ¿no?–. Tras un
instante de vacilación, Miralles sonrió ampliamente, afectuosamente, mostrando apenas su doble hilera de dientes des-
vencijados. Su respuesta fue: –No" (204-05). But the narrator
is not convinced that the old man has told him the truth, and
on the train ride back he thinks about him: "un hombre
acabado que tuvo el coraje y el instinto de la virtud y por eso
no se equivocó nunca o no se equivocó en el único momento
en que de veras importaba no equivocarse" (209). Whether or
not the Miralles of the novel was in fact the militiaman who
saved Sánchez Mazas's life, artistic truth dictates that he
was. In this way the novel subverts the discourse of absolutes. At least some truths are indeed fictions. In addition,
the novel suggests that we always need those with an
"instinto de la virtud," whether they are real or invented
Only by means of them, according the narrator's final words,
can civilization continue "hacia delante, hacia delante, hacia
delante, siempre hacia delante" (209).

When he speaks of the end of history, Vattimo refers to
history understood as a teleological process or an infinite
chain of progress (with economic and technological connotations). But the almost phantasmagoric repetition of "hacia
delante" expresses a very different sense. The novel invites
us to interpret it as an expression of human values, values
that cannot be definitively verified as concrete facts, only
experienced as the aura of ghosts who haunt us and help us
recognize the ties that bind us to the living and the dead.
Indeed, Cercas dissolves the polarity itself of living/dead. He
offers a discourse in which the human condition transcends
even those polarities.

Generational schemes for classifying literary movements inevitably polarize. If, as some argue and sociopolitical evidence supports, depolarization helps define post-Franco Spain, then labels such as Generation X work at cross purposes with the prevailing discourse. I have attempted to demonstrate that *Historias del Kronen* and *Soldados de Salamina*, on the surface polar opposites, project the common denominator of depolarization, and therefore each participates in and contributes to this fundamental discursive trend. The contribution of each, nevertheless, is distinct. Mañas's novel projects an effect that combines late 19th and early 20th century moral and professional *abulia* with the early 1980s political *pasotas*. Some would argue that such a combination defines current Spanish youth. Cercas's fiction, on the other hand, equates depolarization with tolerance and the opportunity, indeed obligation, to reimpose traditional human values if western civilization is to continue. Finally, then, I am suggesting that only by recognizing the commonality of the two novels can we hope to appreciate adequately the significance of their differences within the discursive context of Spain at the millennium.

NOTES

1. Several have contributed to the attempt either to label or define this generation. See for example Germán Gullón, Carmen de Urioste, José Antonio Fortes, and Santiago Fouz-Hernández (although the latter questions whether *Historias del Kronen* really qualifies as a Generation X novel in the Anglo-European sense of the term).

2. Cristina Moreiras Menor offers several other thoughtful objections to the Generation X label (see 192-98).

3. Limiting myself to the more prominent writers born in the 60s and 70s, those typically excluded from the generation group include: Juan Manuel de Prada (1970), Belén Gopegui (1963), Javier Cercas (1962), Alumudena Grandes (1960), and Ignacio Martínez de Pisón (1960). Without question other names could be added to this list, and it should be noted that at least one critic includes Prada and Gopegui within the generation X category (Urioste 458).

4. See for example Peter McDonough, Samuel H. Barnes, and Antonio López Pina's book, but their basic thesis is common in many other essays dealing with current Spanish cultural phenomena. The argument centers on the tendency with Spanish democracy to reject the for-or-against polarization created by the Franco regime. Whereas the scholars listed above note that depolarization suggests greater tolerance (they cite statistics from South Korea and Brazil to back their claim), in the case of Spain they argue that it resulted in political apathy. The two novels under discussion reflect this paradoxical effect of apathy in one case and greater tolerance in the other.

5. Opinion has tended to polarize into two camps: those who laud the novel (and its film version, although some criticize the latter for making the ending too moralistic and thereby betraying the tone of the novel–see Fouz-Hernández) as a powerful and realistic statement about current Spanish youth, and who complain about other critics' inability to recognize the new values it represents (Gullón, Toni Dorca, Yvonne Gavela, Moreiras Menor). The opposing camp tends to dismiss the novel as exploitive and nihilistic (Fortes, Santos Sanz Villanueva). In an important and much less polarized study, Nina Molinaro goes beyond drugs and addiction as themes and addresses their philosophical implications. She, however, concludes her analysis of the novel by noting: "It leaves us anxious and angry, wanting more because addiction seems to be all there is, and addiction is, finally, nothing at all" (304).

6. Graham and Antonio Sánchez discuss the impact of unemployment in the 80s, which rarely dropped below 20% and was the highest in Europe. McDonough et al cite similar figures for the beginning of the 90s. Fouz-Hernández refers to figures of nearly 30% for 1992, the year the action of the novel occurs. Although the rate has improved since the 80s and early 90s, it is still among the highest of any of the OECD membership and young people and women are its primary victims. For figures for more recent times see: "Spain–Desempleo-Unemployment," and "Spain–The Unemployment Problem."

7. Although social groups insist on forming centers and margins, scientists tell us that the universe has no center. Perhaps this scientific law explains why sociopolitical centers are so subject to change: they are mythical constructs that defy the laws of the physical world. That paradox also connects the novel to the current discourse on globalization. As national boundaries tend to disappear (the open borders of the European Union countries, for example), people seem to need to create substitute centers and margins. The Kronen serves as an example of a tightly-knit community within an increasingly

amorphous state. The fairly recent upsurge in Spanish regionalism may be another expression of micro identity as a response to macro anonymity, but certainly other forces are also at play in this political phenomenon.

8. The most famous example involves the nepotism of Alfonso and Juan Guerra. Felipe González named Alfonso, one of his closest friends, deputy Prime Minister in the new government. Alfonso provided his younger brother Juan a party office in Seville even though Juan held no government appointment. The younger Guerra then used his office to peddle influence and amass a fortune. The scandal dominated newspaper headlines for an extended period and finally in 1991 Alfonso was pressured to step down as deputy Prime Minister of the government, although he continued to serve as General Secretary of the Socialist Party. His continued role in the party disillusioned many who had supported the socialist cause. John Hooper cites this scandal several times in his controversial assessment of democratic Spain (66 passim).

9. Miguel and Manolo are the only members of the clan who work for a living, and who apparently are of a lower socioeconomic status than the others. That the group is not concerned with these class differences lends support to McDonough et al's thesis: "Moral and cultural differences in lifestyle preferences between generations–permissiveness versus piety–seem more important than economic struggles between classes [...]" (143). On the other hand, the scholars cited above claim that young Spaniards display a great deal more interest and willingness to participate in the political system than their parents did. They confess, however, that their thesis is contradicted by a World Values survey of Spain (171). McDonough and colleagues would more than likely dismiss the representation of apolitical young people in *Historias del Kronen,* since that would indicate their willingness "to decode bits and pieces of popular culture rather indiscriminately as signs of resistance" (171).

10. I am borrowing the term "posthuman" from Hayles's *How We Became Posthuman.* Reducing her thesis to an absolute minimum, she argues that humans have been disembodied by the emphasis on cybernetic technology. Cyborgs are in the process of making humans superfluous, of reducing their bodies to the function of a prosthesis, all of which has contributed to our disembodied, posthuman condition. Although she does not discuss directly globalization, her thesis certainly concerns the loss of identity on a national and individual level.

11. For example, as the narrator of *El vientre de la ballena* declares: "Inventamos constantemente el presente; más aún el pasado. Recordar es inventar" (204).

12. Although his remarks on this novel constitute only a small part of the article in which they appear, Gonzalo Navajas has written the only analysis to date, of which I am aware, on *Soldados de Salamina*. He sees a somewhat different role for history in the novel. Navajas argues that the narrator returns to the past to discover in it the values lacking in the present, but the present deconstructs the historical absolutes that the speaker seeks. Avery F. Gordon offers many insightful ideas concerning ghosts and haunting that apply to this novel and, as I make additional references to these concepts, it will become clear that her thesis has informed my reading of Cercas's text.

13. Presses such as Tusquets (the publisher of this novel) specialize in what some would classify as high-brow rather than popular literature, and a list of its publications reflects a fairly clear liberal bias. A detailed study of the publicity statements and dust cover comments of Spanish presses, a project that goes far beyond the limits of this essay, could shed useful information on the concept of the implied or posited readers for current Spanish fiction.

14. This novel is also part of a category, generally called hybrid fiction. The works identified within this label fuse autobiography, fiction, and essay to the point of confusing the line separating the three genres. To my knowledge the first Spanish version of this approach was Luis Goytisolo's *Estatua con palomas* (1992). Other examples include Javier Marías's *Negra espalda del tiempo* (1998), and Vila-Matas's *París no se acaba nunca* (2003) and *El mal de Montano* (2003), in addition to Cercas's *Soldados de Salamina*. I should probably note that these hybrids are not the same as novels based on autobiographical experiences, for example Marías's *Todas las almas (1989)*. The connection for the latter depends on extra-textual evidence of the author's life rather than on direct references to it in the text. Especially before New Criticism, literary scholars dedicated much of their energies to arriving at interpretations based on such extratextual documentation.

15. For a radical contrast in the concept of the term, see Ray Loriga's novel *Héroes* (1993), in which by implication the heroes of today are those who have to endure a globalized and value-less existence imposed on them by the new democracy with its allegiance to the European Union: "[...] un héroe sin miedo es un héroe muerto y morir ha dejado de tener gracia porque ya no es la canción que tú cantas sino una canción que cantan otros y que se lleva a los nuestros, Dios sabrá por qué" (108).

WORKS CITED

Butler, Judith. *Bodies That Matter: On the Discursive Limits of "Sex."* New York-London: Routledge, 1993.

Cercas, Javier. *El vientre de la ballena.* Barecona: Tusquets, 1997.

_____. *Soldados de Salamina.* Barcelona: Tusquets, 2001.

Dorca, Toni. "Joven narrativa en la España de los noventa: la generación X." *Revista de Estudios Hispánicos* 31 (1997): 309-24.

Fortes, José Antonio. "Del 'realismo sucio' y otras imposturas de la novela española última." *Ínsula* 589-90 (1996): 21, 27.

Fouz-Hernández, Santiago. "¿Generación X? Spanish Urban Youth Culture at the End of the Century in Mañas's/Armendáriz's *Historia del Kronen.*" *Romance Studies* 18 (2000): 83-98.

Gavela, Yvonne. "Vértigo, violencia e imagen española de los noventa: novel y cine." Diss. Penn State U, 2004.

Gordon, Avery F. *Ghostly Matters: Haunting and the Sociological Imagination.* Minneapolis-London: U of Minnesota P, 1997.

Grahm, Helen and Antonio Sánchez. "The Politics of 1992." *Spanish Cultural Studies.* Eds. Helen Grahm and Jo Labanyi. Oxford-New York: Oxford UP, 1995. 406-18.

Green, Peter. *The Year of Salamis: 480-479 BC.* London: Weidenfeld and Nicolson, 1970.

Gullón, Germán. "Cómo se lee una novela de la última generación (Apartado X)." *Ínsula* 589-90 (1996): 31-33.

Hayles, N. Katherine. *Chaos Bound: Orderly Disorder in Contemporary Literature and Science.* Ithaca and London: Cornell UP, 1990.

_____. *How We Became Posthuman: Virtual Bodies in Cibernetics, Literature, and Information.* Chicago and London: U of Chicago P, 1999.

Hooper, John. *The New Spaniards.* London: Penguin Books, 1995.

Loriga, Ray. *Héroes.* Barcelona: Plaza & Janés, 1993.

McDonough, Peter, Samuel H. Barnes, Antonio López Pina, et al. *The Cultural Dynamics of Democratization in Spain.* Ithaca and London: Cornell UP, 1998.

Molinaro, Nina. "The 'Real' Story of Drugs, Dasein and José Ángel Mañas's *Historias del Kronen.*" *Revista Canadiense de Estudios Hispánicos* 27 (2003): 291-306.

Moreiras Menor, Cristina. *Cultura herida: literatura y cine en la España democrática.* Madrid: Ediciones Libertarias, 2002.

Navajas, Gonzalo. "La memoria nostálgica en la narrativa contemporánea: La temporalidad del siglo XXI." *Romance Quarterly* 51 (Spring 2004): 111-23.

Sanz Villanueva, Santos. "Archipiélago de la ficción." *Ínsula* 589-90 (1996): 3-4.

Sánchez, Antonio and Helen Graham. "The Politics of 1992." Graham and Labanyi 406-18.

Staiger, Emil. *Conceptos fundamentales de poética*. Trans. Jaime Ferreiro. Madrid-Mexico-Buenos Aires-Pamplona: Ediciones Rialp, 1966.

Snyder, Jon R. "Translator's Introduction." *The End of Modernity*. Gianni Vattimo. Baltimore: The Johns Hopkins UP, 1988.

Spain. "Desempleo-Unemployment." http://www.eurofound.eu.int/empire/SPAIN/UNEMPLOYMENT-ES.html

Urioste, Carmen de. "La narrativa española de los noventa: ¿existe una 'generación X'?" *Letras Peninsulares* 103 (1997-98): 455-76.

Vattimo, Gianni. *Beyond Interpretation: The Meaning of Hermeneutics for Philosophy*. Trans. David Webb. Stanford: Stanford UP, 1997.

MAX AUB
Y LA MIRADA DEL "OTRO" AFRICANO

MICHAEL UGARTE
University of Missouri-Columbia

Entre los abundantes escritos de Max Aub, *Diario de Djelfa con seis fotografías* es uno de los menos comentados y a la vez de los más dolorosos. Se trata de un "diario"/poemario en que el escritor exiliado relata su experiencia en el campo de concentración en Djelfa (Algeria) de 1941 a 1942. Sin embargo la colección no es sólo una triste evocación de la miseria concentracionaria, tan típica de la Euorpa de aquellos años, sino además una fascinante indagación sobre el perspectivismo: la realidad vista desde varios ángulos, entre ellos el de los africanos. *Diario de Djelfa* junto con otros textos autobiográficos de ese penoso capítulo en la vida de Aub es una colección de escritos que pone de manifiesto lo que se ha denominado en el campo de "estudios culturales" (otros dirían con cierto sarcasmo, la cultura de la academia norteamericana): el cuestionamiento de la contingencia del sujeto, lo contiguo como una extensión del sujeto para incluir "the touching of spatial boundaries at a tangent" (Homi Bhabha 186).[1]

Uno de los poemas de *Djelfa* titulado irónicamente "Domingo de Pascua" (97-98) sintetiza tal contingencia. El leitmotivo constante parece ser un "ojo tuerto" colectivo que mira hacia "una hilera de moros" en desfile a un distante cementerio. El poeta cuenta la anécdota fantasmagórica—una narración parecida a las de Lorca en su *Romancero gitano*—en donde los "moros" van y vienen mientras los condenados les miran y escuchan con curiosidad su canción,

"lelilí, lelilí" al aproximarse y alejarse aquéllos del campo-
santo. Mientras tanto uno de los centinelas, también "moro,"
tiene su "ojo tuerto fijo en nosostros," el "nosostros" del
poeta que, como en otros poemas de esta colección, destaca la
experiencia colectiva del encarcelamiento, tanto de españoles
como de judíos, otros ciudadanos bajo el yugo del fascismo de
los años cuarenta, incluyendo los norteafricanos. El tema del
poema es uno que se repite a lo largo de esta colección:
"¿quiénes más presos? ...¿quién es más preso?" (97). O sea,
según la perspectiva "contingente," particularmente teniendo
en cuenta la relación colonial entre Francia y Argelia en el
momento de la escritura, los argelinos también se pueden
considerar presos. Como se enuncia en otro poema son
"moro[s] en cuclillas" (29).

Difícil sería argüir que este minúsculo detalle escondido
en el cuerpo masivo de la producción literaria de Max Aub
representa un punto clave en la determinación del significado
definitivo de su vida y obra. Por otra parte, tampoco podemos
negar el tema del "otro," particularmente ese otro subalterno, explotado y marginado, la realidad del oprimido en
relación con el opresor como un aspecto de la condición
humana que a Aub sin duda le obsesionaba.[2]

Es más, en nuestro siglo XXI "globalizado" quizás la pregunta "¿quiénes más presos?" sea la que más permanece
entre tantas que nos hizo Aub sobre las guerras europeas, la
memoria y la desmemoria, el compromiso político, la justicia
y la libertad. Quizás en este nuevo milenio la insistencia en la
relación con el "otro"—cómo lo vemos y cómo nos ve—es lo
que abarca todas las demás preguntas aubianas. Sería útil entonces en el umbral del XXI y con la permanencia de guerras
e imperialismos, hacer una serie de indagaciones sobre los
escritos de Aub en que se percibe una relación ambivalente
con el otro africano, una relación a la vez tan crucial y tan
ignorada en la historia y cultura españolas.

Intimamente relacionado con el tema de un otro universal
en que todos somos víctimas como expresa este y otros
poemas escritos desde Djelfa, está la interrogación implícita
sobre el ojo (ese "ojo tuerto"), es decir, la mirada y la perspectiva. Efectivamente, en este poema, y hasta cierto punto

en toda la experiencia concentracionaria poetizada por Aub, oimos la pregunta siguiente: ¿quién mira a quién? Aquí se oye un eco de la cuestión palpitante de nuestra hora, el problema de la posición del sujeto, el sujeto que mira y escucha en relación con el que es mirado y escuchado. Si observamos bien los detalles del poema ya citado, notamos que las actividades de mirar y escuchar son las que dan cuerda al poema (y tantos otros de esta colección). El centinela moro mira/vigila a los presos mientras éstos miran/observan/escuchan a la caravana de moros camino al cementerio en lo que parece ser un círculo vicioso de miradas y percepciones. Además existe otra situación implícita no comentada directamente en el poema que es la mirada de los que andan a lo lejos: ¿qué ven ellos? ¿a qué o a quién miran? El poema, con su "chirimío y flautín, pandero y tamboríl," nos recuerda no sólo al *Bolero* de Ravel sino también al famoso cuadro de Mary Cassatt, *At the Opera*, en el que se representa un triángulo de miradas entre determinados espectadores.

Como español de origen judío, francés y alemán, y al no haber llegado a España hasta los catorce años, y por lo tanto siendo de una cultura nacional y simultáneamente no serlo, con su "acento gabacho" que él mismo comenta con toda picardía, Aub es uno de los pocos casos de escritores españoles en que las mezclas de culturas e idiomas forman parte integral de su producción creativa—quizás otro sería Blanco White pero con unas circunstancias muy diferentes. Y al añadir la morada mexicana del exilio, comprendemos que se trata de un español "multicultural" en todos los sentidos contemporáneos e históricos de la palabra. Insisto que estos hechos personales de los que no tenía remedio le abren los ojos a otros horizontes más allá de la frontera de la Península Ibérica nunca sin olvidar que ésta le define histórica y políticamente.

Algo se ha comentado entre los críticos de la no escasa temática mexicana de los escritores exiliados (Zelaya Kolker); también en los escritos mexicanos de Aub habría que considerar el interés—el enfoque, la mirada—del escritor hacia ese otro: la diferenciación entre seres humanos para intentar llegar a una conexión íntima, o empleando una palabra hoy no muy en boga desafortunadamente, la solidaridad. En la colección *El zopilote y otros cuentos mexicanos*, la gran mayoría de los temas y personajes son mexicanos. Se nota en estos textos un intenso esfuerzo de crear solidaridad con la sociedad mexicana casi como recompensa por la ayuda del gobierno de Lázaro Cárdenas a los exiliados españoles al terminar la guerra. Y en el ya famoso cuento "La verdadera historia de la muerte de Francisco Franco," no es sólo que haya un protagonista mexicano porque en este cuento México como problema apenas surge. Se trata más bien de un sincero intento de ver lo que ve y le obsesiona al sujeto europeo/español—la posición del sujeto—a través de otros ojos. También es verdad que tal intento no es frecuente entre los intelectuales españoles "transterrados" en México, y eso mismo parece ser uno de los comentarios de Aub en este sabroso e irónico cuento: la despreocupación de los exiliados por algo que no sea su exilio. El subalterno, el camarero harto de sus clientes y de su vida, está dispuesto a tomar la iniciativa que no pueden tomar ellos: matar a Franco para que se callen de una vez, para darles una lección política.

Aún en este cuento la temática sigue siendo española y no mexicana; los ojos del narrador, al esforzarse a mirar con ojos del otro, aun miran hacia las obsesiones del sujeto controlador, el que nos ordena la realidad.[3] No parece una realidad abierta a interrogación: la guerra civil sigue siendo el hecho definidor, lo que duele, lo que estructura el mundo. La realidad social mexicana del camarero no entra en juego con la del narrador que sigue siendo hasta el final la eterna víctima del franquismo.

Pero hay otro "otro" en las creaciones de Aub, aunque no tan constante como la presencia de México. Me refiero al otro norteafricano, el que participó en su historia personal y política primero de una manera indirecta con la "invasión" franquista desde marruecos con mercenarios árabes (sin remedio), subalternos antes y después de la guerra, y luego de una manera directa al ser muchos norteafricanos sus guardianas en servicio al gobierno fascista francés de Pétain en el campo de concentración de Djelfa, Argelia. Tanto en *Diario de Djelfa* como en los demás textos en donde Aub recrea—

más bien intenta desesperadamente recrear—la experiencia del campo vemos una marcada tendencia de autoconciencia lingüística, un discurso en el cual la referencialidad parece disminuir para destacar el proceso de representación de tal realidad.

José María Naharro Calderón y otros críticos han insitido elocuentemente en esta tendencia en toda la obra del creador del *Laberinto*, particualrmente en los escritos concentracionarios. Es más, hay en tales poemas y cuentos una especie de trampa típicamente aubiana al proponer al lector algo aparentemente objetivo, como señala Naharro, y al mismo tiempo distorsionarlo en la misma creación del suceso: "Estamos en apariencia ante un tratado de la especie humana estudiada a partir de la óptica del encierro... Sin embargo, hay una distorsión exagerada en el experimento, porque la objetividad que se invoca no se puede sostener a través del texto-experimento" (221).[4] Pero lo que no se ha estudiado adecuadamente es la geografía de la ópitica, la visión de Africa en esa "óptica del encierro," un encierro que a menudo es recreado por Aub como presidio dentro de presidio.

Los carceleros de *Diario de Djelfa* suelen ser argelinos, hecho que el poeta no vacila en señalar. Los "cuatro moros y un Sargento" de "In memoriam" (24-25) andan por las tiendas del campo prohibiendo hogueras en medio de los "diez bajo cero" del termómetro, un frío tan real como irónico en el desierto argelino. Pero esos moros tampoco se benefician de sus propias prohibiciones cuando dicen absurdamente que "la leña es del Estado," un Estado (Francia) colonizador, racista, entonces fascista y, según los republicanos, cuando no era fascista, traidor.[5]

Tampoco hay que olvidar la determinación del prisonero-escritor de izquierdas que según su propia mirada ideológica veía la opresión de esos "cuatro moros" como una intensificación del mundo "tuerto" distorsionado de Argelia. Los "moros" son muchos y frecuentes en su diario africano, por ejemplo en el poema siguiente sobre la muerte de Julián Castillo (26-28) donde la miseria del campo se extiende más allá de los entornos inmediatos de los prisioneros:

Con el moro enterrador
hacia las puertas nos vamos.
"Mucha, gran miseria," dice.
Nosotros no contestamos.

Todo esto indica algo en la representación del africano y
de Africa en relación con España/Europa y vice-versa que
sugiere un conocimiento de las contradicciones globales que
durante la última década de la vida de Aub estaban germi-
nando. Una de tales contradicciones era y sigue siendo hoy
día la dominación del mundo occidental sobre ese entonces
"tercer mundo," hoy "el sur." Tan importante como las
realidades de ese "sur" explotado y dominado es la manera
que se percibe, la mirada, la posición del sujeto del cual Aub
parece estar consciente, más aún en los textos del campo de
internamiento. Ese ojo cuestionador y "tuerto" aparece
constantemente, a veces observando el comportamiento de
individuos y en otras ocasiones como en el siguiente, "Desierto (I)" (43), cual algo diabólico con poder absoluto:

Allá donde llega el ojo
llega la nada, amarilla y parda.
...
Donde pones el ojo
todo es nada.
Duda, duna, arena.
Lo único cierto: el hombre.
—¡Oh...é! ¡Oye!
Sin más eco que Jehová
o Mahoma.
(Al fin y al cabo tanto monta
sólo oye
el hombre.)

Tal imagen se repite en un poema parecido, "Desierto (II)"
(63) escrito unos días después de "Desierto (I)" según la cronología explícita del diario/poemario:

Allá donde llega el ojo
llega la nada.
...Donde pones el ojo,
pones la nada,
amarilla y parda.
Perdida mirada
en hilo y llana,
espátula tirada.

Más tarde, comentando su estancia física en Africa en un poema que se titula "Cancionero africano" (72-78), expresa a su hija Mimín (en unos versos parecidos a los de Miguel Hernández en otro famoso poema carcelario "Nanas de la cebolla") su desorientación espacial al estar en un desierto donde todo parece sugerir algo infinito, abierto, absolutamente libre y a la vez opresor:

Todos estos planetas africanos
nunca me fueron, hija, tan lejanos:
nunca vi sol ni luna tan arriba,
justo encima
de quien los mira.

De nuevo subrayamos una mirada correspondida: la luna y el sol (a la vez distantes y próximos) también miran y vigilan al sujeto. Africa es a la vez específica, tierra colonizada y tan víctima del nacismo como España ("El moro piensa, frente a nada, que no hay nada que hacer"), pero también tierra del desierto, una nada universal que refleja la condición humana del campo de concentración: arbitrariedad, duda, nada cierto menos "el hombre," un hombre que adora a Jehová o Mahoma. Pero aquí la adoración religiosa no define, no limita; el ser humano es simplemente ser humano.

Veinte años después Max Aub vuelve a Djelfa figurativa y literariamente—algo que significaría para él en 1962-1963 una vuelta más intensiva y evocadora que la física. Me refiero al cuento "Cementerio de Djelfa," que aparece por primera vez en la revista *Insula* (1963) y después recopilado en la colección de narraciones breves, *Historias de mala muerte*.[6]

Aparece aquí un tal Pardiñas, republicano español que
escribe una carta a su amigo veterano de la guerra y preso
como él en el campo de Djelfa los mismo años que estuvo
Aub. El cuento interesa no sólo por el recuerdo de la experiencia concentracionaria, como una especie de reescritura
del "diario" al acordarse de varios personajes del poemario (el
famoso torturador Gravela por ejemplo [*Diario* 104-106]),
sino también por el comentario sobre el proceso de escribir,
rememorar y desmemorar.

El protagonista es un tipo curioso porque ha decidido
quedarse en Djelfa después de la guerra, decisión rarísima
entre los compañeros exiliados de Aub. Pero en este hecho
está no sólo el eje del cuento sino la continuación del discurso
sobre ese "otro" argelino-africano frente al español derro-
tado. Pardiñas sirve como una especie de mediación entre los
dos al ser español que en cierta medida se ha "des-
españolizado" con su morada argelina. Sin embargo en la
carta explica que la resistencia al colonialismo francés—la
actualidad de la escritura de la carta—le ha hecho rememorar
la guerra y las causas por haber participado en ella: "el afan
de justicia, el ansia de acabar con lo que no debiera ser ... son
las entrañas de uno que gritan: ¡Libertad!" (79).

En el ahora del poema, los camaradas de Pardiñas son los
independentistas argelinos, los "fellagas." Resulta que en el
rincón del cementerio en donde arrojaron los cadáveres de los
presos de 1942, echan los cuerpos de los "fellagas" muertos
en la guerra contra los franceses, circunstancia que constituye una imagen macabre de repetida fosa común. Efectivamente, como las fosas, los textos de Djelfa no parecen tener
fin: el recuerdo y la escritura están allí para denegar la termi-
nación.

Es más, hay en este cuento una especie de "ars poética"
aubiana cuando Pardiñas se deja ir por una tangente al
comentar el proceso recreativo de su memoria:

> Te escribo a salto de mata, para ver si recuerdas mejor
> dejando a tu imaginación sitio para que eche a volar. Si
> digo las cosas como son parece poco: hay que buscar
> mojones de referencia e irlos apretando con una cuerda.

Las palabras son tan pobres frente a los sufrimientos
que hay que recurrir a mil trucos para dar con el reflejo
de la realidad. Como en el cine: superponer imágenes,
rodar al revés, poner pantallas, filmar más rápido o más
lento que la verdad. ... Hay que arreglar los escaparates.
(79-80)

O sea: distorsión, ojo tuerto; evadir la realidad para dar con
ella.[7]

Pero junto con toda esa reestructuración de la realidad en
este relato queda el perspectivismo contingente, el sujeto en
constante diálogo. En este caso el diálogo entre sujetos (los
"yo" de la narración) tiene varios niveles. Al empezar el
cuento el punto de vista narrativo es ambiguo. Pardiñas aparece a través de una tercera persona creada por un personaje-
narrador: "No te acordarás de Pardiñas" (75). Pero luego nos
damos cuenta que Pardiñas es el mismo que escribe. Además
se refiere al receptor de la carta en ambos singular y en
plural, así emfatizando la individualidad junto con la colectividad del asunto que relata. Más importante aún es la exposición del encuentro entre universos culturales tan distintos
(Africa-Europa) para intentar llegar a un punto de convergencia, esa Alhambra compartida a la cual se refería Aub
en el *Diario* (29) y, en este desdichado caso, la fosa común.

A pesar de la intensa y merecida preocupación de Max
Aub por sus propias circunstancias de exiliado español de la
guerra civil, las diferencias y convergencias entre Africa,
América y Europa es tema constante en toda su producción
literaria; quizás hasta podríamos decir que Aub es entre
todos los exiliados el que más quiere ver ese "otro" africano
(o mexicano) como una entidad autónoma (Levinas, véase
nota 2). Siempre en busca de convergencias a veces insólitas
(hasta absurdas), para Aub la independencia y diferencia de
ese otro parecen ser imprescindibles para alcanzar los puntos
comunes como seres humanos—"lo único cierto: el hombre."
El discurso anticolonial de Aub en los años de postguerra, un
discurso que continúa, como hemos visto, en los años sesenta,
tiene algo de precursor (inconsciente) a lo que estamos testi-
moniando en el siglo veintiuno. Claro, tampoco hay que negar

el Max Aub hijo de su época, el hecho de que fue testigo del
conflicto entre lo que se llamaba hasta hace muy poco el
"Bloque Soviético" en lucha contra el "Occidente" encabezado por EEUU: son realidades que informan toda su escritura. Pero mientras tanto hay un factor que Aub insistiría no
ha cambiado: aún siguen existiendo los Pardiñas, ésos que
conservan (como buenos conservadores) "el ansia de acabar
con lo que no debiera ser."

NOTAS

1. El concepto de contingencia del muy citado libro de Bhabha,
Locations of Culture se elabora en un capítulo sobre postcolonia-
lismo, postmodernismo y la agencia (171-87). El crítico propone la
necesidad de abarcar el lenguaje "fuera de la frase": "The contingency of the subject as agent is articulated in a double dimension,
a dramatic action. The signified is distanced; the resulting time lag
opens up the space between the lexical and the grammatical ... in-
between the anchoring of signifieds" (186).
2. Me refiero al problema del otro y la otredad no en términos psi-
coanalíticos sino éticos. La elaboración teórica de Emmanel Levinas
ha tenido cierto interés recientemente entre los estudios
postcoloniales en la insistencia en la relación yo-otro como algo
entrañable del ser. En tal relación vemos un constante diálogo ético
interno, realidad innegable que no deja de tener en cuenta la
exterioridad del otro. "The disporportion between the Other and the
self is precisely moral consciousness. Moral consciousness is not an
experience of values, but an access to external being, external being
is *par excellence*, the Other" (293). Esta conceptualización nos
permite entrar en un diálogo ético con el sujeto colonial sin tener
que recurrir a supuestos "valores" preestablecidos.
3. Véase un cuento genial en *El zopilote*, "De cómo Julián Calvo se
arruinó por segunda vez" (67-78).
4. En esta corriente parece estar Juan María Calles (*El esteticismo
y compromiso*) al afirmar el compromiso político y estético de Aub en
la producción literaria antes y durante la guerra, una lectura más
compleja que la de los críticos más convencionales que señalan en
estos años la tendencia hacia un "arte por el arte."
5. Mikel Epalza nos explica la relación entre Aub y los demás exiliados con Argelia. Véase particularmente la mención de los
"fellagas" (o fellaghas), los independentistas argelinos de los años 50

50 y 60 que aparecen en "Cementerio de Djelfa" (129-30). Véase además la información detallada del encarcelamiento de Aub en Vernet y Djelfa que nos ofrece Naharro-Calderón en su epílogo a *Manuscrito cuervo*, a través de notas y cartas inéditas del escritor encarcelado, particularmente cuando explica que el "medio-escape" de Djelfa no fue precisamente escape porque uno de los "policías guallistas" fue cómplice del escape (250).

6. "Cementerio de Djelfa" también aparece en la colección de Javier Quiñones, *Enero sin nombre* (331-38). Véase también el prólogo de Quiñones (15-37).

7. Igancio Soldevila Durante sostiene la tesis, en relación con la totalidad de la obra de Aub, que la falta de memoria es el ímpetu de la creación. Y no olvidemos que la creación y la imaginación no son de ninguna manera evasión sino todo lo contrario. Véase su excelente estudio *El compromiso de la imaginación*.

OBRAS CITADAS

Aub, Max. "Cementerio de Djelfa." *Historias de mala muerte.* Mexico: Mortiz, 1965. 73-84. (También en *Insula*. 204 [XI-1964]; 16 y Quiñones 331-38.)

_____. *Diario de Djelfa*. Mexico: Mortiz, 1970.

_____. *El zopilote y otros cuentos mexicanos*. Barcelona: EDHASA, 1964.

_____. *Imposible sinaí*. Barcelona: Seix Barral, 1982.

_____. *La verdadera historia de la muerte de Francisco Franco y otros cuentos. México*: Libro Mex, 1960.

Bhabha, Hommi K. *The Location of Culture*. New York: Routledge, 1994.

Calles, Juan María. *Estoicismo y compromiso: la poesía de Max Aub en el laberinto español de la edad de plata (1923-1939)*. Valencia: Biblioteca Valenciana, 2003.

Degiovanni, Fernando. "El amanuense de los campos de concentración: literatura e historia en Max Aub." *Cuadernos Americanos* 77 (1999): 206-21.

Epalza, Mikel. "Max Aub et les republicains espagnols exilés en Algerie." *Espagne et Algérie au XXe siècle: contacts cultureles et créatio littéraire*. Intro. y ed. de Jean Déjeux. Paris: L'Harmattan, 1985. 125-40.

Levinas, Emmanuel. *Difficult Freedom: Essays on Judaism*. Trad. De Seán Hand. Baltimore: Johns Hopkins Univ. Press, 1990.

Naharro Calderón, José María. "De 'Cadahlso 34' a Manuscrito Cuervo: el retorno de las alhambradas." *Manuscrito Cuervo: historia de Jacobo.* Ed. Antonio Pérez Bowie. Segorbe: Fundación Max Aub, 1999. 185-255.

Quiñones, Javier. "Prólogo." *Enero sin nombre: los relatos completos del Laberinto Mágico.* Barcelona: Alba, 1995. 13-40.

Soldevila, Ignacio. *La obra narrativa de Max Aub (1929-1969).* Madrid: Gredos, 1973.

_____. *El compromiso de la imaginación: vida y obra de Max Aub.* Segorbe: Fundación Max Aub, 1999.

Ugarte, Michael. "Testimonios de exilio: desde el campo de concentración a América." *El exilio de las Españas de 1939 en las Américas: "¿Adónde fue la canción?"* Ed. José María Naharro Calderón. Barcelona: Anthropos, 1991. 43-62.

Zelaya Kolker, Marielena. *Testimonios americanos de los españoles transterrados de 1939.* Madrid: Cultura Hispánica, 1985.

IDENTIDAD Y MITO EN EL TEATRO DE FEDERICO GARCÍA LORCA: *LA ZAPATERA PRODIGIOSA*

MARÍA FRANCISCA VILCHES DE FRUTOS
Consejo Superior de Investigaciones Científicas, Madrid

Una mirada atenta a la actualidad revela la proliferación de debates y ensayos sobre la construcción de la identidad del ser humano teniendo en consideración sus vínculos sociales, culturales y lingüísticos. La existencia de cambios transcendentales de naturaleza científica y tecnológica, con un impacto indiscutible en lo económico y lo social, ha puesto de relieve la vigencia de las reflexiones sobre la necesidad de establecer nuevos modelos de identidad más acordes con la situación y el sentir del hombre contemporáneo. Sin duda los más relevantes han sido la aplicación de los avances informáticos a los sistemas económicos y de comunicación y los descubrimientos en genética, que han posibilitado la elección de sexo y la clonación de seres vivos, obligando a modificar la legislación sobre la práctica de la ciencia. Pero conviene apuntar asimismo la influencia de los flujos migratorios procedentes del tercer mundo en la extensión del mestizaje y el multiculturalismo, la masiva incorporación de la mujer al mercado de trabajo, con una redefinición de los *roles* tradicionales, las consecuencias para el medioambiente de un crecimiento económico sostenido sin restricciones, el profundo malestar desencadenado ante la sociedad de la globalización, y la crisis de los sistemas políticos socialistas, que ha permitido cuestionar la dicotomía entre los conceptos de "izquierda" y "derecha" (Castells; Lipovetsky; Gruzinski; Giddens; Stiglitz; Rifkin).

En este contexto, pues, es cada vez mayor el número de escritores que dedican sus obras a reflexionar sobre la identidad humana, a abordar los problemas generados por la existencia de nuevos modelos sociales, a tratar de definir las emergentes relaciones surgidas por la consolidación de los mismos, y a buscar claves de comprensión para entender mejor estos cambios.

Uno de los caminos elegidos por los autores dramáticos para reflexionar sobre la identidad humana es la recreación de mitos, a los que dotan de una nueva configuración para dar respuesta a los problemas y dudas del hombre contemporáneo. Caracteres, acciones, relaciones y espacios sufren profundas modificaciones con el objetivo de transmitir su percepción de las relaciones del hombre con su medio y la manera en la que han influido en la identidad contemporánea.

En su proceso de búsqueda de nuevas señas de identidad estos autores han preferido elegir unos mitos en detrimento de otros, cuestionar el sentido de sus existencias tras el paso del tiempo, y prestarles nuevas configuraciones más acordes con los problemas del ser humano en el momento presente. Los espacios donde se desarrollan sus conflictos han sido modificados para adquirir las dimensiones y características del entorno de la sociedad contemporánea. Lejos de plantear una plena identificación con los modelos clásicos, éstos han sido filtrados por el tamiz de la crítica y de la ironía. Incluso han optado por crear nuevos universos en los que los caracteres y acciones definitorios de unos mitos se fusionan con los de otros. Desde que Ian Watt (1996) formulara las preferencias de los artistas contemporáneos por los mitos de Fausto, Don Quijote, Don Juan y Robinson Crusoe, todos ellos surgidos de la sociedad alumbrada por el Renacimiento, el universo cultural ha entronizado nuevos *iconos*, algunos prestados del imaginario cinematográfico (Gubern), otros del artístico, y, la mayor parte, del ámbito literario, sobre todo los clásicos grecolatinos (Higuet; Kirk; García Gual, *Mitos, viajes, héroes*). Modernos Ulises y Penélopes, Agamenones y

Clitemnestras, Electras y Orestes, Aquiles y Pentesileas, Medeas, Circes, Casandras y Antígonas se han convertido en los protagonistas de los universos dramáticos de los más destacados autores españoles contemporáneos (Vilches, *Identidad y mito*).

Pero el cuestionamiento y búsqueda de paradigmas de identidad a través de los mitos no es un fenómeno nuevo en el panorama teatral universal. Otros períodos han conocido también profundas transformaciones que influyeron en la formación de nuevos modelos identitarios y calaron profundamente en la producción de los escritores dramáticos. Entonces, como ahora, fueron numerosos los autores que buscaron su fuente de inspiración en estos arquetipos.[1]

Mito, tradición y vanguardia en el teatro de García Lorca

Federico García Lorca, uno de nuestros autores más universales debido a su capacidad para aunar la tradición con la vanguardia, recurrió también a la recreación de mitos literarios para reflexionar sobre las transformaciones que se estaban gestando en el tejido social del momento, cuestionar los modelos identitarios al uso y ofrecer su posición frente a los paradigmas emergentes. No fue el único durante el período. Sirvan como ejemplo las aportaciones teatrales de Mª Luisa Algarra, Jacinto Benavente, Mª Francisca Clar (*Halma Angélico*), María de la O Lejárraga, Carlota O´Neill, Ramón J. Sender, José Silva Aramburu, Miguel de Unamuno, Ramón Mª de Valle Inclán, y María Zambrano, entre otros.

Se ha puesto de relieve el interés de García Lorca por los clásicos, en especial, los de la tradición aúrea española, algunos de los cuales adaptó e incorporó al repertorio del grupo teatral La Barraca, que dirigía en colaboración con Eduardo Ugarte.[2] Pero, como ha señalado Rodríguez Adrados, García Lorca manejaba también otros clásicos: modelos literarios griegos.[3] Han quedado algunos testimonios que demuestran, cuanto menos, un profundo interés por el mundo grecolatino (Fernández Galiano 31-43; Martínez Nadal 42 y ss.). El 28 de octubre de 1920 escribió a su familia informándoles sobre sus inicios en el estudio del griego

(*Epistolario* 84). Cinco años después prometió enviar a Ana
María Dalí un fragmento de una *Ifigenia* recién acabada
(*Epistolario* 297), un texto perdido basado con toda proba-
bilidad en la consideración de ésta como víctima sacrificial,
asunto desarrollado en *Mariana Pineda* (Orringer 81 y ss.).
Llegó incluso a dirigir en Buenos Aires una representación de
parte de las *Euménides*, de Esquilo (García Posada 2 y ss.).
En la Biblioteca de la Fundación Federico García Lorca se
conserva una traducción castellana, publicada en 1913 por
Eduardo Mier, de las *Tragedias*, de Eurípides, que debió
consultar (Fernández-Montesinos). A través del planteamiento de temas como la dicotomía entre la libertad individual y la autoridad, la inexorabilidad del destino, e, incluso, la
subversión de los códigos sociales por parte de sus víctimas
más directas, las mujeres, el autor granadino brinda un
homenaje a esta última tradición.

Federico García Lorca defiende la primacía de los instintos
amorosos sobre los criterios de la razón, de las opciones
personales frente a las convenciones sociales, a pesar del
trágico fin que provocan. Los imperativos morales convencionales actúan con la misma fuerza que los hados que guían la
acción de los personajes clásicos. Es precisamente en esta
búsqueda de la libertad donde radica la tragedia protagonizada por las mujeres lorquianas, quienes "queriendo huir
de su destino de sometidas buscando la libertad, acuden a la
llamada poderosa de fuerzas ciegas que las hunden en la
tragedia y en la muerte" (Boscán 107-14). *Eros* y *Thanatos*
unidos de nuevo en sus composiciones dramáticas. Al tratar
la influencia de *Las Bacantes*, de Eurípides, en *Yerma*, Carlos
Feal ha incidido en esta precisa referencia a la tragedia
griega, en este poder femenino, que, en el caso de una obra
como *La casa de Bernarda Alba*, no se concreta en un individuo específico o en una faceta de su esencia, la maternidad,
sino en el protagonismo de un colectivo (*Eurípides y Lorca*
511-18), cuyos integrantes "manifiestan su honra desde una
posición contraria a la que la honra asume en el universo
masculino de valores. La protagonista lorquiana se convierte
así en el instrumento ideal de una crítica contra la sociedad
de hombres" (Feal, *Lorca: tragedia y mito* 15).

No obstante, conviene añadir que el tratamiento del tema de la defensa de la libertad frente a las convenciones sociales asociado a la mujer, no puede entenderse en toda su dimensión sin relacionarlo con la recreación personal ideada por García Lorca de un componente esencial del drama español de los siglos XVI y XVII, el honor. Algunas de sus obras más importantes presentan este tema en distintas vertientes, pero se separa del teatro clásico aúreo al no aceptar los dictados del orden social (Busette 17). El autor granadino se apoya, en efecto, en la tradición española para "modernizar" la tragedia clásica, pero son los personajes femeninos, sus víctimas más directas, los que le permiten llevar adelante esta nueva perspectiva. No puede entenderse el teatro lorquiano sin tener en consideración su irónica actitud hacia el tema de la honra, fruto de la dialéctica establecida entre el honor y el amor, piedra angular de sus tragedias. En ese aspecto Lorca se presenta como un hombre afín al sentir de muchos de sus contemporáneos.[4]

Se puede apreciar en esto una muestra más de su coherencia artística. La mujer ocupa un lugar preferente en el universo dramático lorquiano (Frazier), donde son víctimas, casi siempre, de los convencionalismos sociales y los intereses económicos que chocan con sus deseos más íntimos: Mariana Pineda, que sucumbe en aras de unos ideales liberales, incapaz de traicionar al ser querido; la Zapatera, acosada y sumida en la soledad por defender su libertad; Belisa y Rosita, protagonistas de *Amor de don Perlimplín* y de la *Tragicomedia de don Cristóbal*, casadas por interés con hombres mucho mayores que ellas, a los que no aman; la novia de *Bodas de sangre*, escindida entre una antigua pasión y la conveniencia de un matrimonio; Yerma, sometida a la pérdida de identidad al serle negada la posibilidad de convertirse en madre; Rosita, convertida en el hazmerreír de una sociedad por no querer aceptar su condición de mujer abandonada y soltera; la Actriz, rechazada y considerada "despreciable" por el Actor de *Comedia sin título*; Adela y Angustias, enfrentadas por el egoísmo y el interés de Pepe el Romano... Pero también son mujeres, incapaces de sustraerse a su trágico destino, las que actúan como eficaces medios de coacción contra otras, como en el caso de Bernarda.[5]

En estas obras Federico García Lorca ofrece su punto de vista ante los cambios identitarios que se estaban produciendo en España en el primer tercio del siglo XX. Por ello no debe sorprender hallar una sugerente recreación de uno de estos mitos clásicos, el de Penélope,[6] en una de sus piezas claves, *La Zapatera prodigiosa*, farsa violenta en dos actos y un prólogo,[7] una de sus obras más logradas, como lo demuestra el extraordinario éxito que ha acompañado a su representación a lo largo del siglo XX.[8] Estrenada como fin de fiesta por Margarita Xirgu y el grupo "Caracol" en el Teatro Español de Madrid, el 24 de diciembre de 1930,[9] con decorados y figurines del propio autor realizados por Salvador Bartolozzi, ha sido la obra de García Lorca que más montajes conoció en vida de éste. Sus inicios se remontan al verano de 1924, fecha en la que escribió el primer acto, como aparece en diferentes menciones en sus cartas. Federico realizó numerosas modificaciones sobre la idea original, que había esbozado previamente en un breve relato narrativo escrito en cuartilla y media que se conserva en la Fundación Federico García Lorca. No dio por terminada su escritura hasta poco antes de su primera representación, en diciembre de 1930. Sin embargo, este texto sufrió diversas modificaciones conforme iban llevándose a cabo las sucesivas representaciones de la obra. Tal es así que sus más destacados editores no han llegado a un acuerdo sobre su texto definitivo.[10]

Sin olvidar al personaje real en el que se inspira, Dolores Cibrián, criada de su amiga Emilia Llanos (Higuera 77-88), hay que destacar la recreación que realiza del tradicional tema del viejo y la niña en el marco de un pueblo de Andalucía de comienzos de siglo, uno los temas preferidos de la tradición literaria española, aunque no sea exclusivo de ella— Boccaccio y Bandello, los *fabliaux*, Erasmo, Balzac—.[11] Tampoco resulta difícil hablar de ciertas conexiones con la protagonista de *La fierecilla domada*, de Shakespeare[12]; no en vano Federico añadió al género de la obra la palabra "violenta," en una clara alusión al carácter indomable de la Zapatera que se manifiesta claramente al final de la obra. Y

¿qué decir de las amplias resonancias cervantinas de la figura del Zapatero, disfrazado de titiritero, como el personaje del *Quijote*?, "deuda que debió llegarle a García Lorca por conducto y ejemplo de Falla" (Hernández 17), autor de *El retablo de Maese Pedro*, estrenada en 1923 (Hess).[13] Pero también numerosos aspectos de la trama, algunos temas y situaciones, y la configuración de los personajes recuerdan la historia protagonizada por Penélope y Ulises.

Sin negar la importancia del tratamiento del tema del viejo y la niña, ni obviar el eje estructural de la pieza, las consecuencias del desajuste entre la realidad y los deseos, convendría poner de manifiesto otras manifestaciones de intertextualidad que la acercan a la trama homérica. *La Zapatera prodigiosa* trata no solamente de las desavenencias entre un matrimonio integrado por un zapatero de 53 años y una joven de 18, abordadas, sobre todo, a lo largo del acto primero, sino también de la larga espera de una mujer, decidida a mantenerse fiel a su marido cuando éste, por voluntad propia, decide alejarse. La obra incide también, como en el texto clásico, en las graves consecuencias del alejamiento entre dos esposos en un medio social que concibe la existencia de las mujeres como seres dependientes de algún varón. La Zapatera, al igual que la Penélope homérica, vive esta lejanía con tristeza y resignación, muestra su coraje para luchar contra las pretensiones de los hombres que la rodean, y acepta a su marido, cuando, transcurrido el tiempo, regresa al hogar.

Son muchos los rasgos de la reina de Ítaca que se encuentran en la configuración dada a la joven zapatera por Federico García Lorca. Ambas son mujeres que aman profundamente a sus esposos, acusan dolor y sufrimiento por su ausencia, y, a pesar del acoso al que se han visto sometidas, se mantienen fieles a su amor y a su recuerdo. En el diálogo mantenido entre la Zapatera y el Zapatero, oculto todavía bajo la identidad de un titiritero que recorre distintos lugares con su espectáculo, ésta realiza una firme manifestación de afecto hacia su marido: "(...) Yo guardo mi corazón entero para el que está por esos mundos, para quien debo, ¡para mi marido!" (121). Se pueden apreciar unos sentimientos y unas circunstancias similares—la confesión a su propio esposo, irreconocible al aparecer disfrazado—en el lamento de Penélope ante Ulises, cuando regresa a su patria para recuperar su trono:

> Cuanto yo valer pude, mi huésped, en cuerpo y figura
> lo acabaron los dioses el día que en las naves partieron
> los argivos a Ilión y con ellos Ulises, mi esposo.
> Si él viniendo otorgase a mi vida otra vez sus cuidados,
> en más honra estuviera y sería para mí mejor todo.
> Ahora vivo en dolor, pues un dios me ha abrumado de
>   males:
> [...] sólo a Ulises añoro y en ello consumo mi alma
> (Homero 309)

En la obra homérica son recurrentes las alusiones por parte de distintos personajes a la desesperación de la reina de Ítaca ante la ausencia de su esposo y el acoso de los galanes que la pretenden.[14] Pero, en esta ocasión, me gustaría tener en consideración las palabras de la propia Penélope en el canto XIX, cuando, en el diálogo mantenido sin testigos (Homero 288, 372)[15] con Ulises, le confiesa su desesperación:

> Si de día me distraigo, aunque sea entre angustias y
>   lloros,
> con mi propia labor o mirando la que hacen mis siervas,
> cuando llega la noche, al quedar cada cual en su lecho,
> yo en el mío yazgo a solas y exaltan mi pecho oprimido
> ahogadoras, punzantes congojas sumiéndome en llanto
> (Homero 321-22)

No resulta difícil establecer el paralelismo entre estos versos y la respuesta de la Zapatera al titiritero cuando le confiesa las consecuencias que en su estado físico ha provocado la ausencia de su esposo:

ZAPATERA (*Extrañada.*)
Tiene usted mucha razón, pero yo desde entonces ni como, ni duermo, ni vivo, porque él era mi alegría, mi defensa... (113)

Ambas son mujeres conscientes de la endeble situación en la que se hallan precisamente por su condición de mujeres sin varón en una sociedad patriarcal. Cuando Eumeo se presenta delante de Penélope para comunicarle la llegada de un extranjero que ha oído hablar de su esposo y asegura su pronto regreso, la reina se lamenta de la debilidad de su posición ante la ausencia de Ulises:

Y de cierto sus bienes están en sus casas intactos,
un buen pan, dulce vino: a lo más es ración de sus
                                        siervos
mientras ellos, viviendo una vez y otra vez, nos
                                        degüellan
en la casa los bueyes, ovejas y cabras rollizas,
al banquete se dan y se beben el vino espumoso
sin mesura y sin cuenta. Consumen todo, pues falta
en palacio un varón como Ulises capaz de echar fuera
maldición semejante. Si Ulises llegara a su patria,
pronto habría de vengar con su hijo tamaños desmanes.
    (Homero 287)

En *La Zapatera prodigiosa* se halla una situación de acoso parecida, denunciada, primero, en el diálogo mantenido con el niño al ser agredido éste por defenderla ante las "cosas indecentes" (92) que murmuran sobre ella, después ante el Mozo del sombrero,[16] y, más adelante, en su conversación con el titiritero, a quien relata las muestras de hostilidad que percibe en su entorno:

Mire usted: tengo a todo el pueblo encima, quieren venir a matarme y, sin embargo, no tengo ningún miedo. La navaja se contesta con la navaja y el palo con el palo. (128)

Esta situación llega a su punto álgido cuando, al enfrentarse por ella varios hombres, se pide al Alcalde su expulsión del pueblo: "Se han hecho heridas con las navajas dos o tres mozos, y te echan a ti la culpa. Heridas que echan mucha sangre. Todas las mujeres han ido a ver al juez para que te vayas del pueblo, ¡ay! Y los hombres querían que el sacristán tocara las campanas para cantar tus coplas" (123). Como Penélope, la protagonista es consciente del origen de la actitud de sus vecinos y se revela ante la situación:

> Mire usted, buen hombre: yo he hablado así porque estoy sobre ascuas. Todo el mundo me asedia, todo el mundo me critica. ¿Cómo quiere que no esté acechando la ocasión más pequeña para defenderme? Si estoy sola, si soy joven y vivo de mis recuerdos... (116)

García Lorca recurre a un elemento clásico, el coro, para intensificar los efectos de este asedio. La escena 4ª del Acto I incluye la presencia de un grupo de vecinas que incitan al zapatero a abandonar a su esposa,[17] pero también adquieren esta funcionalidad dentro de la obra otros "personajes que carecen de voz y de presencia escénica" (Hernández 38), un colectivo integrado por algunas beatas, una sacristana, los curas y el pueblo, en general. Sería un coro que "observa y reprueba el comportamiento de la protagonista, ya sea con sus murmullos o con su sola presencia en los momentos límite" (Hernández 37).[18]

La posición socialmente débil de Penélope y de la Zapatera no corresponde, sin embargo, con la fortaleza de carácter de la que ambas hacen gala en las dos creaciones. Penélope es una mujer que no duda, para mantener su independencia, en hacer frente a sus pretendientes,[19] someterlos a la prueba del arco y urdir el ardid de tejer y destejer durante tres años el que se convertirá en sudario de Laertes, su suegro. No escatima palabras de represión hacia Melantio y las otras criadas que sirven con gusto a sus pretendientes, pero también hacia su propio hijo, cuando percibe ciertos signos de cobardía y sumisión frente a ellos.[20] También la Zapatera se presenta como una mujer valiente, capaz de hacer frente al asedio al que se ve sometida por varios hombres que la pretenden aprovechando la frágil posición a la que se ve destinada debido a su condición de mujer sola,[21] y a la "algazara" organizada por las vecinas a su alrededor cuando ya es de dominio público la marcha de su marido.

Otro rasgo que caracteriza a ambas mujeres es el mantenimiento de la esperanza ante una realidad desalentadora. En *La Odisea*, según relata Eumeo, Penélope acoge sin dudar a cualquier viajero que puede darle noticias del marido que partió hacia Troya veinte años atrás.[22] La Zapatera se muestra también hospitalaria con el titiritero que arriba al pueblo y, cuando todas las personas abandonan la taberna para presenciar el lance entre los dos mozos que disputan por ella, le ruega que, de producirse un encuentro con su esposo en su peregrinar, le transmita su deseo de reconciliación.

Esta firmeza y rebeldía explican, sin duda, otra similitud entre ambas heroínas: la contradicción entre la constante idealización del marido ausente y el desenlace final, teñido de desconfianza. Son numerosas las alusiones de Penélope a la excelencia de su esposo cuando se refiere a él en sus diálogos con los distintos personajes. Bien es cierto que en ninguna fuente clásica se niega la habilidad de Ulises para relatar acontecimientos[23] y su astucia para sortear los peligros que le salen al paso, pero, como bien ha señalado Carlos García Gual, la imagen de Ulises transmitida por los clásicos no reviste siempre esos elogiosos rasgos que adornan al esposo ausente en *La Odisea*. Grandes creadores dramáticos como Esquilo, Sófocles y Eurípides prefirieron inspirarse en otro texto, *La Ilíada*, y presentarle como un personaje maquiavélico y sin escrúpulos morales, guiado por el pragmatismo y su propio interés, capaz de recurrir a cualquier ardid para llevar a término sus objetivos (García Gual, "La Odisea Homérica ...," XVII-XXIV).

En *La Zapatera prodigiosa* se aprecia asimismo ésta idealización del Zapatero, quien, al igual que Ulises, posee una gran habilidad para narrar y no carece de capacidad para urdir engaños y una estratagema para llegar a presencia de su esposa y recuperar su lugar en el hogar abandonado. Al comenzar el segundo acto, la Zapatera relata al niño su

primer encuentro con su esposo, montado en una jaca blanca,
"con un traje entallado, corbata roja de seda buenísima y
cuatro anillos de oro que relumbraban como cuatro soles"
(93). En la escena 4ª del Acto II, al señalar el niño las
semejanzas entre las voces del titiritero y el marido de ésta, le
atribuye una voz más dulce. En la siguiente escena, le
defiende otorgándole una inteligencia, simpatía y elocuencia
que no posee en realidad, como revela la propia actitud
escéptica del Zapatero, que, como el personaje homérico,[24]
regresa al hogar cuando comienzan a presentarse los primeros síntomas de la vejez y después de haber pasado múltiples
privaciones:

> Voy en su busca para perdonarla y vivir con ella lo poco
> que me queda de vida. A mi edad ya se está malamente
> por esas posadas de Dios. (...) ¡Y ay, qué terribles para-
> dores, qué malas comidas, qué sábanas de lienzo
> moreno por esos caminos del mundo! ¡Y no sospechar
> que mi mujer era de oro puro, del mejor oro de la tierra!
> ¡Casi me dan ganas de llorar!" (116 y 124)[25]

Esta idealización conduce a reflexionar sobre otra
similitud que se aprecia al final de ambas obras cuando se
pone de manifiesto una evidente contradicción entre el culto
y la adoración que sienten estas dos mujeres por sus esposos
en la ausencia y la actitud fría y distante que mantienen ante
ellos cuando éstos deciden revelarles su verdadera identidad.
En *La Odisea* el reencuentro entre los esposos está teñido de
desconfianza y reserva:

> Así hablando bajó la escalera; venía meditando
> si quedarse a distancia y de allí preguntar al esposo
> o acercarse y besar su cabeza y sus manos; tal ella
> por el porche solado de piedras entraba en la sala
> y sentose a la luz del hogar a la vista de Ulises,
> mas del lado contrario. Arrimado a elevada columna,
> él al suelo miraba en su asiento esperando que algo
> le dijese su prócer esposa una vez que le viera;
> pero ella en silencio quedó: dominábala el pasmo

y a las veces mirándole el rostro creía conocerle
y otras veces hacíale dudar sus astrosos vestidos.
(Homero 372)

García Lorca lleva a *La Zapatera prodigiosa* algunos de los aspectos de este reencuentro. Cuando el Zapatero decide quitarse las gafas y el disfraz al oír de labios de su esposa el perdón otorgado hacía tiempo y la alegría que le causaría su presencia, la Zapatera irrumpe en insultos contra su persona: "¡Pillo! ¡Tunante! ¡Granuja!" (133), no sin que antes dos acotaciones muestren las paulatinas reacciones de la protagonista, que van del espanto y el mutismo hasta la incredulidad.[26]

Existe, sin embargo, entre ambas obras una resolución final del conflicto distinta que se explica a la luz del análisis de la utilización de los mitos y arquetipos para indagar sobre fenómenos de cambios de identidad y proponer nuevos paradigmas más afines con el momento. Como se ha podido apreciar, tanto en *La Odisea* como en *La Zapatera prodigiosa* se presentan dos modelos de mujer semejantes: a su belleza, unen también la inteligencia, la rebeldía contra los imperativos sociales y la fortaleza de carácter. Sin embargo, mientras el modelo homérico respeta la estructura patriarcal de la sociedad en la que se gesta, García Lorca ofrece un nuevo ideal de mujer más apropiada a los cambios identitarios que la sociedad de la época estaba alumbrando.[27] Si *La Odisea* finaliza con el rendimiento incondicional de la esposa ("mi alma/ se ha sentido rendida ante ti con ser ella tan dura./ Tal le habló, creció en él un afán de gemir y lloraba/ apretando en su pecho a la esposa leal y entrañable" [Homero 376]), *La Zapatera prodigiosa* finaliza con los insultos y amenazas que la protagonista infiere a su esposo. Supone una subversión de unas normas sociales que preconizaban la sumisión de la mujer a su marido y la justificación de la violencia física por parte de éste para conservar ese privilegio. Las palabras finales del Zapatero aceptando el dominio de su esposa sobre la base de su reconocida supremacía sentimental resultan reveladoras de una sensibilidad plenamente modernas:

¡No es posible! Yo soy como un perrillo y mi mujer
manda en el castillo, ¡pero que mande!, ¡tiene más sentimiento que yo! (*Está cerca de ella y como adorándola.*)
(132)

Esta subversión se ve todavía más acentuada si tenemos
en consideración otros ejemplos presentes en la misma obra.
Uno de los pretendientes de la Zapatera, el Alcalde, representa el modelo tradicional masculino. En la escena 5ª del
Acto I, ante las quejas del Zapatero por no haber podido
dominar a su esposa a pesar del tiempo transcurrido desde la
boda, le explica el tratamiento otorgado por él a sus cuatro
mujeres y el camino a seguir por su interlocutor:

Todas sin excepción han probado esta vara repetidas
veces. (…) Vamos, lo estoy viendo, y me parece mentira
cómo un hombre, lo que se dice un hombre, no puede
meter en cintura no una sino ochenta hembras. Si tu
mujer habla por la ventana con todos, si tu mujer se
pone agria contigo, es porque tú quieres, porque tú no
tienes arranque. A las mujeres buenos apretones en la
cintura, pisadas fuertes y la voz siempre en alto, y si con
esto se atrever a hacer quiquiriquí, la vara, no hay otro
remedio. (…) domina a tu mujer, que para eso eres
hombre, y quédate en paz. (66-67 y 69)

La caracterización de esta moderna Penélope lorquiana
adquiere algunos de los rasgos que las mujeres más progresistas del período intentaban fomentar entre sus congéneres.
Hay que recordar que la progresiva incorporación de las
mujeres al mercado laboral supuso una redefinición de los
roles tradicionales y un cuestionamiento de las identidades
masculina y femenina. Los escritores del momento fueron
sensibles a estos cambios y ofrecieron sus respuestas en sus
creaciones, algunas de las cuales se convirtieron en grandes
éxitos de público, sobrepasando la ansiada cifra de las cien
representaciones. Aunque hubo autores que preconizaron
una defensa de la igualdad entre los dos sexos, lo habitual es
encontrar una sátira del feminismo, como en el estreno en

1919 de *Las corsarias*, de Joaquín Jiménez y Enrique Paradas, donde se escenificaban las acciones de un sindicato feminista de corsarias dedicadas a cazar hombres para abastecer una colonia de solteras; se representó durante tres años consecutivos y superó las 700 representaciones (Dougherty y Vilches). Durante la época republicana raro fue el escritor que no basara la comicidad de su espectáculo en la reacción de los personajes masculinos ante los modelos de identidad femenina emergentes. Sirva como ejemplo el caso de Antonio Casas Bricio, quien triunfó en 1934 con *Tú gitano y yo gitana*, una historia de sucesivos desencuentros protagonizados por una pareja que logra hacerse con fama y dinero después de triunfar ambos en el mundo del toreo y del cante, una obra donde se presenta un modelo de mujer capaz de someterse a cualquier humillación por conservar el afecto del varón y en la que el telón cae mientras ella se "arrodilla a sus pies sumisa, amorosa, vencida" (98-99). García Lorca no sólo evita la ridiculización y la parodia, sino que toma partido abiertamente por la mujer y por la necesaria evolución de la situación social femenina en España. Es evidente, pues, la postura progresista de García Lorca frente a estos cambios.[28]

La Zapatera se presenta como una mujer que rechaza con desagrado la sumisión hacia su marido y se rebela ante el papel que la sociedad y su esposo pretenden que ejerza. Si en la segunda escena del Acto I la protagonista, "*enardecida*," se niega a convertirse en la criada de su marido (55), poco después se rebela contra un destino que parece abocarla a la esclavitud:

ZAPATERA
Pero vamos a ver, ¿a mí qué me importa todo eso. Me casé contigo, ¿no tienes la casa limpia?; ¿no comes?; ¿no te pones cuellos y puños que en tu vida te los habías puesto?; ¿no llevas tu reloj tan hermoso con cadenas de plata y venturinas, al que doy cuerda todas las noches? ¿Qué más quieres? Porque yo todo, menos esclava. Quiero hacer siempre mi santa voluntad. (62)

La distancia con la heroína homérica se percibe ya desde
el inicio de la obra, en el prólogo, cuando se produce la salida
del Autor a escena para advertir al público de la sorpresa que
pueden causarles algunas de las manifestaciones de su protagonista:

> En todos sitios late y anima la criatura poética que el
> autor ha vestido de zapatera con aire de refrán o simple
> romancillo, y no se extrañe el público si aparece violenta
> o toma actitudes agrias, porque ella lucha siempre,
> lucha con la realidad que la cerca, y lucha con la fan-
> tasía cuando ésta se hace realidad visible. (...) Aunque,
> después de todo, tu traje y tu lucha será el traje y la
> lucha de cada espectador sentado en su butaca, en su
> palco, en su entrada general, donde te agitas, grande o
> pequeña.[29] (48)

La recreación del mito de Penélope tiene, como tantas
otras creaciones de Federico García Lorca, un carácter precursor. Si se analiza la escena española desde mediados del
siglo pasado se podrá apreciar que Ulises y Penélope, los
personajes alumbrados por Homero en su *Odisea*, han consti-
tuido dos de los mitos más apreciados por los autores dramáticos para explicar las claves de las relaciones entre los
sexos.[30] Las propuestas de estos escritores han seguido, con
apenas excepciones, la estela lorquista, sobre todo en el
período contemporáneo. La figura de Ulises pierde vigencia
en favor de la de su esposa, Penélope, quien cobra unas
dimensiones más acordes con la definición de los modelos
identitarios a lo largo de las últimas décadas (Vilches,
Identidad y mito).[31] Con la excepción de *El retorno de Ulyses*,
de Gonzalo Torrente Ballester (1946), donde se muestra a
una esposa leal a la memoria de su marido, al que seguirá en
su destino, tanto si es "glorioso o decadente" (188), la actuación de Penélope en los textos dramáticos españoles contemporáneos contribuye a ofrecer una imagen desmitificadora del
héroe (Lamartina-Lens). En su momento Antonio Buero
Vallejo fue pionero en poner de manifiesto la imposibilidad de
identificarse con las imágenes transmitidas por la tradición

sobre estos dos mitos clásicos. En *La tejedora de sueños* (1952) presentó a una Penélope que censuraba los motivos que determinaron su ausencia y se rebelaba así ante la posibilidad de seguir compartiendo su destino junto a un hombre muy lejano a sus sueños, un "patán, hipócrita y temeroso, que se me presenta como un viejo ruin para acabar de destruirme toda ilusión posible" (69). Continuó en esa línea Domingo Miras en *Penélope* (1971), donde dignificó al personaje al iluminar su condición de reina y mostrar su rechazo hacia los condicionamientos bélicos que impulsaron la marcha de su marido y su posterior venganza frente a sus pretendientes. Por las mismas fechas Antonio Gala, en *¿Por qué corres, Ulises?* (1974), prefirió ofrecer a una Penélope menos aristocrática, guiada por un alto índice de pragmatismo, que recordaba a un Ulises ya cansado las ventajas de no tener que tomarse el trabajo de deslumbrarla cada día. Un año antes Carmen Resino ya había aburguesado a sus personajes en *Ulises no vuelve* (1973) y había convertido a Penélope en un ama de casa de situación económica poco desahogada, que amenazaba a su marido para que revelara su condición de "topo" tras haber desertado de la guerra. Itziar Pascual en *Las voces de Penélope* otorga a ésta muchos de los rasgos que caracterizan a la mujer contemporánea: rebeldía frente a los valores patriarcales e independencia intelectual y afectiva del varón. Todos estos aspectos arrancan del nuevo giro que García Lorca dio al personaje mítico y proclaman, una vez más, la vigencia de la obra singular lorquiana.

* * *

Así pues, al igual que en el teatro actual, donde la recreación de los mitos ha sido uno de los caminos elegidos por los autores dramáticos para reflexionar sobre los nuevos modelos de identidad generados por las profundas transformaciones de orden social acaecidas, Federico García Lorca recurrió también a la recreación de éstos para reflexionar sobre los importantes cambios que se estaban gestando en el tejido social del momento, cuestionar los modelos identitarios al uso y ofrecer su posición frente a los paradigmas emergentes. En *La Zapatera prodigiosa* recreó uno de los más atrayentes, el de Penélope.

Como se ha podido apreciar, tanto en *La Odisea* como en *La Zapatera prodigiosa* se presentan dos modelos de mujer semejantes: a su belleza, unen también la inteligencia, la rebeldía contra los imperativos sociales y la fortaleza de carácter. Sin embargo, mientras el modelo homérico respeta la estructura patriarcal de la sociedad en la que se gesta, García Lorca ofrece un nuevo ideal de mujer más apropiada a los cambios identitarios que la sociedad de la época estaba alumbrando. La caracterización de esta moderna Penélope lorquiana adquiere algunos de los rasgos que las mujeres más progresistas del período intentaban fomentar entre sus congéneres, muy distinta a la ofrecida por la mayor parte de los escritores dramáticos del momento, quienes no dudaron en satirizar los nuevos modelos de identidad creados por la incorporación de la mujer al mercado laboral. García Lorca no sólo evita la ridiculización y la parodia, sino que toma partido abiertamente por la mujer y por la necesaria evolución de la situación social femenina en España. En este rechazo hacia el papel que la sociedad más conservadora pretende que ejerza, la recreación del mito de Penélope tiene, como tantas otras creaciones de Federico García Lorca, un carácter precursor. Desde mediados del siglo pasado las propuestas de los escritores dramáticos españoles que han abordado esta figura, han seguido, con apenas excepciones, la estela lorquista, lo que proclama, una vez más, el carácter precursor y la vigencia de esta singular obra.

NOTAS

1. Véase en relación con el teatro español del siglo XX Vilches, *Introducción al estudio, La regeneración social*; Ragué-Arias; Nieva de la Paz, "Recreación y transformación ...," "Mito e historia ..." y "Los mitos literarios ...;" y Paco Serrano.

2. Se alineaba así junto a los grandes renovadores de la escena del momento, que, como Max Reinhardt, insistían en su contemporaneidad.

3. "García Lorca sigue y maneja modelos literarios, de los griegos a los clásicos españoles (Lope, Calderón) e ingleses (Shakespeare) y a los españoles modernos (Marquina, Valle-Inclán, Benavente); pero

une a ellos modelos absolutamente populares, como las representaciones de títeres de su Andalucía natal que él coloca, justamente, en los orígenes del teatro, orígenes a los que hay que volver" (Rodríguez 51-52).

4. Rincón señala la revisión de este código durante la época: "El conocimiento de la relevancia particular del concepto del honor en la época en que se definen las particularidades de España, y su peso específico dentro de las comunidades libres (pueblos), es uno de los logros de la historiografía republicana en el camino hacia el planteamiento de una problemática histórica nacional" ("Lorca y la tradición" 145).

5. No resulta difícil emparentar a este personaje con la tragedia clásica (Torres Nebrera 43-75). Como ha recordado González-del Valle: "Bernarda, la diosa que siempre dice que todo lo puede con su voluntad, añora uno de los atributos—arma—de la deidad más importante de los griegos: el rayo que deje ver a todos su omnipotencia" (156).

6. En otro ensayo abordaré su recreación en otros personajes lorquianos: la novia y la mecanógrafa de *Así que pasen*, la Mujer de *Quimera*, y la Doncella de *La doncella, el marinero y el estudiante*.

7. Federico dio a *La Zapatera prodigiosa* el subtítulo de "farsa violenta en un prólogo y dos actos," aunque a lo largo de los años realizó varias declaraciones en las que hacía referencia a la necesidad de cambiarlo, de manera que respondiera mejor a las variaciones que había ido sufriendo la obra con el tiempo. En unas declaraciones realizadas en *La Razón*, de Buenos Aires (28-XI-1933), recogida en su edición por Mario Hernández (148-51) exclamó: "Yo hubiera clasificado a *La zapatera prodigiosa* como pantacomedia, si la palabra no me sonara a farmacia (...); la obra es casi un ballet, es una pantomima y una comedia al mismo tiempo." Sobre su vinculación a la farsa clásica, véase Aguirre.

8. Se repuso en el mismo teatro el 5 de abril de 1933, es decir dos años más tarde, por el "Club Teatral Anfistora," dirigido por Pura Maórtua de Ucelay, junto con *Amor de don Perlimplín con Belisa en su jardín*. Ese mismo año sus contactos con el director Max Reinhardt le llevan a preparar una nueva versión estrenada por Lola Membrives el 1 de diciembre de 1933 en el teatro Avenida de Buenos Aires, que conocerá una reposición en el teatro Coliseum de Madrid el 8 de marzo de 1935. Tras el largo paréntesis de la inmediata posguerra, el primer texto de Federico García Lorca recuperado por la escena comercial en la década de los sesenta fue *La Zapatera prodigiosa*, representado en el teatro Eslava, de Madrid, el 22 de marzo de 1960, dentro de un Ciclo de Teatro Universitario. Posteriormente, Alfredo Mañas decidió presentar su versión de *La*

Zapatera prodigiosa, en el teatro Marquina, de Madrid, el 23 de diciembre de 1965. Su éxito fue apoteósico. Llegó a alcanzar las 274 representaciones. Ha sido además uno de los grandes éxitos comerciales y críticos en los años noventa gracias a la versión de "Teatro de la Danza" dirigido por Luis Olmos.

9. El espectáculo se iniciaba con una fábula, *El príncipe, la princesa y su destino*, calificada como "Diálogo fabuloso de la China medieval."

10. Un cotejo a las distintas ediciones de *La Zapatera prodigiosa* muestra importantes divergencias en los textos existentes en la actualidad: el preparado por Guillermo de Torre (*Obras completas*, III, 1938), que recoge el texto ofrecido por el autor para su estreno en 1930 por Margarita Xirgu; el presentado por Joaquín Forradellas (1978) que ofrece numerosas variantes, relacionadas con su deseo de poder alargar más la obra para una futura representación—es ésta la seguida por García Posada en la edición de sus *Obras completas*—; el de Mario Hernández (1982), que se basa en el texto preparado por el autor para su representación por Lola Membrives en 1935, con muy pocas variantes sobre el estreno en Buenos Aires en 1933, y el ofrecido por Arturo del Hoyo (1984), que vuelve al texto de 1930, al que añade algunas canciones y bailes y al que realiza algunas correcciones. Conviene recordar que Lola Membrives poseía dotes de cantante y bailarina que no tenía Margarita Xirgu.

11. A él había dedicado algunas creaciones Cota, Cervantes—*El viejo celoso* y *El celoso extremeño*—, Fernández de Moratín, Alarcón, Pérez Galdós, etc. García Lorca incorpora a la obra algunos elementos de la tradición como el papel desempeñado por los casamenteros, la diferencia entre clases sociales, los escándalos provocados por la supuesta infidelidad de la joven y las quejas mutuas... (Fernández Cifuentes, "El viejo y la niña ...").

12. Han analizado la influencia de este escritor Anderson y Adani.

13. Forradellas establece también conexiones con *La enamorada y el rey*, de Valle-Inclán (36-37). Véase una síntesis de estas relaciones en Rodríguez Cacho 255-81.

14. Sirva como ejemplo la respuesta de Eumeo, el porquerizo que acoge a Ulises al arribar a Ítaca, a la pregunta de Telémaco sobre el estado de su madre, tras su ausencia: "Bien es cierto que allí se mantiene con alma sufrida/ sin salir de su estancia: entre duelos consume sus noches/ y entre duelos sus días; no hay tregua al correr de su llanto" (Homero 254).

15. También se produce sin testigos el encuentro entre la Zapatera y el Zapatero donde se descubrirá su identidad.

16. "Pues si dices tú, más digo yo, y puedes enterarte y todos los del pueblo, que hace cuatro meses que se fue mi marido y no cederé a

nadie jamás, porque una mujer casada debe estarse en su sitio, como Dios manda. Y que no me asusto de nadie, ¿lo oyes? Que yo tengo la sangre de mi abuelo, que está en gloria, que fue desbravador de caballos y lo que se dice un hombre. Decente fui y decente lo seré. ¿Me comprometí con mi marido? ¡Pues ahora la muerte! ¡Fuera de aquí todo el mundo!" (90).

17. "Porque me han dicho/ que la Zapatera/ quiere tirarle/ dentro del pozo. (...) Que la Zapatera/ lleva navaja/ de fino acero. (...) Deje su casa,/ con ole, con ole,/ aire de aire, ¡pieles de toro!" (64-65).

18. Si en Sófocles el coro actuaba como comentador de la acción, en Esquilo tomaba parte de la acción y en Eurípides proveía de elementos líricos, en García Lorca se produce una fusión de todas estas funciones. Recordemos los coros de las lavanderas en *Yerma* o el coro de muchachas que acompañan a los protagonistas en *Bodas de sangre*. En *La casa de Bernarda Alba* se distancia de *Bodas de sangre* y *Yerma* al no dedicarle ningún cuadro completo, pero, como ha puesto de relieve Arnulfo G. Ramírez, el coro empleado es "la gente que está en la escena" y son esencialmente personas del pueblo (184 y ss.).

19 "Escuchad, pretendientes altivos que un día tras de otro / a comer y beber a esta casa venías, cuyo dueño / falta de ella hace ya tantos años, y no habéis podido / discurrir más razón para hacerlo que el solo deseo / de casaros conmigo y llevarme de esposa" (Homero 340).

20. "Ya no tienen, Telémaco, en ti ni la mente ni el pecho / la firmeza de antes: de niño mostrabas más juicio. / Cuando ya eres mayor y has llegado a edad propia de hombre, / quizás alguien mirando a tu talla y figura dijera / que has nacido de un noble varón, mas sería un forastero, / pues tu mente y tu pecho no son en verdad como deben... / Bien lo viene a mostrar lo que hoy mismo ha pasado en palacio" (Homero 297).

21. La nómina de pretendientes en *La Zapatera prodigiosa* se reduce sustancialmente. Si en la obra homérica se llegan a identificar por su nombre hasta quince personajes (Eurímaco, Anfínomo, Antínoo, Ctesipo, Leodes, Agelao, Anfimedonte, Demoptólemo, Pisandro, Pólibo, Euríades, Élato, Euridamante, Damastórida y Leócrito), en la creación lorquista figuran sólo cuatro: el Alcalde, don Mirlo, el Mozo de la Faja y el Mozo del Sombrero.

22. "(...) Esos hombres errantes y faltos de todo/ llegan siempre contando embusteras historias; no hay forma / de que digan verdad y el que en Ítaca aborda, a mi dueña/ suele ir refiriendo patrañas; acógele ella/ y, le brinda hospedaje, le va preguntando mil cosas/ y, sumida en el dolor, de sus ojos deslízase el llanto/ como es propio en mujer cuyo esposo cayó en tierra extraña" (Homero 222).

23. El viajero hace hincapié en este aspecto en su encuentro con Penélope: "Los relatos de aquél te hechizaran el alma (...) / (...) a quien dieron los dioses / el saber de los cantos que arroban las mentes mortales, / y jamás de escucharlo se cansa siguiendo sus tonos, / así él me embebía sentado a mi vera en la estancia" (Homero 286).

24. Ante la pregunta de Penélope sobre su origen, Ulises, todavía en apariencia de viajero, le hace partícipe de los sufrimientos pasados: "Te daré cuenta de ella aunque presa me harás de más duelos/ sobre aquellos que sufro. Por fuerza le ocurre esto a un hombre/ que no ha visto su patria en el tiempo que yo y errabundo/ ha corrido pasando dolores por muchas ciudades" (Homero 310-11).

25. También el protagonista homérico se lamenta del alejamiento de una felicidad que estaba a su alcance provocado por su viaje: "(...) y pude también ser dichoso en el mundo,/ mas me di a hacer locuras fiando en mi fuerza, en mis bríos,/ en la ayuda y poder de mis padres y hermanos" (Homero 294).

26. En la primera, el autor informa de que *"(La Zapatera retrocede espantada y queda suspensa con un hipo largo y cómico)"* (133). En la segunda se lee: *"(Abraza a la Zapatera y ésta lo mira fijamente en medio de su crisis)"* (ibídem).

27. Al señalar las alteraciones en la jerarquía masculina y femenina propuestas en *La Zapatera prodigiosa*, Fernández Cifuentes apunta que "el centro lo ocupa la mujer, que es la que rechaza, desplaza, niega, mientras los hombres constituyen a su lado un coro lateral de ambiciones desairadas, de objetos sometidos, gobernados" (*García Lorca en el teatro*, 109).

28. Carlos Rincón considera que su rebeldía para defender su dignidad la convierte en "un modelo para la acción de los hombres" (*La Zapatera Prodigiosa,"* 302-03).

29. Como ha podido apreciarse, también en esta intervención se apunta ya la condición paradigmática que García Lorca pretendía otorgarla. Conviene destacar en este sentido las proféticas palabras sobre Penélope pronunciadas por Aquiles en el último canto: "(...) Jamás morirá su renombre, / pues los dioses habrán de inspirar en la tierra a las gentes / hechiceras canciones que alaben su insigne constancia" (Homero 388).

30. Con las excepciones de Fedra y Antígona, figuras en las que me detendré en un ensayo de próxima aparición, el resto de los personajes míticos han sido menos recreados. Pensemos, por ejemplo, en el dúo formado por Electra y Orestes (Ximénez de Sandoval y Sánchez Neyra, José Mª Pemán, Alfonso Sastre, Martínez Ballesteros, Lourdes Ortiz, Raúl Hernández Garrido), Edipo (José Mª Pemán, John Richardson, Rafael Pérez Estrada, J.J. Vega

González), Casandra (Mª Luisa Algarra, Juan Germán Schroeder, Raúl Hernádez Garrido, Luis Miguel Gómez, José Ramón Fernández, José Monleón), Medea (Riaza, Alfonso Zurro, Diana de Paco Serrano), Ismena (García Calvo), Egisto (Miras), Aquiles, Penteo y Pentesilea (Lourdes Ortiz), y Clitemnestra. 31. Sus relaciones fueron recreadas, entre otros, por José Ricardo Morales (*La Odisea*. 1965), Germán Ubillos (*El llanto de Ulises*. 1973) y Fernando Savater (*Último desembarco. Una comedia homérica*. 1987) (Paulino).

OBRAS CITADAS

Adani, Silvia. *La presenza de Shakespeare nell'opera di García Lorca*. Bologna: Il Capitello del Sole, 1999.

Aguirre, J.M. "El llanto y la risa de la zapatera prodigiosa." *Bulletin of Hispanic Studies* 58.3 (1981): 241-50.

Anderson, Andrew A. "Some Shakespearian Reminiscences in García Lorca's Drama." *Comparative Literature Studies* 22.2 (1985): 187-210.

Boscán de Lombarda, Lilia. "El fracaso de la libertad: García Lorca y la tragedia griega." *Actas del XII Congreso de la AIH*. Birmingham: University of Birmingham, 1998. 107-14.

Buero Vallejo, Antonio. *La tejedora de sueños*. Madrid: Alfil, 1952.

Busette, Cedric. *Obra dramática de García Lorca. Estudio de configuración*. Madrid: Las Américas, 1971.

Casas Bricio, Antonio. *Tú gitano, yo gitana*. Madrid: Estampa, 1934.

Castells, Manuel. *The Information Age: Economy, Society and Culture*. 3 vols. Cambridge, Massachussetts: Blackwell Publishers Inc., 1996, 1997, 1998.

Dougherty, Dru y Mª Francisca Vilches de Frutos. *La escena madrileña entre 1918 y 1926. Análisis y documentación*. Madrid: Fundamentos, 1990.

Feal, Carlos. "Eurípides y Lorca: Observaciones sobre el cuadro final de *Yerma*." *Actas del VIII Congreso de la AIH*, I. Madrid: Istmo, 1986. 511-18.

_____. *Lorca: tragedia y mito*. Ottawa: Dovehouse, 1989.

Fernández Cifuentes, Luis. *García Lorca en el teatro. La norma y la diferencia*. Zaragoza: Universidad de Zaragoza, 1986.

_____." El viejo y la niña: tradición y modernidad en el teatro de García Lorca." *El teatro en España entre la tradición y la vanguardia (1918-1939)*. Eds. y Coords. Dru Dougherty y Mª

Francisca Vilches de Frutos. Madrid: CSIC/Fundación Federico García Lorca/Tabapress, 1992. 89-102.

Fernández Galiano, Manuel. "Los dioses de Federico." *Cuadernos Hispanoamericanos* (enero 1968): 31-43.

Fernández-Montesinos, Manuel. *Descripción de la Biblioteca de Federico García Lorca (Catálogo y estudio)*, tesina de licenciatura. Madrid: Universidad Complutense, 1985.

Frazier, Brenda. *La mujer en el teatro de Federico García Lorca*. Madrid: Plaza Mayor, 1976.

Gala, Antonio. *¿Por qué corres, Ulises?* Madrid: Espasa-Calpe, 1974 (cito por la 2ª ed.).

García Gual, Carlos. *Mitos, viajes, héroes*. Madrid: Suma de Letras, 2001 (1ª ed. 1981).

_____. "La Odisea Homérica y su tradición literaria." Homero. *La Odisea*. Madrid: Gredos, 2000. IX-XXIV.

García Lorca, Federico. *Epistolario completo*. Ed. Andrew Anderson y Christopher Maurer, I. Madrid: Cátedra, 1997.

_____. *Obras Completas. La Zapatera prodigiosa*, III. Ed. Guillermo de Torre. Buenos Aires: Losada, 1938.

_____. *Obras Completas*. Ed. Arturo del Hoyo. Madrid: Aguilar, 1965 (8ª ed.).

_____. *Obras Completas. Teatro*, II. Ed. Miguel García Posada. Madrid: Galaxia Gutenberg/Círculo de Lectores, 1996.

_____. *La Zapatera prodigiosa*. Ed. Joaquín Forradellas. Salamanca: Almar, 1978.

_____. *La Zapatera prodigiosa*. Ed. Mario Hernández. Madrid: Alianza, 1990 (1ª ed. 1982).

_____. *La Zapatera prodigiosa*. Ed. Arturo del Hoyo. Barcelona: Plaza y Janés, 1984.

_____. *La Zapatera prodigiosa*. Ed. Lina Rodríguez Cacho. Valencia: Pretextos, 1986.

Giddens, Anthony. *La tercera vía y sus críticos*. Madrid: Taurus, 2001.

González-del-Valle, Luis. *La tragedia en el teatro de Unamuno, Valle-Inclán y García Lorca*. New York: Eliseo Torres, 1975.

Gruzinski, Serge. *El pensamiento mestizo*. Barcelona: Paidós, 2000.

Gubern, Román. *Máscaras de la ficción*. Barcelona: Anagrama, 2002.

Hess, Carol. *Manuel de Falla and Modernism in Spain. 1898-1936*. Chicago/London: The University of Chicago Press, 2001.

Higuera Rojas, Eulalia-Dolores. *Mujeres en la vida de García Lorca*. Madrid: Editora Nacional, 1980.

Homero. *Odisea*. Trad. José Manuel Pabón. Madrid: Gredos, 1982.

Higuet, Gilbert. *The Classical Tradition. Greek and Roman Influences on Western Literature.* London: Oxford University Press, 1949.

Jiménez, Joaquín y Enrique Paradas. *Las corsarias.* Madrid: R. Velasco, 1919.

Kirk, G.S. *The Nature of Greek Myths.* London: Pelican Books, 1974.

Lamartina-Lens, Iride. "Myth of Penelope and Ulysses in *La tejedora de sueños. ¿Por qué corres Ulises?* and *Ulises no vuelve.*" *Estreno,* 22.2 (1986): 31-34.

Lipovetsky, Gilles. *La troisiéme femme. Permanence et révolution du féminin.* Paris: Gallimard, 1997.

Martínez Nadal, Rafael. "Ecos clásicos en las obras de Federico García Lorca y Luis Cernuda." *Tradición clásica y siglo XX.* Eds. I. Rodríguez Bravo y A. Bravo García. Madrid: Coloquio, 1986. 36-55.

Miras, Domingo. *Teatro mitológico.* Ciudad Real: Diputación de Ciudad Real, 1995.

Nieva de la Paz, Pilar. "Recreación y transformación de un mito: *La nieta de Fedra*, drama de Halma Angélico." *Estreno* 20.2 (1994): 18-44.

_____. "Mito e historia: Tres dramas de escritoras españolas en el exilio." *Hispanística XX* 15 (1997): 123-31.

_____. "Los mitos literarios en el teatro de las autoras españolas contemporáneas: Una aproximación panorámica." *Mitos. Actas del VII Congreso Internacional de Semiótica.* III. Ed. Túa Blesa. Zaragoza: Universidad de Zaragoza, 1998. 267-73.

Orringer, Nelson R. "Mariana Pineda, o Ifigenia en Granada." *Federico García Lorca.* Eds. Theodor Berchem y Hugo Laitenberger. Sevilla: Fundación El Monte, 2000. 81-96.

Paco Serrano, Diana de. *La tragedia de Agamenón en el teatro español del siglo XX.* Murcia: Universidad de Murcia, 2003.

Pascual, Itziar. *Las voces de Penélope. AA.VV. Marqués de Bradomín. Concurso de Textos Teatrales para Jóvenes Autores.* Madrid: Instituto de la Juventud, 1998. 101-35.

Paulino, José. "Ulises en el teatro español contemporáneo. Una revisión panorámica." *Anales de la literatura española contemporánea* 19.3 (1994): 327-42.

Ragué-Arias, María José. *Lo que fue Troya. Los mitos griegos en el Teatro Español Actual.* Madrid: Asociación de Autores de Teatro, [1992].

Ramírez, Arnulfo G. "El coro en las tragedias poéticas de García Lorca." *Homenaje a Federico García Lorca.* Ed. Manuel Alvar. Málaga: Ayuntamiento, 1988. 169-91.

Resino, Carmen. *Teatro diverso (1973-1992). Ulises no vuelve. La recepción. De película.* Cádiz: Universidad de Cádiz, 2001.

Rifkin, Jeremy. *El siglo de la biotecnología.* Trad. Mª Luisa Rodríguez Tapia. México/Madrid: Grijalbo/Mondadori, 2003.

Rincón, Carlos. "*La Zapatera Prodigiosa* de F. García Lorca-Ensayo de interpretación." *Iberoromania* 4 (1970): 290-13.

_____. "Lorca y la tradición." *Federico García Lorca bajo el cielo de Nueva Granada.* Comp. Vicente Pérez Silva. Bogotá: Instituto Caro y Cuervo, 1986. 138-56.

Rodríguez Adrados, Francisco. "Las tragedias de García Lorca y los griegos." *Estudios clásicos.* 31 (1989): 51-61.

Stiglitz, Joseph E. *El malestar en la globalización.* Madrid: Taurus, 2002.

Torrente Ballester, Gonzalo. *Teatro completo.* Barcelona: Destino, 1982.

Torres Nebrera, Gregorio. "El motivo de 'La encerrada' en Lorca y Alberti (*Bernarda Alba* y *El Adefesio* frente a frente)." *El teatro de Lorca. Tragedia, drama y farsa.* Dir. Cristóbal Cuevas y Coord. Enrique Baena. Barcelona: Anthropos, 1995. 43-75.

Watt, Ian. *Myths of Modern Individualism: Fausto, Don Quixote, Robinson Crusoe.* Cambridge: University Press, 1996.

Vilches de Frutos, Mª Francisca. "Introducción al estudio de la recreación de los mitos literarios en el teatro de la posguerra española." *Segismundo* 37-38 (1983): 183-209.

_____. "La regeneración social a través de los mitos: Circe en la escena española contemporánea." *Estreno* 28.1 (2002): 5-7.

_____. "Identidad y mito en la escena española contemporánea." *Identidad en el teatro español e hispanoamericano contemporáneo.* Ed. Susanne Hartwig y Klaus Pörtl. Frankfurt am Main: Valentia, 2003. 11-24.

WOMEN PLAYWRIGHTS IN EARLY TWENTIETH-CENTURY SPAIN (1898-1936): GYNOCENTRIC PERSPECTIVES ON NATIONAL DECLINE AND CHANGE

JOHN C. WILCOX

University of Illinois, Urbana-Champaign

The recent success and prominence of women dramatists in Spain has led me to question why it is so rare for us to include plays written by women in our study of earlier periods of twentieth-century Spanish literature. My intention below is to review a portion of the plays written by Spanish women—from 1906 to 1934—so we might take their dramatic production into account in future discussions of the epoch.

There are two indispensable tools to begin such research. The thirty-five page "Índice bio-bibliográfico de las dramaturgas españolas del siglo XX," which Patricia W. O'Connor appended to her 1988 book, *Dramaturgas españolas de hoy. Una introducción*, provides both a primary and a secondary bibliography of women who wrote and or published plays between 1900 and the mid-1980s. Pilar Nieva de la Paz's 1993 *Autoras dramáticas españolas entre 1918 y 1936 (Texto y representación)* is an extensive study of the distinct manifestations of theatre for the period.

By my calculation, O'Connor lists some twenty dramatists for the 1900-1936 period, about a dozen of whom wrote in Castilian: Mercedes Ballesteros, Sofía Casanova, María Francisca Clar Margarit (whose pen name is Halma Angélico), Concha Espina, Carmen de Icaza, María de la O. Lejárraga (who published her work under the name of her husband, Gregorio Martínez Sierra), Concha Méndez,[1] Pilar Millán

Astray, Carlota O'Neill, Emilia Pardo Bazán, Matilde Ras, and Pilar de Valderrama. Then, Nieva de la Paz, in her chapter on rural, historical and social drama, poetic drama and tragedies, recovers several more for this period: Teresa Borragán, Elena Macnee, Dolores Ramos de la Vega, Josefa Rosich, Aurora Sánchez, María Teresa León, Zenobia Camprubrí, and Laura Contreras.[2] My tentative conclusion is that there are around thirty women dramatists who wrote in Castilian Spanish during the first four decades of the twentieth century—yet their work, with a couple of exceptions, is largely unknown today. One reason for the fact that such work is unknown and unstudied is that it was never published or, if it were, it was never republished. Therefore, much of this work still rests in specialized libraries throughout the world waiting for interested scholars to recuperate it.

In the following introductory remarks, I can focus only on those texts and authors I have so far managed to locate and read. I offer the following very provisional comments and tentative observations to encourage others to debate the inclusion in our literary corpus of such playwrights as these.

For the first decade of the twentieth century, the dramatist of note is Emilia Pardo Bazán, who between 1898 and 1906 wrote three plays. I focus here on her *Cuesta abajo* of 1906, and in particular on its portrayal of national decadence versus female vigor. In addition, and with respect to female reactions during a period of national decay, I proceed to discuss Sofía Casanova's *La madeja* (1913), which I will follow with brief comments on the plays of María Teresa Borragán.

I then proceed to comment on María de la O. Lejárraga's *Canción de cuna* (1911) and Concha Espina's *El jayón* (1918); for thematic reasons, I will include in this discussion Halma Angélico's first play, *Berta, o La nieta de Fedra* (1922). These plays treat illegitimacy and the ways in which female characters respond to it.

For the 1920s, I focus almost exclusively on several plays for which, O'Connor informs us, María de la O. Lejárraga was the sole author. A few of her plays are concerned with ways in which women are exploited; and it is in this context that I include a brief comment on Dolores Ramos de la Vega. A second group of her plays deals with marital infidelities, or what might loosely be termed the *ménage à trois*, and it is in that context that I append a brief account of Pilar de Valderrama's *Tercer mundo*.

The final characteristic of women's theater for the 1900-1936 epoch is social protest and denunciation. So for the 1930s, I turn to socially committed theater: to María Teresa León's short piece *Huelga en el Puerto* (1933), Matilde Ras's *El amo*, and Halma Angélico's *Al margen de la ciudad* (1934).

A. *Patriarchal decline vs. female strength*

A 1. Aristocratic & Bourgeois Responses

The "cuesta abajo" or free fall dramatized by Pardo Bazán in 1906 is both national and personal in its implications. Indeed, it could be argued that the play enacts the "problema de España" brought to the fore in 1898 when Spain lost the last three colonies of its once vast empire. In *Cuesta abajo*, Spain's degeneration is focalized in the male of the species. The Conde de Castro Real has bankrupted the family with his speculative investments, his gambling and his chain of mistresses. His profligate son and heir, Javier, literally steals his grandmother's jewels, the very last vestige of family wealth, to give to a courtesan in order to steal her from his own father. In stark opposition to these spoilt, self-centered and decadent males, the play focalizes Spain's inner strength and potential for regeneration in its female characters, namely, the Condesa Viuda de Castro Real, her granddaughter, Celina, and the Conde's second wife, Gerarda.

In a crucial scene (Act 3, Sc. 5), the Condesa confronts her debauched son and upbraids him for squandering their entire inheritance. She rejects his excuses and reminds him that, as the head of an ancient, aristocratic family, he must accept the blame. She exclaims: "No diga el piloto que los marineros le han torcido el rumbo." To which her son replies: "Hoy no hay pilotos. Cada cual rige. Así va la nave," later adding, "en esta sociedad a cada paso más enferma, más podrida" (Pardo

Bazán 1650-51). The theme of Spain's decadence is alluded to
in these remarks, and it is more clearly textualized by the
Condesa when, in the same dialogue, she scolds her son with
the following remarks: "tu casa, fundada por héroes, continuada por señores ilustres, se desploma contigo, el último y
el peor de los Castro Real." To which the Conde himself
retorts: "¿Último y peor? No te acuerdas de que tengo un
hijo." Indeed his son, Javier, has a premonitory nightmare in
which his father is joined by his mother-in-law, his sister and
finally by himself in setting their stately home ablaze. And
before he dies at the end of the play, Javier says: "Llevo todo
el vicio de mi época en mi alma" (1663).

   In opposition to these effete and debilitated masculine
characters, the females in *Cuesta abajo* are strong and resourceful. The Conde's second wife, Gerarda, considers her
mother-in-law, the Condesa, to be the strength of the family.
In her unemancipated manner, she remarks to the Condesa:
"De los Castro Real, el caballero es usted." The Condesa
certainly displays her resilience and leadership as the play
progresses, although her talents are derived from rather
conservative, religious and traditional class values—of truth,
honesty, inner strength and *noblesse oblige*. "Cuando los
hombres echan por la ventana el honor," she exclaims, "las
mujeres bajamos a la calle para recogerlo" (1652). But the
Condesa Viuda's are not the only choices made by women in
this play. The Condesa's grand-daughter, Celine, at the end
of the play confronts her very limited options as an impoverished, aristocratic woman and announces that she is de-
parting for Milan, where she will train to be a singer in order
to earn her own living and forge her own career. As for
Gerarda, the impoverished second wife of the Count, it is
hinted that she took advantage of a cynically opportunistic
politician, Ramírez, and became his mistress long enough for
him to settle an inheritance on her and the Count's baby son.

   Cuesta abajo was first staged in January 1906. It is an
overlooked text, but one that can offer an innovative
perspective on issues we discuss when considering canonical
texts contemporary with it, such as Jacinto Benavente's 1907
Los intereses creados. In both plays the transformations of

social classes are addressed, but only in Pardo Bazán do women offer a thoughtful response to change.

Sofía Casanova's *La madeja* (1913), a tragi-comedy of manners, is comparable to *Cuesta abajo* in so far as it deals with a similar class of people. Casanova's group, unlike Pardo Bazán's, is monied and occupies a private suite of rooms in a luxury hotel on the Cantabrian coast. The main problems addressed in *La madeja* are Spain's decadence and the Spanish male's entrenched patriarchal views on both un-attached and married women. The Marqués de Alquériz is a Spanish diplomat and don Juan; he refers to himself as being one of "los sepulcros blanqueados" (Casanova 74). He is an emblem of decadence, of "inercia española" (42) or "la decrépita España" (50). In addition, he is surrounded by a small group of young Spanish males, most of whom are effete. Those who are married cheat on their wives, whom they want "noñitas y caseras" (45). They refer to "nuestra pésima educación" (23), which is ironically contrasted, via one minor character, to private education in England that produces men of good breeding and exquisite manners. Also, when the British fleet docks, one of the young men exclaims: "cuando tengamos barcos así, volvemos a dominar el mundo" (33). Casanova is hinting at the superficial thoughts of the young Spanish male, and in all likelihood at the nation's inappropriate delusions of grandeur.

To move from the national to the feminine, this decadence is contrasted initially to the apparent vitality of a young American millionairess, Lady Schewening, who is also married to an old and rich, English aristocrat. However, because she received only riches not love in her childhood (81), she lacks resolve and channels her immense energy into flirting with any man she finds attractive. At the play's end, she is left in total solitude, sad, abandoned and unloved. Casanova implies that decadence is not limited to Spain and its males, but that it also extends to cosmopolitan females of great wealth.

However, Casanova offers a slight ray of hope for the future of the female of the species in Spain by briefly introducing the sixteen-year old Laura, who is well educated and quotes Schopenhauer. The Marqués, of course, is appalled at such knowledge in a woman and retorts: "Mujer que conoce a filósofos ¡horror! ¿Ignoras que la ignorancia es el major adorno de tu sexo! *(Irónico.)* A rezar, a emperifollarse, a obedecer, Laurita" (71). Casanova subtitled her play "frívola," which in tone it is. However, it contains a critique of national decadence, and it presents a negative portrait of a society in which a woman's only role is to dance attendance on the male of the species. Also, its anguished reflection on and depiction of the superficial, vain and unfulfilled cosmopolitan female is novel.

María Teresa Borragán in her plays—*Ilusión* (1917), *A la luz de la luna* (1918) and *La voz de las sombras* (1924)— creates strong-willed and self-actualizing female protagonists who, like Casanova's Lady Schewening, are driven wild by inner or outer torments. In *Ilusión*, Amalia is a cultured intellectual ("la mujer de Castilla es el orgullo del hogar" [Borragán, *Ilusión* 24]) with great potential. However, a foreign visitor enraptures her; she makes love with him and is forever tormented by guilt. Margarita, in *A la luz de la luna*, fully understands how to be strong: "no parece sino que las mujeres hemos nacido tan sólo para vivir a costa de los hombres. Y luego nos quejamos de que nos llamen inútiles" (Borragán, *A la luz* 20). However, her life is ruined by economic and amatorial causes beyond her control. The Margarita of *La voz de la sombras* is an inspired free spirit. Her parents marry her off to a wealthy, landed youth; but in her marriage she begins to suffocate and perish. To rescue her and to restore her to her naturally vigorous state, Ramón, her wild and tormented, suicidal misfit of a brother, throws her husband into a precipice and sends her off with the architect Jamie, her real but socially inferior sweetheart.[3]

Barragán's technique is to situate her heroines in inhospitable—social, economic—environments. Although her melodramatic style detracts from her gynocritical portrayal of the female condition, the many forthright denunciations she includes in her plays are of historical interest for our appreciation of the problems that women in Spain faced during the early years of the twentieth century.

A 2. Response to National Problem of Illegitimacy

Three dramatists—of the late 1910s and early 1920s—also address "el problema de España" and create characters to foreground gynocentric concerns. They are María de la O. Lejárraga, Concha Espina, and Halma Angélico. Each one of these women—in, respectively, *Canción de cuna* (1911), *El jayón* (1918), and *La nieta de Fedra* (1922)—addresses the national problem of illegitimate births, and the specifically female concern of maternity. *Canción de cuna* takes place entirely in a convent in a city; *El jayón* is set in a remote and rural village of Santander, and *La nieta de Fedra* in a provincial town. In *Canción de cuna* and *El jayón*, a new-born baby is abandoned on a doorstep for the women of the convent or cottage to rear (which as good "ángeles del hogar" they choose to do). In *La nieta de Fedra*, the mother keeps the illegitimacy from her daughter until the end of the first act. Each of these plays treats the issue of maternity from different angles and in differing degrees.

In *Canción de cuna*, the nuns devote their energy to raising the foundling, and María de la O. Lejárraga makes the point in the text itself that nuns have no legal right to maternity. The metaphor selected by the playwright to depict her nuns is that they are canaries in a cage, afraid to take flight once the cage door is opened. They are emotionally frustrated women, and in the protagonist, Sor Juana, the rearing of a child is presented as their complete and utter fulfillment. The manner in which the play addresses the problem of illegitimate births is rose-tinted and evasive. Indeed, *Canción de cuna* has been historically considered to be María's best work, but it would be difficult to sustain that point of view today.

In Concha Espina's *El jayón*—an adaptation of a short novel—Marcela, the protagonist, finds abandoned at her door a baby who turns out to be her husband's love-child. The baby grows into a healthy and handsome boy. The child Marcela herself gives birth to shortly afterwards, fathered by her husband, turns out to be seriously deformed, so she switches the babies in their cradles and succeeds in keeping up the pretence that the healthy child was born in wedlock

whereas the foundling was sick. A sub-plot of this play, therefore, is that the female of the species in her role as wife is
obliged to produce healthy heirs and offspring. However,
weighty national and gynocentric issues touched upon in the
play are—in the main—backgrounded by quotidian events
and relationships.

These plays can be criticized for not fully confronting the
serious social issues that the abandonment of babies entails—problems such as hunger and poverty, prostitution and
out-of-wedlock birth, lack of adoption and of humane
orphanages. Also they tend to avoid the treatment an unwed
mother would have received at that time. As texts they do not
address the prejudice and ignorance, hypocrisy and blindness
that mask such national issues in a conservative and Catholic
country, but they do allude to them in passing. However, the
following play does go further in confronting such issues
more directly.

In comparison to the two previous plays, *Berta o La nieta
de Fedra* is more complex and more fully developed.
Throughout her play Halma Angélico addresses or alludes to
numerous social, economic and political problems of Spain in
the early part of the 20th century, in addition to dealing with
the psychological ramifications and emotional impact of illegitimacy on both the mother and the daughter. Various secondary characters enact the socio-political problems of the
day: poverty, hunger, starvation; illiteracy and alcoholism;
absentee landowners; unenlightened priests; the loss of
young males, first to the armed forces and then to emi-
gration. Against this background, two female protagonists—
who are also the two major characters in the play—act out
the angel versus monster dichotomy studied by Gilbert and
Gubar. The angel is Mónica, who gave birth to a daughter out
of wedlock and raised her in the best of bourgeois conditions,
loving and caring for her and keeping from her the
knowledge of her illegitimacy.

The monster is the daughter, Berta, the play's anti-
heroine, who as a young and beautiful woman in the play's
first act is cold and calculating, stubborn and willful. When
her mother tells her that she never married, she—strict

Catholic as she was—condemns her for being a whore. The shock kills her mother who already had a weak heart.

Berta then marries a doctor with whom she has a daughter, Angela, who is indeed, like her grandmother, an angel: sensitive, spiritual, loving, forgiving. When the doctor dies, Berta marries a rich and enlightened landowner, and falls madly in love with his young son. The feelings of true love and physical attraction, which Berta has succeeded in fully repressing for her entire life until that moment of anagnorosis, now come pouring out, and she declares her passionate desire to possess her stepson.

This play's gynocentric discourses merit detailed analyses. It is an ambitious and elaborate play, as well as being a tragedy of profound dimensions. Berta's repression and subsequent uncontrollable, libidinal desire are fascinating and psychologically riveting. She might well be compared to the female protagonists in Lorca's rural tragedies of the early 1930s.

These plays deal, respectively, with illegitimacy from a religious, a cultural, and a psychological perspective. Halma Angélico also explores it from the perspective of the mother/daughter bond. It is this that gives her play its deeper interest, and its negativity can be contrasted to Pardo Bazán's *Cuesta abajo*, where the grandmother/granddaughter dynamic is positive.

B. *National change & female liberation*

In retrospect, the major playwright of the 1920s is María de la O. Lejárraga, whose plays were published under her husband's name. However, Pat O'Connor assures us that: "La correspondencia existente indica que María escribió sola *Mujer* (1923), *Torre de marfil* (1924), *Seamos felices* (1929), *La hora del diablo* (1930) y *Triángulo* (1930)" (*Gregorio y María* 54). And indeed, these texts display a remarkably gynocentric bias.[4]

B 1. Working Class Women

Torre de marfil—as well as *Cada uno y su vida,* a one act
play written in the same year—allude to the problem of "las
dos Españas" and deal with the negative impact of
androcentric power on working class women. In these plays,
women are exploited and intimidated by the aristocracy and
upper-middle classes (who in turn are portrayed as
conservative, Catholic, repressive and hypocritical). Neither
of these plays fully confronts such exploitation, because each
conjures up for their heroines a *deus ex machina* "happy
ending" in the form of marriage to their beloveds (and rejection of repressive, patriarchal power). Permit me to add at
this juncture that Dolores Ramos de la Vega, in *Málaga tiene
la fama* (1927), also portrays working class women: they are
resolute, honorable, and withstand the local fishermen's
attempts to take advantage of them. The play's main female
character also repulses the wealthiest fisherman's pressures
to buy her favors. This play is an extended *sainete* of Andalusian flavor, and it could be contrasted to Arniches's
vignettes of a more urban setting (in *Del Madrid castizo,*
1917).

B 2. The Reality of the *ménage à trois*

The remaining plays by María de la O. Lejárraga avoid
political commentary per se. Three of them focus on the
plight of the deceived wife and limit their asides to gynocritical concerns. The plays are set in upper-middle class
Spanish households and deal with such issues as gender,
inequality and female liberation. In each play a married
woman confronts the reality that her husband is unfaithful
and that he lives with a mistress. In *Mujer*, Estrella discovers
that her husband, Gabriel, has a mistress. She is furious
about this and about the fact that "no puedo pedir el divorcio
porque soy española" (Martínez Sierra, *Mujer* 46). To make
herself as free as he is ("Libertad absoluta" [76, 81]), she
takes a lover and begins to smoke. Her intention is to punish
her husband and to make the point that "no soy trapo que se
toma y se deja" (120).

Gabriel is of course furious and accuses her of being "un monstruo de inmoralidad" (108). Estrella's satisfaction is a bitter-sweet pleasure: it disturbs her to have discovered within herself a new power: "soy capaz hasta de hacer sufrir" (123). Taking one's cue from Gilbert and Gubar, one might conclude, therefore, that in Estrella María portrayed the "angel" shrinking from uncovering her monstrous powers.

In the more dreamy and playful *Triángulo* (1930), a wife, who had undergone what turns out to be a metaphorical drowning, pursues a husband who had remarried in her prolonged absence. The disconcerted and bigamous husband tries to flee by taking a cruise around the world, but his determined first wife catches up with him. As there is no escaping the horror of his reality, the husband solves his problem—metatheatrically—by jumping off the stage and exclaiming: "¡Se acabó la comedia! (Martínez Sierra, *Triángulo* 120).

The more symbolic and impressionistic *La hora del Diablo* (1930) is set on the Costa Brava during the summer. It foregrounds the anguish of a sophisticated, married woman, Soledad, who is trapped in a loveless marriage and whose husband travels the world with his mistress: "Tristeza de mujer desocupada, [...] que me roe la vida neciamente... Este... dolor de muelas en el corazón" (Martínez Sierra, *Triángulo. La hora del Diablo* 152). Soledad, unlike her younger sister, Carmela, is too traditional to fall for the amorous blandishments of the Cambridge-educated Mariano. The play implies that Soledad, and all women like her, are cursed: the implication of the play's symbolism is that the devilish spirit of their husbands trails them, thwarting their every impulse at self-actualization.

This play makes an attempt to explore the psychology of the rejected and abandoned wife who has become cynical. Soledad commences her soliloquy toward the play's end by advising her maid to believe in nothing in this world: "En nada... si es de amor, en nada... No hay amor..., no hay más que un relámpago... que pasa... (212). This psychologically ambitious play indicates María de la O. Lejárraga's incipient confrontations with the anguish of the feminine condition.

Let me also note at this point that Pilar de Valderrama in
El tercer mundo also presents us with the *ménage à trois*, but
from the perspective of the mistress and deceiving wife. It
confronts in a poetic and metadramatical manner (reminiscent of Pirandello) the issues of marital incompatibility
and a married woman's profound love for a man other than
her husband. *El tercer mundo* surely acquires added appeal
once we realize that the woman who wrote it is none other
than Antonio Machado's "Guiomar." Valderrama's perspective is the opposite of María de la O. Lejárraga's. María's
characters are angry and frustrated, or they are racked by
existential anguish. Whereas Valderrama creates an atmosphere in which intellectual stimulation and emotional support can flourish.

B 3. Female Emancipation

The double standard that existed in Spain during this
time is approached from a different angle in *Seamos felices*
(1929), a play that is an intelligent exploration of gender
typing and the inequality of the sexes. Fernanda is a very
talented pianist whose mother, Matilde, an equally talented
musician in her day, refuses to allow her daughter to take up
a concert career: "una mujer como Dios manda no debe
exhibir su arte ni su persona" (Martínez Sierra, *Seamos* 20).
Fernanda's resourceful solution is to marry the talented,
enlightened and seemingly "modern" architect, Emilio. But
when it comes to Emilio's signing a contract to permit his
wife to undertake a summer concert tour through the French
and Spanish Riviera's watering holes for the rich and famous,
he refuses: for the simple, patriarchal reason, as Fernanda
well knows, that he wants his wife to be "el ángel del hogar"
(77), and he certainly does not want her shaming him by
bringing income into the household.

In this and other plays, such as *Cuesta abajo* and *La nieta
de Fedra*, the bonds between mother and daughter prove
stifling ("hay cariños que matan" [36]), but those between
grandmother and grand-daughter are supportive and nurturing. At the end of *Seamos felices*, Fernanda and Cristina, her

grandmother, bring Emilio round to allow his wife to take her first steps on the road to self-realization.

To conclude this discussion of María de la O. Lejárraga's work, I want to suggest that *Seamos felices* is her most effective play. It provides intriguing generational conflicts between the women; its female characters are strong and clearly drawn, and the resolution it arrives at is subtle. On the other hand, her profoundest play, from a gynocentric perspective, is *La hora del Diablo*. Its insights into female psychology are fascinating, but its symbolism is somewhat opaque, and it does not bring its conflict to satisfactory resolution.

C. Social Protest & Denunciation

In the 1930s, there are plays in which, as in the first and second decades of the twentieth century, the national and communal are fused with the personal and gynocentric. María Teresa León wrote a one-act play *Huelga en el Puerto* (1933), Matilde Ras, *El amo*, and Halma Angélico a complex play in three acts, *Al margen de la ciudad* (1934).

Huelga en el puerto is set in Seville in the early 1930s and deals with a workers' strike, with their bosses' attempts to break it, with scabs and with government collusion. Some of the most dramatic parts of the play are assigned to women, in particular to working-class women who know first hand the reality of hunger and poverty, suffering and abuse. For example, a character called simply "La Mujer" declares: "Somos las obreras de la fábrica de aceituna. Hacemos el envase. Todos dicen que la aceituna hace la fama de Sevilla. ¿Qué sabemos nosotros de eso? Apenas si nos da para comer. Primero, los que la recogen por los olivares viejos, están doblados de varear la oliva y de recoger a uña las que se salen de las mantas. ¡Gloria de Andalucía! ¡Pena digo yo! Los olivares no son nuestros, son del amo...." (León 62).

The plays by Matilde Ras and Halma Angélico share a common theme: the male predator. In Ras's *El amo* an exploitative and lecherous boss confronts an independent-minded female worker. Halma Angélico's *Al margen de la ciudad* sets up a binary and somewhat Manichean opposition between the "bad" guys and the "good" gals (all of whom function within the overarching issue of national regeneration through capitalism). The play takes place in a factory in the early 1930s, that is, at the beginning of the "Great Depression." The male characters are brothers. Tomás the eldest is the capitalist—a convinced positivist and pragmatist with "[un] carácter frío y especulador" (42). He has lost interest in his wife, Elena, and wants to seduce and abandon Alidra, a young and captivating, *gitanilla*-like free spirit—through whom the playwright advances her views on female autonomy and oppression. Tomás's brothers represent the good and the bad of Spain's ineffectual, male dreamers, writers, artists and lovers.

In opposition to them, the life of the female characters in the play is presented as complex. In particular, the playwright has developed extensively the bonds the various generations of women forge between themselves, as well as the mutual support they informally establish for each other. This is a play that merits more detailed analysis. Suffice it to say that each of the brothers attempts to reduce Alidra to his particular ideal of womankind, to get her to satisfy his expectations for female desire. As Alidra exclaims: "¿Qué nosotras estamos para hacer lo que a ellos les venga en gana?... ¡Pues yo no, ea! (53). Alidra goes on to educate her elder, the traditional Elena, in the ways in which the latter is manipulated by men. She informs another character that "[Elena] es 'por fuera' como la hicieron los hombres" (72). And Elena realizes that Alidra "es la encarnación del sentimiento en bruto de todas las mujeres" (64). In *Al margen de la ciudad*, Halma Angélico critiques the national issue of capitalism as a tool of regeneration, as well as addressing the gynocentric issues of the loveless and barren marriage, and the conflict between woman as "ángel del hogar" and autonomous and self-actualizing subject.

In conclusion, it almost seems as though by the early 1930s the wheel had come full circle, in the sense that women during the Depression were interweaving into their dramatic texts issues of national importance alongside perspectives on the female condition. As we have noted, in 1906 Pardo Bazán foregrounded such issues in *Cuesta abajo*, while in the plays of Sofía Casanova and Teresa Borragán they formed a backdrop.

I also trust that we have seen in the above remarks that Halma Angélico is a playwright whose work merits inclusion in our discussions on the literary corpus in early twentieth-century Spain. Moreover, we have discussed certain plays that are of interest for their exploration of female psychology (Lejarraga's *La hora del Diablo*, and both of Halma Angélico's), and we have commented on others in which intergenerational conflict and/or bonding on the maternal side of the families (grandmothers / daughters, mothers / daughters, grandmothers / granddaughters) is a dominant feature (*Cuesta abajo*, *Seamos felices* and both of Halma Angélico's plays). In addition, two recurrent motifs we have encountered are the problem of illegitimacy and the *ménage à trois*.

These playwrights include in their work a variety of social classes: from the aristocratic, to the upper middle and down to the working class. They have also created a variety of female personae: the leader, the flirt, the artist, the intellectual, the prude, the conformist, the rebel—to name a few of the more prominent roles we have encountered in this study.

My selective, historical overview of this epoch is perforce a mere prolegomena, but it is offered to encourage others to explore these plays and those of other women whose dramas await recovery and detailed critique.

NOTES

1. For Méndez, see James Valender.
2. Zenobia Campubrí is included for being a translator, not for original work.
3. Unlike almost all of the male characters in the plays under study, Ramón is a strong and imposing figure with many ideas on the causes of Spain's decline and decay. For example, he considers

his hidebound, conforming and conservative parents as enslaved by
the Spanish code of honor (Barragán, *La voz de las sombras* 61).
4. Much work is now being undertaken on María's importance. See
for example, *Estreno* 29.1 (2003): 4-22, where Alda Blanco discusses
her importance as a political and literary figure; Pat O'Connor
introduces "El cobarde," one of María's recently discovered one act
plays, for which she also provides the text; and Joseph Jones studies
her work as a librettist and lyricist.

WORKS CITED

Angélico, Halma. (María Francisca Clar Margarit). *Al margen de la
ciudad*. In Castro, *Teatro de mujeres*.
_____. *La nieta de Fedra*. Madrid: R. Velasco, 1929.
Borragán, María Teresa. *Ilusión*. Madrid: R. Velasco, Sociedad de
autores españoles, 1917.
_____. *A la luz de la luna*. Madrid: R. Velasco, Sociedad de
autores españoles, 1918.
_____. *La voz de las sombras*. Madrid: Imprenta Clásica Espa-
ñola, Sociedad de autores españoles, 1925.
Casanova, Sofía. *La madeja*. Madrid: R. Velasco, Sociedad de auto-
res españoles, 1913.
Castro, Cristóbal de. Ed. *Teatro de mujeres: tres autoras españolas*.
Madrid: Aguilar, 1934.
Espina, Concha. *El jayón*. In *Obras completas*. Madrid: Fax, 1972.
León, María Teresa. *Huelga en el Puerto*. In *Teatro de agitación
política (1933-1939)*. Madrid: Edicusa/Cuadernos para el Diálogo
(Libros de Teatro, 56), 1979: 57-79.
Martínez Sierra, Gregorio. (María de la O. Lejárraga). *Canción de
cuna*. Madrid: R. Velasco, 1911.
_____. *Mujer. Cada uno y su vida*. Madrid: Editorial Saturnino
Calleja, 1925.
_____. *Seamos felices. Torre de marfil*. Madrid: Renacimiento,
Compañía Ibero-americana de Publicaciones, 1930.
_____. *Triángulo. La hora del Diablo*. Madrid: Renacimiento,
Compañía Ibero-americana de Publicaciones, 1930.
Nieva de la Paz, Pilar. *Autoras dramáticas españolas entre 1918 y
1936 (Texto y representación)*. Madrid: CSIC, 1993.
O'Connor, Patricia W. *Dramaturgas españolas de hoy. Una intro-
ducción*. Madrid: Espiral/Fundamentos, 1988.

_____. *Gregorio y María Martínez Sierra. Crónica de una cola-boración*. Madrid: La Avispa, Colección Teatro, núm. 3 Ensayo, 1987.

Pardo Bazán, Emilia. *Cuesta abajo*. In *Obras completas*. Madrid: Aguilar, 1973.

Ramos de la Vega, Dolores and Manrique Gil. *Málaga tiene la fama*. Madrid: Prensa Moderna, 1930.

Ras, Matilde. *El amo*. In Castro, *Teatro de mujeres*.

Valderrama, Pilar de. *Tercer mundo*. In Castro, *Teatro de mujeres*.

Valender, James. "*El solitario* de Concha Méndez." In *El exilio teatral republicano de 1939*. Ed. Manuel Aznar Soler. Sinaia 4. Barcelona: GEXEL, 1999: 409-420.

PERSPECTIVAS CRÍTICAS: HORIZONTES INFINITOS

REFLEXIONES SOBRE EL ARTE Y LA NOVELA*

RAMÓN HERNÁNDEZ

> Je sens en moi, toujours assem-
> blée, une foule contradictoire;
> certains fois, je voudrais agiter la
> sonnette, me couvrir et quitter la
> seánce. Qu'importe mon opi-
> nion?
>
> (Siento en mí, siempre reunida,
> una multitud contradictoria; al-
> gunas veces querría agitar la
> campanilla, ponerme el sombrero
> y abandonar la sesión. ¿Qué im-
> porta mi opinión?)
>
> André Gide

I.- *Arte*

El Arte, en sentido estricto, es una de las más complejas manifestaciones de la capacidad mental de la especie humana, derivada de un singular *"logos"* de luz y tiniebla por el que vaga el pensamiento, del que emergen las ideas, origen y fin de todo. Singularidad que, conceptualmente, le hace único, a diferencia de la multiplicidad teórica de la Ciencia. En este sentido, el Arte puede homologarse como una pasión amorosa, generativa, fértil, y única, a la que convienen las palabras de François Mauriac: *"No hay más que un solo amor."* Sugestivo aserto en el que nosotros también creemos, pues parece razonable que, en el principio, fueran las ideas, el conocer, y su instrumento expresivo, la palabra. Ilustre y clásica sucesión de axiomas con las que se inicia el Evangelio de Juan el Griego, también conocido como el Anciano; en contraste con la interesada invención de Juan Evangelista, el Joven, personaje de ficción patrocinado por los sesudos *"Padres de la Iglesia,"* a fin de otorgar a la egregia figura moral de Jesucristo una base filosófica y metafísica capaz de competir en oscuridad, misterio, y leyenda con las canónicas mitologías clásicas surgidas del inconsciente colectivo de la Humanidad. En armonía con estas premisas consideradas primordiales es lógico concluir que, tras la observación del Universo que nos acoge y rodea, el ser humano parece ser el único espécimen conocido capaz de reflexionar sobre sí mismo y su actividad, seguramente porque es también el único ente conocido que dispone de un mecanismo autónomo con el que procesar las ideas o *"representaciones de la realidad,"* como las definió Kant. Argumento compatible con las tesis de Darwin y Konrad Lorenz, las cuales sostienen que el Hombre, poseedor de ideas sucesivas, previas a sus actos, es una singularidad zoológica que puede reducir a voluntad sus instintos, en razón directamente proporcional a sus invenciones, descubrimientos, y habilidades manuales o tecnológicas. Por su parte, el controvertido filósofo Friedrich Nietzsche definió a la especie humana como un conjunto de individuos todavía no terminados, nacidos en un deplorable estado de indefensión y dependencia de sus progenitores y, por ende, con una interminable tarea que desarrollar para ser y reconocerse a sí mismos pero, también, para comprender el Mundo. Opinión que en la actualidad sostienen una mayoría de antropólogos, pensadores, y etólogos, entre los que cabe citar a Arnold Gehlen, filósofo alemán perteneciente a la escuela funcionalista de Fichte, cuyas esclarecedoras ideas respecto a la creatividad humana ha plasmado en sus obras

"*El Hombre*" (1940) y "*Hombre originario y cultura tardía*" (1956). Surge así la idea de que, tras la aparición del individuo humano, la Naturaleza, a la que pertenece íntegramente, se ve enriquecida por una nueva actividad, aparentemente exógena a ella, autónoma por así decirlo, dinámica, sucesiva, y en progresión, a la que llamamos Cultura; en contraposición con el "*cultivo automático del instinto*," repetitivo, encerrado en sí mismo, e incapaz de superar las fórmulas genéticas, impulsoras de las imperativas actividades necesarias para sobrevivir. Patrimonio humano "*antinatural*," afirma Gehlen; aparentemente "*antinatural*" diríamos nosotros, pues nada escapa a la tiránica, férrea y planificada disciplina del Universo. Desde el evanescente lirismo de los poetas, al sutil y enervante perfume de la rosa; desde el prodigioso comportamiento cromosómico, a la desnuda exactitud de una fórmula matemática. Todo acto, pues, realizado por cualquier rama del árbol mineral, vegetal o zoológico, deviene de un mismo y oscuro microorganismo, inquietante y remoto, que llamamos Vida. Única y múltiple, singular y diversa, pero universalmente vinculada a la materia cósmica, al logos cósmico, al supremo enigma del Ser y de la Nada, como diría Jean Paul Sartre.

En resumen, idea o instinto, cualquier representación sideral, humana o no, podría ser integrada en la inmensidad de un cóncavo museo de prodigios, cerrado en su esférica curvatura pero, a la vez, abierto a un convexo vacío centrífugo. Cero e infinito, la vida y la muerte. El arte de vivir, en definitiva; el misterioso arte supremo de la existencia. Punto de fuga que, en el caso de la especie humana, puede considerarse también ingenio o excitación del ánimo explorador, que experimenta "*mejoras utilitarias*" sin renunciar al sentimiento de lo bello; es decir, el placer que nos produce la armonía de las partes, opuesta al imposible, inexistente, y azaroso caos. Conceptos que han merecido definiciones diversas. Para Toussenel, arte es la encarnación material e intelectual del ideal. Pero, ¿qué ideal? ¿Puede identificarse con él lo inconmensurable y lo armoniosamente bello y grandioso? ¿Qué ideal oculta el armónico vuelo del albatros? ¿Dónde fija sus anhelos el miniaturista holandés que ilumina

las porcelanas? ¿En qué universo de deseos yace la leve elocuencia de una estrofa? ¿Qué ideal impulsa el malabarismo de
los dedos sobre las teclas de un piano? Taine afirmaba que la
Naturaleza es la inagotable fuente y el pródigo manantial de
toda belleza, de cualquier acto. Pero, ¿es arte el devastador
cataclismo del terremoto? ¿La fría y húmeda sombra del
bosque, que envenena los sentidos, es un arte? Para otros,
como Lamennais, el Arte y la Ciencia son manifestaciones del
poder creador del género humano. Pero ¿es el poder creador
algo inherente a él? ¿O es un universal poder creador el que
sojuzga e influencia a la especie humana? En el ámbito
artístico, la obra, nacida a través de la mente, nace de una
idea racional preexistente, la cual es investida de una apariencia expresionista y formal que, aún imitando cualesquiera
representaciones de la Naturaleza, no debe ser una simple
mímesis, sino un más allá, una metafísica capaz de ser per-
cibida, asumida, e interiorizada por los sentidos mediante
una suerte de catarsis subliminal, intangible y relativista. Sin
embargo, el Arte tiende siempre a poner de manifiesto algún
concepto absoluto, a través del contrapunto de su lógica
interna, que lo equilibra, lo humaniza y lo distancia del
estricto realismo de lo natural. En este sentido, nada está
más alejado del Bois de Boulogne que un paisaje expresionista que lo tome de modelo. Nada tan distinto a un cruci-
ficado que la representación de Cristo en la cruz pintada por
Velázquez. No obstante, en ambos casos, el bosque y el
patíbulo ofrecen, al contemplarlos en el lienzo, los matices
propios de la obra de arte, y nos hacen más suyos que los
modelos reales en los que se inspiró el artista, conformando
en nuestro inconsciente dos visiones más vivas que las que
nos produciría la presencia física. El bosque real puede dar-
nos frío o calor, aromas, sonidos, resplandores. El del cuadro
nos lleva a evocaciones más literarias e intelectuales, a parámetros menos tangibles y vulnerables por los que vaga el
espíritu. Pero, ¿qué es el espíritu sino la capacidad de sentir
lo que la mente reflexiona?

Para Proudhon, el arte literario sólo es posible mediante
la libertad de expresión, a través del imperativo racional de
ideas y conceptos, del ejercicio de la crítica, de la posibilidad

de mostrar acontecimientos y, sobre todo, de la capacidad de promover una pasión. Pero, como se ha dicho, el Mundo es ancho y ajeno y, así como el Todo se fragmenta y escinde, el Arte, siendo único, adopta diferentes máscaras en el grandioso carnaval de la tragicomedia humana. Naturalismo y Realismo, tan similares, se obstinan en abarcar la Realidad, tal como creen que es, imitando servilmente el escenario "*natural y lógico,*" con la pretensión de obtener un facsímil del infinito inabarcable que es lo real. El Idealismo, por su parte, se aferra como un náufrago a la tabla salvadora de dudosos ideales trascendentes y metafísicos. Vanos intentos que se diluirán en nobles propósitos, férreamente condicionados. En primer lugar, por la época y por la cultura del momento; después, por la nacionalidad del artista y sus numerosas convicciones; sean éstas religiosas o derivadas del temperamento, de la educación doméstica, de las costumbres, del ámbito social, y de otras muchas variables imposibles de ser eludidas a la hora de desarrollar una obra. Tal vez por ello, el ginebrino Rodolfo Toppfer afirmó que "*lo que causa nuestro embeleso y enciende nuestro entusiasmo en la obra de arte, no es lo que procede de la realidad, sino lo que trasciende de ella, así como lo que asimila y aporta el artista que la interpreta y la transmite.*" A estas ideas hay que añadir que, en puridad, la imitación servil de lo real le está vedada en absoluto al artista; porque captar "*lo real*" es para el ser humano una tarea de dimensiones cósmicas, tanto en el espacio como en el tiempo, de suyo imposible para el individuo, y tan sólo concebible como una tenaz labor de coleccionismo y de hallazgos, desarrollada a través de un tiempo ilimitado y emprendida por la totalidad del género humano. Es decir, una utopía sin final. Por ello, el artista está obligado, por necesidad y no por azar, a ser ficticio y transformador, inventor y poeta, científico e imaginativo. Ideas que nos autorizan para afirmar que el Realismo no existe, por ser imposible *per se;* y, si pudiera existir, sería obligadamente falaz, ridículo, pretencioso y absurdo. Ése es el motivo por el cual la gregaria escolanía disciplinadamente realista, en la que se integran los artistas sin gran imaginación ni aliento, ofrece una coral limitada por sus propios sentidos, convirtiéndose ellos y sus obras en un monótono y predecible muestrario "*déja vu*" de imágenes falseadas, desdibujadas y sin médula; como la hoja seca del herbolario, la mariposa clavada en la pared, o las figuras del museo de cera. Una obvia metáfora y una mediocre inspiración, puesta en escena por un catálogo de gestos y muecas copiadas, glaciales, como fotografías de rostros sorprendidos por el *flash*. Panorama agravado por el hecho de que el pobre espectáculo ofrecido por el colectivo realista se produce ante la inconmensurable sorna de la Naturaleza inimitable que, desnuda y lasciva, provocadora y cruel, les sonríe sardónica, iluminando con su esplendor impúber el cielo.

Sin embargo, como el perro vuelve al vómito, el artista enfermo de realismo, brumosamente consciente de su parca cosecha, se obstina en utilizar el mismo recurso: Buscar en el guardarropa colectivo de los desterrados hijos de Eva el naturalismo más permanente e inmediato: Marginación, hambre, feísmo de la vida cotidiana y su lenguaje, "*encanto*" de la vida modesta, drama de los arrabales, corredor de la muerte, mujeres violadas, inconsistencia juvenil, genocidios, etc. Argumentaciones todas ellas legítimas, diríamos que imprescindibles en la argumentación literaria y su compromiso en orden a ser un testigo de la sociedad humana, pero válidas en Arte tan sólo si se transfieren a través de renovadas fórmulas artísticas, a veces incluso crípticas, introspectivas y disidentes o arriesgadamente esquizoides, pues también una voz atormentada y existencialista, es capaz de hacer sublimes el horror, la basura, y (con perdón) la "*mierda*" inhumana, como dice Milan Kundera en su novela "*La insoportable levedad del ser.*" De ese modo, el Realismo, convertido por propia incapacidad en arte adjetivo, testimonial y fechado en el aquí y en el ahora del reportaje y el escándalo, se metamorfosea en página de periódico y magazine llegando, en el mejor de los casos a la excelsitud del *National Geographic*.

Quizá por ello, como pesadilla alternativa, ha surgido el denominado Postmodernismo (otro ismo); decálogo de una generación hedonista y saciada, incrédula y sin ideas, estragada y devorada por el sensualismo de la *hamburguesía* de vacuo corazón, antiespeculativa y enemiga de la antimateria, del anticuerpo y de cualquier metafísica, gérmenes del Arte y de la Ciencia. Pasivo Edén; y desolada estancia de efímeras y elusivas consignas, en cuyo magma una inmensa mayoría de escritores y artistas (académicos y catedráticos también) ha optado por sumergirse, convirtiéndose en lacayos mercantiles de una sociedad subcultural de papel *couché*, ajena al compromiso de las ideas enfrentadas a la perplejidad universal, cuyo inquietante enigma y dolor palpitan como un reto para el entendimiento desde la noche de los tiempos.

II.- *Novela*

En estos ámbitos, bajo estas premisas, y en relación con el arte literario específico del género narrativo, más concretamente en referencia a la novelística, cabe preguntarse qué función tiene hoy la valoración e interpretación de los textos, el análisis pormenorizado de sus ingredientes, la autenticidad del discurso, la congruencia de sus contenidos ideológicos y, por último, su posible alcance social. Personalmente considero que en la evaluación de una novela (aceptadas con muchas reservas todas las ambigüedades que sugiere este poco afortunado término) debe tenerse especialmente en cuenta el acierto en la representación de unas líneas argumentales portadoras de inquietudes, ideas y sentimientos atribuidos a unos personajes capaces de ofrecer al lector un escenario vital en el que el devenir del texto origine una meta-ficción interiormente apasionada, premisa ineludible del genio creador; entendiendo la pasión como padecimiento o goce compartido y no como hermenéutica estrictamente semántica del vocablo latino *passio*, cuyo significado original es sólo padecimiento. Traducción casi litúrgica y catequista, propia de una moral flagelante y eclesial; muy distinta a la versión no latina, patrocinada en particular por los idiomas europeos alemán, sueco, polaco, o checo, en los que su significado no es "*padecimiento*," sino el más amplio de "*sentimiento*," de sentir, de "*ser sintiente*."

Se dirá que, además de la pasión sentimental, la novela debe narrar una historia. Cierto, mas arte y verdad, por una vez, son entes homogéneos y concomitantes. Es más, consideramos que el Arte en general, y el literario en particular, son los únicos caminos hacia la Verdad. Porque es sabido que la Ciencia corrige a sí misma sus constantes imperfecciones: La lámpara incandescente es perfeccionada por el neón; el tan-tan es modificado por el Morse; éste por la comunicación vía satélite; la fotografía por la cámara digital, el bisturí por el laser, etc. Pero, ¿quién corrige la "Montaña Mágica," el "Discóbolo" de Mirón; la "Novena Sinfonía" de Beethoven; el "Guernica" de Picasso? ¿Quién mejora "El Proceso" de Kafka, la poesía de Rilke, el libro del Tao? ¿Quién añade un capítulo a "Los Hermanos Karamazov"? Inclusive, el Arte, uno y diverso, se estiliza y se resuelve en una estética y una ética de ideas e imágenes materializadas en palabras y en lenguaje, la herramienta que transmite la mágica intuición del genio. Verdades vitales del intelecto imaginativo, dirigido por el entendimiento y el inconsciente singular y colectivo de la magia de la Biología, dan sus órdenes al cerebro humano. Pensamiento e idea deben dar lugar a exactas fórmulas idiomáticas, ajenas al eufemismo de la voz gregaria que ilustra el gracejo costumbrista y el hueco estilismo.

Pero, ¿qué lugar debe ocupar la Crítica en este proceso narrativo? "Crítica de la Razón Pura," escribió Kant; es decir, de la pura y sola razón. Ambicioso y difícil, filósofo intrínsicamente matemático. Inclusive se atrevió a interpretar al Creador: "Dios es un concepto posible," dijo. Otras críticas menores de la creación artística, se convierten a menudo en un oficio de tinieblas desdeñado o aborrecido por muchos escritores, por ser esa crítica (antes llamada "militante") el resultado de una espúrea actividad plena de ignorancias y, lo que es peor, de injustificadas filias y fobias. Pero, no obstante, y a pesar de esta oscura realidad, no puede negarse la importancia de la Crítica informada y honesta, instrumento útil, responsable, e independiente, benéfica ayuda para el conocimiento de la obra en un nivel de exégesis que, de algún modo, la completa con su visión y con la del resto de los lectores. Este ámbito esclarecedor es, sin duda, el académico, tan vocacional como el del autor y, a veces, tan esforzado, intentando escalar, junto a la obra, las cumbres de la creatividad, a través de una senda nada fácil, pues nada es tan complicado como la interpretación del texto, sujeta siempre a un relativismo científico, corrector y, por lo mismo, cambiante. Pero, ¿quién decide la escala de valores de los textos literarios y su posible vinculación con la mal llamada genialidad? Atinadas opiniones sostienen que la misión del crítico no debe ser evaluar los méritos de una obra, tan aleatorios y discutibles, sino definir su carácter y el propósito inspirador previo, si es que lo hubo. Frente a esta objetiva aspiración es frecuente una subjetiva y deshumanizada visión del arte literario (especialmente del novelístico) utilizando una óptica frívola y apresurada que enferma y mutila intenciones, textos, y resultados, consecuencia lógica de un apresurado *prêt à porter* patrocinado por un generalizado objetivo editorial mercantilista a ultranza que, en definitiva, propicia la aparición (y éxito a veces) de autores y libros *ad hoc.*

Y, sin embargo, hay siempre una verdad plural y absoluta que habita en el fondo de la memoria. Pero, ¿quién lleva las riendas de esta carroza de esplendor creativo, en armonía con la novela insigne? ¿Un autor convencional? ¿Un novelista que no sea capaz de profundizar el drama interior creativo y que carezca de voz para que el grito de alerta llegue a oídos que le escuchen? Recordemos a este respecto los versos de Rainer María Rilke: *"¿Quién, si yo gritara, me oiría desde los órdenes angélicos?"* O, también, estas estrofas de León Felipe: *"Los caballos piafan ya enganchados y la carroza aguarda. ¿Quién la lleva? Yo, el blasfemo. Yo la llevo, yo llevo hoy la carroza, yo la llevo"* Porque, la mayoría de las veces, las riendas de la carroza de la creación singular y no perecedera las lleva el autor blasfemo, el diferente, el que se opone a *"la bestia negra apocalíptica que ha llenado el alma de estiércol,"* dicho sea, también, con palabras del autor de *"Antología Rota."* Porque, utilizando el poema citado, si el postmodernismo mercantil y vano no sabe *"lo que pesan las piedras, lo que corre el viento; ni cuál es la velocidad de las tinieblas ni la dureza del silencio,"* las bridas de esta carroza las lleva el autor blasfemo. Y si los *"músicos, sabios, poetas y salmistas, obispos y guerreros"* no tienen la respuesta a

"¿quién ha roto la luna del espejo?," las bridas las lleva el autor blasfemo.

Es entonces cuando cabe preguntarse cuál es el papel que le corresponde en este *"psicodrama"* al intermediario del novelista, la voz narradora. ¿Debe de ser Omnisciente?: Falsa y pretenciosa voz nos parece. ¿Preferible la voz del personaje testimonial?: Acto de contrición, confesión de rodillas; confesionario policial, declaración de inocencia o culpabilidad en absoluto fiables. Entonces, ¿quién lleva las riendas de la carroza del Infierno? *"Yo, dice una voz, yo llevo hoy la carroza, yo la llevo. Mi nombre es James Joyce, y me declaro hambriento y devorador, todo en una pieza, porque yo inventé, copiándolo de otro, el monólogo interior, el fluir de la conciencia, la corriente continua del electromagnetismo de la pasión y de los sueños. Otros lo hicieron también, o lo intentaron, porque no hay otra forma de conocer el universo narrativo de la existencia a través de las palabras. Porque sólo el monólogo interior conoce, cree y sabe lo que el personaje siente, afirma, niega, intuye, silencia o ignora."* Nos referimos al autor de *"Ulysses,"* pues este libro representa un salto cualitativo de la narrativa en el siglo XX, cuya vigencia estimamos que se prolongará en el tiempo. En este sentido, cabe preguntar: ¿Puede definirse la novela como la trascripción de las conductas humanas, con sus pensamientos e interpretaciones de la vida? Puede y debe; aunque parezca una respuesta demasiado excluyente de otras opiniones. Pero, como dice un célebre aforismo, *"no es cuestión de valor hacer lo único que se puede hacer."* Siempre ha habido formas y modos distintos de entender la narración, tan diferentes como la multitudinaria diversidad de los autores. Para Faulkner, su método se nutría de lecturas, las cuales le daban la forma expresiva y le sugerían voces narradoras distintas. Se inspiraba, según propia confesión, en leer todos los años *"El Quijote," "El Antiguo Testamento,"* a Dickens, a Shakespeare, a Conrad, *"Moby Dick,"* a Chéjov, *"Madame Bovary,"* algo de Balzac y, por supuesto, a Tolstoi. A este respecto, el autor de *"Soldiers pay"* opinaba: *"No hay una forma mecánica de escribir, no hay atajos. Sólo se puede aprender a ser grande equivocándose al intentar ser pequeño.*" Pero Faulkner, evidentemente, era un autor "*humilde,*" no era como Henry Miller, cuya ambición expresiva se circunscribía fundamentalmente a una descarnada confesión de sí mismo. Todas estas reflexiones sobre formas de entender la novela y sus voces narradoras pueden resultar una polvorienta y desvaída galería de retratos, un registro de voces difuminadas por lejanos ecos, muecas de generaciones perdidas. Estilos diferentes de una misma ambición, frustrada para muchos y lograda para unos pocos elegidos. Panorama de contrastes en cuya interpretación coincidieron el citado Faulkner, John Dos Passos, Hemingway, Erskine Caldwell, y otros. El francés Jean Paul Sastre, por el contrario, entendió la literatura no como la elección de una voz narradora, sino como un compromiso sociopolítico, al modo del ensayo. En este sentido, es interesante releer "*Situations I,*" una significativa aportación a este respecto, como sugiere su compatriota, la ensayista Claude-Edmonde Magny, en su obra "*L'Âge du Roman Américain*" (1948), la cual aporta un meticuloso análisis de la escuela behaviorista (conductismo) americana: "*Casi todas las novedades de los novelistas americanos son préstamos del cine a la novela,*" dice en cierto momento. Afirmación que consideramos contraria a la verdad, puesto que el lenguaje del cine es, por naturaleza, una narración que parte de una imposible omnisciencia, limitándose a manifestar sólo la conducta exterior de los personajes, teniendo que recurrir, inexorablemente al texto narrativo para explicar sus ideas y pensamientos. De modo que el cine en absoluto puede prestar a la novela algo de lo que carece. En sentido contrario estas ideas nos permiten afirmar que es precisamente la novela, con sus múltiples capacidades expresivas, la que ha señalado al cine los caminos narrativos más significantes. Otra cosa es que la novela moderna se haya beneficiado de la agilidad del cambio de planos, yuxtaposición de espacios y de tiempos, y otros recursos de la cámara fotográfica. Así, se dice "*esta novela es muy cinematográfica*" porque manifiesta esa versatilidad escénica. También, y siguiendo esta línea de ideas, puede afirmarse que muchos textos narrativos y novelas han sido "mejorados" por el cine; aunque la mayoría de ellas han visto disminuir su expresividad y contenidos al ser adaptadas al cinematógrafo.

Conductismo o Behaviorismo (del Inglés "*behaviorism,*" y éste de "*behavior,*" conducta) nutren gran parte de la narrativa europea del siglo XX, especialmente en los países de influencia norteamericana; no en balde el Conductismo fue una línea de investigación iniciada por el psicólogo norteamericano J.B. Watson; el cual, en 1913, elaboró una teoría que denominó "*psicología aplicada a la especie humana.*" A través de ella sostiene la tesis de que sólo se puede observar, captar y analizar la conducta observable; frente a la opinión de que existe otra posibilidad, cual es la de que seamos capaces de detectar y analizar los procesos mentales y las vicisitudes de la conciencia insertos en el devenir de los accidentes de la vida que nos erosionan e influyen, a lo que puede denominarse "*introspección.*"

No obstante, está probado que el escritor de sueños desprecia una literatura que describa sólo lo exterior de la conducta, como una cámara fotográfica que no interpreta y que es menos sagaz que un perro o un gato. Asi, la taquigrafía del discurso se convierte en acta de las formas de conducta, suma de actos. "*La vida interior no existe* -continúa C.C. Magny-, *el plano psicológico no tiene realidad alguna, la conciencia carece de importancia....*" Y, frente al acto, aparentemente libre, nos revela tres condicionantes: La Clase Social (Marx); el Hambre (Paulov); y el Sexo (Freud). A los cuales añadiríamos el Lenguaje (que expresa y enmascara); y la Conciencia (pozo negro de la mente donde se ahoga el personaje). Configuración dual e inquietante, espectacular y fastuoso abismo, fosa donde se sumerge la eterna "*Carta al Padre,*" de Franz Kafka, significativa síntesis de Marxismo y Psicoanálisis, así como negación de lo psicológico y de la vanidad y mentira de la introspección que anula e integra la catedral gótica del intimismo literario. ¿Adiós, entonces, a Joyce? No; porque al monólogo interior individualista y pertinaz, obseso y moroso, a veces gratificante y hasta cierto punto tragicómico, sucede en los albores del siglo XXI el llamado *postmodernismo*, artilugio amoral y aparencial, vacuo e inane que, en el fondo de sí mismo, no es otra cosa que un "*pseudo marxismo sin hambre,*" adoptado por la generalidad del *top-model* literario.

Conclusión: El "*moderno*" ser humano perteneciente a la mal llamada sociedad del bienestar, como un robótico Narciso, se contempla en las aguas del espejo de su existencia mecanizada sin poder evitar banalizarse y, a la vez, víctima de una amnesia que él mismo alimenta para evitar integrarse en el horror de su propio hábitat, allí donde agonizan las tres cuartas partes de la Humanidad. De ese modo, enajenado de sí mismo, insolidario y podrido hasta la médula por un consumismo de marioneta, es incapaz de fraguar una fabulación entusiástica con algún poso de verdad. Sin embargo, para la generación inmediatamente anterior a ésta, el ejemplo de escritores como Sartre, Camus, o Valle-Inclán, continúa siendo compatible con el rechazo del "*conductismo de escayola*" de la pseudo novelística actual de usar y tirar; entendiendo por usar el oír el título de un libro a través de la maquinaria de comunicación, adquirirlo en una hiper librería, no leerlo o leerlo sin pestañear, y, finalmente, arrojarlo a la sima del olvido, pues nada ha dejado en el espíritu que merezca ser recordado o añorado. Por ello, afirmamos que un legítimo subjetivismo creador, de minoría y catacumba, espera todavía la llegada del ángel exterminador del vacío imperante. Invisibles barricadas se oponen a la hegemonía de la nada, y un grito puede leerse en el aire: "*No a la recreación artificial de la vida en forma de novela. Sí a la inmersión en el mar de la inquietud. Hagamos nuestros la sed del desierto africano, la hambrienta orfandad infantil, el mercado de esclavos, el exterminio hitleriano de las nuevas legiones, y el inmarcesible arte literario que combina el fondo y la forma en el único mensaje de la obra de arte.*" Pentágono de injusticias, guerra, desierto, racismo, mientras en la derruida Hélade se celebra una nueva mascarada olímpica. Reivindiquemos el renovado grito de protesta del pensamiento, las confesiones del náufrago, la rebelión e impaciencia de "*otra*" juventud frustrada que, sin duda, está comenzando a llamar a otras puertas literarias. Aliniémonos con los inventores de sueños, y hagamos también nuestras las palabras de Saul Bellow: "*Todo escritor toma siempre prestado de sí mismo el malestar y la inquietud que necesita, su propia experiencia vital, su alegría pero, sobre todo, su dolor.*" De este modo, Bellow en su "*Herzog,*" un soliloquio, se hermana con otra generación, la del joven Updique de "*El Centauro*" y con el ya clásico Kazantzakis de "*Zorba el Griego.*" Hamsun, todavía, pide pan por las heladas avenidas de Manhatan, llevando bajo el brazo su novela "*Hambre.*" Thomas Mann, continúa convaleciendo en Davos-Platz por el denodado esfuerzo de escribir, durante toda su vida, su ingente obra "*La Montaña Mágica.*" Y, más allá, en la negra Nigeria, el fantasma de Amos Tutuola inventa mágicos relatos como "*El bebedor de vino de palma.*" Amargo elixir sigue siendo "*La garra del leopardo,*" del también nigeriano Cyprian Ekwensi. Árabes del Neguev y espejismos como "*Nedjma*" de Kateb Yacine son obras mayores de un foulknerismo de sed y desierto.

Por último, ¿qué hace que una obra sea una novela? Según Duhamel las novelas, para que sean verdaderas obras de creación literaria, han de tener gran extensión pero, sobre todo, han de resultar difíciles de leer, ser morosas y densas. Tesis que, en cierto modo, confirma Clifford Barney, pues, en su opinión, las novelas son bastante más largas que la vida. Otros, en especial los historiadores, consideran que lo que distingue y define a una novela es contar la historia de nuestros deseos, sentimientos y pasiones. Pero, ¿qué es una gran novela? Difícil es encontrar una definición válida. Especialmente porque la grandeza es un vasto y complejo entramado de aptitudes, representaciones, gestos y actos, muchos de ellos contradictorios y no siempre de apariencia edificante. Incluso, a menudo, como decía Bernard Shaw, la grandeza es una de las sensaciones de la pequeñez que, como ciertos árboles, dan más sombra que fruto. A este respecto, quizá sea oportuno recordar a Baroja, cuando señalaba que la grandeza no le parecía siempre un atributo de gente grande. Opinión que ilustraba añadiendo que mucha gente pequeña padecía megalomanía y, por el contrario, mucha gente grande carece de afán de grandeza. Y citaba a Marco Aurelio, Francisco de Asís, Espinozza, Juan de la Cruz, y otros. No obstante, en lo concerniente a lo que es o debe ser una gran novela, pudiera considerarse la posibilidad de compararla con un ser humano, o con un valle entre montañas, con la visión del mar en el crepúsculo, o la inmensidad de la bóveda celeste, pues no son menos inconmensurables las representaciones que caben en las páginas de la gran narrativa novelesca. En este supuesto ¿por qué no considerar que el género literario llamado *novela* será insigne cuando se conciten en él la libertad, la sabiduría, la verdad, y el valor? Libertad para expresarse; sabiduría para que cualquier lector pueda comprender su mensaje y hacerlo suyo; verdad que es, en lenguaje clásico, signo de la ética y paradigma estético; finalmente valor, para que, tras su lectura, el lector renazca y se distancie un poco más del miedo a convertirse en nada, valiéndose de la mágica permanencia del texto. Aunque, quizá, lo que debe caracterizar a una gran novela no ha de ser la sesuda trascendencia de la escritura propiamente dicha y su argumento, ni la gravedad explícita o implícita del lenguaje, o de los conceptos, sino más bien todo lo contrario, tal y como, al parecer, le dijo James Joyce a Djuna Barnes, a propósito de su *"Ulysses"*: *"Lo malo es que el público pedirá y encontrará una moraleja en mi libro; o peor, lo tomará de algún modo en serio cuando, en realidad, juro por mi honor de caballero que en él no hay ni una sola línea en serio."* Pero, ¿es creíble la opinión de un autor? ¿Y la de los críticos, coetáneos o no, respecto a su obra? Volviendo al *"Ulysses"* es sabido que los primeros críticos opinaron que el texto *"daba asco,"* era *"oscuro y confuso,"* hijo legítimo de un autor tan superficial y frívolo personalmente como su pretendida nueva manera de concebir el arte literario. Por el contrario, *"Der Zauberberg,"* obra maestra de Thomas Mann, fue considerada desde el principio (con palabras de Mario Verdaguer) como *"un inmenso aerolito macizo de fuego y de piedra, de idea y de amor, sometido en su órbita a las fuerzas que rigen la gravitación de la tenebrosa época actual."* Apreciación que parece retratar con habilidad el carácter de su autor. ¿Quiere esto decir que novela y novelista han de tener siempre el mismo carácter? En general, sí; pues nada ni nadie puede desvincularse de su propia esencia. Plutarco era universalista y mítico; Dostoyevsky, atormentado e introspectivo; Joyce, burlón y frívolo; Kafka, surrealista, genial, y lleno de un

humor sutil; Rilke, trágico; Valle-Inclán, lírico, obsesivo y
exuberante; Proust, profundo y equívoco; Mann, riguroso y
paradigmático. Todos ellos, pues, se muestran como sus
obras. No obstante, tampoco es seguro el camino que la
crítica de cada época toma para desarrollar sus interpretaciones. Los que consideraron a Joyce como un autor inexorable y cruel con la *"pobre gente,"* lo comparaban a Zola que,
paradójicamente, ha sido uno de los autores más compasivos,
hasta el extremo de llevar la *"pasión-compartida"* a revolucionaria categoría de denuncia. Recuérdese al respecto,
"Germinal," o, su célebre trilogía *"París, Lourdes, Roma,"*
tan escandalizante y proscrita para algunos (léase Vaticano y
asimilados) y, por el contrario, tan edificante, moral y
recomendable para otros. Cero e infinito, alfa y omega del
Arte, se difuminan a veces, son confundidos, ensombrecidos e
ignorados hasta la consumación de los siglos; dicho sea esto
con intención estrictamente literal. Pues, como explica la
Biblia, no hay crimen tan oculto ni injusticia tan flagrante
que, al fin, no se sepa. Sin embargo, resulta oportuno señalar
que es inevitable que estos *"sucesos lamentables"* (Shakespeare) tengan lugar; pues como también acontece con las
generales aceptaciones, desmedidos elogios e injustificados in-
ciensos, las *"cabezas pensantes"* de muchos críticos y lectores
ofúscanse y trastornan a menudo en pro o en contra, víctimas
unas veces de su ignorancia, otras a causa de las modas, del
tendencioso e interesado *marketing* editorial o, simplemente,
de la general estulticia que ni oye, ni ve, ni entiende.

A pesar de todo, podría aventurarse un canon novelesco
con todas las reservas pertinentes. Una sencilla y breve
estructura virtual que podría estar apoyada en el basamento
innumerable de todas las novelas que se han escrito, soste-
nida por: *"El Ingenioso Hidalgo Don Quijote de la Mancha"*
(sabiduría del alma en derrota, espectral, incongruente, e
ingenioso ámbito de los sueños liberadores); *"A la recherche
du temps perdu"* (memorandum de la infancia, adolescencia,
y juventud, en conexión con la periclitada moral del *"antiguo
régimen"* de inefable melancolía); *"Bratia Karamasovi"*
(psicopatía y crimen enfrentados a la idea cristiana del amor);
"Der Zauberberg" (disquisición culta y solemne de la crisis de

dos mundos enfrentados, el materialismo y el idealismo, cero e infinito de la sociedad europea); *"Der prozess"* (profecía del frío universo de la ley judeo-cristiana, proyección psicoanalítica de los sueños, perplejidad del genio que visualiza el absurdo); *"Ulysses"* (expresión de la libertad y la interiorización del texto mediante el sarcasmo, la burla, la blasfemia y el resentimiento contra la universal liturgia de la hipocresía); *"Cien años de soledad"* (crónica de un continente híbrido y palpitante, magia del juego de manos que extrae de una chistera una paloma que no existe); y, por último, *"Curriculum Vitae"* (rebelión del ser humano ante el vivir y el morir, esperpento del Edén, fantoche de Boa Constrictor, supremo juez e impostor de sí mismo). Textos escogidos no por ser últimos o primeros, sino porque dicen algo nuevo y lo dicen con la palabra justa, idónea en cada una de estas novelas. Opinión, sin duda, subjetiva pero, posiblemente, legítima. Personalmente, nuestra obra narrativa, desde su inicio, ha pretendido poner en práctica el variado repertorio de las diversas voces narrativas y sus diferentes puntos de vista, al servicio de una temática comprometida con la vasta complejidad humana (filosófica, psicológica, y personal), inmersa en un mundo donde impera tanto lo eterno, como el perecedero *"Triunfo de la Muerte,"* de Brueghel el Viejo. De ese modo, nuestros argumentos se entremezclan e influyen, nuestros personajes se funden y *confunden* entre sí y, en definitiva, en una única novelística de investigación y testimonio.

Para terminar, y en relación con el panorama de la novela actual dentro y fuera de España, permítasenos circunscribirnos a este último *antipaís*, pues pretender dar una opinión respecto a la novelística del *Resto del Mundo*, por ser tan ancho y tan ajeno, nos parece una tarea para la que no estamos capacitados. En España, en la actualidad, la novela está semi-muerta, envenenada por la mediocridad, el feroz balance económico de pérdidas y ganancias de las macroeditoriales, y la corrupción generalizada de una sociedad conformista y banal, sin ideal ni rebeldía, ensimismada y ahíta de pan y toros y en la que todavía son vigentes las palabras de Miguel de Unamuno cuando, en referencia a la atonía de nuestra inventiva artística y científica respecto a otras naciones avanzadas, exclamó con sarcasmo *"¡que inventen ellos!"*

Madrid, 31 Agosto 2004.

NOTA

*Nota del Editor General: Perteneciente a la llamada "generación de postguerra," Ramón Hernández ha publicado veintidós novelas y una colección de relatos breves. Ensayista, poeta y autor teatral, es uno de los novelistas más originales del Siglo XX, acreditando en todas sus obras un riguroso proceso creativo, de carácter universalista, exento de localismos, y adscrito siempre a una poética imaginativa que trasciende la realidad hasta los más insospechados límites del mundo onírico. Entre sus mejores novelas figuran *Palabras en el muro* (Seix Barral), *Eterna Memoria* (Planeta/ Mondadori), *El ayer perdido* (Seix Barral) y *Curriculum Vitae* (Libertarias/ Society of Spanish and Spanish-American Studies). Estas reflexiones de Hernández sobre el arte, la novela, la crítica y muchos otros asuntos fueron motivadas por un cuestionario que Luis González del Valle le envió.

Andrew P. Debicki†
Miguel Delibes
Guillermo Díaz-Plaja†
José Donoso†
Jesús Fernández Santos†
Eugenio Florit†
Carlos Fuentes
Gabriel García Márquez
Juan Goytisolo
Luis Goytisolo
Sumner M. Greenfield✿
José María Guelbenzu
Claudio Guillén
Jorge Guillén†
Nicolás Guillén†
Ricardo Gullón†
Helmut Hatzfeld†
Ramón Hernández
Carlos Hernández López†
José Hierro†
Rolando Hinojosa-S.
Enrique Labrador Ruiz†
Carmen Laforet
Pedro Laín Entralgo†
Fernando Lázaro Carreter†
Luis Leal
Ángel María de Lera†
Dolores Martí de Cid
Carmen Martín Gaite†
Ana María Matute
Juan José Millás
Carlos Alberto Montaner
Matías Montes Huidobro
Juan Carlos Onetti†
Heberto Padilla†
Justo Jorge Padrón
Octavio Paz†
Galo René Pérez
Manuel Puig†